Witte tanden

Vertaald door Sophie Brinkman

Zadie Smith

Witte tanden

2000 Prometheus Amsterdam

Voor mijn vader en moeder
En voor Jimmi Rahman

Eerste druk mei 2000
Tweede druk juni 2000

Oorspronkelijke titel *White Teeth*

Omslagontwerp Mariska Cock
ISBN 90 5333 919 1

'What is past is prologue'
– *Inscriptie in het Washington National Museum*

ARCHIE

1974, 1945

'Vandaag lijkt iedere kleinigheid om de een of andere reden van onschatbaar belang, en wanneer u over iets zegt dat er "niets van afhangt", klinkt dat als heiligschennis. Je kunt nooit weten... hoe zal ik het zeggen... welke onomkeerbare gevolgen onze daden en dat wat we juist niet doen, toch kunnen hebben.'

– *Waar engelen schromen te gaan*, E.M. Forster

(vertaling Bas Heijne)

I

HET EIGENAARDIGE TWEEDE HUWELIJK VAN ARCHIE JONES

Vroeg in de ochtend, laat in de eeuw, Cricklewood Broadway. Op 1 januari 1975 zat Alfred Archibald Jones om 6.27 uur gekleed in corduroy in een met uitlaatgassen gevulde Cavalier Musketeer Estate met zijn gezicht omlaag op het stuur en hoopte dat God niet te zwaar over hem zou oordelen. Hij hing voorover als een liggend kruis, met openhangende kaken, de armen aan beide zijden uitgespreid als een gevallen engel; stevig vastgeklemd in zijn vuisten hield hij zijn legermedailles (links) en zijn huwelijksakte (rechts), want hij had besloten zijn fouten met zich mee te nemen. Voor zijn ogen knipperde een klein groen lampje dat een afslag naar rechts aangaf, die hij besloten had nooit te nemen. Hij had zich erbij neergelegd. Hij was er klaar voor. Hij had een muntje opgegooid en hield zich onwankelbaar aan de uitkomst. Dit was een weloverwogen zelfmoord. Een nieuwjaarsvoornemen, in feite.

Maar zelfs toen zijn ademhaling krampachtig werd en het begon te schemeren voor zijn ogen was Archie zich ervan bewust dat Cricklewood Broadway een vreemde keuze zou lijken. Vreemd voor de eerste persoon die zijn ineengezakte gestalte door de voorruit zou zien, vreemd voor de politiemensen die het rapport zouden schrijven, voor de plaatselijke journalist die er vijftig woorden aan zou wijden, voor de familieleden die ze zouden lezen. Ingeklemd tussen een almachtig betonnen bioscoopcomplex aan de ene kant en een gigantische kruising aan de andere kant kon je Cricklewood eigenlijk geen plaats noemen. Geen plaats waar een man heen ging om te sterven. Het was een plaats waar een man kwam om naar andere plaatsen te gaan via de A14. Maar Archie Jones wilde niet sterven in een of ander aangenaam, afgelegen bos of op de rand van een rots omgeven door tere heideplantjes. Wat Archie betrof sterven plattelanders op het platteland en stedelingen in de stad. Zo hoort het. *In de dood zoals hij in het leven was* en dat soort dingen. Het was wel logisch dat Archie daar zou sterven, in die akelige straat waar hij op zijn zevenenveertigste terecht was gekomen en in zijn eentje in een kleine flat woonde boven een verlaten patatzaak. Hij was geen type voor gedetailleerde plannen – zelfmoordbriefjes en begrafenisinstructies – geen type voor overdreven gedoe. Het enige wat hij vroeg was een beetje stilte, een beetje rust om zich te kunnen concentreren. Hij wilde dat het volkomen vredig en kalm was, als in een lege biechtstoel, of het moment in de hersenen tussen gedachte en spraak. Hij wilde het doen voordat de winkels opengingen.

Boven hem vloog een troep van het plaatselijke vliegende ongedierte op van een onzichtbare rustplaats, maakte een duikvlucht die gericht scheen te zijn op het dak van Archies auto, maar ging op het allerlaatste moment over op een indrukwekkende U-bocht en streek met de sierlijkheid van een effectbal als één vogel neer op de Hussein-Ishmael, een bekende *halal* slager. Archie was te ver heen om zich er druk over te maken, maar hij zag ze met een warme inwendige glimlach hun last deponeren en paarsrode vegen achterlaten op witte muren. Hij zag ze hun spiedende vogelkopjes strekken boven de goot van de Hussein-Ishmael; hij zag ze kijken hoe het bloed langzaam en gestadig uit de dode dingen liep, uit de kippen, koeien en schapen die in de slagerij als jassen aan hun haken hingen. De Ongelukkigen. Deze duiven hadden een instinct voor de Ongelukkigen, dus lieten ze Archie met rust. Want hoewel hij het niet wist, en ondanks de stofzuigerslang die op de passagiersstoel lag en gas uit de uitlaatpijp in zijn longen pompte, was het geluk die ochtend met hem. Het allerdunste laagje geluk lag over hem als frisse dauw. Terwijl hij langzaam het bewustzijn verloor hadden de stand van de planeten, de harmonie der sferen, het slaan van de ragfijne vleugels van de beervlinder in Centraal-Afrika en een heleboel andere dingen die de rotzooi in de wereld brengen het zo beschikt dat Archie een tweede kans kreeg. Ergens, op de een of andere manier, door iemand, was besloten dat hij zou leven.

De eigenaar van de Hussein-Ishmael was Mo Hussein-Ishmael, een grote stier van een kerel met haar dat rees en daalde in een vetkuif en afliep in een kippenkont. Als het om duiven ging, geloofde Mo dat je naar de wortel van het probleem moest: niet de uitwerpselen, maar de duif zelf. *De stront is niet de stront* (was Mo's mantra), *de duif is de stront.* En zo begon in de Hussein-Ishmael de ochtend van Archies bijna-dood als elke andere ochtend, met Mo die met zijn enorme buik over de vensterbank naar buiten hing en met een hakmes heen en weer zwaaide in een poging een halt toe te roepen aan de kwijlende paarsrode stroom.

'Wegwezen! Scheer je weg, smerige strontzakken! Ja! ZES!'

Het was cricket, in feite – het spel van de Engelsman aangepast door de immigrant – en zes was het maximaal aantal duiven dat je met één houw te grazen kon nemen.

'Varin!' riep Mo omlaag naar de straat, het bebloede hakmes triomfantelijk omhooghoudend. 'Je bent aan slag, jongen. Klaar?'

Beneden op het trottoir stond Varin, een uiterst zwaarlijvige hindoejongen op verkeerd beoordeelde stage van de school om de hoek, omhoog te kijken als een mismoedige klodder onder Mo's vraagteken. Het was Varins taak om zich een ladder op te hijsen en uiteengereten stukken duif in een boodschappentas van de Food

Giant te verzamelen, de tas dicht te binden en in de vuilnisbakken aan de andere kant van de straat te deponeren.

'Kom op, Dikmans,' schreeuwde een van Mo's keukenknechten, en hij porde Varin met een bezemsteel in zijn kont ter onderstreping van elke lettergreep. 'Sleep dat dikke Ganesh-hindoe-achterwerk-naar-boven-Olifantjongen-en-breng-wat-van-die-duivenpuree-met-je-mee.'

Mo veegde het zweet van zijn voorhoofd, snoof, en wierp een blik op Cricklewood, op de afgedankte leunstoelen en stukken tapijt, openluchtzitjes voor de plaatselijke dronkelappen; op de speelautomaathallen, de goedkope eettenten en de taxi's, allemaal onder de stront. Op een dag, zo geloofde Mo, zouden Cricklewood en zijn bewoners alle reden hebben om hem dankbaar te zijn voor zijn dagelijkse slachtpartij; op een dag zou geen man, vrouw of kind ooit nog één deel schoonmaakmiddel op vier delen azijn hoeven te mengen om de troep op te ruimen die op de wereld valt. *De stront is níet de stront*, herhaalde hij plechtig, *de dúif is de stront*. Mo was de enige man in de gemeenschap die het echt begreep. Hij had hier een echt zengevoel over – echt in-alle-mensen-een-welbehagen – tot hij Archies auto zag.

'Arshad!'

Een nogal onbetrouwbaar uitziende magere vent met een krulsnor, gekleed in vier verschillende tinten bruin, kwam de winkel uit met bloed aan zijn handen.

'Arshad!' Mo kon zich nauwelijks beheersen en pookte met zijn vinger in de richting van de auto. 'Jongen, ik vraag het je maar één keer.'

'Ja, *abba*?' zei Arshad, van de ene voet op de andere wippend.

'Wat is dát, verdomme? Wat doet dat daar? Ik krijg een levering om halfzeven. Ik moet het er achteruit in zien te krijgen. Dat is mijn taak. Begrijp je? D'r zit vléés aan te komen. Dus sta ik perplex...' Mo wendde onschuldige verbijstering voor. 'Want ik dacht dat daar duidelijk "Laden en lossen" stond.' Hij wees naar een oud wordende houten krat met het randschrift VERBODEN TE PARKEREN VOOR ALLE VOERTUIGEN OP ALLE DAGEN. 'Nou?'

'Ik weet het niet, abba.'

'Je bent mijn zoon, Arshad. Ik heb je niet in dienst om niet te weten. Ik heb hém in dienst om niet te weten.' Hij stak zijn hand uit het raam en gaf Varin, die zich als een koorddanser door de gevaarlijke goot bewoog, een lel tegen zijn achterhoofd die de jongen bijna van zijn verheven plaats mepte. 'Ik heb jóu in dienst om dingen te weten. Om informatie te verwerken. Om licht te brengen in de grote duisternis van de onverklaarbare wereld van de schepper.'

'Abba?'

'Zoek uit wat dat daar doet en zorg dat het verdwijnt.'

Mo verdween uit het raam. Een minuut later keerde Arshad terug met de verklaring. 'Abba.'

Mo's hoofd sprong terug door het raam als een boosaardige koekoek uit een Zwitserse klok.

'Hij vergast zich, abba.'

'Wat?'

Arshad haalde zijn schouders op. 'Ik schreeuwde door het raampje en ik zei tegen die vent dat hij moest doorrijden en hij zegt: "Ik ben me aan het vergassen. Laat me met rust." Zomaar.'

'Niemand vergast zich voor mijn deur,' snauwde Mo terwijl hij de trap afliep. 'Daar hebben we geen vergunning voor.'

Eenmaal op straat liep Mo naar Archies auto, trok de handdoeken weg die de kier in het raampje afsloten en duwde het met brute, dierlijke kracht tien centimeter omlaag.

'Hoor je dat, makker? We hebben hier geen vergunning voor zelfmoord. Deze zaak is halal. Koosjer, snap je? Als je hier wilt doodgaan, moet je eerst grondig leeggebloed worden, ben ik bang.'

Archie hief met moeite zijn hoofd op van het stuur. En in het ogenblik tussen de aanblik van het zweterige lijf van een bruine Elvis en het besef dat hij nog in leven was, kreeg hij een soort goddelijke openbaring. De gedachte kwam in hem op dat het Leven voor het eerst sinds zijn geboorte Ja had gezegd tegen Archie Jones. Niet gewoon iets als 'oké' of 'je-bent-nou-eenmaal-begonnen-dus-kun-je-het-net-zo-goed-afmaken', maar een klinkend 'ja'. Het leven wilde Archie. Het had hem afgunstig uit de kaken van de dood gegrist en aan zijn borst gedrukt. Hoewel hij niet een van zijn betere exemplaren was, wilde het leven Archie en wilde Archie, tot zijn eigen stomme verbazing, het leven.

Hij draaide verwoed beide raampjes open en hapte vanuit de allerdiepste diepte van zijn longen naar lucht. Tussen de teugen door bedankte hij Mo uitgebreid, terwijl de tranen over zijn wangen stroomden en zijn handen zich aan Mo's schort vastklampten.

'Rustig maar, rustig maar,' zei de slager terwijl hij zich uit de greep van Archies vingers bevrijdde en zijn kleren gladstreek. 'Rij nou maar door. Ik zit op vlees te wachten. Ik ben slager. Geen therapeut. Jij zoekt het Laantje van de Eeuwige Rust. Dit is Cricklewood Lane.'

Nog stikkend in bedankjes zette Archie de auto in zijn achteruit, reed weg van de stoeprand en nam de afslag naar rechts.

Archie Jones wilde zelfmoord plegen omdat zijn vrouw Ophelia, een Italiaanse met violetkleurige ogen en een vaag snorretje, kort tevoren van hem was gescheiden. Maar hij had op nieuwjaarsochtend niet kokhalzend aan de slang van een stofzuiger gehangen omdat hij van haar hield. Het was meer dat hij zo lang met haar had samengeleefd zonder dat hij van haar hield. Archies huwelijk was iets als een paar schoenen kopen, ermee thuiskomen en ontdekken dat ze niet passen. Om de schijn op te houden, had hij ze gedragen. En toen, volkomen onverwacht en na dertig jaar, hadden de schoenen hun biezen gepakt en waren het huis uitgelopen. Ze ging weg. Dertig jaar.

Voor zover hij zich kon herinneren, waren ze goed begonnen, net als iedereen. In de lente van 1946 was hij uit de duisternis van de oorlog een Florentijns koffiehuis binnengestrompeld, waar hij bediend werd door een serveerster zo stralend als de zon: Ophelia Diagilo, geheel in het geel gekleed, warmte verspreidend en de belofte van seks toen ze hem een schuimige cappuccino voorzette. Ze waren erin gelopen als paarden met oogkleppen op. Zij kon niet weten dat vrouwen nooit bleven stralen in Archies leven, dat hij ze ergens niet mocht, ze niet vertrouwde, en alleen van ze kon houden als ze omgeven waren door een aureool. Niemand vertelde Archie dat zich ergens in de stamboom van de familie Diagilo twee hysterische tantes schuilhielden, een oom die tegen aubergines praatte en een neef die zijn kleren achterstevoren droeg. Dus trouwden ze en gingen naar Engeland, waar zij zich al heel snel bewust werd van haar vergissing; ze werd al heel snel stapelgek van hem en het aureool werd op zolder opgeborgen om met de rest van de rommel en de kapotte keukenapparaten die Archie beloofde op een dag te repareren stof te verzamelen. Tussen die rommel bevond zich een stofzuiger.

Op de ochtend van tweede kerstdag, zes dagen voordat hij voor Mo's islamitische slagerij parkeerde, was Archie teruggegaan naar hun half vrijstaande huis in Hendon op zoek naar die stofzuiger. Het was zijn vierde tochtje naar de zolder in net zo veel dagen om de resten van een huwelijk over te brengen naar zijn nieuwe flat, en de stofzuiger behoorde tot de laatste spullen die hij terugvorderde – een van de meest kapotte, lelijkste dingen, de dingen die je uit louter koppigheid opeist omdat je het huis bent kwijtgeraakt. Dat is waar een scheiding op neerkomt: dingen meenemen die je niet meer wilt van mensen van wie je niet meer houdt.

'Jíj weer,' zei de Spaanse gezinshulp die de deur had geopend, Santa-Maria of Maria-Santa of zoiets. 'Mieneer Jones, wat nu? Gootsteen, sí?'

'Hoover,' zei Archie grimmig. 'Stofzuiger.'

Ze keek hem vernietigend aan en spuugde op de deurmat, een paar centimeter van zijn schoenen. 'Welkom, señor.'

Het huis was een toevluchtsoord geworden voor mensen die een bloedhekel aan hem hadden. Afgezien van de gezinshulp had hij te maken met Ophelia's uitgebreide Italiaanse familie, de verpleegster van de geestelijke gezondheidszorg, de maatschappelijk werkster en, uiteraard, Ophelia zelf, die het middelpunt vormde van dit gekkenhuis en in foetushouding opgekruld op de bank loeiende geluiden lag te maken in een fles Bailey's. Het kostte hem een uur en een kwartier om door de vijandelijke linies heen te breken – en waarvoor? Een dwarse stofzuiger die maanden eerder was afgedankt omdat hij vastbesloten was het tegenovergestelde te doen van wat een stofzuiger behoort te doen: stof uitspugen in plaats van opzuigen.

'Mieneer Jones, waarom jij hier komen als het je maken zo ongeloekig? Wees verstándig. Wat kun je ermee willen?' De gezinshulp volgde hem, gewapend met een of ander schoonmaakmiddel, de zoldertrap op. 'Hij is kapot. Je hebt hem niet nodig. Zie? Zie?' Ze sloot hem aan op een stopcontact en demonstreerde de niet-werkende schakelaar. Archie trok de stekker eruit en wikkelde zwijgend het snoer rond de stofzuiger. Als hij kapot was, ging hij met hem mee. Alle kapotte dingen gingen met hem mee. Hij zou verdomme elk kapot ding in dat huis repareren, al was het alleen maar om te laten zien dat hij nog ergens goed voor was.

'Jij bent nergens goed voor!' Santa-hoe-ze-ook-mocht-heten joeg hem de trap weer af. 'Jouw vrouw is ziek in haar hoofd en dit is alles wat jij kan doen!'

Archie klemde de stofzuiger tegen zijn borst en liep ermee de volle woonkamer binnen, waar hij ten overstaan van verscheidene paren verwijtende ogen zijn gereedschapskist te voorschijn haalde en eraan begon te werken.

'Kijk hem nou,' zei een van de Italiaanse grootmoeders, de glamoureuzere, met de grote sjaals en minder moedervlekken, 'hij neem-e alles, *capiche*? Hij neem-e haar verstand, hij neem-e de blender, hij neem-e de oude stereo – hij neem-e alles behalve de vloerplanken. Je word-e-er niet goed van...'

De maatschappelijk werkster, die er zelfs op droge dagen uitzag als een verzopen langharige kat, schudde instemmend haar magere hoofd. 'Het is walgelijk, dat hoef je mij niet te vertellen, het is walgelijk... en natuurlijk, wij zijn degenen die de rotzooi mogen opruimen; het is die sul hier die...'

Dit werd overgenomen door de verpleegster: 'Ze kan hier niet alleen blijven nu hij opgedonderd is... arme vrouw... ze heeft een fatsoenlijk huis nodig, ze heeft...'

Ik ben er nog, wilde Archie zeggen. *Ik ben hier. Ik ben hier, verdomme. En het was mijn blender.*

Hij luisterde nog vijftien minuten naar ze, zwijgend, terwijl hij de zuigkracht van de stofzuiger uitprobeerde op stukken krant, tot hij overmand werd door het gevoel dat het leven een enorme rugzak was, zo onmogelijk zwaar dat het, ook al betekende het alles verliezen, oneindig veel gemakkelijker was om alle bagage hier aan de kant van de weg achter te laten en de duisternis in te lopen. *Je hebt de blender niet nodig, Archie, jongen, je hebt de stofzuiger niet nodig. Het is allemaal extra ballast. Leg die rugzak maar neer, Arch, en voeg je bij de gelukkige kampeerders in de hemel.* Was dat verkeerd? Voor Archie – ex-vrouw en familie van ex-vrouw in het ene oor, sputterende stofzuiger in het andere – leek het Einde onvermijdelijk nabij. Niets persoonlijks naar God of zo. Het voelde alleen als het einde van de wereld. En er was meer voor nodig dan slechte whisky, knalbonbons en een armzalige doos Quality Street – die met aardbeiensmaak waren allemaal al opgeschrokt – om een nieuw jaar te rechtvaardigen.

Geduldig repareerde hij de Hoover en stofzuigde de woonkamer met een vreemde methodische nauwgezetheid, waarbij hij het mondstuk tot in de moeilijkste hoeken duwde. Plechtig gooide hij een munt op (kruis, leven, munt, dood) en voelde niets in het bijzonder toen hij naar de dansende leeuw zat te kijken. Rustig maakte hij de slang van de stofzuiger los, stopte hem in een koffer en verliet het huis voor de laatste keer.

Maar doodgaan is geen gemakkelijke truc. En zelfmoord kan niet op een lijstje worden gezet van dingen die nog moeten gebeuren – tussen de grillpan schoonmaken en de bank rechtzetten door een steen onder de poot te schuiven. Het is de beslissing niet te doen, ongedaan te maken; een kus geworpen naar de vergetelheid. Wat mensen ook mogen zeggen, voor zelfmoord is lef nodig. Het is iets voor helden en martelaren, voor waarlijk ijdele mannen. Archie was niets van dat alles. Hij was een man wiens betekenis in het Grote Wereldplan kon worden bepaald volgens vertrouwde redeneringen:

Zandkorrel: strand.

Regendruppel: oceaan.

Naald: hooiberg.

Dus negeerde hij gedurende enkele dagen de beslissing van de munt en reed alleen maar rond met de stofzuigerslang. 's Avonds keek hij door de voorruit naar de immense hemel en werd geconfronteerd met het oude besef van zijn universele proporties, met het gevoel nietig en ontworteld te zijn. Hij dacht na over de deuk die de wereld zou oplopen als hij verdween, en het leek verwaarloosbaar, te klein om te berekenen. Hij verspilde vrije minuten aan de vraag of 'Hoover' een soortnaam was geworden voor stofzuigers of, zoals anderen hebben beweerd, slechts een merknaam was. En al die tijd lag de stofzuigerslang als een grote slappe lul op de achterbank, de spot drijvend met zijn stille angst, lachend om de lafhartige stappen waarmee hij de beul naderde, grijnzend om zijn onmachtige besluiteloosheid.

Toen, op 29 december, ging hij zijn oude vriend Samad Miah Iqbal opzoeken. Een onwaarschijnlijke kameraad misschien, maar wel de oudste vriend die hij had – een Bengaalse moslim aan wiens zijde hij had gevochten toen er gevochten moest worden, en die hem aan die oorlog herinnerde; die oorlog die sommige mensen herinnerde aan vet spek en opgeschilderde kousen maar Archie deed denken aan geweerschoten, kaartspelletjes en de smaak van een scherpe, buitenlandse alcohol.

'Archie, beste vriend,' had Samad op zijn warme, hartelijke toon gezegd, 'vergeet al dat gedoe met je vrouw. Probeer een nieuw leven. Dat is wat je nodig hebt. Nou, genoeg hierover: ik leg een vijfje bij en ga er nog vijf overheen.'

Ze zaten in hun favoriete trefpunt. O'Connells Pool House, en speelden driehandig poker, twee handen van Archie en één van Samad, want Samads rechterhand was een krachteloos ding, onbeweeglijk, met een grijze huid, dood in elke zin behalve het bloed dat erdoorheen stroomde. De gelegenheid waar ze zaten, waar ze elkaar elke avond ontmoetten om te eten, was half café, half goktent, en eigendom van een Iraakse familie, van wie de vele leden een slechte huid hadden.

'Kijk naar mij. Met Alsana trouwen heeft mij een nieuw leven gegeven, begrijp je? Ze ontsluit nieuwe mogelijkheden voor mij. Ze is zo jong, zo vitaal – alsof je frisse lucht inademt. Jij komt naar mij voor goede raad? Die krijg je. Je moet ophouden met dat oude leven; het is een ziek leven, Archibald. Het doet je geen goed. Het doet je helemaal geen goed.'

Samad had met veel genegenheid naar hem gekeken, want Archie was hem zeer dierbaar. Hun oorlogsvriendschap was doorbroken geweest door dertig jaar van scheiding over verschillende continenten, maar in het voorjaar van 1973 was Samad, een man van middelbare leeftijd op zoek naar een nieuw leven, naar Engeland gekomen met zijn twintig jaar oude, nieuwe bruid, de nietige Alsana Begum met een rond gezicht en pientere ogen. In een vlaag van nostalgie, en omdat hij de enige man was die Samad kende op dat kleine eiland, had Samad Archie opgezocht en was in dezelfde wijk van Londen gaan wonen. En langzaam maar zeker was er opnieuw een soort vriendschap tussen de twee mannen ontstaan.

'Je speelt als een nicht,' zei Samad, terwijl hij de winnende vrouwen rug aan rug neerlegde. Met een sierlijke beweging tikte hij ze weg met de duim van zijn linkerhand, zodat ze in een waaiervorm op de tafel vielen.

'Ik ben oud,' zei Archie terwijl hij zijn kaarten erbij gooide. 'Ik ben oud. Wie wil mij nog hebben? Het was de eerste keer al moeilijk genoeg om iemand zo ver te krijgen.'

'Dat is onzin, Archibald. Je hebt de ware nog niet eens ontmoet. Die Ophelia, Archie, zij is niet de ware. Van wat ik van je heb begrepen, is ze zelfs niet van deze tijd...'

Hij verwees naar Ophelia's gekte, die ertoe leidde dat ze er de helft van de tijd van overtuigd was het dienstmeisje te zijn van de beroemde vijftiende-eeuwse kunstliefhebber Cosimo de Medici.

'Ze is geboren, ze leeft, gewoon in de verkeerde tijd! Dit is eenvoudigweg haar dag niet! Misschien haar millennium niet. De moderne tijd heeft die vrouw volledig overrompeld en van achteren ingehaald. Haar verstand is weg. Naar zijn mallemoer. En jij? Jij hebt in de garderobe het verkeerde leven gepakt en je moet het terugbrengen. Bovendien heeft ze je niet gezegend met kinderen... en een leven zonder kinderen, Archie, wat is dat voor leven? Maar er zijn tweede kansen, o ja, er zijn tweede kansen in het leven. Geloof me, ik weet het. Je had nooit,' vervolgde hij, terwijl hij met de zijkant van zijn slechte hand de tien penny's naar zich toe harkte, 'met haar moeten trouwen.'

Achteraf is het makkelijk praten, dacht Archie. Je hebt altijd gelijk.

Ten slotte, twee dagen na dit gesprek, vroeg op de ochtend van nieuwjaarsdag, was de pijn zo ondraaglijk geworden dat Archie niet langer in staat was zich aan Samads goede raad te houden. Hij had besloten zijn eigen vlees te doden, zich het leven te benemen, zichzelf te bevrijden van een levensweg die hem over talrijke verkeerde zijpaden had geleid, hem diep in de wildernis had gebracht en ten slotte volledig was doodgelopen nadat het spoor van broodkruimels was opgeschrokt door de vogels.

Toen de auto zich eenmaal begon te vullen met gas had hij de bijbehorende terugblik op zijn leven gekregen. Het bleek een korte, weinig tot lering strekkende kijkervaring met een laag amusementsgehalte – het metafysische equivalent van de nieuwjaarsrede van de koningin. Een saaie kindertijd, een slecht huwelijk, een uitzichtloze baan – dat klassieke trio – ze flitsten allemaal snel, stil, voorbij, met weinig dialoog en min of meer hetzelfde gevoel als de eerste keer. Hij was geen groot gelover in lotsbestemming, Archie, maar bij nader inzien leek het toch of zijn leven door een speciale inspanning van het lot voor hem gekozen was als een kerstpakket van een bedrijf – vroeg, en hetzelfde als dat van alle anderen.

De oorlog was er natuurlijk geweest; hij had in de oorlog gevochten, alleen het laatste jaar ervan, toen hij net zeventien was geweest, maar dat telde nauwelijks. Niet aan het front, niets van dat soort dingen. Samad, die ouwe Sam, Sammy, en hij, ze hadden wel wat verhalen te vertellen; Archie had zelfs nog wat metaalsplinters in zijn been voor wie het maar wilde zien, maar niemand wilde het zien. Niemand wilde dáár nog over praten. Het was als een horrelvoet, of een ontsierende moedervlek. Het was als neusharen. Mensen wendden hun blik af. Als iemand tegen Archie zei: *Wat heb jij in het leven gedaan,* of *Wat is je belangrijkste herinnering,* nou, God verhoede dat hij de oorlog noemde: ogen werden glazig, vingers begonnen te trommelen, iedereen bood aan het volgende rondje te betalen. Niemand wilde er echt iets van wéten.

In de zomer van 1955 was Archie met zijn beste punters aan naar Fleet Street gegaan op zoek naar werk als oorlogscorrespondent. Een patserige kerel met een smal snorretje en een dunne stem had gezegd: *Enige ervaring, meneer Jones?* En Archie had uitgelegd. Alles over Samad. Alles over hun Churchill-tank. Toen had dat patserige type zich over het bureau gebogen, een en al zelfvoldaanheid, een en al pak, en gezegd: *We hebben iets meer nodig dan alleen in een oorlog gevochten te hebben, meneer Jones. Oorlogservaring is niet echt relevant.*

En dat was het dan. De oorlog was niet relevant – niet in '55, nog minder nu in '74. Niets van wat hij toen had gedaan, was nu nog belangrijk. De vaardigheden die je geleerd had, waren, in de moderne terminologie, niet relevant, *niet overdraagbaar.*

Was er verder nog iets, meneer Jones?

Maar natuurlijk was er verder geen moer – nadat het toelatingsexamen hem vele jaren eerder grijnzend de weg naar de middelbare school had versperd. Maar hij had een goed oog voor het uiterlijk van dingen, voor de vorm van dingen, en dat had hem de baan opgeleverd bij Morgan*Hero*, twintig jaar al bij een drukkerij aan Euston Road, waar hij de manier ontwierp waarop allerlei dingen werden gevouwen – enveloppen, brochures, folders; geen grote prestatie, misschien, maar je zult merken dat dingen vouwen nodig hebben, dat ze moeten overlappen, anders zou het leven eruitzien als een krant: wapperend in de wind en door de straat, zodat je de belangrijke katernen kwijtraakt. Niet dat Archie veel tijd had voor kranten. Als zij de moeite niet namen om ze fatsoenlijk te vouwen, waarom zou hij dan de moeite nemen om ze te lezen (dat wilde hij weleens weten)?

Wat was er verder nog? Nou, Archie had niet altijd papier gevouwen. Ooit was hij een baanrenner geweest. Wat Archie beviel aan baanrennen was de manier waarop je steeds maar rondging. Rond en rond. Waardoor je de ene na de andere kans kreeg om het een beetje beter te doen, om een sneller rondje te draaien, om het góed te doen. Het probleem met Archie was alleen dat hij nooit beter werd. 62,8 seconden. Wat een behoorlijke goede tijd is, wereldklasse zelfs. Maar drie jaar lang haalde hij precies 62,8 seconden op elk rondje dat hij reed. De andere renners namen een pauze om te zien hoe hij het deed. Ze legden hun fiets tegen de helling en klokten hem met de secondewijzer van hun polshorloge: 62,8, keer op keer. Dat soort onvermogen om je te verbeteren is echt uiterst zeldzaam. Dat soort consistentie is wonderbaarlijk, in zekere zin.

Archie hield van baanrennen. Hij was er consistent goed in en het had hem de enige echt grootse herinnering opgeleverd die hij had. In 1948 had Archie Jones deelgenomen aan de Olympische Spelen in Londen, waar hij de dertiende plaats (62,8 seconden) had gedeeld met een Zweedse gynaecoloog die Horst Ibelgaufts heette. Helaas was dit feit niet geregistreerd in de Olympische annalen doordat een slordige secretaresse op een ochtend na de koffiepauze terugkwam met iets anders aan haar hoofd en zijn naam vergat toen ze een lijst op een ander stuk papier overschreef. Madame Nageslacht propte hem tussen rug en zitting van een bank en vergat hem. Zijn enige bewijs dat de gebeurtenis ooit had plaatsgevonden waren de brieven en briefjes die hij in de loop der jaren met enige regelmaat had ontvangen van Ibelgaufts zelf. Briefjes als:

17 mei 1957

Beste Archibald,
Ik sluit een foto in van mijn lieve vrouw en mijzelf in onze tuin voor een nogal onaangenaam bouwterrein. Hoewel het er misschien niet uitziet als Arcadia, is dit de plaats waar ik een eenvoudige velodroom laat bouwen – het is bij lange na niet de baan waarop jij en ik hebben gereden, maar hij voldoet aan mijn behoefte. De baan zal veel kleinschaliger zijn, maar hij is voor de kinderen die we nog gaan krijgen, begrijp je. Ik zie ze in mijn dromen rondfietsen en word wakker met een verrukte glimlach op mijn gezicht! We staan erop dat je ons een bezoek brengt wanneer hij eenmaal klaar is. Wie is meer waardig de baan in te wijden van je serieuze mededinger,
Horst Ibelgaufts?

En de ansichtkaart die deze dag, de dag van zijn bijna-dood, op het dashboard lag:

28 december 1974

Beste Archie,
Ik ga harp leren spelen. Een voornemen voor het nieuwe jaar, als je wilt. Het is laat, daarvan ben ik me bewust, maar je bent nooit te oud om nieuwe kunstjes te leren, vind je niet? Ik zeg je, het is een zwaar instrument om tegen je schouder te leggen, maar het geluid is werkelijk he-

mels en mijn vrouw vindt me daardoor heel gevoelig. Dat is meer dan ze kan zeggen van mijn oude fietsobsessie! Maar ja, fietsen werd altijd alleen begrepen door ouwe rotten als jij, Archie, en uiteraard door de schrijver van dit kaartje, je oude rivaal,
Horst Ibelgaufts

Hij had Horst sinds de wedstrijd niet meer gezien, maar herinnerde zich hem met genegenheid als een enorme man met rossig haar, oranje sproeten en ongelijke neusgaten, die zich kleedde als een internationale playboy en te groot leek voor zijn fiets. Na de wedstrijd had Horst Archie verschrikkelijk dronken gevoerd en twee hoeren uit Soho geregeld, die Horst goed leken te kennen ('Ik maak zakenreisjes naar je mooie hoofdstad, Archibald,' had Horst uitgelegd). Het laatste wat Archie van Horst had gezien, was een ongewenste glimp van zijn kolossale, roze, op en neer wippende kont in de aangrenzende kamer van een Olympisch chalet. De volgende ochtend lag bij de receptie de eerste brief te wachten van zijn uitgebreide correspondentie:

Beste Archibald,
In een oase van werk en wedstrijd zijn vrouwen een waarlijk zoete en gemakkelijke verfrissing, vind je ook niet? Ik vrees dat ik vroeg moest vertrekken om het noodzakelijke vliegtuig te halen, maar ik dring er bij je op aan, Archie: wees geen vreemde! Ik zie ons nu als twee mannen die elkaar zo nabij zijn als tijdens onze finish! Ik zeg je, wie ooit heeft beweerd dat dertien een ongeluksgetal was, was een grotere dwaas dan je vriend,
Horst Ibelgaufts
PS Zorg alsjeblieft dat Daria en Melanie gezond en wel thuiskomen.

Daria was die van hem. Vreselijk mager, met ribben als een kreeftenkorf en geen noemenswaardige borst, maar ze was heel lief: vriendelijk, zacht met haar kussen en zeer beweeglijke polsen die ze graag goed liet uitkomen in een paar lange zijden handschoenen – kost je minstens vier kledingbonnen. 'Ik vind je aardig,' herinnerde Archie zich hulpeloos te hebben gezegd, terwijl ze de handschoenen weer aandeed en haar kousen aantrok. Ze draaide zich om en glimlachte. En hoewel ze een beroeps was, kreeg hij het gevoel dat ze hem ook aardig vond. Misschien had hij er toen met haar vandoor moeten gaan, zijn toevlucht moeten zoeken in de heuvels. Maar dat leek destijds onmogelijk, te ingewikkeld, met een jonge vrouw en een kind onderweg (een hysterische schijnzwangerschap, zoals bleek, een grote bult vol hete lucht), en met dat onbetrouwbare been van hem en bij gebrek aan heuvels.

Daria was het laatste waaraan Archie dacht voordat hij het bewustzijn verloor. Het was de gedachte aan een hoer die hij twintig jaar geleden één keer had ontmoet, en het waren Daria en haar glimlach die hem ertoe brachten Mo's schort met vreugdetranen te begieten toen de slager zijn leven had gered. Hij had haar voor zich gezien: een prachtige vrouw in een deuropening met zo'n blik in haar ogen van *kom hierheen*, en hij besefte het te betreuren niet daarheen te zijn gegaan. Als er ook maar een kans was een blik als die opnieuw te zien, dan wilde hij een tweede kans, dan wilde hij de extra tijd. Niet alleen deze seconde, maar de volgende en de volgende – alle tijd van de wereld.

Later die ochtend voerde Archie een extatische acht rondjes uit over een Swiss Cottage-rotonde, terwijl hij zijn hoofd uit het raampje gestoken had en een stroom lucht als in een windzak de tanden achter in zijn mond beukte. Hij dacht: *godsamme, zo voelt het dus als een of andere knakker je leven heeft gered; alsof je net een hele hoop Tijd hebt gekregen.* Lachend als een halvegare reed hij recht langs zijn flat, recht langs de verkeersborden (Hendon 7). Voor de stoplichten gooide hij een muntje op en glimlachte toen de uitkomst ermee leek in te stemmen dat het Lot hem in de richting van een ander leven trok. Als een hond aan een lijn de hoek om. Over het algemeen kunnen vrouwen dat niet doen, maar mannen hebben nog steeds het oude vermogen om een gezin en een verleden achter zich te laten. Ze maken zich gewoon los, alsof ze een valse baard afdoen, en glippen discreet de maatschappij weer in, als veranderde mannen. Onherkenbaar. Op die manier staat een nieuwe Archie op het punt te verschijnen. We hebben hem verrast. Want hij is in een voltooid verleden, toekomende tijd soort stemming. Hij is in een *misschien dit, misschien dat* soort stemming. Wanneer hij een tweesprong nadert, gaat hij langzamer rijden, bekijkt zijn alledaagse gezicht in de zijspiegel, en kiest nogal lukraak een route die hij nooit eerder heeft gereden, een straat die naar een plein voert dat Queens Park heet. Ga direct langs *Af*!, Archie, jongen, zegt hij bij zichzelf, neem je tweehonderd in ontvangst en kijk in godsjezusnaam niet achterom.

Tim Westleigh (beter bekend als Merlin) merkte eindelijk het hardnekkige geluid van de deurbel op. Hij kwam moeizaam overeind van de keukenvloer, waadde door een zee van uitgestrekte lichamen, opende de deur en stond recht tegenover een man van middelbare leeftijd, die van top tot teen in grijs corduroy was gekleed en een munt in zijn open hand hield. Zoals Merlin later zou zeggen wanneer hij de gebeurtenis beschreef, is corduroy op elk moment van de dag een zeer zware stof. Huurophalers dragen het. Belastingontvangers ook. Geschiedenisleraren voegen er leren elleboogstukken aan toe. De verschijning van een hele massa ervan, om negen uur in de ochtend, op de eerste dag van het nieuwe jaar, heeft zuiver door zijn negatieve vibraties een dodelijke uitwerking.

'Wat is de handel, man?' Merlin stond in de deuropening met zijn ogen te knipperen naar de man in corduroy die verlicht door het winterse zonlicht op zijn stoep stond. 'Encyclopedieën of God?'

Archie merkte dat de jongen een verwarrende manier had om bepaalde woorden te benadrukken door zijn hoofd in een wijde cirkel te bewegen, van zijn rechterschouder naar de linker. Dan, wanneer de cirkel was voltooid, knikte hij een paar keer.

'Want als het encyclopedieën zijn... we hebben genoeg, eh, informatie... en als het God is, ben je aan het verkeerde adres. We zijn hier in een tolerant huis. Als je snapt wat ik bedoel,' besloot Merlin, terwijl hij dat geknik weer liet zien en aanstalten maakte om de deur dicht te doen.

Archie schudde zijn hoofd, glimlachte en bleef staan waar hij stond.

'Eh... alles in orde?' vroeg Merlin, met zijn hand op de deurknop. 'Kan ik iets voor je doen? Heb je iets gebruikt of zo?'

'Ik zag je spandoek,' zei Archie.

Merlin trok aan een stickie en zag er geamuseerd uit. 'Dat spandoek?' Hij boog zijn hoofd om Archies blik te volgen naar het witte laken dat omlaag hing uit een raam op de bovenverdieping. Op het laken stond in grote kleurige letters: WELKOM OP HET EINDE-VAN-DE-WERELD-FEEST, 1975.

Merlin haalde zijn schouders op. 'O ja, sorry, het ziet ernaar uit dat het dat niet was. Een beetje een teleurstelling. Of een zegen,' voegde hij er welwillend aan toe. 'Het is maar hoe je het bekijkt.'

'Een zegen,' zei Archie hartstochtelijk. 'Een honderd procent, bonafide zegen!'

'Je... eh, vindt het wel mooi, dat spandoek?' vroeg Merlin terwijl hij een stap achteruit deed voor het geval de man niet alleen gestoord maar ook gewelddadig was. 'Zit je in zo'n soort scene? Het was meer een soort grap, weet je, eigenlijk.'

'Mijn oog viel erop, zou je kunnen zeggen,' zei Archie, nog steeds stralend als een idioot. 'Ik reed gewoon een beetje rond, weet je, om te kijken of ik nog ergens iets te drinken kon krijgen, nieuwjaarsdag, een glaasje tegen de kater en dat soort dingen... ik heb al met al een beetje een zware ochtend gehad... en ineens tróf het me, om het zo maar te zeggen. Ik gooide een muntje op en ik dacht: waarom niet?'

Merlin leek verbijsterd door de wending die het gesprek nam. 'Eh... het feest is eigenlijk wel voorbij, man. Bovendien denk ik dat je een beetje op leeftijd bent... als je begrijpt wat ik bedoel...' Hier werd Merlin een beetje verlegen met de situatie; onder de *dakshiki* klopte het hart van een gewone aardige jongen die respect voor de ouderen was bijgebracht. 'Ik bedoel,' zei hij na een beladen zwijgen, 'het gezelschap is een beetje jonger dan jij denk ik gewend bent. Een soort communeachtige scene.'

'*But I was so much older then*,' zong Archie ondeugend, een tien jaar oud liedje van Dylan aanhalend terwijl hij zijn hoofd om de deur stak, '*I'm younger than that now*.'

Merlin haalde een sigaret achter zijn oor vandaan, stak hem op en zei fronsend: 'Hé, luister... ik kan niet gewoon maar iedereen binnenlaten, snap je? Ik bedoel, je kan de politie zijn of een of andere gek of...'

Maar iets in Archies gezicht – groot, onschuldig, vol blijde verwachting – herinnerde hem aan wat zijn vader, de predikant van Snarebrook, van wie hij vervreemd was, elke zondag vanaf zijn preekstoel te zeggen had over christelijke naastenliefde. 'O, wat maakt het ook uit. Het is tenslotte nieuwjaarsdag, verdomme. Kom maar binnen.'

Archie liep langs Merlin heen en kwam in een lange gang, waar vier kamers met open deuren op uitkwamen, een trap die naar een andere verdieping leidde en een tuin helemaal aan het eind. De vloer was bedekt met rommel van elke aard – dierlijk, mineraal, plantaardig; een massa beddengoed, waaronder mensen lagen te slapen, strekte zich van de ene kant van de gang naar de andere uit, een rode zee die met tegenzin spleet bij elke stap die Archie zette. In de kamers, in bepaalde hoeken, was de overheveling te zien van lichaamssappen: kussen, borstvoeding, neuken, kotsen – alle dingen die volgens Archies zaterdagbijlage te vinden waren in een commune. Een ogenblik speelde hij met de gedachte het strijdperk te betreden, zichzelf te verliezen tussen de lichamen (hij had al die nieuwe tijd waar hij iets mee moest doen, massa's en massa's nieuwe tijd die door zijn vingers sijpelde), maar hij kwam tot de conclusie dat hij de voorkeur gaf aan een stevige borrel. Hij ging de confrontatie aan met de gang tot hij aan de andere kant van het huis was en stapte de kille tuin in, waar sommigen, nadat ze het hadden opgegeven om een plekje in het warme huis te vinden, gekozen hadden voor het koude gazon. Met een whisky-tonic in gedachten zocht hij zijn weg naar de picknicktafel, waar iets met de vorm en kleur van Jack Daniels was verschenen als een luchtspiegeling in een woestijn van lege wijnflessen.

'Mag ik, eh...?'

Twee zwarte kerels, een topless Chinees meisje en een blanke vrouw gekleed in een toga zaten op houten keukenstoelen rummy te spelen. Net toen Archie zijn hand uitstak naar de Jack Daniels, schudde de blanke vrouw haar hoofd en maakte het gebaar van een uitgedrukte sigaret.

'Een zee van tabak, ben ik bang, schat. Een of andere kwaadaardige klootzak heeft zijn peuk uitgemaakt in wat uiterst drinkbare whisky was. Daar staat nog wat sekt en andere onontkoombare troep.'

Archie glimlachte dankbaar voor de waarschuwing en het vriendelijke aanbod. Hij pakte een stoel en schonk zichzelf een groot glas Liebfraumilch in.

Vele drankjes later, en Archie kon zich geen tijd in zijn leven herinneren waarin hij Clive en Leo, Wan-Si en Petronia niet zeer persoonlijk had gekend. Met zijn rug naar hen toe en een stukje houtskool had hij elk rimpelig bobbeltje rond de tepels van Wan-Si kunnen weergeven en elke losse haar die in Petronia's gezicht viel wanneer ze sprak. Om elf uur hield hij zielsveel van hen en waren ze de kinderen die hij nooit had gehad. In ruil daarvoor vertelden ze hem dat hij in het bezit was van een unieke ziel voor een man van zijn leeftijd. Ze waren het er allemaal over eens dat er een intens positieve karmische energie in en rond Archie circuleerde, iets wat sterk genoeg was om een slager ertoe te brengen een autoraampje op het cruciale moment omlaag te duwen. En Archie bleek de eerste man van boven de veertig te zijn die ooit was uitgenodigd om bij de commune te komen; er bleek al enige tijd gesproken te worden over de behoefte aan een oudere seksuele aanwezigheid om een aantal van de wat avontuurlijker vrouwen te bevredigen. 'Geweldig,' zei Archie. 'Fantastisch. Dat ben ik dan.' Hij voelde zo'n hechte band met hen dat hij enigszins in de war raakte toen hun relatie rond het middaguur plotseling verzuurde: hij had last van een kater en zat tot aan zijn nek in een discussie over de Tweede Wereldoorlog, nota bene.

'Ik weet niet eens hoe we hierop gekomen zijn,' kreunde Wan-Si, die zich eindelijk wat meer had bedekt, net toen ze besloten hadden naar binnen te gaan, met Archies corduroy jasje over haar fijne schouders geslagen. 'Laten we het daar niet over hebben. Ik ga liever naar bed dan dat ik het daarover heb.'

'We hebben het erover, we hebben het erover,' tierde Clive. 'Dat is het hele probleem met zijn generatie. Ze denken dat ze de oorlog naar voren kunnen schuiven als een of ander...'

Archie was dankbaar toen Leo Clive in de rede viel en het gesprek naar een andere afleiding sleepte van het oorspronkelijke onderwerp, dat Archie te berde had gebracht (een of andere onverstandige opmerking zo'n drie kwartier eerder over militaire dienst en dat het zo goed was voor de karaktervorming van jonge mannen) en waar hij onmiddellijk spijt van had gekregen toen hij merkte dat hij om de haverklap gedwongen was zich te verdedigen. Eindelijk bevrijd van deze verplichting ging hij op de trap zitten, liet de ruzie boven verdergaan en legde zijn hoofd in zijn handen.

Zonde. Hij was graag lid van een commune geweest. Als hij de zaak slim had aangepakt, in plaats van een woordenwisseling te ontketenen, had hij misschien vrije liefde en blote borsten in overvloed gekregen, en misschien een stukje grond om zijn eigen groenten te verbouwen. Het had er een tijdje naar uitgezien (rond twee uur 's middags, toen hij Wan-Si over zijn kindertijd vertelde) dat zijn nieuwe leven fantastisch zou zijn, dat hij van nu af aan altijd de juiste dingen op de juiste momenten zou zeggen en dat overal waar hij zou komen de mensen van hem zouden houden. *Mijn eigen schuld*, dacht Archie, piekerend over de pech, *het is helemaal mijn eigen schuld*, maar hij vroeg zich af of er niet een hoger patroon aan ten grondslag lag. Misschien zullen er altijd mannen zijn die de juiste dingen op de juiste momenten zeggen, die als Thespis precies op het juiste tijdstip in de geschiedenis naar voren stappen, en zullen er mannen zijn als Archie Jones, die er alleen maar zijn om de aantallen vol te maken. Of, erger nog, die hun grote doorbraak slechts krijgen om onmiddellijk nadat ze zijn opgekomen te sterven, midden op het toneel, voor iedereen zichtbaar.

Er zou nu een dikke streep onder de hele gebeurtenis worden getrokken, onder die hele betreurenswaardige dag, als er niet iets was gebeurd wat leidde tot de transformatie van Archie Jones, in elk opzicht waarin een man getransformeerd kan worden, en niet dankzij een bijzondere inspanning van zijn kant, maar door het volkomen willekeurige, onvoorziene treffen tussen de ene persoon en een andere. Er gebeurde iets bij toeval. Dat toeval was Clara Bowden.

Maar eerst een beschrijving: Clara Bowden was een schoonheid in elke zin behalve misschien, doordat ze zwart was, de klassieke. Clara Bowden was schitterend lang, zwart als ebbenhout en gebroken sabel, met haar gevlochten in een hoefijzer, dat omhoog wees wanneer ze zich gelukkig voelde en omlaag wanneer dat niet zo was. Op dit moment stond het omhoog. Of dit van betekenis was, is moeilijk te zeggen.

Ze had geen beha nodig – ze was onafhankelijk, zelfs van de zwaartekracht – en droeg een rood haltertruitje dat ophield onder haar buste, waaronder ze haar navel droeg (prachtig) en daaronder een zeer strakke gele broek. Aan het eind van dit alles bevonden zich een paar hoge hakken met bandjes van een lichtbruin suède en daarop kwam ze de trap af schrijden als een of ander visioen of, zoals het Archie toescheen toen hij zich omdraaide om haar op te nemen, als een steigerende volbloed.

Nu is het in films en dergelijke gebruikelijk, zo had Archie tenminste begrepen, dat de massa stilvalt wanneer iemand die zo opvallend is de trap af komt lopen. Hij had het nooit in het echt gezien. Maar het gebeurde met Clara Bowden. Ze liep in slowmotion de trap af, omringd door naglans en wazig licht. En ze was niet alleen het mooiste wat hij ooit had gezien, ze was ook de meest troostende vrouw die hij ooit had ontmoet. Haar schoonheid was geen scherpe, koude waar. Ze rook muf, vrouwelijk, als een stapeltje van je favoriete kleren. Hoewel ze fysiek ontregeld was – benen en armen spraken een enigszins afwijkend dialect van dat van haar centrale zenuwstelsel – kwam zelfs haar slungelige houding op Archie buitengewoon elegant over. Ze droeg haar seksualiteit met het gemak van een oudere vrouw en niet (zoals gold voor de meeste meisjes met wie Archie in het verleden iets had gehad) als een onhandig tasje, waarvan ze nooit wisten hoe ze het moesten dragen, waar ze het moesten hangen of wanneer ze het gewoon moesten neerleggen.

'Kop op, jongen,' zei ze in een zangerig Caribisch accent dat Archie herinnerde aan dat van Die Jamaicaanse Cricketer, 'sdraks gebeurd 'd nog.'

'Het is denk ik al gebeurd.'

Archie, die net een peuk uit zijn mond had laten vallen die toch al op eigen gelegenheid aan het opbranden was, zag hoe Clara er snel haar voet op zette. Ze liet hem een brede grijns zien, die haar mogelijk enige onvolmaaktheid onthulde. Een volledig ontbreken van tanden in haar bovenkaak.

'Man… die zijn d'ruid geknawd,' sliste ze bij het zien van zijn verbazing. 'Maar ik denk bij mezewf: als 'd einde van de werewd komd, zaw de Heer 'd nied erg vinden aws ik geen danden heb.' Ze lachte zachtjes.

'Archie Jones,' zei Archie, en hij bood haar een Marlboro aan.

'Clara.' Ze floot per ongeluk terwijl ze glimlachte en ze inhaleerde de rook. 'Archie Jones, je zied er zo ongeveer nedzo uid aws ik me voew. Hebben Cwive en die mensen rare dingen degen je gezegd? Cwive, heb je zidden spewen med deze arme man.'

Clive bromde wat – de herinnering aan Archie was nagenoeg verdwenen onder invloed van de wijn – en vervolgde zijn gesprek waarin hij Leo ervan beschuldigde het verschil niet te kennen tussen politieke en fysieke opoffering.

'O, nee... niks ernstigs,' ratelde Archie, hulpeloos bij de aanblik van haar prachtige gezicht. 'Een beetje een meningsverschil, da's alles. Clive en ik hebben een verschillende kijk op een paar dingen. Generatiekloof, neem ik aan.'

Clara gaf hem een klap op zijn hand. 'Hou doch op! Zo oud ben je niet. Ik heb ze wew ouder gezien.'

'Ik ben oud genoeg,' zei Archie, en toen, gewoon omdat hij zin had het haar te vertellen: 'Je zult het niet geloven, maar ik was bijna dood geweest vandaag.'

Clara trok een wenkbrauw op. 'Je meend 'd. Nou, je bend in goed gezewschap. Daar wopen 'r hier een hele zooi van rond vanochdend. Wat een ráár feesd is did. Weed je,' zei ze, terwijl ze met een lange hand over zijn kale plek streek, 'je zied 'r heew behoorwijk goed uid voor iemand die zo dichd bij de poord van Sind Pedrus is geweesd. Wiw je wad goeie raad?'

Archie knikte heftig. Hij wilde altijd goede raad; hij was een groot voorstander van tweede meningen. Daarom ging hij nooit ergens heen zonder een muntje bij zich te hebben.

'Ga naar huis. Ga swapen. De morgen maakd de werewd weer nieuw, ewke keer. Man... did weven is nied gemakkewijk!'

Hoezo huis? dacht Archie. Hij had zijn oude leven achter zich gelaten. Hij begaf zich op onbekend terrein.

'Man...' herhaalde Clara, terwijl ze hem een klopje op zijn rug gaf, 'did weven is nied gemakkewijk!'

Ze liet weer een lang gefluit horen en een wat quasi-treurig lachje, en tenzij hij echt gek werd, zag Archie die blik die zei *kom hierheen*, dezelfde als die van Daria, doortrokken van een soort droefenis, teleurstelling, alsof ze niet veel andere mogelijkheden had. Clara was negentien. Archibald was zevenenveertig.

Zes weken later waren ze getrouwd.

2

TANDSORES

Maar Archie had Clara Bowden niet uit een vacuüm geplukt. En het wordt tijd dat mensen de waarheid vertellen over mooie vrouwen. Ze komen niet in een lichtschijnsel van trappen af. Ze dalen niet neer, zoals eens werd verondersteld, uit de hoogte, aan niets anders bevestigd dan vleugels. Clara kwam ergens vandaan. Ze had wortels. Om duidelijker te zijn: ze kwam uit Lambeth (via Jamaica) en was verbonden, door een stilzwijgende adolescente overeenkomst, met ene Ryan Topps. Want voordat Clara mooi was, was ze lelijk. En voordat er een Clara en Archie was, was er een Clara en Ryan. En om Ryan Topps kunnen we niet heen. Zoals een goed historicus Hitlers napoleontische ambities in het Oosten moet erkennen om te kunnen begrijpen waarom hij aarzelde de Britten in het Westen aan te vallen, zo is Ryan Topps van wezenlijk belang voor enig inzicht in de vraag waarom Clara deed wat ze deed. Ryan is onontbeerlijk. Acht maanden lang was er een Clara en Ryan voordat Clara en Archie vanaf tegenovergestelde uiteinden van een trap naar elkaar toe werden getrokken. En Clara was misschien nooit in de armen van Archie Jones gerend als ze niet, zo snel als ze kon, was weggerend van Ryan Topps.

Arme Ryan Topps. Hij was een opeenhoping van ongelukkige fysieke kenmerken. Hij was heel mager en heel lang, rood van haar, plat van voet en zo sproeterig dat hij minder huid had dan sproeten. Ryan zag zichzelf een beetje als een Mod. Hij droeg slecht zittende grijze pakken met zwarte coltruien. Hij droeg *chelsea*-laarzen toen niemand anders ze meer droeg. Terwijl de rest van de wereld de genoegens ontdekte van de elektronische synthesizer zwoer Ryan trouw aan de kleine mannen met de grote gitaren: aan de Kinks, de Small Faces, de Who. Ryan Topps reed op een groene Vespa GS scooter, die hij tweemaal daags poetste met een babyluier en beschermde met een op maat gemaakt omhulsel van golfplaat. In Ryans ogen was een Vespa niet zomaar een vervoermiddel maar een ideologie: familie, vriend, geliefde allemaal verenigd in één voorbeeld van eind jaren-veertigtechniek.

Ryan Topps had, zoals te verwachten valt, weinig vrienden.

Clara Bowden, zeventien jaar, was slungelig, had vooruitstekende tanden, was een Jehova's getuige en zag in Ryan een verwante geest. Als een typische, alziende vrouwelijke tiener wist ze, lang voordat ze elkaar ooit spraken, alles over Ryan Topps wat er te weten viel. Ze had de basisinformatie: zelfde school (St. Jude's Community School, Lambeth), zelfde lengte (een meter vijfentachtig); ze wist dat hij, net als zij, noch Iers noch rooms-katholiek was, wat hen tot twee eilandjes maakte die ronddobberden in de paapse oceaan van St. Jude's, op die school terechtgekomen door het toeval van hun postcodes en in gelijke mate beschimpt door leerlingen en leraren. Ze wist de naam van zijn scooter; ze las de bovenkant van zijn platen wanneer ze boven de rand van zijn tas uit wipten. Ze wist zelfs dingen over hem die hij niet wist: bijvoorbeeld dat hij de Laatste Man op Aarde was. Elke school heeft er een, en op St. Jude's, net als op andere zetels van geleerdheid, waren het de meisjes die de bijnaam kozen en uitdeelden. Er waren, uiteraard, variaties:

Meneer *Nog niet voor een miljoen.*

Meneer *Nog niet voor mijn moeders leven.*

Meneer *Nog niet voor de wereldvrede.*

Maar in het algemeen hielden de schoolmeisjes van St. Jude's zich aan de bekende en beproefde formule. Hoewel Ryan nooit op de hoogte zou zijn van de gesprekken die in de meisjeskleedkamers van de school werden gevoerd, was Clara dat wel. Zij wist hoe het voorwerp van haar genegenheid werd besproken – ze hield haar oren open; zij wist wat hij voorstelde als het er echt op aankwam, op het zweet en de sportbeha's en de scherpe beweging van een natte handdoek.

'Ah, tjezus, je luistert niet. Ik zeg, al was hij de láátste man op aarde!'

'Dan nóg niet.'

'Ah, je grootje!'

'Maar luister: de hele verdomde wereld is platgegooid door de bom, snap je? En alle knappe mannen, alle kanjers zoals die Nicky Laird van jou, die zijn allemaal dood. Ze zijn allemaal geroosterd En alles wat er nog over is, is Ryan Topps en een leger kakkerlakken.'

'Nooit van m'n leven. Ik slaap nog liever met de kakkerlakken.'

Ryans impopulariteit werd slechts geëvenaard door die van Clara. Op haar eerste schooldag had haar moeder haar uitgelegd dat ze op het punt stond het hol van de duivel binnen te gaan, haar schooltas gevuld met tweehonderd exemplaren van de *Wachttoren* en haar opdracht gegeven te gaan en het werk van de Heer te doen. Week na week had ze met gebogen hoofd door de school geschuifeld en 'Jezus redt' mompelend tijdschriften uitgedeeld. Op een school waar een wat al te opgewonden puistje al genoeg was om uitgestoten te worden, stond een ruim een meter tachtig lange zendelinge in kniekousen die zeshonderd katholieken probeerde te bekeren tot Jehova's getuigen gelijk aan sociale melaatsheid.

Dus Ryan was rood als een biet. En Clara was zwart als roet. Ryans sproeten waren de natte droom van een verbind-de-stippenenthousiast. Clara kon met haar voortanden een appel omklemmen voordat haar tong er ook maar bij in de buurt kwam. Zelfs de katholieken konden hen dit niet vergeven (en katholieken bieden vergeving aan zoals politici beloften aanbieden en hoeren zichzelf); zelfs St. Jude, die (dankzij de klankovereenkomst tussen Jude en Judas) lang geleden, in de eerste eeuw, werd opgezadeld met het beschermheerschap van de hopeloze gevallen was niet bereid hierbij betrokken te raken.

Elke dag om vijf uur, terwijl Clara zich thuis inzette voor de boodschap van het evangelie of een folder samenstelde waarin de heidense praktijk van bloedtransfusie werd veroordeeld, kwam Ryan Topps langs haar open raam snellen op weg naar huis. De woonkamer van de familie Bowden bevond zich net onder het straatniveau en had tralies voor het raam, waardoor elk uitzicht in delen was. In het algemeen zag ze voeten, wielen, uitlaatpijpen, zwaaiende paraplu's. Zulke vluchtige indrukken waren vaak veelzeggend: een levendige fantasie kon heel wat tragiek persen uit een gerafelde veter, een gestopte sok, een laag zwaaiende tas die betere tijden had gekend. Maar niets greep haar meer aan dan de aanblik van de verdwijnende uitlaat van Ryans scooter. Omdat ze geen naam had voor het steelse gerommel dat zich bij deze gelegenheden voordeed in haar onderbuik, noemde Clara het de geest van de Heer. Ze had het gevoel dat ze de heiden Ryan Topps zou gaan redden. Clara was van plan deze jongen stevig aan haar borst te drukken, hem te beschermen tegen de verleidingen die ons aan alle kanten omringen en hem voor te bereiden op de dag van zijn verlossing. (En was er niet ergens, nog onder haar buik – ergens diep in het lage gebied van het onnoembare – was daar niet de half bewuste hoop dat Ryan Topps háár zou redden?)

Als Hortense Bowden haar dochter zo aantrof, in gemijmer verzonken bij het getraliede raam en luisterend naar het verdwijnende gepruttel van een motor, terwijl de bladzijden van *De Nieuwe-Wereldvertaling* heen en weer bewogen in de wind, gaf ze haar een draai om haar oren en vroeg haar er alsjeblieft aan te denken dat slechts 144.000 van de Jehova's getuigen op de dag van het Laatste Oordeel aan de rechterhand zouden zitten van de Heer. En onder het aantal Gezalfden was geen plaats voor gemeen uitziende je-weet-wellen op motorfietsen.

'Maar als we hem zouden redden…'

'Sommige mensen,' verklaarde Hortense snuivend, 'hebben zoveel gezondigd dat het te laat voor ze is om nog naar Jehova te lonken. Het kost inspanning om dicht bij Jehova te zijn. Het kost vroomheid en toewijding. *Gelukkig zijn de zuiveren van hart, want zij zullen God zien.* Mattheüs 5:8. Heb ik gelijk, Darcus?'

Darcus Bowden, Clara's vader, was een aromatische, zieltogende, kwijlende oude man begraven in een van ongedierte vergeven leunstoel waaruit hij zich, voor zover waargenomen, nog nooit had verwijderd, zelfs niet, dankzij een catheter, om de buiten-wc te bezoeken. Darcus was veertien jaar eerder naar Engeland gekomen en had die hele periode televisie-kijkend doorgebracht in de verste hoek van de kamer. Het was de bedoeling geweest dat hij naar Engeland ging en genoeg geld zou verdienen om Hortense en Clara te laten overkomen. Bij aankomst, echter, had een geheimzinnige ziekte Darcus Bowden geveld. Een ziekte waar geen dokter een lichamelijk symptoom van kon vinden, maar die zich manifesteerde in de meest ongelooflijke lethargie, die bij Darcus – toegegeven, nooit de meest kwieke man – tot een levenslange gehechtheid had geleid aan de bedeling, de leunstoel en de Britse televisie. In 1972 besloot Hortense, woedend na veertien jaar wachten, de reis op eigen kracht te ondernemen. Kracht was iets wat Hortense in overvloed had. Zo stond ze op een dag voor de deur met de zeventienjarige Clara, stormde razend naar binnen en – zo gaat het verhaal in St. Elizabeth – gaf Darcus Bowden de uitbrander van zijn leven. Sommigen zeggen dat deze uitbarsting uren heeft geduurd, anderen zeggen dat ze elk boek van de bijbel uit haar hoofd citeerde en dat het een hele dag en een hele nacht in beslag nam. Zeker is dat Darcus, toen het allemaal voorbij was, zich nog dieper terugtrok in de krochten van zijn stoel, treurig naar de televisie keek, waarmee hij zo'n begripvolle, meelevende relatie onderhield – zo ongecompliceerd, zo veel onschuldige genegenheid – en dat een traan zich uit zijn traanbuis perste en in een groef onder zijn oog bleef liggen. Daarna zei hij slechts één woord: ahum.

Ahum was alles wat Darcus zei of daarna ooit nog zou zeggen. Vraag Darcus wat dan ook; stel hem een vraag over welk onderwerp dan ook op elk uur van de dag of nacht; ondervraag hem; babbel met hem; smeek hem; verklaar hem je liefde; beschuldig hem of rechtvaardig hem en hij geeft je maar één antwoord.

'Ik zeg, heb ik gelijk, Darcus?'

Ahum.

'Het is niet,' riep Hortense uit, terugkerend naar Clara nadat ze de instemmende grom van Darcus had gekregen, 'de ziel van die jongeman waar jij je druk om maakt. Hoe vaak moet ik het nog zeggen... je heb geen tijd voor jongens!'

Want Tijd raakte op in het gezin Bowden. Het was 1974, en Hortense bereidde zich voor op het Einde van de Wereld, dat ze, op de huishoudkalender, zorgvuldig met blauwe ballpoint had aangegeven: 1 januari 1975. Dit was geen solitaire psychose van de Bowdens. Er waren acht miljoen Jehova's getuigen die samen met haar wachtten. Hortense bevond zich in een groot, zij het excentriek gezelschap. Hortense had een persoonlijke brief ontvangen (als secretaresse van de afdeling Lambeth van de Kingdom Halls) met een gefotokopieerde handtekening van William J. Rangeforth van de grootste Kingdom Hall in de VS, Brooklyn, waarin de datum werd bevestigd. Het einde van de wereld was officiéél bevestigd met een verguld briefhoofd, en Hortense had zichzelf overtroffen door hem in een mooie mahoniehouten lijst te zetten. Ze had hem een ereplaatsje gegeven op een kanten kleedje op de televisie, tussen een glazen beeldje van Assepoester op weg naar het bal en een theemuts waarop de Tien Geboden geborduurd waren. Ze had Darcus gevraagd of hij vond dat het mooi stond. Hij had zijn instemming ge-ahumd.

Het einde van de wereld was nabij. En dit was niet – zo moest de afdeling Lambeth van de kerk van de Jehova's getuigen worden verzekerd – als de vergissingen van 1914 en 1925. Ze hadden de belofte gekregen dat de ingewanden van zondaren rond stammen van bomen gewikkeld zouden worden, en deze keer zouden de ingewanden van zondaren rond stammen van bomen echt verschijnen. Ze hadden zo lang gewacht op de rivieren van bloed waarvan de goten in de hoogstraat zouden overlopen, en nu zou hun dorst gelest worden. De tijd was gekomen. Dit was de juiste datum, dit was de enige datum, alle andere datums die in het verleden misschien waren aangeboden, waren het resultaat geweest van een aantal slechte berekeningen: iemand had vergeten op te tellen, iemand had vergeten af te trekken en iemand had vergeten de één te onthouden. Maar nu was de tijd daar. Nu was het echt: 1 januari 1975.

Hortense was in ieder geval blij het te horen. Op de eerste ochtend van 1925 had ze tranen met tuiten gehuild toen ze bij het ontwaken – in plaats van hagel en zwavel en algehele vernietiging – de voortgang van het dagelijks leven had aangetroffen, het regelmatig rijden van de bussen en treinen. Het was dus allemaal voor niets geweest, al dat draaien en woelen van de afgelopen nacht, wachtend op

> die naasten, zij die niet hebben geluisterd naar uw waarschuwingen, zullen wegzinken onder een heet en verschrikkelijk vuur dat de huid van hun beenderen zal scheiden, de ogen in hun oogkassen zal doen smelten en de baby's verbranden die aan de borst van hun moeder zuigen... zovelen van uw naasten zullen die dag sterven dat hun lichamen, naast elkaar op een rij gelegd, zich driehonderd keer rond de aarde zullen uitstrekken, en op hun verkoolde resten zal de ware Getuige van de Heer aan zijn zijde wandelen.
> *– The Clarion Bell, nummer 245*

Hoe bitter teleurgesteld was ze geweest! Maar de wonden van 1925 waren geheeld en Hortense was opnieuw klaar om zich ervan te laten overtuigen dat de Apocalyps, precies zoals de waarlijk heilige meneer Rangeforth had uitgelegd, voor de deur stond. De belofte van de generatie van 1914 stond nog steeds overeind: *Voorwaar ik zeg u, dat dit geslacht geenszins zal voorbijgaan totdat al deze dingen geschieden* (Mattheüs 24:34). Degenen die in 1914 in leven waren, zouden de grote eindstrijd nog meemaken. Het was beloofd. Hortense, die in 1907 was geboren, begon nu oud te worden, en moe, en haar leeftijdgenoten stierven bij bosjes. 1975 leek de laatste kans.

Hadden niet tweehonderd van de beste intellectuelen van de kerk twintig jaar lang de bijbel bestudeerd, en was deze datum niet hun unanieme conclusie geweest? Hadden ze niet tussen de regels gelezen in Daniël, naar de verborgen betekenis gezocht in Openbaring, de Aziatische oorlogen (Korea en Vietnam) correct geïdentificeerd als de periode waarvan gesproken wordt door de engel, 'een tijd, en tijden en een halve tijd'? Hortense was ervan overtuigd dat deze het teken der tekenen waren. Dit waren de laatste dagen. Nog acht maanden tot het einde van de wereld. Nauwelijks genoeg tijd! Banieren moesten worden gemaakt, artikelen geschreven ('Zal de Heer de onanist vergeven?'), stoepen betreden, er moest aan bellen worden getrokken. Er moest aan Darcus worden gedacht, die niet zonder hulp naar de koelkast kon lopen: hoe moest hij het koninkrijk van de Heer bereiken? En bij dat alles moest Clara een handje helpen; er was geen tijd voor jongens, voor Ryan Topps, voor lijntrekken, voor adolescente angstgevoelens. Want Clara was anders dan andere tieners. Ze was het kind van de Heer, Hortenses wonderkind. Hortense was al achtenveertig geweest toen ze op een ochtend terwijl ze een vis aan het schoonmaken was de stem van de Heer had gehoord, Montego Bay, 1955. Ze had de marlijn onmiddellijk neergegooid, de tram naar huis genomen en zich onderworpen aan haar minst geliefde activiteit om het kind te ontvangen waarom Hij had gevraagd. Waarom had de Heer zo lang gewacht? Omdat de Heer Hortense een wonder wilde tonen. Want Hortense was zelf een wonderkind geweest; ze was in 1907 in Kingston geboren tijdens de legendarische aardbeving, toen zo ongeveer iedereen bezig was te sterven – wonderen zaten in de familie. Hortense zag het aldus: als zij op deze wereld had kunnen komen tijdens een grondschudder, terwijl delen van Montego Bay in zee verdwenen en vuren uit de bergen omlaag kwamen, had niemand nog ergens een excuus voor. Ze zei altijd: 'Geboren worden is het moeilijkste. Heb je dat eenmaal gedaan… een makkie.' Dus nu Clara er was, oud genoeg om haar te helpen met de deuren langsgaan, administratie, toespraken schrijven en alle andere zaken van de kerk van de Jehova's getuigen, kon ze maar beter opschieten. Geen tijd voor jongens. Het werk van het kind begon nog maar net. Hortense – geboren terwijl Jamaica ten onder ging – accepteerde de Apocalyps alvorens iemand negentien jaar werd niet als excuus voor traagheid.

Maar vreemd genoeg, en mogelijk door de goed gedocumenteerde voorliefde van Jehova voor ondoorgrondelijke wegen, was het tijdens de uitoefening van de zaken van de Heer dat Clara uiteindelijk een persoonlijke ontmoeting had met Ryan Topps. De jeugdgroep van de Kingdom Hall van Lambeth was op een zondagochtend op pad gestuurd om deuren langs te gaan, *De schapen van de bokken scheiden* (Mattheüs 25:31-46), en Clara, die een grondige hekel had aan de jonge mannen van de Jehova's, met hun lelijke stropdassen en zachte stemmen, had zich met haar eigen koffertje afgescheiden om in haar eentje aan de deuren van Creighton Road te bellen. Bij de eerste paar deuren werd ze ontvangen met de gebruikelijke pijnlijke blikken: aardige vrouwen die haar zo beleefd mogelijk wegstuurden en zorgden dat ze niet te dichtbij kwamen uit angst dat ze godsdienst zouden oplopen als een infectie. Toen ze aan de armere kant van de straat kwam, werden de reacties agressiever en kwam er geschreeuw uit ramen en vanachter gesloten deuren.

'Als dat die verdomde Jehova's getuigen zijn, laat ze dan opsodemieteren!'

Of, fantasievoller: ''t Spijt me, schat, maar weet je niet wat voor dag 't is? 't Is zondag, toch? Ik ben bekaf. Ik ben de hele week bezig geweest met het scheppen van het land en de oceanen. Het is m'n rustdag.'

Op nummer 75 was ze een uur bezig met een veertienjarige natuurkundebollebof, Colin geheten, die wetenschappelijk wilde bewijzen dat God niet bestond terwijl hij ondertussen onder haar rok probeerde te kijken. Toen belde ze aan bij nummer 87. En Ryan Topps deed open.

'Ja?'

Hij stond daar in al zijn glorie: rood haar, zwarte coltrui, zijn lip omhoog gekruld in een sneer.

'Ik... ik...'

Ze deed wanhopig haar best om te vergeten wat ze droeg: een wit bloesje compleet met plooikraag, geruite rok op knielengte en een sjerp met de trotse tekst NADER MIJN GOD TOT U.

'Wou je wat?' zei Ryan, terwijl hij een krachtige haal nam van een bijna opgerookte sigaret. 'Of wat?'

Clara probeerde haar breedste glimlach, waarbij ze al haar vooruitstekende tanden liet zien, en ging op de automatische piloot. 'Goeiemorgen, meneer. Ik ben van de Kingdom Hall van Lambeth, waar wij, de Jehova's getuigen, wachten tot de Heer terugkomt en ons andermaal vereert met z'n heilige aanwezigheid, zoals hij kort, maar helaas onzichtbaar, heb gedaan in het jaar onz's heren 1914. Wij geloven dat hij, als hij zichzelf bekendmaakt, de drievoudige vuren van de hel zal meebrengen in armageddon, op de dag dat zeer weinigen zullen worden gered. Bent u geïnteresseerd in...'

'Wat?'

Clara, bijna in tranen van schaamte, probeerde het opnieuw. 'Bent u geïnteresseerd in de leer van Jehova?'

'Wát?'

'In Jehova, in de leer van de Heer. Het is als een trap, ziet u.' Clara's laatste toevlucht was altijd haar moeders metafoor van de heilige trap. 'Ik zie dat u omlaag loopt en dat er een ontbrekende trede komt. Ik zeg u alleen: pas op waar u loopt! Ik wil alleen maar de hemel met u delen. Ik wil niet zien dat u uw benen breekt.'

Ryan Topps leunde tegen de deurpost en staarde haar lange tijd door zijn rode haarlok aan. Clara had het gevoel dat ze in zichzelf schoof, als een telescoop. Nog even, en ze zou helemaal verdwenen zijn.

'Ik heb wat lesmateriaal dat u kan bestuderen.' Ze morrelde aan het slot van het koffertje, wipte de grendel met haar duim open maar vergat de andere kant van de koffer vast te houden. Vijftig exemplaren van de *Wachttoren* verspreidden zich over de stoep.

'Jeetje, ik kan vandaag niks goed doen...'

Ze liet zich snel op de grond zakken om ze op te rapen en schaafde de huid van haar linkerknie. 'Au.'

'Jij heet Clara,' zei Ryan langzaam. 'Je zit bij mij op school, hè?'

'Ja,' zei Clara, zo in de wolken dat hij haar naam kende dat ze de pijn vergat. 'St. Jude's.'

'Ik wéét hoe die heet.'

Clara werd zo rood als zwarte mensen maar kunnen worden en sloeg haar ogen neer.

'Van de hopeloze gevallen. Díe heilige,' zei Ryan, terwijl hij heimelijk iets uit zijn neus plukte en in een bloempot tikte. 'IRA. Dat hele zooitje.'

Ryan liet zijn blik opnieuw over de lange gestalte van Clara gaan, waarbij hij een buitensporige hoeveelheid tijd besteedde aan twee flinke borsten met stijve tepels waarvan de contouren net te onderscheiden waren door het witte polyester.

'Je kan beter binnenkomen,' zei hij ten slotte, terwijl hij zijn blik op de bloedende knie richtte. 'D'r moet wat op.'

Diezelfde middag vonden er wat stiekeme handtastelijkheden plaats op Ryans bank (die heel wat verder gingen dan je van een christelijk meisje zou verwachten) en won de duivel weer met gemak in Gods pokerspel. Er werd geknepen en geduwd en getrokken, en tegen de tijd dat op maandag de bel voor het einde van de schooldag ging, waren Ryan Topps en Clara Bowden (tot collectief afgrijzen van de school) min of meer een gegeven, of, zoals de uitdrukkingswijze van St. Jude's was, 'gingen' ze met elkaar. Was het alles wat Clara zich in haar zweterige puberale inventiviteit had voorgesteld?

Wel, 'gaan' met Ryan bleek uit drie belangrijke tijdsbestedingen te bestaan (in volgorde van belangrijkheid): Ryans scooter bewonderen, Ryans platen bewonderen, Ryan bewonderen. Maar terwijl andere meisjes misschien bezwaar hadden gemaakt tegen afspraakjes die plaatsvonden in Ryans garage en uitsluitend bestonden uit toekijken hoe hij zich verdiepte in de motor van een scooter en een lofrede hield op de subtiliteiten en ingewikkeldheden ervan, was er voor Clara niets opwindenders. Ze leerde snel dat Ryan een man was van pijnlijk weinig woorden en dat de zeldzame gesprekken die ze voerden altijd uitsluitend over Ryan gingen: zijn verwachtingen, zijn angsten (allemaal verband houdend met de scooter) en zijn eigenaardige geloof dat hem en zijn scooter geen lang leven beschoren was. Om de een of andere reden was Ryan overtuigd van het verouderde motto uit de jaren vijftig, 'Leef snel, sterf jong', en hoewel zijn scooter niet meer haalde dan vijfendertig kilometer per uur heuvelafwaarts, waarschuwde hij Clara graag op grimmige toon niet 'te betrokken' te raken want hij zou er niet lang meer zijn; hij zou er vroeg 'uitstappen' en met een 'knal'. Ze zag zichzelf met een bloedende Ryan in haar armen en hoorde hem eindelijk zijn eeuwige liefde verklaren; ze zag zichzelf als Mod-weduwe, een jaar lang gekleed in zwarte coltruitjes en vragend om 'Waterloo Sunset' als muziek bij de begrafenis. Clara's onverklaarbare toewijding aan Ryan Topps kende geen grenzen en oversteeg zijn onaanzienlijke uiterlijk, zijn vervelende karakter en zijn onappetijtelijke gewoonten. In feite oversteeg het Ryan, want wat Hortense ook mocht beweren, Clara was een tienermeisje als alle andere; het voorwerp van haar hartstocht was slechts een bijkomstigheid van de hartstocht zelf, een hartstocht die zich door de lange onderdrukking nu met vulkanische noodzakelijkheid liet gelden. In de loop van de volgende maanden veranderde Clara's manier van denken, veranderde Clara's kleding, veranderde Clara's manier van lopen, veranderde Clara's ziel. Over de hele wereld noemden meisjes deze verandering Donny Osmond of Michael Jackson of de Bay City Rollers. Clara verkoos het Ryan Topps te noemen.

Er waren geen afspraakjes in de normale betekenis van het woord. Geen bloemen of restaurants, films of feestjes. Zo nu en dan, als er meer wiet nodig was, nam Ryan haar mee naar een groot kraakpand in Noord-Londen, waar een gram goedkoop was en mensen die te stoned waren om je gelaatstrekken nog te kunnen zien zich gedroegen als je beste vrienden. Hier nestelde Ryan zich in een hangmat en ging, na een paar stickies, van zijn gebruikelijke zwijgzaamheid over in een staat van volledige catatonie. Clara, die niet rookte, zat aan zijn voeten, bewonderde hem en probeerde de algemene conversatie rondom haar te volgen. Ze had geen verhalen te vertellen zoals de anderen, niet als Merlin, als Clive, als Leo, Petronia, Wan-Si en de anderen. Geen anekdotes over LSD-trips, politiegeweld of demonstreren op Trafalgar Square. Maar Clara maakte vrienden. Ze was een vindingrijk meisje en gebruikte wat ze in huis had om een gevarieerd gezelschap van hippies, warhoofden, malloten en swingende types te vermaken en de schrik op het lijf te jagen met een ander soort uiterste: verhalen over hel en verdoemenis, van de duivels liefde voor fecaliën, zijn passie voor het afstropen van huid, voor het uitsteken van ogen met roodgloeiende poken en het geselen van geslachtsdelen – alle met zorg voorbereide plannen van Lucifer, de grootste van de gevallen engelen, voor 1 januari 1975.

Uiteraard begon het ding dat Ryan Topps heette het Einde van de Wereld steeds verder terug te duwen naar de achterkamertjes van Clara's bewustzijn. Er waren zo veel andere dingen die zich aan haar voordeden, zo veel nieuwe dingen in het leven! Indien dit mogelijk was, voelde ze zich op dat moment een van de Gezalfden, gewoon daar in Lambeth. Hoe gezegender ze zich voelde op aarde, hoe minder ze haar gedachten op de hemel richtte. Wat Clara uiteindelijk gewoon niet begreep, was het epische staaltje van de grote scheiding. Zo veel niet-geredden. Van de acht miljoen Jehova's getuigen zouden zich slechts 144.000 mannen bij Christus in de hemel mogen voegen. De vrouwen die goed en de mannen die goed genoeg waren, zouden het paradijs op aarde verwerven – geen slechte poedelprijs, alles in aanmerking genomen – maar dan bleven er nog steeds zo'n dikke twee miljoen over die niet aan de voorwaarden zouden voldoen. Voeg daar nog eens de heidenen aan toe; de joden, katholieken, moslims; de arme junglebewoners in het Amazonegebied, om wie Clara gehuild had als kind; zo veel niet-geredden. De Jehova's getuigen beriepen zich trots op het ontbreken van de hel in hun theologie – de straf was marteling, onvoorstelbare marteling op de laatste dag, en dan was het graf het graf. Maar voor Clara leek dit erger – de gedachte aan de Grote Schare die zich vermaakte in het aards paradijs, terwijl de gemartelde, verminkte skeletten van de gedoemden vlak onder de grond lagen.

Aan de ene kant had je die gigantische aantallen mensen op de wereld die niet bekend waren met de leer van de *Wachttoren* (sommigen zonder toegang tot een brievenbus) en niet in staat waren contact op te nemen met de Kingdom Hall van Lambeth om nuttig leesmateriaal te ontvangen over de weg naar verlossing. Aan de andere kant was daar Hortense, die met haar haar in de krulspelden gezet lag te draaien en te woelen in haar bed in vreugdevolle afwachting van de regens van zwavel die uitgestort zouden worden over de zondaren, en in het bijzonder over de vrouw op nummer 53. Hortense probeerde uit te leggen: 'Zij die gestorven zijn zonder de Heer te kennen, zullen herrijzen en een nieuwe kans krijgen.' Maar voor Clara was het nog steeds een ongelijke vergelijking. Niet-sluitende boeken. Geloof is moeilijk te verwerven, makkelijk te verliezen. Het viel haar steeds zwaarder om de afdruk van haar knieën in de rode kussens van de Kingdom Hall achter te laten. Ze wilde geen sjerpen en banieren meer dragen of folders uitdelen. Ze wilde niemand meer vertellen over ontbrekende treden. Ze ontdekte de dope, vergat de trap en begon de lift te nemen.

1 oktober 1974. Clara moest nablijven (vijfenveertig minuten omdat ze tijdens de muziekles had beweerd dat Roger Daltrey een groter musicus was dan Johann Sebastian Bach), met als gevolg dat ze haar afspraak van vier uur met Ryan op de hoek van Leenan Street miste. Het was ijskoud en werd al donker toen ze eindelijk buiten stond; ze rende door hopen rottende herfstbladeren, zocht Leenan in de lengte en breedte af, maar er was geen spoor van hem te bekennen. Het was met angst en beven dat ze haar eigen voordeur naderde, onderwijl God een veelvoud aan stilzwijgende contracten aanbiedend (*ik zal nooit seks hebben; ik zal nooit meer een stickie roken; ik zal nooit meer een rok boven de knie dragen*) als hij maar zorgde dat Ryan Topps niet bij haar moeder had aangebeld op zoek naar beschutting tegen de wind.

'Clara! Kom binnen. Het is koud.'

Het was de stem die Hortense opzette wanneer ze gezelschap had – een overcompensatie van alle medeklinkers – de stem die ze gebruikte voor predikanten en blanke dames.

Clara sloot de voordeur achter zich en liep in een soort doodsangst de woonkamer door, langs Jezus die weende (en toen weer niet), en de keuken in.

'Lieve Heer, ze ziet eruit als een verzopen kat, hmm?'

'Mmm,' zei Ryan, die tevreden aan de andere kant van de keukentafel een bord *akee* met labberdaan naar binnen zat te werken.

Met tanden die deuken maakten in haar onderlip stamelde Clara: 'Wat doe jíj hier?'

'Ha!' riep Hortense, bijna triomfantelijk. 'Jij denkt dat je je vrienden voor me kan blijven verbergen? Die jongen had het koud. Ik heb 'm binnengelaten. We hebben gezellig gepraat, hè, jongeman?'

'Mmm. Ja, mevrouw Bowden.'

'Nou, kijk niet zo geschrokken. Je zou denken dat ik hem zou opeten of zoiets, hè, Ryan?' zei Hortense, stralend op een manier die Clara nooit eerder had gezien.

'Ja, precies,' zei Ryan grijnzend. En samen begonnen ze te lachen, Ryan Topps en Clara's moeder.

Is er iets te bedenken wat een verhouding eerder van zijn glans zal beroven dan de situatie waarin de minnaar een joviale verstandhouding ontwikkelt met de moeder van de minnares? Terwijl de avonden donkerder en de dagen korter werden, en het moeilijker werd om Ryan te onderscheiden in de menigte die elke middag om halfvier bij de schoolhekken rondhing, maakte Clara de lange wandeling naar huis in haar eentje en trof haar minnaar vervolgens aan in de keuken, tevreden babbelend met Hortense en de overvloed verslindend aan lekkernijen die het huishouden van de Bowdens te bieden had: akee en labberdaan, *beef jerky*, kip met rijst en erwtjes, gemberkoek en kokosijs.

Deze gesprekken, die zo levendig klonken wanneer Clara de sleutel in het slot stak, vielen altijd stil wanneer ze de keuken naderde. Als bij kinderen die betrapt worden, werd de sfeer eerst nors, dan opgelaten, en dan verontschuldigde Ryan zich en vertrok. Er was ook een blik, merkte ze, een blik die ze voor haar hadden, een blik van medeleven, van meewarigheid, en niet alleen dat – ze begonnen ook commentaar te leveren op haar kleding, die langzaam aan jeugdiger, kleuriger was geworden; en Ryan – wat gebeurde er met Ryan? – legde zijn coltrui af, meed haar op school, *kocht een stropdas.*

Natuurlijk was Clara, als de moeder van een drugsverslaafde of de buurvrouw van een seriemoordenaar, de laatste die het te weten kwam. Ooit had ze alles van Ryan geweten, nog voor Ryan het zelf wist – ze was een Ryan-expert geweest. Nu bleef haar niets anders over dan aanhoren hoe de Ierse meisjes verklaarden dat Clara Bowden en Ryan Topps niet met elkaar gingen – absoluut, absoluut niet met elkaar gingen – o nee, *niet meer.*

Als Clara al besefte wat er gaande was, stond ze zichzelf niet toe het te geloven. Wanneer ze Ryan aan de keukentafel zag, omringd door folders, en Hortense ze haastig bij elkaar zag schuiven en in haar schortzak stoppen, dwong Clara zichzelf het te vergeten.

Later die maand, toen Clara een sombere Ryan overhaalde het met haar te doen in het gehandicaptentoilet, kneep ze haar ogen halfdicht om niet te zien wat ze niet wilde zien. Maar het was daar, onder zijn trui, daar, toen hij achterover leunde tegen de wasbak, was de glinstering van zilver, de glans amper zichtbaar in het zwakke licht – het kon niet, maar het was waar – de zilveren glinstering van een zilveren kruisje.

Het kon niet, *maar het was waar.* Zo beschrijven mensen een wonder. Op de een of andere wijze hadden de tegenpolen Hortense en Ryan hun logische uitersten ontmoet, hun gemeenschappelijke voorliefde voor de pijn en dood van anderen hadden elkaar getroffen als perspectiefpunten aan een morbide horizon. Plotseling hadden de geredden en de niet-geredden elkaar op wonderbaarlijke wijze gevonden. Hortense en Ryan waren nu bezig háár te redden.

'Stap achterop.'

Het schemerde. Clara was net de school uitgelopen en het was Ryan, wiens scooter vlak voor haar voeten scherp tot stilstand kwam.

'Claz, stap achterop.'

'Vraag mijn moeder maar of ze achterop wil!'

'Alsjeblieft,' zei Ryan, terwijl hij haar de extra helm aanbood. 'Het is belangrijk. Ik moet met je praten. Er is niet veel tijd meer.'

'Waarom?' vroeg Clara kortaf, nukkig heen en weer wiebelend op haar plateauzolen. 'Ga je ergens heen?'

'Met jou, ja,' mompelde Ryan. 'Naar de juiste plaats, hopelijk.'

'Nee.'

'Toe, Claz.'

'Néé.'

'Alsjeblieft! 't Is belangrijk. Leven of dood.'

'Oké, dan. Maar dat ding zet ik niet op.' Ze gaf hem de helm terug en ging schrijlings op de scooter zitten. 'Ik ga m'n haar niet door de war maken.'

Ryan reed met haar door Londen en naar Hampstead Heath, naar de top van Primrose Hill, waar hij, zijn blik gericht op het zwakke oranje schijnsel van de stad, zorgvuldig, omslachtig, en in een taal die niet de zijne was, zijn zaak uiteenzette. Waar het op neerkwam was het volgende: er was nog maar één maand te gaan tot het einde van de wereld.

'En het punt is, zijzelf en ikzelf, wij zijn...'

'Wij?'

'Je moeder... je moeder en ikzelf,' mompelde Ryan, 'wij zijn bezorgd. Over jou. D'r zijn er niet veel die de laatste dagen zullen overleven. Je gaat met het verkeerde slag mensen om, Claz...'

'Hou toch op,' zei Clara, hoofdschuddend en op haar tanden zuigend. 'Dit is toch niet te geloven. Het waren jóuw vrienden.'

'Nee, nee, dat zijn ze niet. Niet meer. De wiet... de wiet is slecht. En dat hele stel... Wan-Si, Petronia.'

'Dat zijn m'n vriendinnen!'

'Dat zijn geen nette meisjes, Clara. Ze zouden bij hun familie moeten zijn en zich niet zo moeten kleden als ze doen en die dingen niet moeten doen met die mannen in dat huis. Jijzelf zou dat ook niet moeten doen. En je kleden als, als, als...'

'Als wat?'

'Als een hoer!' zei Ryan. Het woord spatte uit zijn mond alsof het een opluchting was om het kwijt te zijn. 'Als een losbandige vrouw!'

'O jee, ik heb meer dan genoeg gehoord... breng me naar huis.'

'Die krijgen hun portie wel,' zei Ryan, knikkend voor zichzelf, terwijl hij zijn arm uitstrekte en met een gebaar heel Londen omvatte, van Chiswick tot Archway. 'Er is nog tijd voor je. Waar wil je bij horen, Claz? Waar wil je bij horen? Bij de 144.000, in de hemel, heersend naast Christus? Of wil je bij de Grote Schare horen en in het aards paradijs leven, wat wel goed is... Of wil je bij degenen horen die het voor hun kiezen krijgen, foltering en dood. Hè? Ik scheid alleen maar de schapen van de bokken, Claz, de schapen van de bokken. Dat is Mattheüs. En ik denk dat jij een schaap bent, hè?'

'Ik zal je wat zeggen,' zei Clara terwijl ze terugliep naar de scooter en achterop ging zitten. 'Ik ben een bok. Ik ben liever een bok. Ik wíl een bok zijn. En ik word liever geroosterd in de regens van zwavel met mijn vrienden dan dat ik me dood verveel in de hemel met Darcus, mijn moeder en jou!'

Ryan zette zijn helm op. 'Dat had je niet moeten zeggen, Claz,' zei hij plechtig. 'Ik wou echt dat je dat niet had gezegd. In je eigen belang. Híj kan ons horen.'

'En ik heb er genoeg van om jou te horen. Breng me naar huis.'

Hij draaide zich om. 'Het is echt waar! Hij kan ons horen!' schreeuwde hij boven het lawaai van de uitlaatpijp uit, terwijl hij gas gaf en de heuvel begon af te rijden. 'Hij kan het allemaal zien! Hij let op ons!'

'Let jij maar op waar je rijdt,' schreeuwde Clara terug, terwijl ze een groep chassidische joden in alle richtingen uiteenjoegen. 'Let op de weg!'

'Alleen de uitverkorenen... dat staat er... alleen de uitverkorenen. Ze krijgen het allemaal op hun brood... dat staat in Dui-turro-nomum... ze krijgen allemaal hun verdiende loon en alleen de uitverkorenen...'

Ergens halverwege Ryan Topps' stichtelijke bijbelverklaring knalde zijn voormalige valse idool, de Vespa GS, recht op een vierhonderd jaar oude eikenboom. De natuur triomfeerde over de arrogantie van de techniek. De boom overleefde, de scooter stierf; Ryan werd de ene kant op geslingerd, Clara de andere.

De principes van het christendom en die van de wet van de sukkel (ook bekend als de wet van Murphy) zijn hetzelfde: *alles wat mij gebeurt, gebeurt voor mij*. Dus als een man een stukje toast laat vallen en dit met de beboterde kant omlaag valt, wordt deze ongelukkige gebeurtenis geïnterpreteerd als bewijs van een essentiële waarheid over pech: dat de toast zo gevallen is als hij gevallen is alleen maar om jou, Meneer Pechvogel, te bewijzen dat er een bepalende kracht in het heelal is en dat deze pech is. Dat het niet willekeurig is. De toast had nooit op de goede kant kunnen vallen, zo wordt gesteld, want dat is de wet van de sukkel. Kortom, de wet van Murphy is er om te bewijzen dat er een wet van de sukkel is. Maar in tegenstelling tot zwaartekracht is het een wet die niet onder alle omstandigheden bestaat: als de toast op de goede kant valt, verdwijnt de wet van de sukkel op mysterieuze wijze. Dus toen Clara viel en al haar tanden uit haar bovenkaak knalden, terwijl Ryan opstond zonder ook maar een schrammetje te hebben opgelopen, wist Ryan dat dit kwam doordat God Ryan had gekozen als een van de geredden en Clara als een van de niet-geredden. Niet doordat de een een helm droeg en de ander niet. En als het omgekeerd was geweest, als de zwaartekracht Ryans tanden had opgeëist en ze als kleine geglazuurde sneeuwballetjes van Primrose Hill had laten rollen, nou... dan kun je er donder op zeggen dat God, wat Ryan betreft, de grote verdwijntruc had toegepast.

Maar dit was het laatste teken dat Ryan nodig had. Toen het oudejaarsavond werd, zat hij daar in de woonkamer, met Hortense in een cirkel van kaarsen, vurig te bidden voor Clara's ziel, terwijl Darcus in zijn slang piste en naar *Generation Game* op de BBC keek. Clara, intussen, had een gele broek met wijd uitlopende pijpen en een rood haltertruitje aangetrokken en was naar een feest gegaan. Ze stelde het thema voor, hielp het spandoek schilderen en uit het raam hangen; ze danste en rookte met de anderen en voelde zich, zonder overdreven bescheidenheid, het mooiste meisje van het kraakpand. Maar toen middernacht onvermijdelijk kwam en ging zonder dat de ruiters van de Apocalyps hun opwachting maakten, verraste Clara zichzelf door in een melancholische stemming te geraken. Want jezelf bevrijden van geloof is als zeewater koken om zout te krijgen – er wordt iets gewonnen, maar er gaat iets verloren. Hoewel haar vrienden – Merlin, Wan-Si en anderen – haar op de rug sloegen en feliciteerden met het feit dat ze die heftige dromen over verdoemenis en verlossing had uitgebannen, treurde Clara in stilte om de warmere aanraking waarop ze die negentien jaar had gewacht, de stevige, allesomvattende omhelzing van de Verlosser, Hij die alfa en omega was, het begin en het einde; de man die haar had moeten bevrijden van dat leven, van de lusteloze werkelijkheid van een souterrain in Lambeth. Wat moest Clara nu? Ryan zou een andere bevlieging vinden; Darcus hoefde alleen maar naar een ander kanaal te zappen; voor Hortense zou er uiteraard een nieuwe datum opduiken, samen met meer folders en zelfs meer geloof. Maar Clara was Hortense niet.

Een restant van Clara's vervlogen droom bleef echter hangen. Ze verlangde nog steeds naar een verlosser. Ze verlangde nog steeds naar een man die haar zou wegvoeren, die haar zou verkiezen boven anderen, zodat ze met Hem zou *wandelen in witte klederen, want* [zij was] *het waardig* (Openbaring 3:4).

Het is dan misschien ook niet zo onverklaarbaar dat Clara Bowden, toen ze de volgende ochtend onder aan de trap Archie Jones ontmoette, meer in hem zag dan alleen een nogal korte, nogal gezette blanke man van middelbare leeftijd in een slecht zittend pak. Clara zag Archie door de grijsgroene ogen van verlies; haar wereld was net verdwenen, het geloof waarnaar ze had geleefd had zich als de zee bij eb teruggetrokken, en Archie was, geheel bij toeval, de man uit de grap geworden: de laatste man op aarde.

3

TWEE GEZINNEN

Het is beter te trouwen dan van hartstocht te branden, zegt Corinthiërs 1, hoofdstuk zeven, vers negen.

Een goed advies. Natuurlijk vertelt Corinthiërs ons ook dat we *een stier niet moeten muilbanden wanneer hij het graan uitdorst* – dus zeg het maar.

In februari 1975 had Clara de kerk en al haar bijbelse letterknechterij verlaten voor Archibald Jones, maar ze was nog niet het soort zorgeloze atheïst dat kon lachen in de buurt van een altaar of de leer van de heilige Paulus volledig kon afwijzen. De tweede uitspraak was geen probleem – omdat ze geen stier had, was ze automatisch uitgezonderd. Maar de eerste bezorgde haar slapeloze nachten. Was het beter om te trouwen? Zelfs als de man een heiden was? Ze wist niet hoe ze daarachter moest komen; ze leefde nu zonder steunpilaar, zonder vangnet. Zorgwekkender dan God was haar moeder. Hortense verzette zich heftig tegen de verhouding, meer op grond van kleur dan leeftijd, en had haar dochter op een ochtend, onmiddellijk nadat ze ervan op de hoogte was geraakt, de deur gewezen.

Clara had nog steeds het gevoel dat haar moeder diep vanbinnen liever zag dat ze trouwde met een ongeschikte man dan dat ze met hem in zonde leefde, dus deed ze het impulsief en smeekte Archie haar zo ver uit de buurt van Lambeth te brengen als een man van zijn middelen zich maar kon veroorloven – Marokko, België, Italië. Archie had haar hand gegrepen en geknikt en lieve woordjes gefluisterd in de volledige wetenschap dat een man van zijn middelen niet verder kwam dan een nieuw verworven, zwaar verhypothekeerd huis met één verdieping in Willesden Green. Maar dat hoefde hij nu niet te vertellen, dacht hij, niet nu meteen. Ze zou er langzaamaan wel achter komen.

Drie maanden later was Clara erachter gekomen, en daar waren ze nu, bezig met de verhuizing. Archie moeizaam de trap op klauterend, zoals gewoonlijk vloekend en te veel hooi op zijn vork nemend, buigend onder het gewicht van dozen die Clara moeiteloos met twee, drie tegelijk kon dragen; Clara even rust nemend, haar ogen halfdicht geknepen in het warme meizonnetje, pogend haar positie te bepalen. Ze kleedde zich uit tot op een klein paars hemdje en leunde tegen haar tuinhek. Wat wás dit voor buurt? Dat was het punt, snap je, je kon er niet zéker van zijn.

Tijdens de rit op de passagiersstoel van de verhuiswagen had ze de hoofdweg gezien en die was lelijk geweest, armoedig en vertrouwd (hoewel er geen Kingdom Halls of episcopale kerken waren), maar toen gingen ze een hoek om en waren de wegen plotseling uitgebarsten in groen, prachtige eiken, en werden de huizen groter, breder en stonden verder van elkaar, en ze kon parken zien, ze kon bibliotheken zien. Toen, ineens, waren de bomen weer verdwenen, weer in bushaltes veranderd als op klokslag middernacht; een teken waaraan ook de huizen gehoor gaven, die in kleinere, traploze woningen veranderden, breed en plat tegenover vervallen winkelgalerijen, die eigenaardige rijen ondernemingen waartoe, zonder uitzondering, de volgende behoren:

– één in onbruik geraakte broodjeszaak die nog steeds een ontbijt aanbiedt,

– één niet in overdadige reclame geïnteresseerde slotenmaker (SLEUTELS),

– en één permanent gesloten uniseks kapsalon, de trotse drager van een of andere afgrijselijke woordspeling (*Hoofdzaak* of *Voor Haar Alleen* of *Pony-Express* of *Knip & Knap*).

Het was een loterij om zo onderweg te zijn, om je heen te kijken en niet te weten of je voor de rest van je leven tussen de bomen terechtkwam of tussen de troep. Toen was de verhuiswagen langzaam tot stilstand gekomen voor een huis, een aardig huis ergens halverwege tussen de bomen en de troep, en was er een golf van dankbaarheid door haar heen gestroomd. Het was aardig, niet zo aardig als ze had gehoopt maar niet zo erg als ze had gevreesd; het had twee tuintjes, voor en achter, een deurmat, een deurbel, een wc bínnen... En ze had er geen hoge prijs voor betaald. Alleen liefde. Niet meer dan liefde. En wat Corinthiërs ook mocht zeggen, liefde is niet zo moeilijk op te geven, niet als je het nooit echt hebt gevoeld. Ze hield niet van Archie, maar ze had zich voorgenomen, dat eerste moment daar op de trap, zich aan hem te wijden als hij haar daarvandaan zou halen. En dat had hij nu gedaan, en hoewel het geen Marokko of België of Italië was, was het aardig, niet het beloofde land, maar áárdig, aardiger dan alle plaatsen waar ze ooit was geweest.

Clara begreep dat Archibald Jones geen romantische held was. Drie maanden in één stinkende kamer was voldoende openbaring geweest. O, hij kon lief zijn en soms zelfs charmant, hij kon 's morgens vroeg een kristalzuivere noot fluiten, hij reed rustig en verantwoordelijk en hij was een verrassend bekwame kok, maar van romantiek had hij geen kaas gegeten, hartstocht, ondenkbaar. En als je dan opgezadeld bent met een man zo doorsnee als dat, vond Clara, moest hij op zijn minst volkomen toegewijd zijn aan jóu – aan jouw schoonheid, aan jouw jeugd – dat was het minste wat hij kon doen. Maar Archie – vergeet het maar. Ze waren nog geen maand getrouwd of hij liep al rond met die rare glazige blik die mannen hebben wanneer ze door je heen kijken. Hij was alweer teruggekeerd naar zijn vrijgezellenbestaan: biertjes met Samad Iqbal, eten met Samad Iqbal, zondagse ontbijtjes met Samad Iqbal, al zijn vrije tijd met die man in die rotzaak, *O'Connells*, in die klerekroeg. Ze probeerde redelijk te zijn. Ze vroeg hem: *Waarom ben je nooit hier? Waarom breng je zo veel tijd door met de Indiër?* Maar een klopje op haar rug, een kus op haar wang, hij pakt zijn jas, één voet staat al buiten en altijd hetzelfde antwoord: *Sam en ik? We kennen elkaar al eeuwen*. Daar kon ze niets tegen inbrengen. Ze kenden elkaar al voordat zij was geboren.

Geen ridder op het witte paard dus, deze Archibald Jones. Geen doel, geen hoop, geen ambitie. Een man die geen grotere genoegens kende dan een Engels ontbijt en DHZ. Een saaie man. Een óude man. En toch... goed. Hij was een góede man. En goed mocht dan niet veel voorstellen, goed mocht je leven dan niet spannend maken, maar het was in ieder geval iets. Die eerste keer op de trap had ze het in hem gezien, simpel, direct, zoals ze een goeie mango eruit kon pikken bij een marktkraam in Brixton zonder de schil zelfs maar te hoeven aanraken.

Dit waren de gedachten waaraan Clara zich vastklampte terwijl ze, drie maanden na haar bruiloft, tegen haar tuinhek leunde en zwijgend zag hoe het voorhoofd van haar man rimpelde en samentrok als een harmonica, hoe zijn buik zwanger over zijn riem hing, hoe wit zijn huid was, hoe blauw zijn aders waren, de manier waarop zijn '11-en' zichtbaar werden, die twee koorden van vlees die in de hals van een man verschijnen (zoals ze in Jamaica zeiden) wanneer zijn tijd bijna op is.

Clara fronste haar wenkbrauwen. Ze had deze aandoeningen niet opgemerkt tijdens de bruiloft. Waarom niet? Hij had geglimlacht en hij droeg een witte coltrui, maar nee, dat was het niet – ze was er toen niet naar op zoek geweest, dat was het. Clara had het grootste deel van haar trouwdag naar haar voeten gekeken. Het was een hete dag geweest, 14 februari, maar ongewoon warm, en er was een wachttijd geweest want die dag had de hele wereld willen trouwen daar in dat kleine bureau van de burgerlijke stand op Ludgate Hill. Clara herinnerde zich hoe ze de fijne hooggehakte schoentjes die ze droeg uit had laten glijden en haar blote voeten op de koude vloer had gezet, ervoor zorgend dat ze ze stevig ter weerszijden van een donkere barst in de tegel plaatste, een evenwichtsoefening waarop ze lukraak haar toekomstige geluk had gezet.

Intussen had Archie wat vocht van zijn bovenlip geveegd en een hardnekkige zonnestraal vervloekt die een stroompje zoutachtig water langs de binnenkant van zijn been stuurde. Voor zijn tweede huwelijk had hij een mohair pak gekozen met een witte coltrui en beide bleken enigszins problematisch. Door de hitte ontsprongen over zijn hele lichaam stroompjes zweet, die door de coltrui naar het mohair sijpelden en de onmiskenbare geur van natte hond afgaven. Clara was, uiteraard, een en al kat. Ze droeg een lange, bruine wollen jurk van Jeff Banks en een volmaakt kunstgebit; de jurk had een blote rug, de tanden waren wit, en het totale effect was katachtig; een panter in avondjurk; waar de wol ophield en de huid begon, was met het blote oog niet goed waar te nemen. En als een kat reageerde ze op de stoffige zonnestraal die door een hoog raam zijn weg zocht naar de wachtende paren. Ze warmde haar blote rug erin, ze leek zich bijna te ontróllen. Zelfs de ambtenaar, die alles al had gezien – paardachtige vrouwen met wezelachtige mannen, olifantachtige mannen met uilachtige vrouwen – trok een wenkbrauw op bij deze hoogst onnatuurlijke verbintenis toen ze zijn bureau naderden. Kat en hond.

'Hallo, eerwaarde,' zei Archie.

'Hij is een ambtenaar, Archibald, domkop,' zei zijn vriend Samad Miah Iqbal, die, samen met zijn petieterige vrouw Alsana, uit zijn verbanning naar de Gastenkamer naar binnen was geroepen om als getuige op te treden. 'Geen katholieke priester.'

'Juist. Natuurlijk. Sorry. Zenuwachtig.'

De kleingeestige ambtenaar zei: 'Zullen we doorgaan? We hebben er nog heel wat af te handelen vandaag.'

De plechtigheid had weinig meer voorgesteld dan dit. Archie kreeg een pen en had zijn naam opgeschreven (Alfred Archibald Jones), nationaliteit (Engels) en leeftijd (47). Een ogenblik weifelend bij het kader 'Beroep' had hij besloten tot 'Reclame (bedrukte folders)' en ondertekend. Clara schreef haar naam op (Clara Iphegenia Bowden), nationaliteit (Jamaicaans) en leeftijd (19). Aangezien ze geen kader vond dat geïnteresseerd was in haar beroep ging ze rechtstreeks naar de stippellijn, haalde haar pen eroverheen en richtte zich weer op, een Jones. Een Jones als geen andere die haar was voorgegaan.

Toen waren ze naar buiten gegaan, naar de trap, waar een briesje tweedehands confetti opwaaide en over nieuwe echtparen blies, en waar Clara voor het eerst formeel kennismaakte met haar enige bruiloftsgasten: twee Indiërs, gekleed in purperen zijde. Samad Iqbal, een lange, knappe man, met de allerwitste tanden en een dode hand, die haar met de ene die werkte maar op de rug bleef kloppen.

'Mijn idee, weet je,' bleef hij maar zeggen. 'Mijn idee, al dat trouwgedoe. Ik ken de beste kerel al sinds... wanneer?'

'1945, Sam.'

'Dat probeer ik die mooie vrouw van je te vertellen, 1945... als je een man zo lang kent, en samen met hem hebt gevochten, dan is het je missie om hem gelukkig te maken als hij dat niet is. En dat was hij niet! Integendeel zelfs, totdat jij verscheen! Wentelend in de stronthoop, als ik het zo mag zeggen. Gelukkig is zíj nu opgekrast. Er is maar één plaats voor de gekken, en dat is bij andere gekken,' zei Samad, die halverwege de zin niet meer wist hoe hij verder moest omdat Clara duidelijk geen flauw benul had van waar hij over sprak. 'Maar goed, we hoeven niet stil te staan bij... Maar mijn idee, weet je, dit.'

En dan was er zijn vrouw, Alsana, die nietig was, haar lippen strak op elkaar klemde, Clara op de een of andere manier scheen af te keuren (hoewel ze maar enkele jaren ouder kon zijn) en alleen zei: 'O ja, mevrouw Jones,' of 'O nee, mevrouw Jones,' waardoor Clara zich zo nerveus ging voelen, zo schaapachtig, dat ze zich gedwongen voelde haar schoenen weer aan te trekken.

Archie vond het erg voor Clara dat er geen grotere receptie was. Maar er was niemand anders om uit te nodigen. Alle andere familieleden en vrienden hadden de uitnodiging voor de bruiloft afgeslagen, sommigen zonder omhaal van woorden, sommigen geschokt; anderen, die vonden dat zwijgen nog de beste oplossing was, hadden de laatste week weloverwogen de post laten liggen en de telefoon laten rinkelen. De enige die hun geluk had gewenst was Ibelgaufts, die noch was uitgenodigd noch op de hoogte was gesteld van de gebeurtenis, maar van wie, merkwaardig genoeg, een briefje was gekomen met de ochtendpost:

14 februari 1975

Beste Archibald,

Gewoonlijk hebben bruiloften iets wat de misantroop in mij naar boven brengt, maar vandaag, terwijl ik een bed petunia's voor de ondergang probeerde te behoeden, voelde ik een niet onaanzienlijke warmte bij de gedachte aan de vereniging van één man en één vrouw in een levenslange verbintenis. Het is toch werkelijk opmerkelijk dat wij mensen aan een zo onmogelijk huzarenstukje beginnen, vind je niet? Maar even serieus: zoals je weet ben ik een man wiens vak het is om diep in de 'Vrouw' te kijken en haar, als psychiater, volkomen gezond te verklaren of niet. En ik ben ervan overtuigd, mijn vriend (om een metafoor te gebruiken), dat jij je aanstaande vrouw in die zin spiritueel en intellectueel hebt leren kennen en op geen enkel punt tekortkomingen hebt gevonden, dus wat kan ik je anders aanbieden dan de hartelijke gelukwensen van je serieuze mededinger,

Horst Ibelgaufts

Welke andere herinneringen aan die dag kunnen hem uniek maken en uittillen boven de andere 364 die samen 1975 vormden? Clara herinnerde zich een jonge zwarte man, die zwetend in een zwart pak op een appelkist stond en een betoog hield tegen zijn broeders en zusters; een oude zwerfster, die een anjer uit een vuilnisbak haalde om in haar haar te doen. Maar toen was het allemaal voorbij: de in huishoudfolie verpakte broodjes die Clara had klaargemaakt waren vergeten en lagen weg te kwijnen op de bodem van een tas, de lucht betrok, en toen ze de heuvel op waren gelopen naar de King Ludd Pub, langs de jouwende Fleet Street-jongens met hun zaterdagse pintjes, werd ontdekt dat Archie een parkeerbon had gekregen.

En zo kwam het dat Clara de eerste drie uur van haar huwelijksleven doorbracht op het politiebureau van Cheapside, waar ze met haar schoenen in haar handen naar haar redder keek die onvermoeibaar debatteerde met een verkeersagent die Archies subtiele interpretatie van de zondagse parkeerwetten maar niet wilde begrijpen.

'Clara, Clara, schat...'

Het was Archie, die zich, gedeeltelijk verborgen achter een salontafel, langs haar heen naar de voordeur worstelde.

'We krijgen de Ick-Balls vanavond op visite, en ik wil het huis een beetje op orde krijgen... dus kun je een beetje opzij?'

'Je wil hulp?' vroeg Clara geduldig, hoewel ze nog half in een dagdroom zat. 'Ik kan wat dragen als...'

'Nee, nee, nee, nee... Het lukt me wel.'

Clara stak haar hand uit naar een kant van de tafel. 'La'me alleen...'

Archie vocht om zich door de smalle deuropening te persen, terwijl hij beide poten en de grote, losse glasplaat van de tafel probeerde vast te houden.

'Dit is mannenwerk, schat.'

'Maar...' Met benijdenswaardig gemak tilde Clara een grote leunstoel op en liep ermee naar de stoep, waar Archie half ineengezakt naar adem stond te happen. 'Geen probleem. Als je hulp wil, vraag je het maar.' Ze streek even zacht met haar hand over zijn voorhoofd.

'Ja, ja, ja.' Hij schudde haar geïrriteerd van zich af, alsof hij een vlieg wegmepte. 'Ik kan dit zelf wel...'

'Dat weet ik...'

'Het is mánnenwerk.'

'Ja, ja, ik begrijp 't... Ik wilde niet...'

'Luister, Clara, schat, ga gewoon uit de weg, dan kan ik doorgaan, oké?' Clara keek toe hoe hij met enige vastberadenheid zijn mouwen oprolde en de salontafel weer te lijf ging.

'Als je echt wilt helpen, schat, kun je wat van je kleren naar binnen gaan brengen. God weet dat er genoeg zijn om een oorlogsschip tot zinken te brengen. Ik heb geen idee waar we die allemaal moeten laten met de weinige ruimte die we hebben.'

'Ik zei al eerder... we kunnen er wel wat wegdoen, als jij dat beter vindt.'

'Dat is niet mijn beslissing, niet mijn beslissing, nietwaar? Nietwaar? En hoe zit het met de kapstok?'

Dit was de man: nooit in staat een beslissing te nemen, nooit in staat een standpunt in te nemen.

'Ik zei al: als je hem niet mooi vindt, stuur dat rotding dan terug. Ik heb hem gekocht omdat ik dacht dat je hem mooi vond.'

'Nou ja, schat,' zei Archie, voorzichtig nu ze haar stem had verheven, 'het was tenslotte mijn geld... het was wel aardig geweest als je me tenminste naar míjn mening had gevraagd.'

'God, man! Het is een kapstok. Hij is alleen rood. En rood is rood. Wat is er ineens mis met rood?'

'Ik probeer alleen,' zei Archie, zijn stem dempend tot een schor, geforceerd gefluister (een geliefd stemwapen in het huwelijksarsenaal: *niet in het bijzijn van de buren/kinderen*), 'het niveau in huis een beetje te verbeteren. Dit is een nette buurt, een nieuw leven, weet je. Luister, laten we geen ruzie maken. We gooien een muntje op; kruis hij blijft, munt...'

Echte geliefden maken ruzie, en vallen elkaar de volgende seconde weer in de armen; meer doorgewinterde geliefden lopen de trap op of de kamer ernaast in voordat ze bedaren en op hun schreden terugkeren. Een relatie die op het punt staat het te begeven, zal één partner twee stratenblokken verder aantreffen of twee landen naar het oosten voordat zich iets begint te roeren, verantwoordelijkheid, een herinnering, de aanraking van een kinderhand of een gevoelige snaar, wat hem of haar ertoe beweegt de lange reis terug te maken naar de wederhelft. Op deze schaal van

Richter liet Clara niet meer dan het lichtste gerommel horen. Ze draaide zich naar het hek, zette twee stappen vooruit en stond stil.

'Kruis!' zei Archie, ogenschijnlijk zonder enige wrok. 'Hij blijft. Zie je? Dat was niet zo moeilijk.'

'Ik wil geen ruzie maken.' Ze draaide zich naar hem om, nadat ze zich in stilte opnieuw had voorgenomen zich haar verplichting aan hem te herinneren. 'Je zei dat de Iqbals komen eten. Ik dacht, eh... als ze willen dat ik een curry voor ze maak... ik bedoel, ik kan wel curry maken, maar het is míjn soort curry.'

'In godsnaam, ze zijn niet dát soort Indiërs,' zei Archie geërgerd, beledigd door de suggestie. 'Sam eet net als iedereen zijn zondagse rosbief. Hij doet niks anders dan Indiaas voedsel serveren; hij hoeft het niet ook nog te eten.'

'Ik vroeg 't me alleen af...'

'Niet doen, Clara. Alsjeblieft!'

Hij gaf haar een liefhebbende kus op haar voorhoofd, waarvoor ze zich licht omlaag boog.

'Ik ken Sam al jaren, en zijn vrouw lijkt een beetje stil. Ze zijn de koninklijke familie niet, weet je. Ze zijn niet dát soort Indiërs,' herhaalde hij, en hij schudde zijn hoofd, gekweld door een of ander gevoel, een of ander ingewikkeld probleem dat hij niet helemaal kon thuisbrengen.

Samad en Alsana Iqbal, die niet dát soort Indiërs waren (zoals Clara, in Archies ogen, niet dát soort zwarte was), die, feitelijk, helemaal niet Indiaas waren maar Bengalees, woonden vier blokken verder aan de verkeerde kant van Willesden High Road. Het had hun een jaar gekost om daar te komen, een jaar van ongenadig hard werken om de enorme overstap te maken van de verkeerde kant van Whitechapel naar de verkeerde kant van Willesden. Een jaar van inspanningen van Alsana, ploeterend op de oude Singer die in de keuken stond, stukken zwart plastic aan elkaar naaiend voor een winkel in Soho die Domination heette (er waren heel wat avonden geweest waarop Alsana een kledingstuk omhooghield dat ze had gemaakt, volgens het patroon dat ze had gekregen, en zich had afgevraagd wat het in godsnaam moest voorstellen). Een jaar van inspanningen van Samad, licht zijn hoofd buigend in precies de correcte eerbiedige hoek, potlood in zijn rechterhand, notitieboekje in zijn linker, luisterend naar de tenenkrommende uitspraak van Britten, Spanjaarden, Amerikanen, Fransen, Australiërs:

Goobie Aaloo Saag, alsjeblieft.

Daniewalie murg kormaa. Met patat. Bedankt.

Van zes uur 's middags tot drie uur 's nachts, en daarna werd elke dag slapend doorgebracht, tot daglicht zo zeldzaam was als een fatsoenlijke fooi. Want wat heeft het voor zin, dacht Samad dan, twee pepermuntjes en een rekening opzij duwend om vijftien pence te vinden, wat heeft het voor zin om een man hetzelfde bedrag als fooi te geven dat je in een fontein zou gooien om een wens in vervulling te laten gaan? Maar voordat de verboden gedachte om de vijftien pence discreet in zijn servethand te vouwen ook maar de kans had gekregen zich te vormen, stond Mukhul – Ardashir Mukhul, die de Palace leidde en wiens pezige gestalte heen en weer beende door het restaurant, met een welwillend oog op de klanten en een waakzaam oog op het personeel – al voor hem.

'Saaamaaad' – hij had een zoetige, zalvende manier van spreken – 'heb je de benodigde achterwerken vanavond gekust, neef?'

Samad en Ardashir waren verre neven, van wie Samad de oudste was met zes jaar verschil.

Met welk een vreugde (ware verrukking) had Ardashir afgelopen januari de brief geopend en gemerkt dat zijn oudere, slimmere, knappere neef moeite had met het vinden van werk in Engeland en misschien...

'Vijftien pence, neef,' zei Samad, terwijl hij zijn hand omhoogbracht.

'Nou, elk beetje helpt, elk beetje helpt,' zei Ardashir, zijn dooievissenlippen oprekkend tot een mager glimlachje. 'In de Pispot ermee.'

De Pispot was een zwarte Balti-pot die op een plint bij de personeelstoiletten stond, waar alle fooien in werden gedaan tot ze aan het eind van de avond werden verdeeld. Voor de jongere, flitsende, knappe kelners als Shiva was dit een groot onrecht. Shiva was de enige hindoe onder het personeel, wat een blijk was van zijn serveerkwaliteiten, die getriomfeerd hadden over religieuze verschillen. Shiva kon een fooi van vier pond op een avond maken als de moddervette blanke gescheiden vrouw in de hoek eenzaam genoeg was en hij maar doeltreffend genoeg met zijn lange wimpers naar haar knipperde. Hij kon zijn geld ook uit de in coltrui gestoken directeuren en producers halen (de Palace stond midden in Londens theaterdistrict, en het waren nog de dagen van het Royal Court, van mooie jongens en realistisch toneel), die de jongen vleiden, zijn kont provocatief naar de bar en terug zagen wiebelen en zwoeren dat als iemand ooit *A Passage to India* voor toneel zou bewerken hij elke rol zou kunnen krijgen die zijn verbeelding maar zou prikkelen. Voor Shiva was het Pispotsysteem dus niet meer dan schaamteloze oplichting en een belediging voor zijn onbetwiste serveerkwaliteiten. Maar voor iemand als Samad, die tegen de vijftig liep, en voor de nog ouderen, zoals de witharige Muhammed (Ardashirs oudoom), die minstens tachtig was en diepe groeven rond zijn mondhoeken had op de plaatsen waar hij geglimlacht had toen hij nog jong was, voor mannen als zij viel over de Pispot niet te klagen. Het was veel verstandiger om je bij het collectief aan te sluiten dan vijftien pence in je zak te stoppen en het risico te lopen betrapt te worden (en een week fooien mis te lopen).

'Ik heb jullie allemaal op mijn nek!' snauwde Shiva, wanneer hij aan het eind van de avond vijf pond moest afstaan aan de pot. 'Jullie teren allemaal op mijn zak! Verlos me van dat stelletje mislukkelingen! Dat was mijn vijfje en nu moet het verdomme in vijfenzestig miljoen delen worden gesplitst als een gift voor die mislukkelingen! Wat is dit: communisme?'

En de anderen meden zijn blik en hielden zich stilletjes met andere dingen bezig, tot Samad op een avond, een vijftien-penceavond, zei: 'Hou je mond, knul,' stilletjes, bijna fluisterend.

'Jij!' Shiva draaide zich om naar Samad, die bezig was een grote bak linzen fijn te stampen voor de dal van de volgende dag. 'Jij bent de ergste van allemaal. Je bent verdomme de slechtste kelner die ik ooit heb gezien! Jij zou nog niet eens een fooi weten te krijgen als je de rotzakken zou beroven! Ik hoor hoe je met de klant probeert te praten over biologie dit, over politiek dat... dien gewoon het eten op, idioot... je bent een kelner, godverdomme, en niet Michael Parkinson. "*Hoorde ik u Delhi zeggen*?"' – Shiva legde zijn schort over zijn arm en begon aanstellerig door de keuken te paraderen (hij was zo'n jammerlijke imitator) – '"Ik ben daar zelf geweest, de Universiteit van Delhi, zo fascinerend, ja – en ik heb in de oorlog gevochten, voor Engeland, ja – ja, ja, wat leuk, wat leuk."' Hij liep maar heen en weer door de keuken, knikkend met zijn hoofd en wrijvend in zijn handen als Uriah Heep, buigend en door zijn knieën zakkend voor de hoofdkok, voor de man die grote brokken vlees in de inloopvrieskast legde, voor de jonge jongen die bezig was de onderkant van de oven schoon te boenen. 'Samad, Samad...' zei hij, met wat oneindig medelijden scheen; toen stond hij abrupt stil, trok het schort af en wikkelde het rond zijn middel. 'Wat ben je toch een zielig mannetje.'

Muhammed keek hoofdschuddend op van het pannen schrobben. Tegen niemand in het bijzonder zei hij: 'Die jonge mensen... wat is dat voor praat? Wat is dat voor praat? Waar is hun respect gebleven? Wat is dat voor manier van praten?'

'En jij kan ook verrekken,' zei Shiva, met een soeplepel in zijn richting zwaaiend, 'ouwe gek. Je bent mijn vader niet.'

'Achterneef van je moeders oom,' mompelde een stem van achteren.

'Gelul,' zei Shiva. 'Wat een gelul.'

Hij greep de zwabber en liep in de richting van de toiletten, maar stopte bij Samad en hield de zwabber een paar centimeter van Samads mond.

'Kus hem,' zei hij met een spottende grijns, en toen, de trage, lijzige manier van praten van Ardashir nadoend: 'Wie weet, neef, misschien krijg je opslaaaag!'

En zo ging het de meeste avonden: beschimpingen van Shiva en anderen, neerbuigendheid van Ardashir, nooit Alsana zien, nooit de zon zien, vijftien penny's in je hand klemmen en dan afgeven, wanhopig verlangen een bord te dragen, een groot wit plakkaat met de tekst:

IK BEN GEEN KELNER. IK BEN EEN STUDENT GEWEEST, EEN WETENSCHAPPER, EEN SOLDAAT, MIJN VROUW HEET ALSANA, WE WONEN IN OOST-LONDEN MAAR WE WILLEN GRAAG NAAR HET NOORDEN. IK BEN EEN MOSLIM MAAR ALLAH HEEFT MIJ VERLATEN OF IK ALLAH, DAT WEET IK NIET ZEKER. IK HEB EEN VRIEND... ARCHIE... EN ANDEREN. IK BEN NEGENENVEERTIG MAAR VROUWEN DRAAIEN ZICH OP STRAAT NOG OM. SOMS.

Maar aangezien zo'n plakkaat niet bestond had hij de neiging, de behoefte, tegen iedereen te spreken en, net als de Oude Zeeman, voortdurend uit te leggen, voortdurend iets, wat dan ook, opnieuw te beweren. Was dat niet belangrijk? Maar dan de hartbrekende teleurstelling om erachter te komen dat het lichte buigen van het hoofd, het gereedhouden van de pen, dat deze dingen belangrijk waren, zo belangrijk – het was belangrijk een goede kelner te zijn, te luisteren wanneer iemand zei –

Lam Dhaan Sak en rijst. Met patat. Dank u.

En vijftien pence tinkelde op porselein. Dank u wel, meneer. Dank u zeer.

❦

Op de dinsdag na Archies bruiloft had Samad gewacht tot iedereen weg was, zijn witte, wijd uitlopende broek (gemaakt van dezelfde stof als de tafelkleedjes) tot een volmaakt vierkant opgevouwen, en was toen de trap opgelopen naar Ardashirs kantoor, want hij had hem iets te vragen.

'Neef!' zei Ardashir met een vriendelijke grimas bij het zien van Samads lichaam dat voorzichtig om de deur heen boog. Hij wist dat Samad was gekomen om over een loonsverhoging te praten, en wilde dat zijn neef het gevoel zou hebben dat hij de zaak in ieder geval in al zijn vriendelijke oordeelkundigheid had overwogen voordat hij het verzoek beleefd zou afwijzen.

'Neef, kom binnen!'

'Goedenavond, Ardashir Mukhul,' zei Samad, terwijl hij helemaal de kamer binnenkwam.

'Ga zitten, ga zitten,' zei Ardashir op warme toon. 'We hoeven de vormen nu niet in acht te nemen, nietwaar?'

Samad was blij dat dit zo was. Dat zei hij ook. Hij nam een ogenblik om met de vereiste bewondering de kamer rond te kijken, met zijn meedogenloze goud, zijn tapijt met driedubbele pool, zijn meubilair in verschillende tinten geel en groen. Je moest wel bewondering hebben voor Ardashirs neus voor zaken. Hij had het simpele idee van een Indiaas restaurant genomen (kleine ruimte, roze tafelkleed, luide muziek, monsterlijk behang, gerechten die in India niet bestaan, carrouselsaus) en het gewoon groter gemaakt. Hij had niets verbeterd; het was allemaal dezelfde rotzooi, maar het was allemaal groter in een groter gebouw in de grootste toeristenval van Londen, Leicester Square. Je moest het wel bewonderen, en de man bewonderen die daar over zijn bureau gebogen zat als een minzame sprinkhaan, zijn tengere insectachtige lichaam opgeslokt door een zwarte leren stoel, een en al glimlach, een parasiet vermomd als filantroop.

'Neef, wat kan ik voor je doen?'

Samad haalde diep adem. De kwestie was de volgende...

De ogen van Ardashir werden een beetje glazig terwijl Samad zijn situatie uiteenzette. Zijn magere benen maakten krampachtige bewegingen onder het bureau, en met zijn vingers bewerkte hij een paperclip tot deze een redelijke gelijkenis vertoonde met een A. A voor Ardashir. De kwestie was... wat was de kwestie? Het huis was de kwestie. Samad verhuisde uit Oost-Londen (waar je geen kinderen kon grootbrengen, dat kon toch werkelijk niet, niet als je niet wilde dat ze lichamelijk letsel zouden oplopen, dat vond hij ook), uit Oost-Londen met zijn National Front-bendes, naar Noord-Londen, noordwest, waar de dingen wat... wat... liberaler waren.

Was het zijn beurt om te spreken?

'Nee...' zei Ardashir, zijn gezicht in de plooi trekkend, 'je moet begrijpen... ik kan het niet op me nemen om huizen te kopen voor al mijn werknemers, neef of geen neef... Ik betaal een loon, neef... Zo doe je zaken in dit land.'

Ardashir haalde zijn schouders op terwijl hij sprak, als om aan te geven dat hij 'zakendoen in dit land' ten diepste afkeurde, maar dat het nu eenmaal zo was. Hij was gedwongen, zo zei zijn blik, gedwongen door de Engelsen om heel veel geld te verdienen.

'Je begrijpt me verkeerd, Ardashir. Ik heb de aanbetaling voor het huis, het is nu óns huis, we zijn al verhuisd...'

Hoe kon hij zich dat in vredesnaam veroorloven, hij moest zijn vrouw wel afbeulen als een slavin, dacht Ardashir, terwijl hij een andere paperclip uit de onderste la haalde.

'Ik heb maar een kleine loonsverhoging nodig om de verhuizing te helpen financieren. Om de overgang iets gemakkelijker te maken. En Alsana, nou, ze is zwanger.'

Zwanger. Moeilijk. De zaak vroeg om een uiterst diplomatieke aanpak.

'Begrijp me niet verkeerd, Samad. Jij en ik, wij zijn intelligente, openhartige mannen en ik denk dat ik vrijuit met je kan praten... Ik weet dat je geen kloterige kelner bent' – hij sprak de krachtterm fluisterend uit en glimlachte daarna toegeeflijk, alsof het iets ondeugends, iets vertrouwelijks was dat hen dichter bij elkaar bracht – 'ik heb begrip voor je situatie... natuurlijk heb ik dat... maar jij moet begrip hebben voor de mijne... Als ik rekening hield met elk familielid dat ik in dienst heb, zou ik verdorie rondlopen als meneer Gandhi. Zonder een rooie cent. Zonder een nagel om mijn kont te krabben. Een voorbeeld: die schooier van een Dikke Elvis zwager-van-mij, Hussein-Ishmael...'

'De slager?'

'De slager... die eist op ditzelfde moment dat ik de prijs verhoog die ik betaal voor zijn stinkende vlees! "Maar Ardashir, we zijn zwagers!" zegt hij tegen mij. En ik zeg tegen hem, maar Mohammed, dit is handel...'

Het was Samads beurt om glazig te kijken. Hij dacht aan zijn vrouw, Alsana, die niet zo meegaand was als hij had aangenomen toen ze trouwden en aan wie hij het slechte nieuws moest brengen; Alsana, die last had van momenten, buien zelfs – ja, buien was geen te sterk woord – van woede. Neven, nichten, tantes, broers vonden het een slecht teken, ze vroegen zich af of er niet een of andere 'rare geestesziekte' in Alsana's familie zat en leefden met hem mee op de manier waarop je meeleeft met een man die een gestolen auto heeft gekocht met meer kilometers achter de kiezen dan hij had gedacht. In zijn naïviteit had Samad gewoon aangenomen dat een zo jonge vrouw... gemakkelijk zou zijn. Maar Alsana was dat niet... nee, ze was niet gemakkelijk. Zo waren die jonge vrouwen tegenwoordig, veronderstelde hij. De bruid van Archie... de afgelopen dinsdag had hij iets in haar ogen gezien dat ook niet gemakkelijk was. Het was de nieuwe manier waarop het ging met deze vrouwen.

Ardashir kwam aan het eind van wat naar zijn mening een uitstekend geformuleerde toespraak was, ging tevreden achteroverzitten, en legde de M voor Mukhal die hij gevormd had naast de A voor Ardashir die op zijn schoot lag.

'Dank u wel, meneer,' zei Samad. 'Dank u zeer.'

Die avond was er een vreselijke ruzie. Alsana slingerde de naaimachine, met de zwarte hotpants met sierspijkertjes waaraan ze werkte, op de grond.

'Nutteloos! Zeg me, Samad Miah, wat heeft het voor zin hierheen te verhuizen... mooi huis, ja, heel mooi, heel mooi... maar waar is het eten?'

'Het is een nette buurt, we hebben vrienden hier.'

'Wie zijn ze?' Ze sloeg met haar kleine vuist op de keukentafel, waarmee ze de zout- en pepervaatjes de lucht in stuurde die spectaculair met elkaar in botsing kwamen. 'Ik ken ze niet! Jij vecht in een oude, vergeten oorlog met een of andere Engelsman... die getrouwd is met een zwarte! Van wie zijn zij vrienden? Dat zijn de mensen met wie mijn kind moet opgroeien? Met hun kinderen... zwart-op-wit? Maar zeg me,' schreeuwde ze, terugkerend naar haar favoriete onderwerp, 'waar is ons eten?' Theatraal trok ze elke kast in de keuken open. 'Waar is het? Kunnen we het servies eten?' Twee borden kletterden op de vloer. Ze sloeg zacht op haar buik om haar ongeboren kind aan te duiden en wees naar de stukken. 'Honger?'

Samad, die, mits geïnspireerd, een net zo melodramatische aard had, rukte de deur van de vriezer open en trok er een berg vlees uit die hij midden in de keuken opstapelde. Zijn moeder werkte de hele nacht door om vlees voor haar gezin te bereiden, zei hij. Zijn moeder, zei hij, besteedde het huishoudgeld niet, zoals Alsana deed, aan kant-en-klaarmaaltijden, yoghurtjes en spaghetti in blik.

Alsana stompte hem recht in zijn maag.

'Samad Iqbal de traditionalist! Zal ik maar op straat gaan zitten met een emmer en kleren wassen? Hè? En kleren, hoe zit het met die van mij? Eetbaar?'

Terwijl Samad zijn buik vasthield en naar adem hapte, scheurde ze daar midden in de keuken elke lap stof die ze droeg aan flarden en voegde deze toe aan de stapel bevroren lamsvlees, overgebleven stukken uit het restaurant. Een ogenblik stond ze naakt voor hem, de nog kleine ronding van haar zwangerschap in het volle zicht, toen trok ze een lange bruine jas aan en liep het huis uit.

Maar toch, dacht ze, terwijl ze de deur achter zich dichtsloeg, was het waar: het was een nette buurt; ze kon het niet ontkennen terwijl ze in de richting van de hoofdweg stormde en bomen ontweek, waar ze voorheen, in Whitechapel, weggegooide matrassen en daklozen had ontweken. Het zou goed zijn voor het kind, ze kon het niet ontkennen. Alsana had een diepgeworteld geloof dat wonen in de buurt van groenvoorzieningen het geestelijk welzijn van kinderen ten goede kwam, en daar rechts van haar was Gladstone Park, een uitgestrekte horizon van groen genoemd naar de liberale premier (Alsana was van een gerespecteerde oude Bengaalse familie en had haar Engelse geschiedenis geleerd; maar moest je haar nu zien; als zij wisten hoe diep...!), en in de liberale traditie was het een park zonder hekken, in tegenstelling tot het weelderiger Queens Park (Victoria's), met zijn puntige metalen hekken. Willesden was niet zo mooi als Queens Park, maar het was een nette buurt. Dat viel niet te ontkennen. Anders dan Whitechapel, waar die gek I-nok huppeldepup een toespraak had gehouden die hen gedwongen had hun toevlucht in de kelder te zoeken, terwijl kinderen de ramen braken met hun laarzen met stalen neuzen. Stromen bloed sufkoppige onzin. Nu ze zwanger was had ze een beetje rust en vrede nodig. Hoewel het hier in zekere zin niet zo anders was: ze keken allemaal vreemd naar haar, naar die kleine Indiase vrouw met een grote bos haar die alle kanten opwaaide en die in een regenjas over de hoofdweg liep. *Mali's Kebabs, Mr Cheungs, Raj's, Malkovich Bakeries* – ze las de nieuwe, onbekende borden in het voorbijgaan. Ze was slim. Ze zag wat dit was. 'Liberaal? Onzinnige nonsens!' Niemand was hoe dan ook liberaler dan wie dan ook waar dan ook. Het was alleen zo dat hier, in Willesden, gewoon niet genoeg was van één soort om samen te spannen tegen een andere soort en die hollend naar de kelders te sturen terwijl de ruiten werden ingeslagen.

'Waar het om gaat is overleven!' concludeerde ze hardop (ze sprak tegen haar kind; ze gaf het graag één verstandige gedachte per dag mee) en maakte de bel boven Crazy Shoes aan het rinkelen toen ze de deur opende. Haar nichtje Neena werkte daar. Het was een ouderwetse schoenmakerij. Neena zette hakken terug op naaldhakken.

'Alsana, je ziet eruit als hondenstront,' riep Neena in het Bengaals. 'Wat is dat voor vreselijke jas?'

'Wat het is, is dat het jouw zaak niet is,' antwoordde Alsana in het Engels. 'Ik kwam om de schoenen van mijn man op te halen, niet om een praatje te maken met Schande-Nicht.'

Neena was hieraan gewend, en nu Alsana naar Willesden was verhuisd zou het alleen maar erger worden. Het was altijd in langere zinnen gekomen, zoals: *Je hebt niets dan schande gebracht...* of *Mijn nicht, de schandelijke...* maar nu, doordat Alsana de tijd of de energie niet meer had om elke keer het noodzakelijke schokeffect op te roepen, werd het afgekort tot Schande-Nicht, een alle doeleinden dienend etiket dat het passende gevoel samenvatte.

'Zie je deze zolen?' zei Neena, terwijl ze een van haar geverfde blonde lokken uit haar oog streek, Samads schoenen van een plank pakte en Alsana het blauwe bonnetje overhandigde. 'Ze waren zo versleten, tante Alsi, dat ik ze van de grond af opnieuw moest opbouwen. Van de grond af! Wat doet hij ermee? Marathons lopen?'

'Hij werkt,' antwoordde Alsana kortaf. 'En bidt,' voegde ze eraan toe, want ze liet mensen graag merken hoe deugdzaam ze was, en bovendien was ze zeer traditioneel, zeer religieus, waarbij ze niets miste behalve het geloof. 'En noem me geen tante. Ik ben twee jaar ouder dan jij.' Alsana kieperde de schoenen in een plastic tas en draaide zich om om weg te gaan.

'Ik dacht dat mensen bidden op hun knieën deden,' zei Neena met een luchtig lachje.

'Allebei, allebei, slapend, wakend, lopend,' snauwde Alsana terwijl ze opnieuw onder de rinkelende bel doorliep. 'We zijn nooit uit het zicht van de Schepper.'

'Hoe is het nieuwe huis?' riep Neena haar achterna.

Maar ze was weg; Neena schudde haar hoofd en zuchtte terwijl ze haar jonge tante als een kleine bruine kogel over de weg zag verdwijnen. Alsana. Ze was tegelijkertijd jong en oud, dacht Neena. Ze gedroeg zich zo praktisch, zo keurig-en-netjes in haar lange, praktische jas, maar je kreeg het gevoel...

'Hé! Juffie! Er zijn hier schoenen die je aandacht nodig hebben,' kwam een stem uit het magazijn.

'Maak je niet dik,' zei Neena.

Bij de hoek van de weg glipte Alsana achter het postkantoor en verving haar knellende sandalen door Samads schoenen. (Dat was iets raars aan Alsana. Ze was klein, maar haar voeten waren reusachtig. Je voelde instinctief als je naar haar keek dat ze nog wat moest groeien.) In enkele seconden draaide ze haar haar in een efficiënte knot en wikkelde ze haar jas strakker om zich heen om de wind buiten te houden. Toen ging ze weer op weg, langs de bibliotheek en een lange groene straat in waar ze nog nooit had gelopen. 'Overleven is alles, kleine Iqbal,' zei ze nog eens tegen haar bult. 'Overleven.'

Halverwege stak ze over met de bedoeling linksaf te slaan en terug te lopen naar de hoofdweg. Maar toen, terwijl ze een grote witte vrachtauto naderde die aan de achterkant open was en afgunstig naar de meubelen keek die erin opgestapeld waren, herkende ze de zwarte dame die op een tuinhek leunde en dromerig in de richting van de bibliotheek omhoog staarde (half gekleed, echter! Een schreeuwerig paars hemdje, ondergoed bijna), alsof haar toekomst daar lag. Voordat ze opnieuw kon oversteken om een ontmoeting te vermijden, merkte Alsana dat ze ontdekt was.

'Mevrouw Iqbal!' zei Clara, haar naar zich toe gebarend.

'Mevrouw Jones.'

Beide vrouwen waren een ogenblik in verlegenheid gebracht door wat ze droegen, maar wonnen hun zelfvertrouwen terug toen ze naar elkaar keken.

'Nou, is dat niet vreemd, Archie?' zei Clara, al haar medeklinkers invullend. Ze had al enige vooruitgang geboekt in het kwijtraken van haar accent en ze wilde elke gelegenheid te baat nemen om eraan te werken.

'Wat? Wat?' zei Archie, die in de gang stond en steeds geïrriteerder raakte door een boekenkast.

'We hadden het net over jullie, begrijp je? Jullie komen vanavond toch eten?'

Zwarte mensen zijn vaak vriendelijk, dacht Alsana, glimlachend naar Clara en dit feit onbewust toevoegend aan de korte 'vóór'-kant van de voor-en-tegenlijst die ze van het zwarte meisje had. Van elke minderheid waar ze een hekel aan had, koos ze altijd één exemplaar uit voor spirituele vergiffenis. In Whitechapel waren veel van zulke verloste figuren geweest. Meneer Van, de Chinese chiropodist, meneer Segal, een joodse timmerman, Vernie, een Dominicaanse vrouw die voortdurend binnenwipte, tot Alsana's grote misnoegen en verrukking, in een poging haar te bekeren tot zevendedagsadventist – al deze gelukkigen ontvingen Alsana's gulden gratie en werden op magische wijze van hun huid verlost als tijgers in Peking.

'Ja, Samad heeft het gezegd,' zei Alsana, hoewel Samad dat niet had gedaan.

Clara straalde. 'Goed... goed!'

Er volgde een stilte. Ze konden geen van beiden iets bedenken om te zeggen. Ze sloegen allebei hun ogen neer.

'Die schoenen zien er echt uit alsof ze gemakkelijk zitten,' zei Clara.

'Ja. Ja. Ik loop veel, zie je. En met dit...' Ze klopte op haar buik.

'Je bent zwanger?' zei Clara verbaasd. '*Pickney*, je ben zo klein, ik ken 't helemaal niet zien.'

Clara had het nog niet gezegd of ze kreeg een kleur; ze verviel altijd tot het dialect wanneer ze opgewonden of blij was. Alsana glimlachte alleen vriendelijk, niet helemaal zeker van wat ze had gezegd.

'Ik had het nooit gemerkt,' zei Clara wat ingehoudener.

'Hemeltje,' zei Alsana met geforceerde vrolijkheid, 'vertellen die mannen van ons elkaar dan niets?'

Maar zodra ze het had gezegd, rustte het gewicht van de andere mogelijkheid zwaar op de gedachten van de twee meisjes-vrouwen. Dat hun mannen elkaar alles vertelden. Dat zij het zelf waren die niet op de hoogte werden gebracht.

4

DRIE OP KOMST

Archie was op zijn werk toen hij het nieuws hoorde. Clara was tweeënhalve maand onderweg.

'Niet waar, schat.'

'Wel waar!'

'Niet waar!'

'Wel waar! En ik vraagt de dokter hoe het eruit zal zien, half zwart en half wit en al dat gedoe. En hij zeg alles kan. D'r is zelfs een kans dat 't blauwe ogen heb! Kan je dat geloven?'

Archie kon het niet geloven. Hij kon niet geloven dat welk stukje dan ook van hem het in de genenplas kon opnemen tegen een stukje van Clara en wínnen. Maar wát een mogelijkheid! Dat zou me wat zijn! Hij stormde het kantoor uit naar Euston Road voor een doos sigaren. Twintig minuten later paradeerde hij Morgan*Hero* weer binnen met een grote doos Indiase snoepjes en begon een rondje door het kantoor te maken.

'Noel, neem zo'n kleverig ding. Díe is lekker.'

Noel, de jongste bediende, keek argwanend in de vettige doos. 'Waar is dat goed voor...?'

Archie sloeg hem op zijn rug. 'Ik krijg een kind, verdorie. Blauwe ogen, kun je het geloven? Ik ben het aan het vieren! Het punt is, je kunt veertien soorten dal krijgen langs Euston Road, maar een sigaar kun je wel vergeten. Toe nou, Noel. Wat dacht je van deze?'

Archie hield een halfwitte, halfroze omhoog met een weinig aantrekkelijker geur.

'Eh, meneer Jones, dat is heel... Maar het is niet echt iets voor mij...' Noel maakte aanstalten om terug te keren naar zijn archief. 'Ik kan maar beter doorgaan met...'

'O, toe nou, Noel. Ik krijg een kind. Zevenenveertig en ik krijg een kleine baby! Dat vraagt toch om een feestje, vind je niet? Toe nou... probeer het in elk geval. Neem er een hapje van.'

'Het is alleen dat die Pakistaanse dingen me niet altijd... Ik heb een beetje een rare...'

Noel klopte op zijn maag en zag er vertwijfeld uit. Ondanks het feit dat hij in de direct mail zat, vond Noel het vreselijk om direct te worden aangesproken. Hij hield van zijn functie als tussenpersoon bij Morgan*Hero*. Hij hield ervan om telefoontjes door te verbinden, om de ene persoon te vertellen wat de andere zei, om brieven door te sturen.

'Verdomme nog aan toe, Noel... het is alleen maar een snoepje. Ik probeer alleen maar iets te vieren, makker. Eten hippies soms geen snoepjes?'

Noels haar was een ietsje pietsje langer dan dat van alle anderen, en hij had ooit een wierookstokje gekocht en in de koffiekamer opgebrand. Het was een klein kantoor, er was weinig om over te praten, dus maakten deze twee dingen dat Noel de tweede plaats innam, meteen achter Janis Joplin, net als Archie de blanke Jesse Owens was omdat hij zevenentwintig jaar eerder als dertiende was geëindigd op de Olympische Spelen, Gary van de boekhouding Maurice Chevalier was omdat hij een Franse grootmoeder had en sigarettenrook uit zijn neus blies, en Elmott, Archies collega papiervouwer, Einstein was omdat hij twee derde van de kruiswoordpuzzel van *The Times* kon invullen.

Noel zag er gepijnigd uit. 'Archie... Heb je mijn memo gekregen van meneer Hero over de vouwen in de...?'

Archie zuchtte. 'In het materiaal voor Mothercare. Ja, Noel, ik heb Elmott gezegd de perforatie te verplaatsen.'

Noel zag er dankbaar uit. 'Nou, gefeliciteerd met de... Ik ga weer door met...' Noel ging terug naar zijn bureau.

Archie liep weg om het bij Maureen, de receptioniste, te proberen. Maureen had mooie benen voor een vrouw van haar leeftijd – benen als worsten die stevig in hun velletje zijn gestopt – en ze had hem altijd wel een beetje leuk gevonden.

'Maureen, schat, ik word vader!'

'Echt waar? O, wat geweldig. Een meisje of...'

'Het is nog te vroeg om dat te weten. Maar blauwe ogen!' zei Archie, voor wie deze ogen van een zeldzame genetische mogelijkheid waren overgegaan in een onbetwistbaar feit. 'Ongelooflijk, vind je niet?'

'Bláuwe ogen, zei je, Archie?' vroeg Maureen, langzaam sprekend om de juiste woorden te vinden. 'Ik wil niet vervelend doen... maar is je vrouw niet, nou, gekléurd?'

Archie schudde verbaasd zijn hoofd. 'Ik weet het! Zij en ik krijgen een kind, de genen mengen zich, en blauwe ogen! Een wonder van de natuur!'

'O ja, een wonder,' zei Maureen, met de gedachte dat dat een bescheiden woord was voor wat het was.

'Wil je een snoepje?'

Maureen keek bedenkelijk. Ze klopte op haar met kuiltjes bedekte, in een witte panty gehulde roze dijen. 'O, Archie, schat, dat moest ik maar niet doen. Dat gaat recht naar de benen en heupen. En we worden er geen van allen jonger op, nietwaar? Nietwaar? Niemand van ons kan de klok terugzetten, nietwaar? Die Joan Rivers, ik wou dat ik wist hoe ze het deed!'

Maureen lachte een hele tijd, haar bekende lach bij Morgan*Hero*: schel en luid, maar met haar mond nauwelijks open, want Maureen was als de dood voor lachrimpels.

Met een sceptische, bloedrode nagel porde ze wat in een van de snoepjes. 'Indiaas?'

'Ja, Maureen,' zei Archie met een jongensachtige grijns, 'pikant en zoet tegelijk. Een beetje zoals jij.'

'O, Archie, je bent me er een,' zei Maureen een beetje treurig, want ze had Archie altijd wel een beetje leuk gevonden, maar niet meer dan een beetje want hij was toch ook wat vreemd, altijd maar praten met Pakistanen en Cariben alsof hij het niet eens doorhad, en nu had hij er een getrouwd en had het niet eens de moeite waard gevonden om te vertellen wat voor kleur ze had, zodat ze op het etentje van de zaak zo zwart als wat was komen opdagen en Maureen bijna gestikt was in haar garnalencocktail.

Maureen reikte over haar bureau naar een rinkelende telefoon. 'Ik denk toch maar niet dat ik het doe, Archie, schat...'

'Zoals je wilt. Maar je weet niet wat je mist.'

Maureen glimlachte zwakjes en pakte de hoorn op. 'Ja, meneer Hero, hij is hier, hij is er net achter gekomen dat hij papa wordt... ja, het zal blauwe ogen hebben, kennelijk... ja, dat zei ik ook al, iets met de genen, neem ik aan... o ja, goed... ik zal het tegen hem zeggen, ik stuur hem naar u toe... O, dánk u, meneer Hero, dat is bijzonder vríendelijk.' Maureen strekte haar klauwen over de hoorn uit en sprak op een luide fluistertoon tegen Archie: 'Archibald, schat, meneer Hero wil je zien. Dringend, zegt hij. Ben je stout geweest of zo?'

'Helemaal niet!' zei Archie, en hij liep naar de lift.

Op de deur stond:

Kelvin Hero
Directeur
Morgan*Hero*
Specialisten Direct Mail

Het was bedoeld om te intimideren, en Archie reageerde passend: hij klopte te zachtjes op de deur en toen te hard en viel er vervolgens min of meer doorheen toen Kelvin Hero, zoals gewoonlijk gekleed in Engels leer, de knop omdraaide om hem binnen te laten.

'Archie,' zei Kelvin Hero, een dubbele rij parelwitte tanden ontblotend die meer te danken hadden aan dure tandheelkunde dan aan regelmatig poetsen. 'Archie, Archie, Archie, Archie.'

'Meneer Hero,' zei Archie.

'Je verbaast me, Archie,' zei meneer Hero.

'Meneer Hero,' zei Archie.

'Neem die stoel, Archie.'

'Doen we, meneer Hero,' zei Archie.

Kelvin streek een veeg groezelig zweet weg bij de boord van zijn overhemd, draaide zijn zilveren Parker een paar keer rond in zijn handen en haalde enkele keren diep adem. 'Luister, dit ligt nogal gevoelig... en ik heb mezelf nooit als een racist beschouwd, Archie...'

'Meneer Hero?'

Verdorie, dacht Kelvin, wat een oog-gezichtverhouding. Als je iets moet zeggen wat gevoelig ligt, wil je die oog-gezichtverhouding niet naar je op zien kijken. Grote ogen, als die van een kind of een babyzeehond, de fysionomie van de onschuld – kijken naar Archie Jones is als kijken naar iets wat elk moment verwacht op zijn kop geknuppeld te worden.

Kelvin probeerde een zachtere aanpak. 'Laat ik het anders zeggen. Normaal gesproken zou ik, zoals je weet, in een delicate situatie als deze, met jóu overleggen. Want ik heb altijd heel veel tíjd voor je gehad, Arch. Ik respectéér je. Je bent niet opzichtig, Archie, je bent nooit opzichtig geweest, maar je bent...'

'Betrouwbaar,' maakte Archie de zin af, want hij kende deze toespraak.

Kelvin glimlachte: een grote jaap in zijn gezicht die kwam en ging met de plotselinge hevigheid van een dikke man die door klapdeuren loopt. 'Juist, ja, betrouwbaar. Mensen vertrouwen je, Archie. Ik weet dat je niet meer een van de jongsten bent en dat dat ene been van je je wat last bezorgt, maar toen deze zaak in andere handen overging, heb ik je aangehouden, Arch, want ik zag het meteen: *mensen vertrouwen je*. Daarom ben je zo lang in de direct mail gebleven. En ik vertrouw je, Arch, ik vertrouw erop dat je dat wat ik te zeggen heb op de juiste manier opvat.'

'Meneer Hero?'

Kelvin haalde zijn schouders op. 'Ik had tegen je kunnen liegen, Archie. Ik had tegen je kunnen zeggen dat we een fout hadden gemaakt met de reserveringen en dat er gewoon geen plaats voor je was; ik had wat kunnen rondhengelen en een vette kunnen bedenken, maar je bent een *grote jongen*, Archie. Je zou het restaurant bellen, je bent geen slome duikelaar, Archie, die bovenkamer van je is niet leeg, jij zou twee en twee hebben opgeteld...'

'En op vier zijn gekomen.'

'En op vier zijn gekomen, precíes, Archie. Jij zou op víer zijn gekomen. Begrijp je wat ik tegen je zeg, Archie?' zei meneer Hero.

'Nee, meneer Hero,' zei Archie.

Kelvin maakte zich klaar om ter zake te komen. 'Dat etentje van de zaak vorige maand... dat was pijnlijk, Archie, dat was onplezierig. En nu komt dat jaarlijkse feestje eraan met ons zusterbedrijf uit Sunderland, zo'n dertig mensen, niks overdrevens, je weet wel, een curry, een biertje en een beetje swingen... zoals ik al zei, ik ben geen racist, Archie, maar...'

'Een racist...'

'Ik spuug op die Enoch Powell... maar aan de andere kant is er wel wat zinnigs in wat hij zegt, hè? Er komt een punt... een verzadigingspunt, en mensen beginnen zich een beetje ongemakkelijk te voelen... Kijk, het enige wat hij zei...'

'Wie?'

'Powell, Archie, Powell... probeer er een beetje bij te blijven... het enige wat hij zei is dat genoeg op een zeker moment genoeg is, snap je? Ik bedoel, Euston lijkt Delhi wel elke maandagochtend. En er zijn hier wat mensen, Arch – en daar reken ik mezelf niet toe – die je houding gewoon een beetje vreemd vinden.'

'Vreemd?'

'De vrouwen, zie je, vinden het vervelend omdat ze, laten we eerlijk zijn, een... een echte schoonheid is – ongelooflijke benen, Archie, met die benen moet ik je feliciteren – en de mannen, nou, de mannen vinden het vervelend omdat ze liever niet denken dat ze een beetje tekortkomen terwijl ze met hun vrouwen aan een etentje van de zaak zitten, vooral omdat zij... je weet wel... ze weten niet wat ze daar allemaal van moeten denken.'

'Wie?'

'Wat?'

'Over wie hebben we het, meneer Hero?'

'Luister, Archie,' zei Kelvin, – het zweet stroomde nu overvloedig, onaangenaam voor een man met zijn hoeveelheid borsthaar – 'neem deze.' Kelvin schoof een flink stapeltje lunchbonnen over de tafel. 'Ze zijn over van de loterij, je weet wel, voor de Biafranen.'

'O nee, daar heb ik al een ovenwant mee gewonnen, meneer Hero, dat is niet nodig...'

'Neem ze, Archie. Dit is voor vijftig pond aan bonnen, te besteden in meer dan vijfduizend eetgelegenheden door het hele land. Neem ze. Neem een paar maaltijden van me.'

Archie betastte de bonnen alsof het even zo vele biljetten van vijftig pond waren. Kelvin dacht een ogenblik dat hij tranen van geluk in zijn ogen zag.

'Ik weet niet wat ik moet zeggen. Er is een tent waar ik kom, regelmatig kun je wel zeggen. Als ze deze aannemen, zit ik voor de rest van mijn leven gebeiteld. Geweldig bedankt.'

Kelvin bracht een zakdoek naar zijn voorhoofd. 'Het mag geen naam hebben, Arch. Echt.'

'Meneer Hero, kan ik...' Archie gebaarde naar de deur. 'Ik zou graag wat mensen willen bellen, begrijpt u, om ze het nieuws te geven van de baby... als we hier klaar zijn.'

Kelvin knikte opgelucht. Archie hees zich uit zijn stoel. Hij had net zijn hand uitgestoken naar de deurknop toen Kelvin zijn Parker weer oppakte en zei: 'O, Archie, nog één ding... dat etentje met het team van Sunderland... ik heb met Maureen gepraat en wij denken dat het aantal een beetje omlaag moet... we hebben de namen in een hoed gestopt en die van jou kwam eruit. Maar goed, ik denk niet dat je veel zult missen, hè? Die dingen zijn altijd een beetje saai.'

'Prima, meneer Hero,' zei Archie, met zijn gedachten ergens anders, biddend dat O'Connells een 'eetgelegenheid' was en glimlachend bij zichzelf toen hij zich de reactie van Samad voorstelde wanneer hij verdomme met een hele lading lunchbonnen zou komen aanzetten.

Deels doordat mevrouw Jones zo kort na mevrouw Iqbal zwanger wordt en deels door de dagelijkse nabijheid (Clara werkt nu parttime als leidster van een Kilburn-jeugdgroep die eruitziet als de vijftienkoppige opstelling van een ska-en-rootsband – vijftien centimeter afro's, Adidas-trainingspakken, bruine dassen, klittenband, donkere zonnebrillen – en Alsana doet zwangerschapsgymnastiek voor Aziatische vrouwen, aan Kilburn High Road, om de hoek) beginnen de twee vrouwen elkaar vaker te zien. Aanvankelijk aarzelend – een paar lunchafspraken hier en daar, zo nu en dan een kop koffie – begint datgene wat eerst een achterhoedegevecht was tegen de vriendschap van hun echtgenoten zich te ontwikkelen. Ze hebben zich neergelegd bij het verbond van wederzijdse waardering van hun echtgenoten en de vrije tijd die dit met zich meebrengt is niet geheel onplezierig; er is tijd voor picknicks en uitjes, voor gesprekken en persoonlijke studie; voor oude Franse films, waarbij Alsana gilt en haar ogen bedekt bij de suggestie van naaktheid ('Stop weg! Wij willen die bungelende dingen niet zien!') en Clara een glimp opvangt van hoe de andere helft leeft: de helft die leeft op romantiek, passie en levenslust. De andere helft die seks heeft! Het leven dat het hare had kunnen zijn als ze niet op een mooie dag boven aan een trap had gestaan terwijl Archie Jones onderaan stond te wachten.

Dan, wanneer hun bult te groot wordt en de bioscoopstoelen ze niet meer kunnen bergen, beginnen de vrouwen elkaar, vaak met de Schande-Nicht, voor de lunch te ontmoeten in Kilburn Park, waar ze met zijn drieën dicht tegen elkaar aan op een royale bank zitten en Alsana een thermosfles van P.G. Tips in Clara's hand drukt, zonder melk, met citroen, en een paar lagen huishoudfolie losmaakt om de bijzondere verrukkingen van de dag te onthullen: hartige deegachtige balletjes, kruimelige Indiase snoepjes doortrokken van de kleuren van de caleidoscoop, dun deeg met gekruid rundvlees erin, salade met ui, tegen Clara zeggend: 'Eet op. Prop je helemaal vol! Ze zitten daarbinnen, wentelen zich rond in je buik, wachten op het menu. Martel ze niet, mens! Wil je de bulten uithongeren?' Want al zou je het niet zeggen, er bevinden zich zes mensen op die bank (drie levend; drie op komst): een meisje voor Clara, twee jongens voor Alsana.

Alsana zegt: 'Niemand klaagt, laten we daar duidelijk over zijn. Kinderen zijn een zegen; hoe meer zielen, hoe meer vreugd. Maar ik zeg je, toen ik mijn hoofd draaide en die supertechnische echo-hoe-het-ook-heet zag...'

'Echoscopie,' corrigeert Clara door een mond vol rijst.

'Ja, ik kreeg bijna de hartaanval om me af te maken! Twee! Eentje voeden is genoeg!'

Clara lacht en zegt dat ze zich kan voorstellen hoe Samad keek toen hij het zag.

'Nee, liefje,' zegt Alsana berispend, en ze stopt haar grote voeten onder de plooien van haar sari. 'Hij zag niets. Hij was er niet bij. Zulke dingen laat ik hem niet zien. Een vrouw moet haar privé-dingen hebben... een echtgenoot hoeft niets te maken te hebben met lichamelijke zaken, met de... edele delen van een dame.'

Schande-Nicht, die tussen hen in zit, zuigt op haar tanden.

'Godsamme, Alsi, hij moet ooit iets met jouw edele delen te maken hebben gehad, of is dit soms de onbevlekte ontvangenis?'

'Zo grof,' zegt Alsana tegen Clara op een nuffige Engelse manier. 'Te oud om zo grof te zijn en te jong om beter te weten.'

En dan leggen Clara en Alsana, met de toevallige weerspiegeling van twee mensen die een ervaring delen, hun handen op hun bobbels.

Neena, om het goed te maken: 'Ja... nou ja... Hoe zit het met namen? Hebben jullie ideeën?'

Alsana is resoluut. 'Meena en Malānā als het meisjes zijn. Als het jongens zijn: Magid en Millat. Emmen zijn goed. Emmen zijn krachtig. Mahatma, Mohammed, die grappige meneer Morecambe, van Morecambe & Wise – een letter die je kunt vertrouwen.'

Maar Clara is voorzichtiger, want een naam geven lijkt haar een ontzagwekkende verantwoordelijkheid, een bijna godentaak voor een gewone sterveling. 'Als het een meisje is, vind ik *Irie* mooi, denk ik. Het is patois; 't betekent alles: *oké, gaaf, vredig*, weet je?'

Alsana is ontzet voordat de zin is afgemaakt. '"Oké"? Dat is een naam voor een kind? Je kan haar net zo goed "*Hadmeneerhierpapadamsbijgewenst?*" of "*Aardigweertjevandaag*" noemen.'

'En Archie vindt *Sarah* mooi. Nou, is er niet veel in te brengen tegen Sarah, maar er is ook niet veel om blij van te worden. Ik neem aan, als het goed genoeg was voor de vrouw van Abraham...'

'Ibrāhim,' corrigeert Alsana, meer uit instinct dan koraanse geleerddoenerij. 'Baby's werpen op haar honderdste was bij de gratie van Allah.'

En dan Neena, kreunend bij de wending die het gesprek neemt: 'Nou, ik vind Irie mooi. Het klinkt lekker. Het is anders.'

Alsana geniet. 'In 's hemelsnaam. Wat weet Archibald nou van lekker klinken? Of van anders? Als ik jou was, liefje,' zegt ze, Clara op de knie kloppend, 'zou ik Sarah kiezen en daarmee uit. Soms moet je die mannen gewoon hun zin geven. Alles voor een beetje... hoe zeggen ze dat hier? Voor een beetje' – ze legt haar vinger op strak getuite lippen, als een bewaker bij de poort – 'lieve vrede.'

Maar als reactie neemt Schande-Nicht het dikke accent aan, knippert met haar volumineuze wimpers, wikkelt haar collegesjaal als een *purdah* om haar hoofd. 'O ja, tantetje, ja, het onderdanige Indiase vrouwtje. Je praat niet met hem; hij praat tegen jou. Je schreeuwt en gilt tegen elkaar, maar er is geen communicatie. En uiteindelijk wint hij toch, want hij doet precies waar hij zin in heeft en wanneer hij er zin in heeft. De helft van de tijd weet je niet eens waar hij is, wat hij doet, wat hij voelt! Het is 1975, Alsi. Dat soort relaties kan niet meer. Het is niet zoals thuis. In het Westen moet er communicatie zijn tussen mannen en vrouwen, ze moeten naar elkaar luisteren, anders...' Neena maakt het gebaar van een kleine paddestoelwolk die in haar hand afgaat.

'Wat een klinkklare onzin,' zegt Alsana sonoor, haar ogen dichtknijpend en haar hoofd schuddend. 'Jij bent degene die niet luistert. Bij Allah, ik zal altijd evenveel geven als ik ontvang. Maar jij gaat ervan uit dat het me iets uitmaakt wat hij doet. Jij gaat ervan uit dat ik het wíl weten. De waarheid is, als je een huwelijk in stand wilt houden, heb je niet al dat praten, praten, praten nodig, al dat "dit ben ik" en "dit ben ik echt", zoals in de kranten, al die openbaringen... Vooral niet als je man oud is, als hij rimpelig is en alles niet zo goed meer kan... Je wilt niet weten wat voor slijmerigs er onder het bed ligt of wat voor rammeligs er in de kast zit.'

Neena fronst haar wenkbrauwen, Clara kan hier niet echt bezwaar tegen maken, en de rijst gaat nog eens rond.

'Bovendien,' zegt Alsana na een korte stilte, haar mollige armen onder haar borsten vouwend, blij te kunnen uitweiden over een onderwerp dat zo dicht bij die formidabele boezem ligt, 'als je uit gezinnen als die van ons komt, moet je geleerd hebben dat zwijgen, dat wat níet gezegd wordt, het allerbeste recept is voor het gezinsleven.'

Want ze zijn alle drie opgevoed in een strikt religieus gezin, huizen waarin God bij elke maaltijd verscheen, binnendrong in elk kinderspel, en in lotushouding onder het beddengoed zat met een zaklantaarn om te controleren of er niets ongepasts plaatsvond.

'Dus als ik het goed begrijp,' zegt Neena spottend, 'zeg je dat een flinke dosis onderdrukking het huwelijk gezond houdt.'

En alsof iemand een knop heeft omgedraaid, is Alsana diep verontwaardigd. 'Onderdrukking! Onzinnig nonsenswoord! Ik heb het alleen maar over gezond verstand. Wat is mijn man? Wat is die van jou?' zegt ze, wijzend naar Clara. 'Vijfentwintig jaar leven ze voordat wij ook maar geboren zijn. Wat zijn ze? Waar zijn ze toe in staat? Wat voor bloed hebben ze aan hun handen? Wat is kleverig en smerig in hun privé-domein? Wie zal het zeggen?' Ze heft haar handen op, laat de vragen los in de ongezonde Kilburn-lucht en stuurt een zwerm mussen ermee omhoog.

'Wat je niet begrijpt, Schande-Nicht van me, wat niemand van jouw generatie begrijpt...'

Op dat moment kan Neena niet voorkomen dat een stuk ui aan haar mond ontsnapt tengevolge van de pure kracht van haar protest. 'Mijn generatie? Godallemachtig, je bent twee jaar ouder dan ik, Alsi.'

Maar Alsana gaat desondanks door, het gebaar makend van een mes dat de vuilbekkerij van Schande-Nicht afkapt, '… is dat niet iedereen in de zweterige, geheime delen van anderen wil kijken.'

'Maar tantetje,' zegt Neena smekend, haar stem verheffend, want dit is waar ze echt over wil praten, het grootste knelpunt tussen hen tweeën, Alsana's gearrangeerde huwelijk. 'Hoe kun je het verdragen om samen te leven met iemand die een volslagen onbekende voor je is?'

Als antwoord een razend makende knipoog: Alsana komt altijd graag joviaal over op het moment dat haar gesprekspartner verhit begint te raken. 'Omdat, juffie wijsneus, het verreweg de gemakkelijkste oplossing is. Kijk naar Adam en Eva: doordat ze volslagen onbekenden voor elkaar waren, konden ze het uit-ste-kend met elkaar vinden. Laat me dit uitleggen. Ja, ik ben met Samad Iqbal getrouwd op de avond van de dag waarop ik hem voor het eerst ontmoette. Ja, hij was een volslagen onbekende voor me. Maar ik mocht hem graag. We ontmoetten elkaar in de ontbijtkamer op een bloedhete dag in Delhi en hij waaierde me koelte toe met *The Times*. Ik vond dat hij een goed gezicht had, een lieve stem, en zijn achterste was hoog en goed gevormd voor een man van zijn leeftijd. Heel goed. En nu, elke keer dat ik iets meer van hem te weten kom, *mag ik hem minder*. Dus je begrijpt, we waren beter af zoals we waren.'

Neena stampt met haar voet van verontwaardiging over de scheve logica.

'Bovendien zal ik hem toch nooit goed kennen. Als je iets uit mijn man wilt krijgen, is het als veren plukken als je verkikkerd bent.'

Neena moet lachen, ondanks zichzelf. 'Veren plukken van een kikker.'

'Ja, ja. Jij vindt me dom. Maar ik ben wijs over dingen als mannen. Ik zeg je' – Alsana maakt zich klaar om haar eindpleidooi te houden, zoals ze jaren eerder heeft zien doen door de jonge advocaten in Delhi met hun gladde zijscheidingen – 'mannen zijn het laatste mysterie. God is gemakkelijk vergeleken met mannen. Nou, dat was genoeg filosofie: samosa?' Ze trekt het deksel van het plastic bakje en zit dik, mooi en voldaan op haar conclusie.

'Jammer dat je die krijgt,' zegt Neena tegen haar tante terwijl ze een sigaret opsteekt. 'Jongens, bedoel ik. Jammer dat je jongens krijgt.'

'Wat bedoel je?'

Dit is Clara, die de ontvangster is van geheime boeken (geheim gehouden voor Alsana en Archie) uit een uitleenbibliotheek van Neena door middel waarvan ze, in een paar korte maanden, *De vrouw als eunuch* van Greer leest, *Het ritsloze nummer* van Jong, *De nieuwe Flower Power* van een vrouw die Joyce Chalfen heet en *De tweede sekse*, allemaal in een clandestiene poging, van Neena's kant, om Clara van haar 'valse bewustzijn' af te helpen.

'Ik bedoel, ik denk dat mannen deze eeuw al genoeg chaos hebben veroorzaakt. Er zijn verdomme al genoeg mannen op de wereld. Als ík wist dat ik een jongen zou krijgen' – ze zwijgt een ogenblik om haar twee 'vals bewuste' vriendinnen voor te bereiden op dit nieuwe concept – 'zou ik serieus abortus overwegen.'

Alsana gilt, slaat haar handen over een van haar eigen en een van Clara's oren, en stikt vervolgens bijna in een stukje aubergine. Om de een of andere reden komt de opmerking tegelijkertijd grappig op Clara over: hysterisch, wanhopig grappig; ellendig grappig, en Schande-Nicht zit tussen die twee in, perplex, terwijl de twee eivormige vrouwen over hun buik hangen, de een van het lachen, de andere van ontzetting en verstikking.

'Alles in orde, dames?'

Het is Sol Jozefowicz, de oude man die het destijds op zich nam om het park te bewaken (hoewel zijn baan als parkwachter al lang was geschrapt als gevolg van gemeentelijke bezuinigingen). Sol Jozefowicz staat voor hen, zoals altijd klaar om hulp te bieden.

'We zullen allemaal branden in de hel, meneer Jozefowicz, als u dat in orde noemt,' legt Alsana uit, haar zelfbeheersing herwinnend.

Schande-Nicht laat haar ogen rollen. 'Spreek voor jezelf.'

Maar Alsana is sneller dan elke sluipschutter als het erom gaat terug te vuren. 'Dat doe ik, dat doe ik... Allah heeft het gelukkig zo geregeld.'

'Goedemiddag, Neena, goedemiddag, mevrouw Jones,' zegt Sol, met een zwierige buiging naar beiden. 'Weten jullie zeker dat alles in orde is? Mevrouw Jones?'

Bij Clara blijven de tranen maar uit haar ooghoeken rollen. Ze kan er, op dit moment, niet achter komen of het van het huilen of van het lachen is.

'Prima... prima, het spijt me dat ik u liet schrikken, meneer Jozefowicz... echt, er is niets aan de hand.'

'Ik begrijp niet wat er zo vreselijk grappig is,' moppert Alsana. 'Moord op onschuldige kindertjes... is dat grappig?'

'Niet in mijn ervaring, nee, mevrouw Iqbal,' zegt Sol Jozefowicz, op de bedaarde manier waarop hij alles zei, terwijl hij Clara zijn zakdoek geeft. De drie vrouwen worden overvallen – zoals de geschiedenis dat doet, beschamend, zonder waarschuwing, als een blos – door de gedachte aan wat de ervaring van de voormalige parkwachter kan zijn geweest. Ze worden stil.

'Nou, als alles goed is met de dames, ga ik weer verder,' zegt Sol, met een gebaar dat Clara de zakdoek kan houden en zijn hoed terugzettend, die hij op de ouderwetse manier had afgenomen. Hij buigt nogmaals zijn zwierige buiginkje en vervolgt langzaam, tegen de wijzers van de klok in, zijn ronde door het park.

Wanneer Sol eenmaal buiten gehoorsafstand is: 'Oké, tante Alsi, neem me niet kwalijk, neem me niet kwalijk... Godallemachtig, wat wil je nog meer?'

'O, alles, verdomme,' zegt Alsana, en haar stem verliest de vechtlust, wordt kwetsbaar. 'Het hele verdomde universum duidelijk gemaakt – in een notendopje. Ik begrijp helemaal niets meer, en ik begin nog maar net. Begrijp je?'

Ze zucht, wacht niet op een antwoord, kijkt niet naar Neena, maar in de verte, naar de gebogen, verdwijnende gestalte van Sol die zo nu en dan te zien is tussen de taxusbomen. 'Misschien heb je gelijk over Samad... over een heleboel dingen. Misschien zijn er geen goede mannen, zelfs die twee niet die ik mogelijk in deze buik heb... en misschien praat ik niet genoeg met die van mij, misschien ben ik met een vreemde getrouwd. Misschien zie je de waarheid beter dan ik. Wat weet ik ervan... ik ben maar een plattelandsmeisje... nooit naar de universiteit gegaan.'

'O Alsi,' zegt Neena met een schuldig gevoel, Alsana's woorden aaneen wevend als een tapijt. 'Je weet dat ik het niet zo bedoelde.'

'Maar ik kan me niet de hele tijd zorgen-zorgen maken over de wáárheid. Ik moet me zorgen maken over de waarheid waarmee te léven valt. En dat is het verschil tussen knetter worden door water te drinken uit de zilte zee en het slikken van het spul uit frisse waterstromen. Mijn Schande-Nicht gelooft in de praatremedie, hè?' zegt Alsana, met iets wat op een grijns lijkt. 'Praat, praat, praat en het zal beter worden. Wees eerlijk, snij je hart open en verspreid het rode spul. Maar het verleden bestaat uit meer dan woorden, liefje. Wij hebben oude mannen getrouwd, zie je. Deze bulten' – Alsana klopt op beide – 'zullen altijd een Vadertje Langbeen hebben. Eén been in het heden, één been in het verleden. Daar kan geen praat iets aan veranderen. En wortels worden opgegraven. Je hoeft maar in mijn tuin te kijken... elke godvergeten dag vogels aan de koriander...'

Wanneer hij het hek aan de andere kant bereikt, draait Sol Jozefowicz zich om en zwaait, en drie vrouwen zwaaien terug. Clara voelt zich een beetje theatraal wanneer ze zijn roomkleurige zakdoek boven haar hoofd laat wapperen. Alsof ze iemand uitzwaait voor een treinreis die de grens tussen twee landen passeert.

'Hoe hebben ze elkaar ontmoet?' vraagt Neena, in een poging de wolk op te lichten die op de een of andere manier over hun picknick is neergedaald. 'Ik bedoel meneer Jones en Samad Miah?'

Alsana werpt haar hoofd achterover in een laatdunkend gebaar. 'O, in de oorlog. Op pad om een paar arme stakkerds te vermoorden die het ongetwijfeld niet hadden verdiend. En wat hebben ze gekregen voor hun moeite? Een lam handje voor Samad Miah en voor die andere een gammel been. Wat heeft het voor zin, wat heeft het allemaal voor zin?'

'Archies rechterbeen,' zegt Clara zachtjes, wijzend naar een plaats op haar eigen dijbeen. 'Een stuk metaal, geloof ik. Maar hij vertelt me niet echt wat.'

'O, wie kan het wat schelen!' barst Alsana uit. 'Ik zou Vishnu, de zakkenroller met de vele handen, nog eerder vertrouwen dan een woord van wat die mannen zeggen.'

Maar Clara is gehecht aan het beeld van de jonge soldaat Archie, vooral wanneer de oude, kwabbige Direct-Mail-Archie boven op haar ligt. 'O, kom nou... wij weten niet wat...'

Alsana spuugt zeer openlijk op het gras. 'Lullige leugens! Als ze helden zijn, waar zijn dan hun heldendingen? Waar zijn de heldenstukken en heldenbrokken? Helden... die hebben dingen. Ze hebben heldenspullen. Je ziet ze op tien kilometer afstand. Ik heb nooit een medaille gezien... en zelfs geen foto.' Alsana maakt een onaangenaam geluid achter in haar keel, haar teken van ongeloof. 'Dus kijk ernaar – nee, liefje, het moet gebeuren – kijk er van dichtbij naar. Kijk naar wat er over is. Samad heeft één hand; hij zegt dat hij God wil vinden, maar een feit is dat God hem is ontglipt, en hij loopt nu al twee jaar in die currytent taaie geit te serveren aan de bleekscheten die niet beter weten, en Archibald... nou, bekijk het geval eens van dichtbij...'

Alsana stopt om bij Clara na te gaan of ze haar mening verder kan geven zonder beledigend te worden of onnodige pijn te veroorzaken, maar Clara's ogen zijn gesloten en ze bekijkt het geval al van dichtbij; een jong meisje dat van dichtbij naar een oude man kijkt, en Alsana's zin afmaakt met het begin van een glimlach die zich over haar gezicht verspreidt.

'... vouwt papier voor de kost, lieve god.'

5

DE WORTELKANALEN VAN ALFRED ARCHIBALD JONES EN SAMAD MIAH IQBAL

A propos: het is allemaal heel mooi, deze instructie van Alsana om het geval van dichtbij te bekijken, om het recht tussen de ogen te kijken, een vaste en eerlijke blik, een nauwgezette inspectie die voorbij de kern van de kwestie naar het merg gaat, voorbij het merg naar de wortel – maar de vraag is, hoe ver wil je gaan? Hoe ver moet je gaan? De oude Amerikaanse vraag: wat wil je – blóed? Hoogstwaarschijnlijk is meer dan bloed vereist: gefluisterde terzijdes, verloren gegane gesprekken, medailles en foto's, lijsten en documenten, vergelend papier met de vage afdruk van bruine datums. Terug, terug, terúg. Nou, goed dan. Terug naar Archie, schoongeboend, roze gezicht, glanzend gepoetst, er op zijn zeventiende net oud genoeg uitziend om de mannen van de keuringsdienst met hun potloden en meetlint voor de gek te houden. Terug naar Samad, twee jaar ouder en de warme kleur van gebakken brood. Terug naar de dag waarop ze bij elkaar werden ingedeeld, Samad Miah Iqbal (rij twee, Hierheen, soldaat!) en Alfred Archibald Jones (Vooruit, vooruit, vooruit), de dag waarop Archie onwillekeurig dat meest fundamentele principe van de Engelse manieren vergat. Hij staarde. Ze stonden naast elkaar op een stuk zwarte Russische grond, identiek gekleed met kleine driehoekige kepies rustend op hun hoofd als papieren zeilbootjes, hetzelfde kriebelige standaarduniform, hun tenen als ijsblokjes geborgen in dezelfde zwarte laarzen bezaaid met hetzelfde stof. Maar Archie bleef maar staren. En Samad slikte het, wachtte en wachtte tot het over zou gaan, tot hij, na een week in hun krappe tank, heet en stikkend in de benauwde machine en blootgesteld aan Archies niet-aflatende blik, zoveel had geslikt als zijn hete hoofd ooit kon slikken.

'Mijn vriend, wat is er toch zo verdraaide mysterieus aan mij dat het jou een zo constante jool verschaft?'

'Mij wat?' zei Archie, verward, want hij was niet iemand voor persoonlijke gesprekken in diensttijd. 'Niemand, ik bedoel, niets... ik bedoel, nou, wat bedoel je?'

Ze spraken allebei op gedempte toon, want het gesprek was niet vertrouwelijk in enige zin aangezien er twee andere soldaten en een kapitein aanwezig waren in hun vijfpersoons Churchill, die door Athene rolde op weg naar Thessaloníki. Het was 1 april 1945. Archie Jones was de bestuurder van de tank, Samad was de radiotelegrafist, Roy Mackintosh was de medebestuurder, Will Johnson zat ineengevouwen op een bak als de boordschutter en Thomas Dickinson-Smith zat op de licht verhoogde stoel die, ook al werd zijn hoofd erdoor tegen het plafond geplet, zijn trots op zijn pas verworven kapiteinschap hem niet toestond op te geven. Drie weken lang hadden ze geen van allen iemand anders gezien dan elkaar.

'Ik bedoel alleen dat het zeer waarschijnlijk is dat we nog twee jaar in dit ding zitten.'

Een stem kwam krakend door de radio, en Samad, die niet betrapt wilde worden op het verzaken van zijn plichten, antwoordde snel en efficiënt.

'En?' vroeg Archie, nadat Samad hun coördinaten had doorgegeven.

'En er is een grens aan wat een man kan dulden als het om aanstaren gaat. Wat is het? Doe je soms onderzoek naar radiotelegrafisten of heb je alleen een hartstocht opgevat voor mijn reet.'

Hun kapitein, Dickinson-Smith, die echt een hartstocht had opgevat voor Samads reet (maar niet alleen daarvoor: ook voor zijn geest, ook voor twee slanke, gespierde armen die alleen zin leken te hebben wanneer ze om een geliefde waren geslagen, ook voor die beeldschone lichtgroen/bruine ogen) maakte onmiddellijk een eind aan het gesprek.

'Ick-Ball! Jones! Schiet eens op. Zien jullie hier iemand anders die zit te lullen?'

'Ik maakte alleen bezwaar, meneer. Het is moeilijk, meneer, voor een man om zich te concentreren op zijn Foxtrot-F's en zijn Zebra-z's en dan zijn punten en strepen als hij een mopshondkameraad heeft die al zijn bewegingen met zijn mopshondenogen volgt, meneer. In Bengalen zou men aannemen dat zulke ogen toebehoorden aan een man vol van...'

'Klep dicht, sultan, flikker,' zei Roy, die een hekel had aan Samad en zijn overdreven radiotelegrafistenmaniertjes.

'Mackintosh!' zei Dickinson-Smith, 'toe nou, we laten de sultan toch uitpraten. Ga door, sultan.'

Om niet de indruk te wekken dat hij verkikkerd was op Samad, maakte de kapitein er een gewoonte van op hem af te geven en het gebruik aan te moedigen van zijn hatelijke bijnaam 'sultan', maar hij deed het nooit op de juiste manier; het was altijd te zwak, te veel lijkend op Samads eigen weelderige taalgebruik en leidde er alleen toe dat Roy en de andere tachtig Roys onder zijn directe commando een hekel hadden aan Dickinson-Smith, hem bespotten en openlijk hun gebrek aan respect toonden; in april 1945 waren ze volledig vervuld van verachting voor hem en doodziek van zijn aanstellerige-commandant-homoachtige-jongensmaniertjes. Archie, die nieuw was in het Eerste Stormregiment R.E., begon hier net achter te komen.

'Ik zei alleen dat ie zijn bek moest houden, en hij zal zijn bek houden als hij weet wat goed voor hem is, die klootzak van een Indiase sultan, met alle respect voor u, meneer, uiteraard,' voegde Roy er als beleefdheidsgebaar aan toe.

Dickinson-Smith wist dat het in andere regimenten, in andere tanks, gewoon niet voorkwam dat mensen terugspraken tegen hun meerderen of zelfs maar spraken. Zelfs het 'beleefdheidsgebaar' van Roy was een teken van het falen van Dickinson-Smith. In die andere tanks, in de Shermans, Churchills en Mathilda's, verspreid over de woestenij van Europa als taaie kakkerlakken, was geen sprake van respect of gebrek aan respect. Alleen van Gehoorzaamheid, Ongehoorzaamheid, Straf.

'Sultan... sultan...' zei Samad peinzend. 'Weet u, meneer Mackintosh, ik zou geen probleem hebben met de bijnaam als deze in ieder geval nog correct was. Hij is historisch niet correct. Hij is zelfs geografisch gesproken niet correct. Ik weet zeker dat ik u heb uitgelegd dat ik uit Bengalen kom. Het woord "sultan" heeft betrekking op bepaalde mannen uit de Arabische landen – vele honderden kilometers ten westen van Bengalen. Mij sultan noemen is ongeveer zo correct, in termen van kilometers, begrijpt u, als wanneer ik u een vette vuile mof zou noemen.'

'Ik heb je sultan genoemd en zo noem ik je weer, begrepen?'

'O, meneer Mackintosh. Is het zo ingewikkeld, is het zo onmogelijk dat u en ik, nu we met elkaar opgescheept zitten in deze Britse machine, onszelf ertoe weten te brengen om samen te vechten als Britse onderdanen?'

Will Johnson, die een beetje onnozel was, nam zijn kepie af zoals hij altijd deed wanneer iemand 'Brits' zei.

'Waar hééft die flikker het over?' vroeg Mackintosh, zijn bierbuik verplaatsend.

'Niets,' zei Samad. 'Ik ben bang dat ik het nergens over had; ik was alleen maar wat aan het praten, praten, alleen maar wat aan het ouwehoeren, zoals ze zeggen, en ik probeerde Sappeur Jones hier zover te krijgen dat hij zou ophouden met dat staren, met die puilogen, alleen dat en niet meer... en het ziet ernaar uit dat ik op beide punten heb gefaald.'

Hij leek echt gekwetst te zijn en Archie voelde plotseling de weinig soldaatachtige behoefte de pijn weg te nemen. Maar het was er de plaats noch de tijd voor.

'Goed. Zo is het mooi geweest. Jones, controleer de kaart,' zei Dickinson-Smith.

Archie controleerde de kaart.

Hun reis was lang en vermoeiend, en werd zelden onderbroken door enige actie. Archies tank was een bruggenbouwer, een van de specialistische divisies die geen loyaliteit verschuldigd waren aan enig Engels graafschap of aan een type wapentuig, maar diensten verleende door het hele leger en van land tot land, beschadigd materieel borg, bruggen legde, doorgangen voor de strijd creëerde en routes waar routes waren vernietigd. Hun taak was niet zozeer in de oorlog te vechten als wel zorgen dat deze soepel verliep. Tegen de tijd dat Archie een rol ging spelen in het conflict, was duidelijk dat de wrede, bloedige beslissingen in de lucht zouden vallen en niet bepaald werden door het verschil van dertig centimeter tussen de dikte van een Duitse, door het pantser dringende granaat en een Engelse. De echte oorlog, de oorlog waarin steden op de knieën werden gebracht, de oorlog met de dodelijke berekeningen van afmeting, ontploffing, bevolking, speelde zich vele kilometers boven Archies hoofd af. Intussen, op de grond, had hun zware, gepantserde verkenningstank een eenvoudiger taak: zijn weg zoeken langs de gebroken ogen van het kanonnenvlees en de 'verspilde jeugd' en zorgen dat de communicatiekanalen die zich van de ene kant van de hel tot de andere uitstrekten geheel open bleven.

'De gebombardeerde munitiefabriek is dertig kilometer naar het zuidwesten, meneer. We moeten verzamelen wat we kunnen, meneer. Soldaat Ick-Ball heeft mij om 16.47 uur een radioboodschap doorgegeven waarin wordt meegedeeld dat het gebied, voor zover vanuit de lucht is waar te nemen, meneer, onbezet is, meneer,' zei Archie.

'Dit is geen oorlog,' had Samad zachtjes gezegd.

Twee weken later, toen Archie hun route naar Sofia controleerde, zei Samad tegen niemand in het bijzonder: 'Ik zou hier niet moeten zijn.'

Zoals gewoonlijk werd hij genegeerd, het heftigst en meest vastbesloten door Archie, die eigenlijk toch wel wilde luisteren.

'Ik bedoel, ik heb een opleiding. Ik ben getraind. Ik zou moeten vliegen met de Royal Airborne Force, van hoog in de lucht moeten schieten! Ik ben een officier! Niet een of andere mollah, een of andere sepoy die zijn *chappals* in harde dienst verslijt. Mijn overgrootvader Mangal Pande' – hij zocht om zich heen naar de herkenning die de naam verdiende, maar toen hij alleen maar uitdrukkingsloze, bleke Engelse gezichten zag, vervolgde hij – 'was de grote held van de Opstand der Bengalen!'

Stilte.

'Van 1857! Hij was degene die de eerste verafschuwde met koeienvet ingesmeerde kogel afvuurde en tollend de vergetelheid instuurde!'

Een langere, beladener stilte.

'Als ik deze klotehand niet had' – inwendig het Engelse goudvisgeheugen voor geschiedenis vervloekend tilde Samad vijf dode, strak gebogen vingers van hun gebruikelijke rustplaats op zijn borst – 'deze lullige hand die het nutteloze Indische leger mij voor mijn moeite heeft gegeven, had ik zijn prestaties geëvenaard. En hoe komt het dat ik invalide ben? Doordat het Indiase leger meer van het kussen van konten weet dan van het vuur en zweet van de strijd! Ga nooit naar India, Sappeur Jones, beste vriend. Het is een plaats voor dwazen en erger dan dwazen. Dwazen, hindoes, sikhs en Punjabi's. En nu is er al dat gemompel over onafhankelijkheid: geef Bengalen onafhankelijkheid, Archie, dat is wat ik zeg, laat India maar in bed met de Britten, als dat is wat het wil.'

Zijn arm viel door het dode gewicht tegen zijn zij en kwam tot rust als een oude man na een woedeaanval. Samad sprak Archie altijd aan alsof ze samen een verbond vormden tegen de rest van de tank. Hoezeer Archie hem ook meed, die vier dagen van staren hadden een soort band tussen de twee mannen gesmeed, zo fijn als een zijden draad, waaraan Samad trok wanneer hij maar de kans kreeg.

'Zie je, Jones,' zei Samad, 'de echte fout die de onderkoning maakte, was de sikhs een machtspositie geven, zie je? Alleen omdat ze wat beperkt succes hebben met de Kaffers in Afrika, zegt hij Ja, meneer Man, met je zweterige, dikke gezicht en je belachelijke namaak-Engelse snor en je *fagri* op je hoofd balancerend als een grote hoop stront, jij kunt een officier zijn, we zullen het leger Indiaas maken; ga, ga en vecht in Italië, Rissaldar Major Pugri, Daffadar Pugri, met mijn van oudsher bewonderde Engelse troepen! Fout! En dan komen ze bij mij, held van de negende Noord-Bengaalse Bereden Jagers, held van de Bengaalse luchtmacht, en zeggen: "Samad Miah Iqbal, Samad, wij gaan je een grote eer verlenen. Jij gaat vechten op het vasteland van Europa... niet verhongeren en je eigen pis opdrinken in Egypte en Malaya, nee... jij gaat de mof bevechten waar je hem aantreft." Op zijn drempel, Sappeur Jones, op zijn drempel. Dus! Ik ging. Italië, en ik dacht: nu kan ik het Engelse leger laten zien dat de moslimmannen van Bengalen kunnen vechten als elke sikh. Beter! Sterker! En dat ze de best opgeleiden zijn en degenen met het goede bloed, wij die het ware officiersmateriaal zijn.'

'Indiase officieren? Vergeet het maar,' zei Roy.

'Op mijn eerste dag daar,' vervolgde Samad, 'heb ik vanuit de lucht een schuilplaats van de nazi's vernietigd. Als een adelaar in duikvlucht.'

'Gelul,' zei Roy.

'Op mijn tweede dag heb ik de vijand uit de lucht beschoten toen hij de Gothische Linie naderde, door de Argentakloof brak en de geallieerden verder dreef naar de Povlakte. Lord Mountbatten zelf zou mijzelf in eigen persoon hebben gefeliciteerd. Hij zou deze hand hebben geschud. Maar dit werd allemaal verhinderd. Weet je wat er op mijn derde dag gebeurde, Sappeur Jones? Weet je hoe ik invalide werd? Een jonge man in de bloei van zijn leven?'

'Nee,' zei Archie zachtjes.

'Een vuile sikh, Sappeur Jones, een vuile stommeling. Terwijl we in een loopgraaf stonden, ging zijn geweer af en schoot hij me dwars door mijn pols. Maar ik wilde hem niet laten amputeren. Elk stukje van mijn lichaam komt van Allah. Elk stukje zal naar hem teruggaan.'

Zo was Samad terechtgekomen in de weinig roemruchte bruggenbouwdivisie van het leger van Zijne Majesteit met de rest van de mislukkelingen; met mensen als Archie, met mensen als Dickinson-Smith (wiens staatsdossier de zinsnede bevatte 'Risico: homoseksueel'), met slachtoffers van frontale lobotomie als Mackintosh en Johnson. De afgekeurden van de oorlog. Zoals Roy het vertederd noemde: het Kneuzenbataljon. Het grootste probleem van de compagnie lag bij de kapitein van het Eerste Stormregiment: Dickinson-Smith was geen soldaat. En zeker geen commandant, hoewel commanderen in zijn genen zat. Hij was tegen zijn wil uit zijn vaders College gesleept, losgerukt van zijn vaders toga en gedwongen in een oorlog te vechten zoals zijn vader had gedaan. En diens vader voor hem, en diens vader voor hem, ad infinitum. De jonge Thomas had berust in zijn lot en hield zich bezig met een verwoede en langdurige inspanning (vier jaar nu) om zijn naam op de steeds langer wordende lijst van Dickinson-Smiths te krijgen die gebeiteld stond in een lange grafsteen in het dorp Little Marlow en boven op alle anderen begraven te worden in het sardineblikachtige familiegraf, dat de voornaamste plaats innam op het historische kerkhof.

Gedood door de moffen, de bruinjoekels, de spleetogen, de Kaffers, de Fransozen, de Schotten, de Latino's, de Zoeloes, de Brits-Indiërs, Oost-Indiërs en indianen, en per ongeluk aangezien voor een wegsnellende okapi door een Zweed, tijdens een jacht op groot wild in Nairobi, waren de Dickinson-Smiths per traditie onverzadigbaar in hun verlangen Dickinson-Smith-bloed vergoten te zien op vreemde bodem. En bij die gelegenheden dat er geen oorlog was, hielden de Dickinson-Smiths zich bezig met de Ierse kwestie, een soort Dickinson-Smith-vakantieoord van de dood, dat in bedrijf was sinds 1600 en nog geen teken van een naderend einde vertoonde. Maar doodgaan is geen gemakkelijke truc. En hoewel de kans om zich voor welk dodelijk wapentuig dan ook te werpen door de eeuwen heen een magnetische aantrekkingskracht op de familie had uitgeoefend, leek deze Dickinson-Smith daar maar niet in te slagen. De arme Thomas had een ander soort verlangen naar exotische grond. Hij wilde hem leren kennen, koesteren, ervan leren, hem liefhebben. Hij was van meet af aan een kansloze figuur in het oorlogsspel.

Het lange verhaal over Samad en hoe hij van het toppunt van militaire prestatie in het Bengaalse korps naar het Kneuzenbataljon was gegaan, werd Archie, eenmaal daags gedurende de volgende twee weken, verteld en opnieuw verteld, in verschillende versies en met allerlei uitweidingen, of hij nu luisterde of niet. Hoe langdradig het ook was, het was een hoogtepunt naast de andere verhalen over mislukkingen die de lange nachten vulden en de mannen van het Kneuzenbataljon in hun geprefereerde toestand hielden van demotivatie en wanhoop. Tot de steeds herhaalde klaagzangen behoorde de Tragische Dood van Roys Verloofde, een kapster die uitgegleden was over een serie krulspelden en haar nek had gebroken op de spoelbak; Archies Mislukking om naar de Middelbare School te Gaan omdat zijn moeder het uniform niet kon betalen; de vele vermoorde verwanten van Dickinson-Smith; en wat Will Johnson betreft, hij sprak niet overdag maar jammerde in zijn slaap, en zijn gezicht sprak boekdelen over ellendiger ellende dan waar iemand ook maar naar durfde te informeren. Het Kneuzenbataljon ging zo enige tijd door, een reizend circus van ontevredenen dat doelloos door Oost-Europa zwierf; zonderlingen en dwazen met geen ander publiek dan elkaar. Die om de beurt optraden en toekeken. Tot de tank ten slotte een dag binnenrolde die de Geschiedenis heeft vergeten. Die het Geheugen niet de moeite waard vond vast te leggen. Een plotselinge steen verzonken. Namaaktanden die geluidloos naar de bodem van een glas zweven. 6 mei 1945.

Om ongeveer 18.00 uur op de zesde mei 1945 ontplofte iets in de tank. Het was niet het geluid van een bom, maar het geluid van een technische calamiteit, en de tank kwam langzaam tot stilstand. Ze bevonden zich in een klein Bulgaars dorp, bij de grens van Griekenland en Turkije; de oorlog had er genoeg van gekregen en had het verlaten, waardoor de mensen teruggekeerd waren naar een bijna normale gang van zaken.

'Juist,' zei Roy, nadat hij het probleem had bekeken. 'De motor is naar de kloten en een van de rupsbanden is gebroken. We zullen via de radio om hulp moeten vragen en hier moeten wachten tot die komt. We kunnen niets doen.'

'We doen geen enkele poging om het te repareren?' vroeg Samad.

'Nee,' zei Dickinson-Smith. 'Soldaat Mackintosh heeft gelijk. Met het gereedschap dat we ter beschikking hebben, kunnen we onmogelijk iets aan dit soort schade doen. We zullen gewoon moeten wachten tot er hulp komt.'

'Hoe lang zal dat duren?'

'Een dag,' deed Johnson een duit in het zakje. 'We zijn een heel eind verwijderd van de rest.'

'Zijn wij verplicht, kapitein Smith, om gedurende die vierentwintig uur in het voertuig te verblijven?' vroeg Samad, die tot wanhoop gedreven werd door Roys persoonlijke hygiëne en bepaald ongenegen was een stilstaande, hete avond met hem door te brengen.

'En of we dat verplicht zijn... wat denk je verdomme dat dit is, een vrije dag?' gromde Roy.

'Nee, nee... Ik zou niet weten waarom je niet een beetje zou rondlopen... het heeft geen zin om ons hier met zijn allen schuil te houden. Jij en Jones gaan eerst, brengen verslag uit, en dan zullen soldaten Mackintosh, Johnson en ik gaan wanneer jullie terug zijn.'

Dus gingen Samad en Archie het dorp in en brachten drie uur door met het drinken van Sambucca en luisteren naar het verhaal van de cafébaas over de miniatuurinvasie van twee nazi's, die in het dorp waren komen opdagen, al zijn voorraden hadden opgegeten, seks hadden gehad met twee lichtzinnige dorpsmeisjes en een man door het hoofd hadden geschoten omdat hij hun niet snel genoeg de richting had gewezen naar het volgende dorp.

'Ze waren in alles ongeduldig,' zei de oude man hoofdschuddend. Samad voldeed de rekening.

Toen ze terugliepen, zei Archie: 'Goh, daar zijn er niet veel van nodig om te veroveren en te plunderen,' in een poging een gesprek te voeren.

'Eén sterke en één zwakke man is een kolonie, Sappeur Jones,' zei Samad.

Toen Archie en Samad bij de tank kwamen, troffen ze soldaten Mackintosh en Johnson en kapitein Thomas Dickinson-Smith dood aan. Johnson gewurgd met kaasdraad, Roy in de rug geschoten. Roys kaak was opengewrongen en zijn zilveren vullingen waren verwijderd; uit zijn mond stak een buigtang als een ijzeren tong. Het zag ernaar uit dat Thomas Dickinson-Smith, terwijl zijn aanvaller hem naderde, zich had afgewend van het hem toebedeelde lot en zichzelf in het gezicht had geschoten. De enige Dickinson-Smith die de dood had gevonden door Engelse handen.

❦

Terwijl Archie en Samad zo goed als ze konden de balans opmaakten van de situatie, zat kolonel-generaal Jodl in een klein rood schoolgebouw in Reims en schudde zijn vulpen. Eén keer. Twee keer. Daarna leidde hij de inkt in een plechtige dans over de stippellijn en schreef geschiedenis op zijn naam. Het einde van de oorlog in Europa. Toen het papier werd weggegrist door een man die bij zijn schouder stond, liet Jodl, getroffen door het volle besef van de daad, zijn hoofd hangen. Maar het zou een volle twee weken duren voordat Archie of Samad hiervan zou horen.

Dit waren vreemde tijden, vreemd genoeg voor een Iqbal en een Jones om vriendschap te sluiten. Die dag, terwijl de rest van Europa feestvierde, stonden Samad en Archie langs een Bulgaarse weg, Samad met een handvol draden, spaanplaat en metalen omhulsel in zijn goede vuist geklemd.

'Van deze radio is geen sodemieter over,' zei Samad. 'We zullen bij het begin moeten beginnen. Dit is een zeer slechte zaak, Jones. Zeer slecht. We hebben onze middelen voor communicatie, transport en verdediging verloren. Erger: we hebben ons commando verloren. Een soldaat in oorlog zonder commandant is werkelijk een zeer slechte zaak.'

Archie wendde zich af van Samad en gaf hevig over in een struik. Soldaat Mackintosh had, zijn grote mond ten spijt, zichzelf bevuild voor de poort van Sint-Petrus en de geur had zich met geweld in Archies longen gedrongen en zijn zenuwen, zijn angst en zijn ontbijt naar de oppervlakte gebracht.

Wat het repareren van de radio betreft, Samad wist hoe, kende de theorie, maar Archie had de handen en een zekere vaardigheid wanneer het om draad, spijkers en lijm ging. En het was een merkwaardige strijd tussen kennis en praktische vaardigheid die zich tussen hen ontvouwde terwijl ze de kleine metalen strips in elkaar pasten die hen beiden misschien zouden redden.

'Geef me de drie ohm weerstand, wil je?'

Archie, niet zeker van het voorwerp dat Samad bedoelde, werd heel rood. Zijn hand ging weifelend over de doos met draden en stukken en brokken. Samad kuchte discreet toen Archies pink in de richting van het juiste voorwerp dwaalde. Het was lichtelijk gênant, een Indiër die een Engelsman vertelde wat hij moest doen, maar op de een of andere manier bracht de rust ervan, het mannelijke ervan, hen erdoorheen. Het was in deze tijd dat Archie de ware kracht van het doe-het-zelven ontdekte, hoe het een hamer en spijkers gebruikt om zelfstandige en bijvoeglijke naamwoorden te vervangen, hoe het mannen in staat stelt te communiceren. Een les die hij zijn hele leven met zich meedroeg.

'Goed gedaan,' zei Samad, toen Archie hem de elektrode gaf, maar toen, omdat één hand niet genoeg was om de draden te hanteren of ze op de plaat te bevestigen, gaf hij het voorwerp terug aan Archie en wees hem aan waar het bevestigd moest worden.

'We hebben dit binnen de kortste keren voor elkaar,' zei Archie vrolijk.

'Bubbelgum! Alsjeblieft, meneer!'

De vierde dag begon een groep dorpskinderen zich rond de tank te verzamelen, aangetrokken door de afschuwelijke moorden, Samads groenogige charme en Archies Amerikaanse klapkauwgom.

'Meneer soldaat,' zei een kastanjekleurige lichtgewicht jongen in zorgvuldig Engels, 'bubbelgum alsjeblieft dank je.'

Archie stopte zijn hand in zijn zak en haalde er vijf dunne roze strips uit. De jongen verdeelde ze hooghartig onder zijn vrienden. Ze begonnen woest te kauwen, met ogen die van inspanning uit hun hoofd puilden. Toen, terwijl de smaak begon af te nemen, stonden ze zwijgend en vol ontzag naar hun weldoener te kijken. Na een paar minuten werd dezelfde broodmagere jongen weer als de volksvertegenwoordiger naar voren gestuurd.

'Meneer soldaat.' Hij hield zijn hand op. 'Bubbelgum alsjeblieft dank je.'

'Niet meer,' zei Archie, begeleid door een ingewikkelde gebarentaal. 'Ik heb niet meer.'

'Alsjeblieft, dank je. Alsjeblíeft?' herhaalde de jongen op dringende toon.

'O, in godsnaam,' viel Samad uit, 'we moeten de radio repareren en dit ding aan de praat krijgen. Laten we doorgaan, oké?'

'Bubbelgum, meneer, meneer soldaat, bubbelgum.' Het werd bijna een gezang; de kinderen haalden de paar woorden die ze hadden geleerd door elkaar en plaatsten ze in elke volgorde.

'Alsjeblieft?' De jongen sterkte zijn arm zo energiek uit dat hij helemaal op de punt van zijn tenen kwam te staan.

Ineens opende hij zijn hand, en glimlachte toen koket, klaar om te onderhandelen. Daar, in zijn open hand, lagen vier groene biljetten in een bundeltje gedraaid als een handjevol gras.

'Dollars, meneer!'

Samad deed er een greep naar. 'Hoe kom je daaraan?' vroeg hij. De jongen trok zijn hand terug. Hij wipte voortdurend van zijn ene voet op de andere – de schelmse dans die kinderen van oorlog leren. De eenvoudigste versie van op je hoede zijn.

'Eerst bubbelgum, meneer.'

'Vertel me waar je dit vandaan hebt. Ik waarschuw je dat je me niet voor de gek moet houden.'

Samad deed een greep naar de jongen en pakte hem bij zijn mouw. Hij probeerde zich wanhopig los te wurmen. Zijn vriendjes begonnen hun snel in achting dalende kampioen in de steek te laten en zich stilletjes uit de voeten te maken.

'Heb je hier iemand voor vermoord?'

Een ader in Samads voorhoofd voerde een hevig gevecht om aan zijn huid te ontsnappen. Hij wilde een land verdedigen dat niet het zijne was en de moord wreken op mannen die hem normaal gesproken op straat niet eens hadden gegroet. Archie was verbaasd. Het was zijn land; op zijn bescheiden, bloedeloze, middelmatige manier was hij een van de vele onmisbare wervels in de ruggengraat ervan, en toch kon hij er niets vergelijkbaars voor voelen.

'Nee, meneer, nee, nee. Van hem. Hem.'

Hij sterkte zijn vrije arm uit en wees naar een groot vervallen huis dat als een dikke, broedende kip aan de horizon stond.

'Heeft iemand uit dat huis onze mannen vermoord?' brulde Samad.

'Wat jij zeggen, meneer?' piepte de jongen.

'Wie woont daar?'

'Hij is dokter. Hij is daar. Maar ziek. Kan niet weg. Dokter Ziek.'

Een paar overgebleven kinderen bevestigden opgewonden de naam 'Dokter Ziek, meneer. Dokter Ziek.'

'Wat is er met hem?'

De jongen, die nu van de aandacht genoot, bootste theatraal een huilende man na.

'Engels? Zoals wij? Duits? Frans? Bulgaars, Grieks? Samad, moe van de verkeerd geïnvesteerde energie, liet de jongen los.

'Hij niemand. Hij dokter Ziek, alleen,' zei de jongen afwijzend. 'Bubbelgum?'

Een paar dagen later en er was nog steeds geen hulp gekomen. De spanning voortdurend in oorlog te moeten zijn in zo'n prettig dorp begon Archie en Samad te bedrukken, en beetje bij beetje begonnen ze zich te ontspannen en een burgerleven te leiden. Ze aten elke avond in het eetcafé van de oude man Gozan. Waterige soep kostte vijf sigaretten per persoon. Elke vissoort kostte een laag in aanzien staande bronzen medaille. Doordat Archie nu gekleed ging in een van de uniformen van Dickinson-Smith – dat van hemzelf was uit elkaar gevallen – had hij een paar van de medailles van de dode te besteden en schafte daarmee andere aardige en noodzakelijke spullen aan: koffie, zeep, chocolade. Voor wat varkensvlees overhandigde hij een sigarettenplaatje van Dorothy Lamour dat sinds het moment waarop hij in dienst was gegaan tegen zijn kont gedrukt in zijn achterzak had gezeten.

'Kom op, Sam, we gebruiken ze als symbolen, net als voedselbonnen; als je wilt, kunnen we ze terugkopen wanneer we de middelen hebben.'

'Ik ben moslim,' zei Samad, het bord met varkensvlees wegduwend, 'en zonder mijn Rita Hayworth rest me nog slechts mijn eigen ziel.'

'Waarom eet je het niet?' zei Archie, zijn twee karbonades als een gek naar binnen schrokkend. 'Nogal vreemd, als je het mij vraagt.'

'Ik eet het niet om de reden waarom jij als Engelsman nooit echt een vrouw zult bevredigen.'

'Waarom is dat?' vroeg Archie, zijn feestmaal even onderbrekend.

'Het zit in onze culturen, mijn vriend.' Hij dacht even na. 'Misschien dieper. Misschien in onze botten.'

Na het eten deden ze alsof ze het dorp uitkamden om de moordenaars te vinden; ze vlogen erdoorheen, zochten dezelfde drie louche bars af en keken in de slaapkamers van de huizen van mooie vrouwen, maar na een tijdje hielden ze ook daar mee op en zaten ze in plaats daarvan goedkope sigaren te roken bij de tank, genietend van de talmende, vuurrode zonsondergangen en kletsend over vroegere incarnaties als krantenjongen (Archie) en biologiestudent (Samad). Ze speelden met ideeën die Archie niet geheel begreep en Samad bood de koele nacht geheimen aan die hij nog nooit hardop had uitgesproken. Er vielen lange stiltes tussen hen, als de comfortabele stiltes die vallen tussen vrouwen die elkaar al jaren kennen. Ze keken naar sterren die onbekend gebied verlichtten, maar geen van beide mannen was bijzonder aan thuis gehecht. Het was kortom precies het soort vriendschap dat een Engelsman op vakantie sluit, dat hij alleen op vakantie kan sluiten. Een vriendschap die stand en kleur overstijgt, een vriendschap die gebaseerd is op fysieke nabijheid en blijft bestaan doordat de Engelsman ervan uitgaat dat de fysieke nabijheid niet zal blijven bestaan.

Anderhalve week sinds de radio was gerepareerd en nog steeds geen antwoord op de signalen om hulp die ze golvend door de ether stuurden op zoek naar oren om ze te horen. (Het dorp wist inmiddels dat de oorlog voorbij was, maar de inwoners waren niet geneigd dit feit te onthullen aan hun bezoekers, wier ruilhandel zo'n geweldige stimulans voor de plaatselijke economie was gebleken.) In de lange lege tijdspannes krikte Archie delen van de rupsband op met een ijzeren staaf en onderzocht Samad het probleem. Op verschillende continenten dachten beide families dat de mannen dood waren.

'Heb je een vrouw daar in Brighton City?' vroeg Samad, zijn hoofd verankerend tussen de leeuwenkaken van rupsband en tank.

Archie was geen knappe jongen. Hij was een spetter als je een foto nam en je duim over zijn neus en mond legde, maar verder was hij tamelijk onopvallend. Meisjes zouden aangetrokken worden door zijn grote, droevige Sinatra-blauwe ogen, maar vervolgens afgeschrikt worden door de Bing Crosby-oren en de neus die eindigde in een natuurlijke uiachtige zwelling als die van W.C. Fields.

'Een paar,' zei hij nonchalant. 'Je weet wel, hier en daar. En jij?'

'Een jongedame is al voor mij uitgekozen. Een juffrouw Begum, dochter van meneer en mevrouw Begum. De "schoonouders", zoals jullie dat noemen. Lieve god, die twee zitten zo hoog in het rectum van het Bengaalse establishment dat zelfs de gouverneur snotterend zit te wachten tot zijn mullah binnenkomt met een uitnodiging voor een diner van hen!'

Samad lachte luid en wachtte op gezelschap, maar Archie begreep er niets van en zijn gezicht bleef zoals gewoonlijk onbewogen.

'O, het zijn allerbeste mensen,' vervolgde Samad, slechts lichtelijk ontmoedigd.

'Allerkeurigste mensen. Uitzonderlijk goed bloed... en als extraatje is er een geneigdheid onder hun vrouwen – traditioneel, door de eeuwen heen, begrijp je – om echt enorme memmen te hebben.'

Samad voerde het noodzakelijke gebaar erbij uit, en richtte zijn aandacht toen weer op het passen van elke tand van de rupsband in zijn bijbehorende groef.

'En?' vroeg Archie.

'En wat?'

'Zijn ze...?' Archie herhaalde het gebaar, maar met het soort anatomische overdrijving dat het in de lucht geschetste vrouwen onmogelijk maakt rechtop te staan.

'O, maar ik moet nog een tijdje wachten,' zei hij, weemoedig glimlachend. 'Helaas heeft de familie Begum nog geen vrouwelijk kind van mijn generatie.'

'Je bedoelt verdomme dat je vrouw nog niet eens geboren is?'

'Wat maakt dat uit?' zei Samad terwijl hij een sigaret uit Archies borstzakje trok. Hij haalde een lucifer over de zijkant van de tank en stak hem op. Archie veegde met een vettige hand het zweet van zijn gezicht.

'Waar ik vandaan kom,' zei Archie, 'wil een vent een meisje leren kennen voordat hij met haar trouwt.'

'Waar jij vandaan komt is het de gewoonte groenten te koken tot ze uit elkaar vallen. Dat wil niet zeggen,' zei Samad kortaf, 'dat het een goed idee is.'

Hun laatste avond in het dorp was absoluut donker, stil. De benauwde lucht maakte het onplezierig om te roken, dus zaten Archie en Samad, bij gebrek aan andere bezigheden, met hun vingers op de koele, stenen trap van een kerk te tikken. Een ogenblik lang, in de schemering, vergat Archie de oorlog die toch al had opgehouden te bestaan. Een voltooid verleden, toekomende tijd soort avond.

Het was toen ze nog niet op de hoogte waren van de vrede, gedurende die laatste avond van onwetendheid, dat Samad besloot zijn vriendschap met Archie te bekrachtigen. Dit gebeurt vaak door het doorgeven van één enkel stukje informatie: een seksuele pekelzonde, een emotioneel geheim of een obscure verborgen passie die de nog jonge kennismaking verhinderd heeft te worden uitgesproken. Maar voor Samad was niets hechter of betekende meer dan zijn bloed. Het was dan ook natuurlijk dat hij, terwijl ze daar gezeten waren op heilige grond, zou spreken van wat heilig voor hem was. En er was geen sterker evocatie van het bloed dat door hem heen stroomde, en de grond die dat bloed in de loop der eeuwen had bevlekt, dan het verhaal over zijn overgrootvader. Dus vertelde Samad Archie het veel veronachtzaamde, honderd jaar oude, beschimmelde verhaal van Mangal Pande.

'Dus hij was je grootvader?' zei Archie, nadat het verhaal verteld was, de maan achter de wolken verdwenen was en hij gepast geïmponeerd was. 'Je echte, bloedeigen grootvader?'

'Óvergrootvader.'

'Nou, dat is me toch wat. Weet je, ik herinner me dat van school, echt waar, Koloniale Geschiedenis, meneer Juggs. Kaal, uitpuilende ogen, gemene ouwe botterik... meneer Juggs, bedoel ik, niet je grootvader. Maar hij wist de boodschap erin te stampen, ook al was het met een liniaal op de rug van je hand... In de regimenten, weet je, hoor je mensen elkaar nog steeds *Pandies* noemen, weet je, als het om een kerel gaat die een beetje een rebel is... Ik heb me nooit afgevraagd waar het vandaan kwam... Pande was de rebel, moest niks van de Engelsen hebben, schoot de eerste kogel van de opstand. Ik herinner het me nu, zo duidelijk als wat. En dat was jouw grootvader!'

'Óvergrootvader.'

'Tjongejonge. Dat is me toch wat, niet?' zei Archie, terwijl hij zijn handen achter zijn hoofd vouwde en achterover ging liggen om naar de sterren te kijken. 'Om op die manier wat geschiedenis in je bloed te hebben. Het motiveert je, stel ik me zo voor. Ik ben een Jones, zie je. Zoiets als een "Smith". We zijn niemand... Mijn vader zei altijd: "Wij zijn het kaf, jongen, wij zijn het kaf." Niet dat ik me er ooit erg druk om heb gemaakt, hoor. Trots, desondanks, weet je. Van goede, eerlijke Engelse afkomst. Maar in jouw familie heb je een held gehad!'

Samad zwol van trots. 'Ja, Archibald, dat is precíes het woord. Natuurlijk krijg je dan dat die kleingeestige Engelse wetenschappers hem in diskrediet proberen te brengen, want ze kunnen het niet verdragen om een Indiër te moeten geven wat hem toekomt. Maar hij was een held en elke daad die ik in deze oorlog heb ondernomen heeft in de schaduw van zijn voorbeeld gestaan.'

'Dat is waar, weet je,' zei Archie nadenkend. 'Ze praten thuis niet erg gunstig over Indiërs; ze zouden het bepaald niet leuk vinden als je zei dat een Indiër een held was... iedereen zou een beetje raar naar je kijken.'

Ineens greep Samad zijn hand. De zijne was heet, bijna koortsachtig, dacht Archie. Het was hem nog nooit overkomen dat een andere man zijn hand greep; zijn eerste neiging was hem terug te trekken of een stomp te geven of zoiets, maar toen bedacht hij zich want Indiërs waren emotioneel, nietwaar? Al dat gepeperde eten en zo.

'Alsjeblieft! Bewijs me deze ene grote gunst, Jones. Als je ooit iemand, wanneer je weer thuis bent... als je, als wij terugkomen in ons respectievelijke vaderland... als je ooit iemand hoort praten over het Oosten,' en hier schoot zijn stem een register omhoog, en de toon was vol en droevig, '*schort je oordeel dan op*. Als je ooit te horen krijgt "ze zijn allemaal zo" of "ze doen dit" of "ze denken zo", schort je oordeel dan op tot je over alle feiten beschikt. Want dat land dat ze "India" noemen, kent wel duizend namen en wordt bevolkt door miljoenen, en als je denkt dat je in die massa twee dezelfde mannen hebt gevonden, heb je het mis. Het is alleen maar een bedrieglijke speling van het maanlicht.'

Samad liet zijn hand los en rommelde in zijn zak. Hij drukte zijn vinger in een voorraadje wit stof dat hij daar bewaarde en liet hem discreet in zijn mond glijden. Hij leunde tegen de muur en ging met zijn vingertoppen over de steen. Het was een kleine zendingskerk, die veranderd was in een ziekenhuis en vervolgens na twee maanden verlaten was toen het geluid van de granaten de vensterbanken aan het schudden bracht. Samad en Archie waren ertoe overgegaan daar te slapen, vanwege de dunne matrassen en de grote, hoge ramen. Samad had ook belangstelling ontwikkeld (door de eenzaamheid, hield hij zichzelf voor; door de melancholie) voor de morfine in poedervorm die door het hele gebouw heen in de verspreide voorraadkasten te vinden was – verborgen eieren op een verslavend paasspoor. Steeds wanneer Archie zich verwijderde om te plassen of de radio weer te proberen, dwaalde Samad door zijn kleine kerk en plunderde kast na kast, als een zondaar die van biechtstoel naar biechtstoel gaat. Wanneer hij zijn zondige flesje gevonden had, nam hij de gelegenheid waar om een beetje op zijn tandvlees te wrijven of een beetje in zijn pijp te roken; dan ging hij op de koele terracotta vloer liggen en keek op naar de prachtige welving van de kerkkoepel. Hij was bedekt met woorden, deze kerk. Woorden driehonderd jaar eerder achtergelaten door andersdenkenden, die niet bereid waren een begrafenisbelasting te betalen tijdens een cholera-epidemie en door een corrupte landheer in de kerk waren opgesloten om er te sterven – maar dat hadden ze niet gedaan voordat ze elke muur hadden bedekt met brieven aan familie, gedichten, verklaringen van eeuwige ongehoorzaamheid. Samad had het een mooi verhaal gevonden toen hij het voor het eerst had gehoord, maar het raakte hem pas echt wanneer de morfine toesloeg. Dan kwam elke zenuw in zijn lichaam tot leven en liet de informatie, alle informatie die het universum bevatte, alle informatie op de muren, zijn kurk knallen en stroomde door hem heen als elektriciteit door een aardleiding. Dan vouwde zijn hoofd zich open als een ligstoel. En hij nam er een tijdje in plaats en keek hoe zijn wereld voorbijtrok. Vanavond, na net meer dan genoeg, voelde Samad zich bijzonder lucide. Alsof zijn tong beboterd en alsof de wereld een glanzend marmeren ei was. En hij voelde een verwantschap met de dode andersdenkenden; ze waren Pandes broeders – elke opstandeling, zo scheen het Samad deze avond toe, was zijn broeder – en hij wenste dat hij met ze kon spreken over het stempel dat ze op de wereld hadden gedrukt. Was het genoeg geweest? Toen de dood kwam, was het toen echt genoeg? Waren ze tevreden met de duizend woorden die ze hadden achtergelaten?

'Ik zeg je iets voor niets,' zei Archie, terwijl hij Samads ogen volgde en de spiegeling van de kerkkoepel erin zag. 'Als ik nog maar een paar uur te leven had gehad, had ik die niet besteed aan het beschilderen van het plafond.'

'Zeg me,' vroeg Samad, geïrriteerd omdat hij uit zijn plezierige beschouwing was losgerukt, 'welke grote uitdaging zou jij aangaan in de uren voor je dood. Het beginsel van Fermat oplossen misschien? De aristotelische filosofie machtig worden?'

'Wat? Wie? Nee... Ik zou, je weet wel... de líefde bedrijven... met een dáme,' zei Archie, die preuts was door onervarenheid. 'Je weet wel... voor de *laatste keer*.'

Samad barstte in lachen uit. 'Eerder voor de eerste keer, denk ik.'

'Hé, toe nou, ik meen het.'

'Goed. En als er geen "dames" in de buurt zouden zijn?'

'Nou, dan kun je altijd,' en hier werd Archie vuurrood, want dit was zijn versie van het bekrachtigen van een vriendschap, 'de salami meppen, zoals de Amerikaanse soldaten zeggen.'

'*De salami*,' herhaalde Samad met verachting, '*méppen*... en dat is het dan? Het laatste wat jij zou willen doen voordat je dit aardse ongerief achter je laat is "je salami meppen". Een orgasme krijgen.'

Archie, die uit Brighton kwam, waar niemand ooit, óóit, woorden als orgasme gebruikte, begon te schuddebuiken van hysterische gêne.

'Wie is zo grappig? Is er iets grappig?' vroeg Samad, terwijl hij verstrooid, aan andere dingen denkend door de morfine, ondanks de hitte een peuk opstak.

'Niemand,' begon Archie haperend, 'niets.'

'Begrijp je het niet, Jones? Begrijp je...' Samad lag half binnen en half buiten de deur, zijn armen omhoog gestrekt naar het plafond, '... de *intentie* niet? Zij mepten hun salami's niet, waren niet bezig het witte spul te verspreiden, ze zochten naar iets *permanenters*.'

'Ik zie het verschil niet, eerlijk gezegd,' zei Archie. 'Ben je dood, dan ben je dood.'

'O néé, Archibald, nee,' fluisterde Samad melancholiek. 'Dat geloof je niet. Je moet het leven leven in de volle wetenschap dat je daden zullen voortbestaan. Wij zijn schepsels van betekenis, Archibald,' zei hij met een gebaar naar de kerkmuren. 'Zij wisten dat. Mijn overgrootvader wist dat. Op een dag zullen onze kinderen het weten.'

'Onze kinderen!' giechelde Archie, gewoon geamuseerd. De mogelijkheid van nakomelingen leek zo ver weg.

'Onze kinderen zullen geboren worden uit onze daden. *Onze vergissingen zullen hun lot bepalen*. O, de daden zullen voortbestaan. Het is eenvoudigweg een kwestie van wat je doet als het erop aankomt, mijn vriend. Wanneer het doek valt. Wanneer de muren instorten, en de lucht donker is en de grond rommelt. Op dat moment zullen we beoordeeld worden op onze daden. En het maakt niet uit of je nu beoordeeld wordt door Allah, Jezus, Boeddha of helemaal niet. Op koude dagen kan een man zijn adem zien, op een hete dag niet. Bij beide gelegenheden ademt de man.'

'Weet je,' zei Archie na een moment van stilte, 'net voordat ik van Felixstowe vertrok, zag ik die nieuwe boor die ze nu hebben, die je in tweeën kunt delen en waarop je verschillende dingen kunt bevestigen – moersleutel, hamer, zelfs een flesopener. Reuze handig in een noodgeval, stel ik me zo voor. Ik zeg je, zo'n ding zou ik verdomd graag willen hebben.'

Samad keek Archie een ogenblik aan en schudde toen zijn hoofd. 'Kom op, laten we naar binnen gaan. Dat Bulgaarse eten. Mijn maag draait ervan om. Ik moet even slapen.'

'Je ziet bleek,' zei Archie, en hij hielp hem overeind.

'Dat is voor mijn zonden, Jones, voor mijn zonden, en toch wordt er meer tegen mij gezondigd dan ik zelf zondig.' Samad giechelde in zichzelf.

'Wat?'

Archie ondersteunde Samad toen ze naar binnen liepen.

'Ik heb iets gegeten,' zei Samad, een bekakt Engels accent opzettend, 'wat op het punt staat mij niet zo goed te bekomen.'

Archie wist heel goed dat Samad morfine uit de kasten pikte, maar hij had gemerkt dat Samad niet wilde dat hij het wist, dus bracht hij hem naar een matras en zei alleen: 'Laten we jou maar in bed stoppen.'

'Wanneer dit voorbij is, zien we elkaar terug in Engeland, oké?' zei Samad, op zijn matras afduikend.

'Ja,' zei Archie, en hij probeerde zich voor te stellen dat hij met Samad over de pier van Brighton zou lopen.

'Want jij bent een zeldzame Engelsman, Sappeur Jones. Ik beschouw je als mijn vriend.'

Archie wist niet precies hoe hij Samad beschouwde, maar hij glimlachte vriendelijk als erkenning van het gevoel.

'Je zult een etentje hebben met mijn vrouw en mij in het jaar 1975. Wanneer we dikbuikige mannen zijn die op hun geldbergen zitten. We zullen elkaar terugzien.'

Archie, die zijn twijfels had ten aanzien van buitenlands eten, glimlachte zwakjes.

'We zullen elkaar ons hele leven kennen!'

Archie hielp Samad te gaan liggen, pakte een matras voor zichzelf en manoeuvreerde zich in een slaaphouding.

'Goeienacht, vriend,' zei Samad, met pure tevredenheid in zijn stem.

De volgende dag kwam het circus naar het dorp. Gewekt door geschreeuw en bulderend gelach worstelde Samad zich in zijn uniform en legde een hand op zijn pistool. Hij stapte de zonovergoten binnenplaats op en zag Russische soldaten in hun grijsbruine uniformen bokspringen met elkaar, blikjes van elkaars hoofd schieten en messen werpen naar op stokken gestoken aardappels, waarbij elke aardappel een kort, zwart takjessnorretje had. Door een plotseling besef als door een vuistslag getroffen, zakte Samad op de trap neer, zuchtte, en zat daar met zijn handen op zijn knieën, zijn gezicht omhoog gekeerd naar de hitte. Een ogenblik later kwam Archie naar buiten struikelen, broek halfstok, zwaaiend met zijn pistool, op zoek naar de vijand, en een geschrokken kogel de lucht in schietend. Het circus ging verder, zonder iets op te merken. Samad trok vermoeid aan een broekspijp van Archie en gebaarde hem te gaan zitten.

'Wat gebeurt er?' vroeg Archie met waterige ogen.

'Niets. Er gebeurt helemaal niets. Om precies te zijn, het is gebeurd.'

'Maar dit kunnen de mannen zijn die...'

'Kijk naar de aardappels, Jones.'

Archie keek verward om zich heen. 'Wat hebben aardappels ermee te maken?'

'Het zijn Hitler-aardappels, mijn vriend. Het zijn plantaardige dictators. Exdictators.' Hij trok er een van zijn stok. 'Zie je de kleine snorren? Het is afgelopen, Jones. Iemand heeft het voor ons afgemaakt.'

Archie nam de aardappel in zijn hand.

'Als een boot, Jones. We hebben verdomme de oorlog gemist.'

Archie schreeuwde tegen een slungelige Rus, die op het punt stond een Hitler-aardappel te spietsen. 'Spreek je Engels? Hoe lang is het al afgelopen?'

'Het vechten?' Hij lachte ongelovig. 'Twee weken, kameraad! Je zult naar Japan moeten als je meer wilt!'

'Als een boot,' herhaalde Samad hoofdschuddend. Er kwam een geweldige woede in hem op, die zijn keel verstopte als gal. Deze oorlog had zijn kans moeten zijn. Hij werd geacht met eer overladen thuis te komen en dan in triomf naar Delhi terug te keren. Wanneer zou hij ooit nog een kans krijgen? Oorlogen als deze zouden niet meer komen, dat wist iedereen. De soldaat die met Archie had gesproken, kuierde in hun richting. Hij was gekleed in het zomeruniform van de Russen: de dunne stof, hooggesloten kraag en bovenmaatse, slappe kepie; hij droeg een riem rond een aanzienlijk middel, waarvan de gesp de zon ving en een straal in Archies oog schoot. Toen het verblindende schijnsel voorbij was, zag Archie een groot, open gezicht, een enigszins loensend linkeroog en een hoofd met rossig haar dat verschillende kanten op stak. Het was al met al een nogal vrolijke verschijning op een mooie ochtend, en toen hij sprak, was dit in een vloeiend Engels met Amerikaans accent dat in je oren kabbelde als de branding.

'De oorlog is al twee weken voorbij en jullie wisten het niet?'

'Onze radio... die was...' Archies zin stierf weg. De soldaat grijnsde breed en schudde beide mannen krachtig de hand. 'Welkom in vredestijd, heren! En wij dachten dat de Russen een slecht geïnformeerd volk waren!' Hij liet zijn grote lach weer horen. Toen, zijn vraag aan Samad richtend, vroeg hij: 'En waar zijn de anderen?'

'Er zijn geen anderen, kameraad. De andere mannen in onze tank zijn dood en van ons bataljon is geen spoor te bekennen.'

'Jullie zijn hier niet met een bepaald doel?'

'Eh... nee,' zei Archie, plotseling beschaamd.

'Doel, kameraad,' zei Samad, die zich kotsmisselijk voelde. 'De oorlog is voorbij en wij zitten hier dus volkomen doelloos.' Hij glimlachte grimmig en schudde de Rus de hand met zijn goede hand. 'Ik ga naar binnen. Zon,' zei hij, zijn ogen half-dicht knijpend. 'Doet pijn aan de oogjes. Het was me aangenaam.'

'Insgelijks,' zei de Rus, Samad met zijn blik volgend tot hij verdwenen was in de kerk. Toen richtte hij zijn aandacht op Archie.

'Rare vent.'

'Hmm,' zei Archie. 'Waarom ben jíj hier?' vroeg hij, een met de hand gerolde sigaret aannemend die de Rus hem aanbood. De Rus en de zeven mannen die bij hem waren bleken op weg te zijn naar Polen om de werkkampen te bevrijden waar je soms op gedempte toon over hoorde spreken. Ze waren hier, ten westen van Tokat, gestopt om een nazi gevangen te nemen.

'Maar hier is niemand, makker,' zei Archie vriendelijk. 'Niemand behalve de Indiër en ik, en wat oude mensen en kinderen uit het dorp. Alle anderen zijn gemold of weggehold.'

'Gemold of weggehold... gemold of weggehold,' zei de Rus hooglijk geamuseerd, terwijl hij een lucifer tussen zijn duim en wijsvinger heen en weer draaide. 'Mooie uitdrukking is dat... grappige uitdrukking. Nee, nou, weet je, ik zou hetzelfde hebben gedacht, maar we hebben betrouwbare informatie – van jullie eigen geheime dienst, in feite – dat zich hier een hogere officier verbergt, op ditzelfde moment, in dat huis. Daar.' Hij wees naar het huis aan de horizon.

'De dokter? Een paar jochies hebben ons over hem verteld. Ik bedoel, hij moet het in zijn broek doen van angst als jullie achter hem aanzitten,' zei Archie, als compliment, 'maar ze zeiden dat het een of andere zieke kerel is. Ze noemden hem dokter Ziek. Hé, hij is toch niet Engels, hè? Een verrader of zo?'

'Hmm? O nee. Nee, nee, nee, nee. Dr. Marc-Pierre Perret. Een jonge Fransman. Een wonderkind. Briljant. Hij heeft sinds voor de oorlog in een wetenschappelijke hoedanigheid voor de nazi's gewerkt. Aan het sterilisatieprogramma, en later aan het euthanasiebeleid. Interne Duitse zaken. Hij was een van de zeer getrouwen.'

'Godsamme,' zei Archie, en hij wilde dat hij wist wat het allemaal betekende. 'Wagajedoen?'

'Hem gevangen nemen en meenemen naar Polen, waar hij zal worden overgedragen aan de autoriteiten.'

'Autoriteiten,' zei Archie, nog steeds onder de indruk maar niet meer echt luisterend. 'Godsamme.'

Archie kon zich nooit lang ergens op concentreren, en hij was afgeleid door de merkwaardige gewoonte van de grote, gemoedelijke Rus om in twee richtingen tegelijk te kijken.

'Aangezien de informatie die we hebben gekregen van jullie geheime dienst afkomstig is en jij hier de hoogste officier bent, kapitein... kapitein...'

Een glazen oog. Het was een glazen oog met een spier erachter die niet wilde functioneren.

'Ik vrees dat ik je naam of rang niet weet,' zei de Rus, terwijl hij met één oog naar Archie keek en met het andere naar wat klimop die om de kerkdeur kroop.

'Wie? Ik? Jones,' zei Archie, de rondgaande baan van het oog volgend: boom, aardappel, Archie, aardappel.

'Nou, kapitein Jones, het zou een eer zijn als je de expeditie de heuvel op zou willen leiden.'

'Kapitein... wat? Godsamme, nee, je zit er hartstikke naast,' zei Archie, terwijl hij aan de magnetische kracht van het oog ontsnapte en zijn aandacht op zichzelf richtte, gekleed in het uniform van Dickinson-Smith met zijn glanzende knopen.

'Ik ben geen verdomde...'

'Het zal de luitenant en mij een genoegen zijn de leiding te nemen,' interrumpeerde een stem die van achter hem kwam. 'We hebben al geruime tijd op non-actief gestaan. Het wordt tijd dat we ons weer midden in de strijd werpen, zoals dat heet.'

Samad was stil als een schaduw op de trap verschenen, in een van de andere uniformen van Dickinson-Smith en met een sigaret nonchalant aan zijn onderlip bungelend als een ingewikkelde volzin. Hij was altijd een knappe jongen, maar gehuld in de glanzende tekenen van autoriteit werd dit nog geaccentueerd; in het scherpe daglicht, omlijst door de kerkdeur, zag hij er behoorlijk ontzagwekkend uit.

'Wat mijn vriend bedoelde,' zei Samad met zijn zangerige, meest charmante Engels-Indiase accent, 'is dat hij niet de verdomde kapitein is. Ik ben de verdomde kapitein. Kapitein Samad Iqbal.'

'Kameraad Nikolai… Nick… Pesotsky.'

Samad en de Rus lachten samen hartelijk en schudden elkaar weer de hand.

'Hij is mijn luitenant. Archibald Jones. Ik moet mij verontschuldigen als ik me daarstraks vreemd gedroeg; het voedsel bekomt mij niet zo goed. Goed, we gaan vanavond op weg, wanneer het donker is, akkoord? Luitenant?' zei Samad, Archie aankijkend met een vertrouwelijke gecodeerde intensiteit.

'Ja,' gooide Archie eruit.

'Overigens, kameraad,' zei Samad, terwijl hij een lucifer aanstreek tegen de muur en opstak, 'ik hoop dat het je niet stoort als ik het vraag, maar is dat een glazen oog? Het is bijzonder realistisch.'

'Ja! Ik heb het in Leningrad gekocht. Ik heb dat van mezelf in Berlijn verloren. Een ongelooflijke gelijkenis, vind je niet?'

De vriendelijk Rus wipte het oog uit zijn kas en legde de slijmerige parel in zijn hand om hem aan Samad en Archie te laten zien. Toen de oorlog begon, dacht Archie, verdrongen we ons met zijn allen om een sigarettenplaatje met de benen van Grable erop. Nu is de oorlog afgelopen en verzamelen we ons om het oog van een of andere stumper. Godsamme.

Een ogenblik lang gleed het oog langs de zijkanten van de hand van de Rus, toen kwam het tot rust in het midden van zijn lange, gerimpelde levenslijn. Het keek zonder te knipperen op naar luitenant Archie en kapitein Samad.

Die avond had luitenant Jones zijn eerste ervaring met echte oorlog. In twee legerjeeps werden Archie, de acht Russen, Gozan de cafébaas en Gozans neef door Samad de heuvel op geleid om een nazi gevangen te nemen. Terwijl de Russen flessen Sambucca soldaat maakten tot er niet één meer was die zich de eerste regels van zijn eigen volkslied kon herinneren, terwijl Gozan gebakken stukken kip aan de hoogste bieders verkocht, stond Samad boven op de eerste jeep, zo stoned als een garnaal van zijn witte poeder, zwaaiend met zijn armen, de nacht in stukken en brokken snijdend, instructies te schreeuwen waar zijn bataljon te dronken voor was om naar te luisteren en hij te ver voor heen was om te begrijpen.

Archie zat achter in de tweede jeep, zwijgend, nuchter, bang en vol ontzag voor zijn vriend. Archie had nooit een held gehad: hij was vijf toen zijn vader de deur was uitgegaan voor het spreekwoordelijke pakje sigaretten en verzuimd had terug te komen, en aangezien hij nooit echt een lezer was geweest, hadden de vele vreselijke boeken die geschreven waren om jongemannen te voorzien van stompzinnige helden nooit zijn weg gekruist – geen stoere avonturiers, geen eenogige piraten, geen onbevreesde schavuiten voor Archie. Maar Samad, zoals hij daar stond met zijn glimmende officiersknopen glanzend in het maanlicht als munten in een wensput, had de zeventienjarige Archie met volle kracht geraakt, een opstoot tegen de kaak die zei: hier is een man voor wie geen levenspad te steil is. Hier was een volslagen idioot, staande op een tank. Hier was een vriend, hier was een héld, in een vorm die Archie nooit had verwacht. Toen driekwart van de weg omhoog was afgelegd, versmalde het pad dat de tanks hadden gevolgd echter onverwacht, waardoor de tank plotseling moest afremmen en de heroïsche kapitein een achterwaartse salto maakte met zijn kont in de lucht.

'Niemand hier komen voor lange, lange tijd,' zei Gozans neef, kluivend op een kippenbotje, filosofisch. 'Dit?' Hij keek naar Samad (die naast hem was geland) en wees naar de jeep waarin ze zaten. 'Vergeet maar.'

Dus verzamelde Samad zijn nu liederlijke bataljon om zich heen en begon aan de mars bergopwaarts op zoek naar een oorlog waarover hij op een dag zijn kleinkinderen zou kunnen vertellen, zoals zijn overgrootvaders heldendaden hem waren verteld. Hun voortgang werd belemmerd door grote aardkluiten die uit delen van de heuvel waren gerukt door de schokgolven van bomexplosies en op regelmatige afstand langs het pad lagen. Uit vele ervan schoten de wortels van bomen krachteloos en kwijnend de lucht in; om erlangs te kunnen, moesten ze weggehakt worden met de bajonetten van de Russische geweren.

'Ziet er verschrikkelijk uit!' snoof Gozans neef, terwijl hij dronken door een van die wortelkluiten klauterde. 'Alles ziet er verschrikkelijk uit!'

'Vergeef hem. Hij duidelijke mening want hij is jong. Maar het is waar. Het was niet, hoe zeg je dat, niet óns conflict, luitenant Jones,' zei Gozan, die met twee paar laarzen was omgekocht om zijn mond te houden over de plotselinge verhoging in rang van zijn vrienden. '*Wat hebben wij ermee te maken?*' Hij veegde een traan weg, half beneveld, half overmand door emotie. 'Wat hebben wij ermee te maken? Wij vreedzaam volk. Wij willen niet in oorlog zijn! Deze heuvel... ooit práchtig! Bloemen, vogels, ze zongen, begrijp je? Wij zijn uit het Oosten. Wat hebben de oorlogen van het Westen met ons te maken?'

Een van diens toespraken verwachtend, draaide Archie zich instinctief om naar Samad, maar nog voor Gozan was uitgesproken had Samad ineens zijn tempo opgevoerd en nog geen minuut later rende hij voor de benevelde Russen uit, die wild met hun bajonetten liepen te zwaaien. Hij liep zo snel dat hij binnen de kortste keren uit het zicht was, een blinde bocht omging en opgeslokt werd door de nacht.

Archie aarzelde een paar minuten, maar maakte zich toen los uit de genadeloze greep van de neef van Gozan (hij begon net aan het verhaal over een Cubaanse prostituee die hij in Amsterdam had ontmoet) en zette het op een lopen naar waar hij de laatste flikkering had gezien van een zilveren knoop, in een van de scherpe bochten die het bergpad maakte wanneer het maar zin had.

'Kapitein Ick-Ball! Wacht, kapitein Ick-Ball!'

De uitroep herhalend, rende hij verder, zwaaiend met zijn zaklantaarn, die niets anders deed dan het kreupelhout oplichten in toenemend bizarre mensachtige vormen: hier een man, daar een geknielde vrouw, daar drie honden huilend tegen de maan. Zo liep hij enige tijd struikelend in het donker rond.

'Doe je lamp aan! Kapitein Ick-Ball! Kapitein Ick-Ball!'

Geen antwoord.

'Kapitein Ick-Ball!'

'Waarom noem je me zo,' sprak een stem, dichtbij, rechts van hem, 'terwijl je weet dat ik dat niet ben.'

'Ick-Ball?' en terwijl hij de vraag stelde, viel het schijnsel van Archies lamp op hem; hij zat op een steen, met zijn hoofd in zijn handen.

'Waarom? Ik bedoel, je bent tenslotte niet zo'n idioot. Je weet het, ik neem aan dat je weet dat ik feitelijk een soldáát ben in het leger van Zijne Majesteit?'

'Tuurlijk. Maar we moeten de schijn toch ophouden. Onze dekmantel en zo.'

'Onze dekmantel. Tjonge.' Samad grinnikte in zichzelf op een manier die op Archie overkwam als onheilspellend, en toen hij zijn hoofd ophief waren zijn ogen bloeddoorlopen en op de rand van tranen. 'Wat denk je dat dit is? Hangen we de idioot uit?'

'Nee, ik... alles in orde, Sam? Je lijkt uit je doen.'

Samad was zich er vaag van bewust dat hij uit zijn doen leek. Eerder die avond had hij een heel klein lijntje van het witte poeder in de holte van elk ooglid gedaan. De morfine had zijn geest vlijmscherp gemaakt en opengesneden. Het was een verrukkelijke, welsprekende roes geweest zolang het duurde, maar toen waren de aldus vrijgekomen gedachten aan zichzelf overgelaten, hadden zich in een poel van alcohol gewenteld en Samad in een kwaadaardig dieptepunt gestort. Hij zag deze avond zijn spiegelbeeld, en het was lelijk. Hij zag waar hij was – op het afscheidsfeestje voor het einde van Europa – en hij verlángde naar het Oosten. Hij keek omlaag naar zijn nutteloze hand met de vijf nutteloze aanhangsels, naar zijn huid, tot een chocoladebruin verbrand door de zon; hij keek in zijn geest, afgestompt door domme gesprekken en de afstompende werking van de dood, en verlangde naar de man die hij eens was: de erudiete, knappe Samad Miah met de lichte huid, zo geliefd dat zijn moeder hem binnenhield tegen de stralen van de zon, naar de beste privé-leraren stuurde en tweemaal daags insmeerde met lijnzaadolie.

'Sam? Sam? Je ziet er niet goed uit, Sam. Toe, ze kunnen hier elk moment zijn... *Sam*?'

Zelfhaat brengt een man ertoe zich af te reageren op de eerste de beste die hij ziet. Maar het was vooral bezwarend voor Samad dat dit Archie moest zijn, die op hem neer stond te kijken met zachtaardige bezorgdheid, een combinatie van vrees en boosheid vermengd in dat vormloze gezicht dat zo slecht was toegerust om emotie uit te drukken.

'Noem me geen Sam,' snauwde hij met een stem die Archie niet herkende. 'Ik ben niet een van je Engelse makkers. Mijn naam is Samad Miah Iqbal. Niet Sam. Niet Sammy. En niet, God verhoede, Samuel. Het is Sam*ad*.'

Archie zag er beteuterd uit.

'Hoe dan ook,' zei Samad, plotseling overgedienstig en verlangend een emotionele scène te vermijden, 'ik ben blij dat je hier bent want ik wilde je zeggen dat ik 'm behoorlijk heb zitten, luitenant Jones. Ik ben, zoals jullie zeggen, uit mijn doen. Ik heb 'm allemachtig zitten.'

Hij stond op, maar plofte weer terug op zijn steen.

'Sta op!' siste Archie tussen zijn tanden. 'Sta op. Wat héb je?'

'Het is waar, ik heb 'm godallemachtig gezeten. Maar ik zat te denken,' zei Samad terwijl hij zijn pistool in zijn goede hand nam.

'Doe dat weg.'

'Ik zat te denken dat ik aan het eind ben, luitenant Jones. Ik zie geen toekomst. Ik besef dat dit voor jou als een verrassing kan komen... mijn bovenlip, ben ik bang, is niet van de vereiste stijfheid... maar het feit blijft. Ik zie alleen...'

'Doe dat weg.'

'Duisternis. Ik ben gehávend, Jones.' Het pistool maakte een vrolijk dansje in zijn goede hand terwijl hij heen en weer zwaaide. 'En mijn geloof is gehavend, begrijp je dat? Ik ben nergens meer goed voor, zelfs niet voor Allah, die almachtig is in zijn goedertierenheid. Wat moet ik doen als deze oorlog voorbij is, deze oorlog die al voorbij is... wat moet ik doen? Teruggaan naar Bengalen? Of naar Delhi? Wie wil daar zo'n Engelsman hebben? Naar Engeland? Wie wil zo'n Indiër hebben? Ze beloven ons onafhankelijkheid in ruil voor de mannen die we waren. Maar het is een duivelse ruil. Wat moet ik doen? Hier blijven? Ergens anders heen gaan? Welk laboratorium heeft behoefte aan eenhandige mannen? Waar ben ik geschikt voor?'

'Luister, Sam... *Je maakt je belachelijk*.'

'Is dat zo? En is dat de manier waarop het zal gaan, vriend?' vroeg Samad, terwijl hij opstond, over een steen struikelde, terugzwaaide en in botsing kwam met Archie. 'In één middag bevorder ik je van soldaat Strontzak tot luitenant van het Britse leger en dit is mijn dank? Waar ben je wanneer ik je nodig heb? Gozan!' schreeuwde hij naar de dikke cafébaas, die zwoegend de bocht om kwam, helemaal achteraan, overvloedig zwetend. 'Gozan, mijn medemoslim, in naam van Allah, is dit juist?'

'Hou je mond,' snauwde Archie. 'Wil je dat iedereen je hoort? Doe dat ding weg!'

Samads pistoolarm schoot uit het duister te voorschijn en klemde zich om Archies nek, waardoor het pistool en hun beider hoofden samengedrukt waren in een weerzinwekkende groepsomhelzing.

'Waar ben ik goed voor, Jones? Als ik deze trekker zou overhalen, wat zal ik dan achterlaten? Een Indiër, een overgelopen Engelse Indiër met een pols als een flikker en geen medaille die ze met me mee naar huis kunnen sturen.' Hij liet Archie los en greep naar zijn kraag.

'Hier, in godsnaam, neem er een paar,' zei Archie terwijl hij er drie van zijn revers haalde en naar hem toe gooide. 'Ik heb er genoeg.'

'En dat kleine probleempje van ons? Wat doen we daaraan? Besef je wel dat we deserteurs zijn? Dat we echt deserteurs zijn? Neem een ogenblik afstand, mijn vriend, en kijk naar ons. Onze kapitein is dood. We dragen zijn uniformen en hebben de leiding genomen over officieren, mannen van hogere rang dan de onze, en hoe? Door bedróg. Maakt dat ons niet tot deserteurs?'

'De oorlog was afgelopen! Ik bedoel, we hebben geprobeerd contact met de anderen te leggen.'

'Hebben we dat gedaan? Archie, mijn vriend, hebben we dat gedaan? Of hebben we als deserteurs op onze reet gezeten, verborgen in een kerk, terwijl de wereld om onze oren heen instortte, terwijl mannen stierven op de velden?'

Er vond een kleine worsteling plaats toen Archie zijn pistool van hem probeerde af te pakken en Samad naar hem uithaalde met niet onaanzienlijke kracht. In de verte zag Archie de rest van hun bonte gezelschap de bocht om komen, een grote grijze massa in het schemerdonker, heen en weer slingerend onder het zingen van 'Lydia the Tattooed Lady'.

'Luister, hou op met schreeuwen en hou je rustig,' zei Archie, terwijl hij hem losliet.

'We zijn bedriegers, overlopers in de kleding van een ander. Hebben we onze plicht gedaan, Archibald? Hebben we die gedaan? In alle eerlijkheid? Ik heb je met me meegesleept, Archie, en dat spijt me. De waarheid is, dit was mijn lot. Dit stond lang geleden al voor mij geschreven.'

O Lydia O Lydia O have you met Lydia O Lydia the Taaaatoooed Lady!

Samad stak afwezig het pistool in zijn mond en spande de haan.

'Ick-Ball, luister naar me,' zei Archie. 'Toen wij in die tank zaten, met de kapitein, met Roy en de rest...'

O Lydia the Queen of tattoos! On her back is the battle of Waterloo...

'Had je het altijd over een held zijn en zo... net als je oudoom hoeheetie.'

Beside it the wreck of the Hesperus too...

Samad haalde het pistool uit zijn mond.

'Pande,' zei hij. 'Óvergrootvader,' en hij stak het pistool er weer in.

'En hier is je kans... recht voor je neus. Jij wilde de boot niet missen, en dat gebeurt ook niet als we dit goed aanpakken. Dus gedraag je niet als een ongelooflijk uilskuiken.'

And proudly above waves the red, white and bloooo,

You can learn a lot from Lydia!

'Kameraad! In godsnaam, wat...'

Zonder dat ze het hadden gemerkt, was de vriendelijke Rus rustig achter hem komen staan en keek nu ontzet naar Samad, die aan zijn pistool zoog alsof het een lolly was.

'Schoonmaken,' stamelde Samad, duidelijk geschrokken en het pistool uit zijn mond halend.

'Zo doen ze dat,' legde Archie uit, 'in Bengalen.'

De oorlog die twaalf mannen verwachtten te vinden in het grote oude huis op de heuvel, de oorlog die Samad ingemaakt in een pot wilde meenemen voor zijn kleinkinderen als een souvenir van zijn jeugd, was er niet. Dokter Ziek deed zijn naam eer aan; hij zat in een leunstoel voor een houtvuur. Ziek. Weggedoken in een kleed. Bleek. Heel mager. Niet in uniform, maar in een wit overhemd met open kraag en een donkere broek. Ook was hij een jonge man, niet boven de vijfentwintig, en hij vertrok geen spier en liet geen enkel protest horen toen ze met zijn allen naar binnen stormden, wapens in de aanslag. Het was alsof ze gewoon waren binnengelopen in een prettig Frans boerenhuis, maar de blunder hadden gemaakt om onuitgenodigd en gewapend aan de eettafel te verschijnen. De kamer werd uitsluitend verlicht door gaslampen in hun kleine omhulsels met vrouwelijke vormen, en het schijnsel danste tegen de muur en verlichtte een serie van acht schilderijen waarop een doorgaand tafereel van een Bulgaars landschap was te zien. Op het vijfde herkende Samad zijn kerk, een zandkleurig verfvlekje aan de horizon. De schilderijen waren met een bepaalde tussenruimte langs de wanden opgehangen en vormden een panorama. Niet ingelijst en in een kleffe poging tot moderne stijl stond een negende schilderij, de verf nog nat, iets te dicht bij de open haard op een ezel. Twaalf vuurwapens waren op de kunstenaar gericht. En toen de kunstenaar-dokter zich naar hen omdraaide, rolden er – zo leek het – met bloed vermengde tranen over zijn gezicht.

Samad stapte naar voren. Hij had een pistool in zijn mond gehad en dat had hem moed gegeven. Hij had een absurde hoeveelheid morfine gegeten, was door de leegte gegaan die morfine creëert en had het overleefd. Je bent nooit sterker, dacht Samad terwijl hij de dokter naderde, dan wanneer je door de wanhoop heen bent gegaan.

'Bent u dokter Perret?' vroeg hij. Het gezicht van de Fransman vertrok bij de verengelste uitspraak en er stroomden nog meer bloedige tranen over zijn wangen. Samad bleef zijn pistool op hem gericht houden.

'Ja, dat is mijn naam.'

'Wat is dat? Dat in uw ogen?' vroeg Samad.

'Ik heb diabetische retinopathie, monsieur.'

'Wat?' vroeg Samad, nog steeds met gericht pistool, vastbesloten zijn ogenblik van glorie niet te laten ondermijnen door een weinig heroïsch medisch debat.

'Het betekent dat ik als ik geen insuline krijg bloed uitscheid, mijn vriend. Via mijn ogen. Het maakt mijn hobby,' hij gebaarde naar de schilderijen die hem omringden, 'wel wat moeilijk. Het moesten er tien worden. Een gezicht van honderdtachtig graden. Maar naar het zich laat aanzien, komt u mij storen.' Hij zuchtte en stond op. 'Dus, gaat u mij doden, mijn vriend?'

'Ik ben uw vriend niet.'

'Nee, ik neem aan dat u dat niet bent. Maar is het uw bedoeling mij te doden? Neem me niet kwalijk als ik zeg dat u er nog niet oud genoeg uitziet om een vlieg dood te slaan.' Hij keek naar het uniform van Samad. 'Mon Dieu, u bent erg jong om in het leven zo ver te zijn gekomen, kapitein.' Samad ving vanuit zijn ooghoeken de blik van paniek op bij Archie en schuifelde ongemakkelijk heen en weer. Toen plaatste hij zijn voeten verder uiteen in een vastbesloten houding.

'Het spijt me als ik op dit punt wat vermoeiend lijk, maar vertel me... is het uw bedoeling mij te doden?'

Samads arm bleef volkomen stil, het pistool onbeweeglijk. Hij kon hem doden, hij kon hem in koelen bloede doden. Samad had er de dekking van duisternis of het excuus van oorlog niet voor nodig. Hij kon hem doden, en ze wisten het allebei. De Rus zag de blik in de ogen van de Indiër en stapte naar voren. 'Neem me niet kwalijk, kapitein.'

Samad bleef de dokter zwijgend aankijken, dus ging de Rus naast hem staan. 'We hebben geen bedoelingen in deze zin,' zei de Rus, zich tot dokter Ziek richtend. 'We hebben opdracht u naar Polen te brengen.'

'En zal ik daar gedood worden?'

'Dat is aan de betreffende autoriteiten om te beslissen.'

De dokter hield zijn hoofd schuin en kneep zijn ogen halfdicht. 'Het is gewoon... het is iets wat je als mens wilt weten. Het is merkwaardig belangrijk voor een mens om te weten. Het is niet meer dan beleefd, op zijn minst. Te weten of hij zal sterven of gespaard zal worden.'

'Dat is aan de betreffende autoriteiten om te beslissen,' herhaalde de Rus.

Samad ging achter de dokter staan en drukte zijn pistool tegen diens achterhoofd. 'Lopen,' zei hij.

'Aan de betreffende autoriteiten om te beslissen... Wat is vredestijd toch beschaafd,' merkte dokter Ziek op, terwijl de groep van twaalf mannen, hun geweren stuk voor stuk op zijn hoofd gericht, hem het huis uit leidde.

Later die avond, onder aan de heuvel, liet het bataljon dokter Ziek geboeid aan de jeep achter en begaf zich naar het café.

'Spelen jullie poker?' vroeg een zeer vrolijke Nikolai aan Samad en Archie toen ze naar binnen liepen.

'Ik, ik speel alles,' zei Archie.

'De meer ter zake doende vraag,' zei Samad, terwijl hij met een spottend lachje op zijn stoel ging zitten, 'is: speel ik het goed?'

'En speel je het goed, kapitein Iqbal?'

'Als een meester,' zei Samad, terwijl hij de kaarten pakte die hem gegeven waren en ze liet uitwaaieren in zijn ene hand.

'Nou,' zei Nikolai, terwijl hij iedereen nog wat Sambucca inschonk, 'aangezien onze vriend Iqbal zo zelfverzekerd is, is het waarschijnlijk het beste om relatief bescheiden te beginnen. We beginnen met sigaretten en we kijken waar dat ons brengt.'

Sigaretten brachten hen naar medailles, die hen naar wapens brachten, die hen naar radio's brachten, die hen naar jeeps brachten. Toen het middernacht was, had Samad drie jeeps, zeven pistolen, veertien medailles, de grond behorend bij het huis van de zuster van Gozan en een schuldbekentenis voor vier paarden, drie kippen en een eend gewonnen.

'Mijn vriend,' zei Nikolai Pesotsky, wiens warme, open houding vervangen was door een zorgelijke ernst, 'je moet ons een kans geven om onze bezittingen terug te winnen. We kunnen het hier onmogelijk bij laten.'

'Ik wil de dokter,' zei Samad, en hij weigerde Archibald Jones aan te kijken, die dronken en met open mond op zijn stoel zat. 'In ruil voor de dingen die ik gewonnen heb.'

'Waarvóór in godsnaam?' zei Nikolai verbijsterd, terwijl hij achterover ging zitten op zijn stoel. 'Wat voor zin...'

'Ik heb mijn eigen redenen. Ik wil hem vanavond meenemen en niet gevolgd worden, en ik wil dat het incident niet wordt gerapporteerd.'

Nikolai Pesotsky keek naar zijn handen, keek de tafel rond en nogmaals naar zijn handen. Toen stak hij zijn hand in zijn zak en wierp Samad de sleutels toe.

Eenmaal buiten stapten Samad en Archie in de jeep waarin dokter Ziek zat, die op het dashboard lag te slapen, startten de motor en reden de duisternis in.

Vijftig kilometer van het dorp werd dokter Ziek wakker van een gedempte woordenwisseling die zijn onmiddellijke toekomst betrof.

'Maar waarom?' siste Archie.

'Omdat, zoals ik het zie, het echte probleem is dat we bloed aan onze handen moeten hebben, begrijp je? Als een schuldvereffening. Begrijp je het niet, Jones? We hebben in deze oorlog de idioot uitgehangen, jij en ik. Er is een groot kwaad waartegen wij niet hebben gevochten en nu is het te laat. We hebben alleen hem, deze gelegenheid. Ik vraag je: waarom werd deze oorlog gevoerd?'

'Praat geen onzin,' brulde Archie, in plaats van te antwoorden.

'Zodat we in de toekomst vrij kunnen zijn. De vraag was steeds: *in wat voor wereld wil je je kinderen zien opgroeien*? En wij hebben niets gedaan. Wij staan op een morele tweesprong.'

'Luister, ik weet niet waar je het over hebt en ik wil het niet weten,' viel Archie uit. 'We dumpen die daar' – hij wees naar de half bewusteloze Ziek – 'bij de eerste barak die we tegenkomen en dan gaan jij en ik onze verschillende wegen en dat is de enige tweesprong die mij interesseert.'

'Waar ik me van bewust ben geworden, is dat de generaties,' vervolgde Samad terwijl ze over kilometers en kilometers van onveranderlijke vlakte snelden, 'tot elkaar spreken, Jones. Het is geen lijn, het leven is geen lijn... dit is geen handlezen... het is een cirkel, en ze spreken tot ons. Daarom kun je het lot niet lézen; je moet het ervären.' Samad voelde hoe de morfine hem de informatie weer bracht – alle informatie in het universum en alle informatie op muren – in één fantastische openbaring.

'Weet je wie deze man is, Jones?' Samad greep de dokter bij zijn haar en boog zijn nek over de achterbank. 'De Russen hebben het mij verteld. Hij is een wetenschapper, net als ik... maar wat is zijn wetenschap? Bepalen wie geboren zal worden en wie niet... mensen fokken alsof ze even zo vele kippen waren, ze vernietigen als ze niet aan de specificaties beantwoorden. Hij wil controle, de toekomst dicteren. Hij wil een mensenras, een onverwoestbaar mensenras, dat de laatste dagen van deze aarde zal overleven. Maar dat kan niet in een laboratorium. Dat moet, dat kan alleen door geloof! Alleen Allah redt! Ik ben geen religieus man... ik heb daar nooit de kracht voor bezeten... maar ik ben niet zo dom dat ik de waarheid ontken!'

'Ah, ja, maar jij zei, weet je nog, jij zei dat het jouw conflict niet was. Op de heuvel... dat is wat je zei,' ratelde Archie, opgewonden dat hij Samad ergens op kon pakken. 'Dus, dus, dus... dus wat maakt het uit of die vent... doet wat hij doet... jij zei dat het óns probleem was, een probleem van het Westen, dat is wat je zei.'

Dokter Ziek – waterig oogbloed stroomde als rivieren – werd nog steeds door Samad bij zijn haar vastgehouden en stikte nu in zijn eigen tong.

'Kijk uit, hij stikt nog,' zei Archie.

'En wat dan nog?' gilde Samad in het echoloze landschap. 'Mannen als hij geloven dat levende organen moeten voldoen aan een ontwerp. Ze aanbidden de wetenschap van het lichaam, maar niet degene die het ons heeft gegeven! Hij is een nazi. Van de ergste soort.'

'Maar jij zei...' Archie ging door, vastbesloten zijn bedoeling duidelijk te maken. 'Je zei dat het niets met jou te maken had. Dat het niet jouw conflict was. Als iemand in deze jeep een rekening te vereffenen heeft met malle Mof hier...'

'Frans. Hij is Frans.'

'Goed, Frans dan... nou, als iemand een rekening te vereffenen heeft, zou ik dat denk ik zijn. Waar we voor gevochten hebben, is de toekomst van Engeland. Voor Engeland. Je weet wel,' zei Archie, zijn hersenen pijnigend, 'democratie en zondagse maaltijden en... en... promenades en pieren, en worst en puree... en de dingen die ónze dingen zijn. Niet jóuw dingen.'

'Precies!' zei Samad.

'Wat?'

'Jíj moet het doen, Archie.'

'Ik moet niks!'

'Jones, het lot daagt je uit en jij zit je salami weer te meppen,' zei Samad met een gemeen lachje in zijn stem en de dokter nog steeds bij zijn haar over de achterbank trekkend.

'Rustig aan,' zei Archie. Hij probeerde een oog op de weg te houden, terwijl Samad de nek van de dokter bijna tot op het breekpunt boog. 'Luister, ik zeg niet dat hij niet verdient te sterven.'

'Doe het dan. Dóe het!'

'Maar waarom is het verdomme zo belangrijk voor jou dat ik het doe? Ik heb nog nooit een man gedood, weet je... niet op die manier, niet van aangezicht tot aangezicht. Een man zou niet in een auto moeten sterven... Ik kan dat niet doen.'

'Jones, het is gewoon een kwestie van wat je doet *als het erop aankomt*. Dat is een vraag die mij bijzonder interesseert. Noem vanavond maar de praktische toepassing van een lang bestaande overtuiging. Een experiment, als je wilt.'

'Ik weet niet waar je het over hebt.'

'Ik wil weten wat voor man je bent, Jones. Ik wil weten waartoe je in staat bent. Ben je een lafaard, Jones?'

Archie bracht de jeep slippend tot stilstand.

'Je vraagt er verdomme om.'

'Er is niets waar je voor opkomt, Jones,' vervolgde Samad. 'Niet voor een geloof, niet voor een politiek. Zelfs niet voor je land. Hoe jullie ons ooit hebben overwonnen, is me een compleet raadsel. Je bent een nul, niet?'

'Een wat?'

'En een idioot. Wat ga je je kinderen vertellen als ze je vragen wie je bent, wat je bent? Zul je het weten? Zul je het ooit weten?'

'Wat ben jij dan verdomme dat zo fantastisch is?'

'Ik ben een Moslim en een Man en een Zoon en een Gelovige. Ik zal de laatste dagen overleven.'

'Je bent verdomme een dronkelap en je... je bent stoned, je bent stoned, hè?'

'Ik ben een Moslim en een Man en een Zoon en een Gelovige. Ik zal de laatste dagen overleven,' herhaalde Samad alsof het een litanie was.

'En wat betekent dat, verdomme?' Terwijl hij schreeuwde, greep Archie dokter Ziek en trok zijn nu met bloed bedekte gezicht naar het zijne tot hun neuzen elkaar raakten.

'Jij,' bulderde Archie. 'Jij gaat met me mee.'

'Dat wil ik wel, monsieur, maar...' De dokter stak zijn geboeide polsen omhoog.

Archie maakte de handboeien moeizaam open met de roestige sleutel, trok de dokter de jeep uit en begon van de weg af de duisternis in te lopen, een pistool gericht op de schedelbasis van dokter Marc-Pierre Perret.

'Ga je me doden, knul?' vroeg dokter Ziek terwijl ze voortliepen.
'Ziet ernaar uit, niet?' zei Archie.
'Mag ik om mijn leven smeken?'
'Als je wilt,' zei Archie, hem voor zich uit duwend.

Zo'n vijf minuten later hoorde Samad, zittend in de jeep, het geluid van een schot. Hij schrok ervan. Hij mepte een insect dood dat zich een weg rond zijn pols had gezocht op zoek naar genoeg vlees om in te bijten. Toen hij opkeek, zag hij Archie aan komen lopen: bloedend en ernstig mank lopend, zichtbaar, dan onzichtbaar, verlicht, verduisterd, terwijl hij zich in en uit het schijnsel van de koplampen bewoog. Hij zag er zo jong uit als hij was; de lampen maakten zijn blonde haar doorschijnend, deden zijn ronde gezicht oplichten als dat van een grote baby die, met het hoofd voorover, het leven binnenkomt.

SAMAD

1984, 1857

'De crickettest – voor welke kant juichen ze...? Kijk je nog terug naar waar je vandaan kwam óf waar je bent?'
– Norman Tebbit

6

DE VERZOEKING VAN SAMAD IQBAL

Kinderen. Samad had kinderen opgelopen als een ziekte. Ja, hij had er twee verwekt, bewust – zo bewust als een man dat kan – maar dat andere, daar had hij niet op gerekend. Dat andere waar niemand je voor waarschuwt. Dat andere is kinderen kénnen. Zo'n veertig jaar lang, terwijl hij tevreden voortging over de snelweg van het leven, had Samad niet geweten dat verspreid langs die weg, in de crèches van elk wegrestaurant, een onderklasse uit de samenleving leefde, een jengelende, kotsende klasse; hij wist niets van hen en dat hinderde hem niet. Toen, plotseling, begin jaren tachtig, werd hij besmet met kinderen; kinderen van andere mensen, kinderen die vriendjes waren van zijn kinderen, en vervolgens hun vriendjes; en vervolgens kinderen uit kinderprogramma's op de kindertelevisie. Tegen het jaar 1984 was minstens dertig procent van zijn sociale en culturele kringen onder de leeftijd van negen – en dat alles leidde, onvermijdelijk, tot de positie waarin hij zich nu bevond. Hij was een *ouder-bestuurder*.

Door een merkwaardig proces van symmetrie weerspiegelt een ouder-bestuurder worden precies het proces van een ouder worden. Het begint onschuldig. Terloops. Je gaat vol goede moed naar de jaarlijkse lentebazaar, helpt met de lotenverkoop (want de mooie roodharige muzieklerares heeft je gevraagd) en wint een fles whisky (alle schoolloterijen zijn doorgestoken kaart), en voor je het weet, zit je bij de wekelijkse vergaderingen van de ouderraad, organiseer je concerten, bespreek je plannen voor een nieuwe muziekzaal, geef je een donatie voor het opknappen van de drinkfonteintjes – je bent verwikkeld in schoolzaken, je bent erbij betrokken. Vroeger of later komt het moment waarop je je kind niet meer afzet bij de schoolpoort. Je volgt het naar binnen.

'Doe je hand omlaag.'

'Ik doe hem níet omlaag.'

'Doe hem omlaag, alsjeblieft.'

'Laat me los.'

'Samad, waarom wil je me zo graag vernederen? *Doe hem omlaag.*'

'Ik heb een mening. Ik heb recht op een mening. En ik heb het recht die mening te uiten.'

'Ja, maar moet je hem zo vaak uiten?'

Dit was de gesiste uitwisseling tussen Samad en Alsana Iqbal, terwijl ze begin juli 1984 op de achterste rij aanwezig waren bij een vergadering van het schoolbestuur en Alsana haar uiterste best deed Samads vastberaden linkerarm terug te krijgen aan zijn zij.

'Laat los, mens!'

Alsana legde haar twee kleine handen om zijn pols en probeerde prikkeldraad. 'Samad Miah, begrijp je dan niet dat ik je alleen maar tegen jezelf probeer te beschermen?'

Terwijl de heimelijke worsteling zich voortzette, probeerde de voorzitster, Katie Miniver, een lange, blanke, gescheiden dame – strakke spijkerbroek, extreem krullend haar en vooruitstekende tanden – wanhopig Samads blik te mijden. Ze verwenste stilzwijgend mevrouw Hanson, de dikke dame recht achter hem, die het over de houtworm in de schoolboomgaard had en het ongewild onmogelijk maakte om te doen alsof Samads hardnekkig opgeheven hand ongezien was gebleven. Vroeger of later zou ze hem aan het woord moeten laten. Tussen het knikken naar mevrouw Hanson door, wierp ze een steelse blik op de notulen, die links van haar gekrabbeld werden door mevrouw Khilnani, de secretaresse. Ze wilde zeker weten dat het niet haar verbeelding was, dat ze niet oneerlijk of ondemocratisch was, of, erger nog, racístisch (maar ze had *Kleurenblind* gelezen, een invloedrijke folder van de Regenboogcoalitie, en goed gescoord op de zelftest), racistisch op manieren die zo diep ingesleten en sociaal bepalend waren dat ze aan haar aandacht ontsnapten. Maar nee, nee. Ze was niet gek. Elke willekeurige passage maakte het probleem duidelijk:

13.0 Mevrouw Janet Trott stelt voor een tweede klimrek te bouwen op de speelplaats om tegemoet te komen aan het grotere aantal kinderen dat met plezier gebruikmaakt van het bestaande klimrek, maar dat helaas, door gevaarlijke overbelasting, een veiligheidsrisico wordt. De man van mevrouw Trott, de architect Hanover Trott, is bereid een dergelijk rek te ontwerpen en toe te zien op de bouw ervan zonder dat dit kosten meebrengt voor de school.

13.1 De voorzitster ziet geen bezwaren. Stelt voor het voorstel in stemming te brengen.

13.2 Meneer Iqbal wil weten waarom het westerse opleidingssysteem lichamelijke activiteit bevoorrecht boven activiteit van de geest en ziel.

13.3 De voorzitster vraagt zich af of dit relevant is.

13.4 Meneer Iqbal verzoekt de stemming uit te stellen tot hij een stuk kan presenteren met daarin de belangrijkste argumenten en benadrukt dat zijn zoons, Magid en Millat, alle lichamelijke oefening krijgen die ze nodig hebben door middel van kopstandjes die de spieren versterken en bloed naar de hersenen sturen om de somatosensorische cortex te stimuleren.

13.5 Mevrouw Wolfe vraagt of meneer Iqbal van haar Susan verwacht dat ze verplichte kopstandjes gaat maken.

13.6 Meneer Iqbal concludeert dat een regime van kopstandjes, gezien Susans leerprestaties en gewichtsproblemen, wenselijk zou kunnen zijn.

'Já, meneer Iqbal?'

Samad verwijderde zijn revers met kracht uit de klemmende greep van Alsana, stond nogal onnodig op, bladerde door een aantal papieren dat hij op een klembord had, verwijderde het papier dat hij zocht en hield het voor zich.

'Ja, ja. Ik heb een motie. Ik heb een motie.'

De subtielste hint van gekreun ging door de groep bestuursleden, gevolgd door een korte periode van verzitten, krabben, benen-over-elkaar-slaan, tas-doorzoeken en herschikken-van-jassen-over-stoelen.

'Nóg een, meneer Iqbal?'

'O ja, Mrs Miniver.'

'Maar u hebt vanavond al twaalf moties ter tafel gebracht; misschien dat iemand anders...'

'O, het is veel te belangrijk om uitgesteld te worden, Mrs Miniver. Ik wil alleen...'

'Ms Miniver.'

'Neem me niet kwalijk?'

'Het is alleen... het is Ms Miniver. U hebt de hele avond al... en het is, eh... in feite niet Mrs. Het is Ms. Ms.'

Samad keek vorsend naar Katie Miniver, toen naar zijn papieren alsof hij daar het antwoord kon vinden, toen weer naar de zwaar op de proef gestelde voorzitster.

'Het spijt me. U bent niet getrouwd?'

'Gescheiden, feitelijk, ja, gescheiden. Ik houd de naam.'

'Juist. Mijn deelneming, Miss Miniver. Nu, de kwestie die ik...'

'Het spijt me,' zei Katie, haar vingers door haar onhandelbare haar halend. 'Eh, het is ook geen Miss. Het spijt me. Ik ben getrouwd geweest, ziet u, dus...'

Ellen Corcoran en Janine Lanzerano, twee vriendinnen van de Vrouwenactiegroep glimlachten Katie bemoedigend toe. Ellen schudde haar hoofd om aan te geven dat Katie niet moest gaan huilen (*want je doet het goed, heel goed*); Janine vormde alleen met haar lippen een geluidloos *Ga door* en stak steels haar duim op.

'Ik zou het echt niet prettig vin... ik vind alleen dat de huwelijksstatus geen punt behoort te zijn... niet dat ik u in verlegenheid wil brengen, meneer Iqbal. Ik zou het alleen... als u... het is Ms.'

'Mzzz?'

'Ms.'

'En dat is een of andere taalkundige tussenvorm tussen de woorden Mrs en Miss?' vroeg Samad, oprecht nieuwsgierig en zich niet bewust van de trillingen van Katie Minivers onderlip. 'Iets om de vrouw te beschrijven die ofwel haar man verloren heeft of geen vooruitzichten heeft een andere te vinden?'

Alsana kreunde en legde haar hoofd in haar handen.

Samad keek naar zijn klembord, onderstreepte iets drie keer met pen en wendde zich weer tot de bestuursleden.

'Het Oogstfeest.'

Verzitten, krabben, benen-over-elkaar-slaan, jas-herschikken.

'Ja, meneer Iqbal,' zei Katie Miniver. 'Wat is er met het Oogstfeest?'

'Dat is precies wat ik wil weten. Wat is al dat gedoe met het Oogstfeest? Wat ís het? Waaróm is het? En waarom moeten mijn kinderen het vieren?'

Het schoolhoofd, mevrouw Owens, een keurige mevrouw met een zacht gezicht dat half verborgen ging achter een woest, kort, blond kapsel, gebaarde naar Katie Miniver dat zij hierop zou ingaan.

'Meneer Iqbal, we hebben de kwestie van godsdienstige feesten grondig doorgenomen tijdens de herfstbespreking. Zoals u, neem ik aan, zult weten, erkent de school al een groot aantal verschillende religieuze en wereldlijke gebeurtenissen, waaronder Kerstmis, Ramadan, het Chinese Nieuwjaar, Lichtjesfeest, Grote Verzoendag, Chanoeka, de verjaardag van Haile Selassie en de dood van Martin Luther King. Het Oogstfeest maakt deel uit van de voortdurende aandacht die de school wijdt aan religieuze diversiteit, meneer Iqbal.'

'Juist. En zijn er veel heidenen, mevrouw Owens, op de Manor School?'

'Heiden... ik ben bang dat ik het niet be...'

'Het is heel eenvoudig. De christelijke kalender heeft zevenendertig religieuze feestdagen. De moslimkalender heeft er negen. Slechts negen. En daar is geen plaats voor door die ongelooflijke golf van christelijke feestdagen. Mijn motie is eenvoudig. Als we alle heidense feesten van de christelijke kalender schrappen, zou er een gemiddelde van' – Samad zweeg even om naar zijn klembord te kijken – 'van twintig dagen zijn vrijgemaakt waarop de kinderen Lailat-ul-Qadr kunnen vieren in december, Eid-ul-Fitr in januari en Eid-ul-Adha in april, bijvoorbeeld. En het eerste feest dat weg moet, naar mijn mening, is dat Oogstfeest.'

'Ik ben bang,' zei mevrouw Owens, die haar vriendelijke-maar-vastbesloten glimlach te voorschijn haalde en met haar rake volzin op het publiek speelde, 'dat het verwijderen van christelijke feestdagen van de aarde een beetje buiten mijn bevoegdheid valt. Anders zou ik kerstavond schrappen en mezelf een heleboel werk besparen omdat ik geen kousen meer hoef te vullen.'

Samad negeerde het algemene gegiechel dat dit opwekte en ging door. 'Maar dat is mijn hele punt. Dat Oogstfeest is geen christelijk feest. Waar staat in de bijbel: *Want gij zult voedingsmiddelen stelen uit uw ouders' kasten en deze brengen naar de aula van de school, en gij zult uw moeder dwingen een brood te bakken in de vorm van een vis?* Dit zijn heidense idealen! Zeg me, waar staat: *Gij zult een pak bevroren vissticks brengen naar een oud besje dat in Wembley woont?*'

Mevrouw Owens fronste haar wenkbrauwen; ze was niet gewend aan sarcasme tenzij van de onderwijzersvariant, zoals: *Wonen wij in een stal? En ik veronderstel dat je zo ook met je eigen huis omgaat!*

'Maar meneer Iqbal, het is toch juist het liefdadigheidsaspect van het Oogstfeest dat het de moeite waard maakt om te behouden? Voedsel naar de ouderen brengen lijkt mij een lofwaardig idee, of het nu door de bijbel wordt ondersteund of niet. Ik denk dat nergens in de bijbel wordt voorgesteld dat we op eerste kerstdag aanzitten aan een maaltijd met kalkoen, maar weinig mensen zouden dit op deze grond veroordelen. Eerlijk gezegd, meneer Iqbal, hebben deze dingen wat ons betreft toch meer met de gemeenschap dan met religie te maken.'

'De god van de mens ís zijn gemeenschap,' zei Samad, zijn stem verheffend.

'Ja, eh... goed, zullen we de motie in stemming brengen?'

Mevrouw Owens keek nerveus om zich heen op zoek naar handen. 'Is er iemand die de motie steunt?'

Samad oefende druk uit op Alsana's hand. Zij schopte hem tegen zijn enkel. Hij stampte op haar teen. Zij kneep hem in zijn zij. Hij boog haar pink naar achteren en zij bracht knarsetandend haar rechterarm omhoog terwijl ze hem met haar linkerelleboog vaardig een stoot in zijn kruis gaf.

'Dank u, mevrouw Iqbal,' zei mevrouw Owens, en Janice en Ellen keken naar haar met de medelijdende, droevige glimlachjes die ze reserveerden voor onderworpen moslimvrouwen.

'Willen degenen die voor de motie zijn om het Oogstfeest van de schoolkalender te schrappen...

'Op grond van de heidense oorsprong ervan.'

'Op grond van een zekere heidense... achtergrond, hun hand opsteken?'

Mevrouw Owens keek rond. Eén hand, die van de mooie roodharige muzieklerares, Poppy Burt-Jones, schoot omhoog, zodat haar vele armbanden rinkelend van haar pols omlaag gleden. Toen hieven de Chalfens, Marcus en Joyce, een ouder wordend hippiepaar, beiden gekleed in pseudo-Indiase dracht, tartend hun hand op. Vervolgens keek Samad scherp naar Clara en Archie, die schaapachtig aan de andere kant van de zaal zaten, en verhieven zich nog twee handen boven de hoofden.

'Degenen die tegen zijn?'

De overgebleven zesendertig handen gingen de lucht in.

'Motie verworpen.'

'Ik ben ervan overtuigd dat de Zonnekring van Heksen en Kobolden van Manor School in haar nopjes zal zijn met deze beslissing,' zei Samad terwijl hij weer ging zitten.

Toen Samad na de vergadering uit het toilet kwam, nadat hij zich met enige moeite had ontlast op een miniatuur urinoir, werd hij in de gang aangeklampt door de mooie, roodharige muzieklerares, Poppy Burt-Jones.

'Meneer Iqbal.'

'Hmm.'

Ze stak een lange, bleke, licht sproeterige arm uit. 'Poppy Burt-Jones. Ik heb Magid en Millat voor orkest en zingen.'

Samad verving de dode rechterhand die ze wilde schudden door zijn functionerende linkerhand. 'O! Het spijt me.'

'Nee, nee. Hij doet geen pijn. Hij werkt alleen niet.'

'O, mooi! Ik bedoel, ik ben blij dat hij geen, u weet wel, geen píjn doet.'

Ze was wat je kon noemen moeiteloos mooi. Ongeveer achtentwintig, of hoogstens tweeëndertig. Slank, maar absoluut niet hoekig, en met een ribbenkast die rond was als die van een kind; lange, platte borsten, die in een punt omhoogstonden; een wit overhemd met open hals, afgedragen Levi's en grijze sportschoenen, en een massa donkerrood haar, omhoog gezwiept in een losse paardenstaart. Kleine losse plukjes in de nek. Sproeterig. Een zeer sympathieke, enigszins dwaze glimlach, die ze Samad nu liet zien.

'Was er iets wat u wilde bespreken over de tweeling? Een probleem?'

'O nee, nee... nou, weet u, ze doen het prima. Magid heeft er wat moeite mee, maar met zijn goede cijfers zal de blokfluit niet hoog op zijn agenda staan, en Millat heeft echt gevoel voor de sax. Nee, ik wilde alleen zeggen dat ik vind dat u een uitstekend punt naar voren hebt gebracht, weet u,' zei ze, met haar duim over haar schouder in de richting van de zaal wijzend. 'In de vergadering. Ik heb dat Oogstfeest altijd al belachelijk gevonden. Ik bedoel, als je oude mensen wilt helpen, weet u, nou, stem dan voor een ander soort regering, stuur ze geen blikken Heinz-spaghetti.' Ze glimlachte weer tegen hem en stopte een plukje haar achter een oor.

'Het is erg jammer dat niet meer mensen het ermee eens zijn,' zei Samad, op de een of andere manier gevleid door de tweede glimlach en zijn goed-gespierde zevenenvijftigjarige buik intrekkend. 'We leken vanavond wel erg in de minderheid te zijn.'

'Nou, de Chalfens stonden achter u... dat zijn zulke áárdige mensen... *intellectuelen*,' fluisterde ze, alsof het een of andere exotische tropische ziekte betrof. 'Hij is een wetenschapper en zij doet iets in tuinieren, maar ze zijn allebei zo gewoon. Ik heb met ze gepraat en zij vinden dat u ermee door moet gaan. Weet u, ik dacht eigenlijk dat we in de komende maanden misschien een keer bij elkaar kunnen komen om aan een tweede motie te werken voor de vergadering in september... u weet wel, dichter bij het tijdstip zelf, een beetje beter uitwerken misschien, op papier zetten en uitdelen, zoiets. Want ik ben echt geïnteresseerd in de Indiase cultuur, weet u. Ik denk dat die feesten die u noemde zoveel... kleurrijker zouden zijn, en we zouden ze kunnen verbinden met tekenen, muziek. Het zou echt héél opwindend kunnen zijn,' zei Poppy Burt-Jones, die echt opgewonden raakte. 'En ik denk dat het voor de kinderen echt goed zou zijn, weet u.'

Het was onmogelijk, wist Samad, dat deze vrouw ook maar enige erotische belangstelling voor hem zou hebben. Maar toch keek hij om zich heen of hij Alsana zag, toch rammelde hij nerveus met zijn autosleutels in zijn zak, toch voelde hij zijn hart in de greep komen van iets kouds en wist dat het vrees was voor zijn God.

'Ik kom eigenlijk niet uit India, weet u,' zei Samad, met oneindig meer geduld dan hij ooit eerder had geoefend bij de vele keren dat hij deze woorden had moeten zeggen sinds hij naar Engeland was gegaan.

Poppy Burt-Jones zag er verbaasd en teleurgesteld uit. 'O nee?'

'Ik kom uit Bangladesh.'

'Bangladesh...'

'Voorheen Pakistan. Daarvoor Bengalen.'

'O, juist. Dezelfde omgeving dus.'

'Min of meer hetzelfde gebied, ja.'

Hierop volgde een enigszins beladen stilte, waarin Samad duidelijk besefte dat hij meer naar haar verlangde dan hij in de laatste tien jaar naar een vrouw had verlangd. Zomaar opeens. Het verlangen nam niet eens de moeite de tent te verkennen, te controleren of de buren thuis waren – het verlangen trapte gewoon de deur in en installeerde zich. Hij voelde zich wat slapjes. Toen werd hij zich ervan bewust dat zijn gezichtsuitdrukking van opwinding overging in schrik, in een groteske parodie op het dwalen van zijn geest, terwijl hij Poppy Burt-Jones opnam en alle lichamelijke en metafysische gevolgen afwoog die zij suggereerde. Hij moest iets zeggen voordat het nog erger werd.

'Nou... eh, het is een goed idee, de motie opnieuw in te dienen,' zei hij tegen zijn wil, want iets beestachtigers dan zijn wil was nu aan het woord. 'Als u er tijd voor kunt maken.'

'Nou, we kunnen erover praten. Ik bel u erover, over een paar weken. We zouden elkaar misschien na de orkestrepetitie kunnen ontmoeten?'

'Dat zou... prima zijn.'

'Geweldig! Dat is dan afgesproken. Weet u, uw jongens zijn echt schattig... ze zijn heel uitzonderlijk. Ik had het erover met de Chalfens, en Marcus legde er precies de vinger op: hij zei dat Indiase kinderen, als ik het zo mag zeggen, over het algemeen veel...'

'Veel...?'

'Rustiger zijn. Ze gedragen zich keurig, maar ze zijn heel, ik weet niet, ingehouden.'

Samad huiverde inwendig bij het idee dat Alsana dit zou horen.

'En Magid en Millat zijn zo... luid.'

Samad glimlachte zwakjes.

'Magid maakt verstandelijk zo'n indruk voor een kind van negen... dat zegt iedereen. Ik bedoel, hij is echt opmerkelijk. U zult wel vreselijk trots zijn. Hij heeft iets van een kleine volwassene. Zelfs zijn kleding... Ik geloof niet dat ik ooit een kind van negen heb gezien dat zich zo... zo streng kleedde.'

De beide jongens hadden er altijd op gestaan hun eigen kleding te kiezen, geweigerd om de claustrofobische knoop in hun genen te versterken met bijpassende spijkerbroeken, maar terwijl Millat Alsana op de huid zat om dingen te kopen als roodgestreepte Nikes, Osh-Kosh Begosh en vreemde truien, met patronen aan de binnen- en buitenkant, was Magid altijd te zien, wat voor weer het ook was, in grijze pullover, grijs overhemd en zwarte stropdas, met glanzende zwarte schoenen en een ziekenfondsbrilletje op zijn neus, als een soort dwergbibliothecaris. Alsana zei dan: 'Kleine vent, wat denk je van de blauwe voor *amma*, hè?' terwijl ze hem naar de afdeling primaire kleuren van Mothercare duwde. 'Eén blauwe maar. Past zo mooi bij je ogen. Voor amma, Magid. Hoe kun je blauw niet mooi vinden? Het is de kleur van de lucht!'

'Nee, amma. De lucht is niet blauw. Er is alleen maar wit licht. Wit licht heeft alle kleuren van de regenboog in zich, en als het verstrooid wordt door de ziljoenen moleculen in de lucht zie je de kortegolfkleuren – blauw, violet. De lucht is niet echt blauw. Het lijkt alleen zo. Het heet *rayleigh*-verstrooiing.'

Een vreemd kind met een koel verstand.

'U zult wel vreselijk trots zijn,' herhaalde Poppy met een enorme glimlach. 'Dat zou ik zijn.'

'Helaas,' zei Samad zuchtend, afgeleid van zijn erectie door de sombere gedachte aan zijn tweede zoon (met twee minuten), 'is Millat een nietsnut.'

Poppy zag er ontsteld uit. 'O nee! Nee, dat bedoelde ik helemaal niet... Ik bedoel, ik denk dat hij misschien een beetje geïntimideerd wordt door Magid in die zin, maar hij is zo'n persoonlijkheid! Hij is alleen niet zo... leergierig. Maar iedereen is echt dól op hem... hij is ook zo'n prachtige jongen. Natuurlijk,' zei ze, terwijl ze hem een knipoog gaf en een klap op zijn schouder, 'goeie genen.'

Goeie genen? Wat bedoelde ze, *goeie genen*?

'Hallo!' zei Archie, die achter hen was komen staan en Samad een stevige dreun op zijn rug gaf. 'Hallo!' zei hij weer, en hij schudde Poppy de hand op de bijna pseudo-aristocratische manier die hij gebruikte wanneer hij geconfronteerd werd met gestudeerde mensen. 'Archie Jones, vader van Irie, voor mijn zonden.'

'Poppy Burt-Jones. Ik heb Irie voor...'

'Muziek, ja, dat weet ik. Ze heeft het voortdurend over u. Wel een beetje teleurgesteld omdat u haar gepasseerd hebt voor eerste viool... misschien volgend jaar, hè? Zo!' zei Archie, kijkend van Poppy naar Samad, die een beetje apart stond van de andere twee en een rare uitdrukking, dacht Archie, een verdomd rare uitdrukking op zijn gezicht had. 'U hebt kennisgemaakt met de beruchte Ick-Ball! Je overdreef wel een beetje in die vergadering, hè, Samad? Vindt u ook niet?'

'Ach, ik weet niet,' zei Poppy lief. 'Ik vind eerlijk gezegd dat meneer Iqbal wel een paar goede punten naar voren heeft gebracht. Ik was echt onder de indruk van een heleboel van wat hij zei. Ik wou dat ik zo veel verstand had van zo veel onderwerpen. Ik ben helaas meer zo'n vakidioot. Bent u, ik weet niet, een soort professor, meneer Iqbal?'

'Nee, nee,' zei Samad. Hij was woedend dat hij door Archie niet kon liegen en merkte dat hij het woord 'kelner' niet door zijn strot kon krijgen. 'Nee, ik werk in een restaurant. Ik heb toen ik jonger was wel gestudeerd, maar toen kwam de oorlog en...' Samad haalde zijn schouders op als voltooiing van de zin, en zag, terwijl de moed hem in de schoenen zonk, hoe het sproetengezicht van Poppy Burt-Jones zich vertrok tot één groot rood perplex vraagteken.

'Oorlog?' zei ze, alsof hij telegraaf had gezegd of pianola of warmwaterkruik. 'De Falklands?'

'Nee,' zei Samad effen, 'de Tweede Wereldoorlog.'

'O, meneer Iqbal, dat zou je nooit zeggen. U moet zo jong zijn geweest.'

'Er waren daar tanks, schat, die ouder waren dan wij,' zei Archie met een grijns.

'Nou, meneer Iqbal, dat is een verrassing! Maar ze zeggen dat een donkere huid minder rimpelt, nietwaar?'

'Is dat zo?' zei Samad, zichzelf dwingend zich haar gladde, roze huid voor te stellen als gevouwen in laag na laag van dood epidermis. 'Ik dacht dat het kinderen waren die een man jong hielden.'

Poppy lachte. 'Dat ook, denk ik zo. Nou!' zei ze, en ze zag er tegelijkertijd rood, koket en zelfverzekerd uit. 'Het houdt u in ieder geval jong. De vergelijking met Omar Sharif zal zeker eerder gemaakt zijn, meneer Iqbal.'

'Nee, nee, nee, nee,' zei Samad, glimmend van plezier. 'De enige vergelijking ligt in onze gemeenschappelijke liefde voor bridge. Nee, nee, nee... En het is Samad,' voegde hij eraan toe. 'Noem mij Samad, alsjeblieft.'

'U zult hem een andere keer Samad moeten noemen, juf,' zei Archie, die leraressen altijd consequent juf noemde. 'Want wij moeten gaan. De vrouwen wachten op de oprit. Eten, kennelijk.'

'Nou, het was een genoegen u te spreken,' zei Poppy, die haar hand weer naar de verkeerde uitstak en bloosde toen hij haar de linker gaf.

'Ja, tot ziens.'

'Kom op, kom op,' zei Archie, terwijl hij Samad de deur uit en over de aflopende oprit naar de poort werkte. 'God nog aan toe, fit als een slagershond, die dame! Wáuwie! Aardig, heel aardig. Lieve hemel, je was wel bezig... En waar had je het over... *gemeenschappelijke liefde voor bridge*. Ik ken je al twintig jaar en ik heb je nog nooit bridge zien spelen. Blufpoker, dat is meer jouw spel.'

'Hou op, Archibald.'

'Nee, nee, ere wie ere toekomt, je deed het heel goed. Maar het is niets voor jou, Samad – je hebt tenslotte God gevonden en zo – niets voor jou om je te laten afleiden door de bekoringen van het vlees.'

Samad schudde Archies hand weg van de plaats waar hij op zijn schouder rustte. 'Waarom ben je zo onverbeterlijk vulgair?'

'Ik was niet degene...'

Maar Samad luisterde niet; hij was bezig in zijn hoofd twee uitdrukkingen te herhalen waarin hij zo hard probeerde te geloven, woorden die hij die laatste tien jaar in Engeland had geleerd, woorden die hem, zo hoopte hij, konden beschermen tegen de afschuwelijke brand in zijn broek:

> Voor de zuiveren van geest zijn alle dingen zuiver. Voor de zuiveren van geest zijn alle dingen zuiver. Voor de zuiveren van geest zijn alle dingen zuiver.
> Eerlijk is eerlijk. Eerlijk is eerlijk. Eerlijk is eerlijk.

Maar laten we een stukje terugspoelen.

1 VOOR DE ZUIVEREN VAN GEEST ZIJN ALLE DINGEN ZUIVER

Seks, in ieder geval de verleiding van seks, was lang een probleem geweest. Toen de godvrezendheid langzaam in Samads botten begon te sluipen, circa 1976, kort na zijn huwelijk met de ongeïnteresseerde Alsana met de kleine handen en zwakke polsen, had hij bij een oudere *alim* in de moskee in Croydon geïnformeerd of het een man was toegestaan... met zijn hand op zijn...

Voordat hij halverwege dit mijnenveld was gekomen, had de oude geleerde hem zwijgend een folder overhandigd van een stapel op een tafel en zijn gerimpelde vinger resoluut onder punt drie gezet.

> *Er zijn negen handelingen die het vasten ontkrachten*:
> (i) Eten en drinken
> (ii) Geslachtsgemeenschap
> *(iii) Masturbatie* (istimna), *wat zelfbevlekking betekent, zaadlozing tot gevolg hebbend*
> (iv) Valse dingen toeschrijven aan de almachtige Allah, of zijn Profeet, of aan de opvolgers van de heilige Profeet
> (v) Dik poeder slikken
> (vi) Het hele hoofd onder water dompelen
> (vii) In Janabat of Haidh of Nifas blijven tot de Adhan voor Fajr-gebed
> (viii) Klysma met vloeistof
> (ix) Braken

'En wat, alim,' had Samad ontmoedigd gevraagd, 'als hij niet vast?'

De oude geleerde zag er ernstig uit. 'Ibn 'Umar is ernaar gevraagd en zou hebben geantwoord: *Het is niets anders dan het wrijven van het mannelijk lid tot het vocht eruitkomt. Het is slechts een zenuw die men kneedt.*'

Samad had hier moed uit geput, maar de alim vervolgde: 'Volgens een ander bericht heeft hij echter geantwoord: *Het is verboden dat men gemeenschap heeft met zichzelf.*'

'Maar wat is het juiste geloof? Is het halal of *haraam*? Er zijn er die zeggen...' was Samad schaapachtig begonnen: '*Voor de zuiveren van geest zijn alle dingen zuiver.*

Als je waarheidlievend en oprecht bent in jezelf, kan het niemand anders kwaad doen, noch voor het hoofd stoten...'

Maar de alim lachte hierom. 'En we weten wie *zíj* zijn. Moge Allah de anglicanen genadig zijn! Samad, wanneer het mannelijk orgaan van een man rechtop staat, verdwijnt twee derde van zijn verstandelijke vermogens,' zei de alim hoofdschuddend. 'En een derde van zijn religie. Er is een hadith van de profeet Mohammed – vrede zij met hem! – en deze is als volgt: *O Allah, ik zoek bescherming bij u tegen het kwaad van mijn gehoor, van mijn gezicht, van mijn tong, van mijn hart en van mijn geslachtsdelen.*'

'Maar toch... toch... als de man zelf zuiver is, dan...'

'Toon mij een zuivere man, Samad! Toon mij een zuivere daad! O, Samad Miah... mijn advies aan jou is: blijf uit de buurt van je rechterhand.'

Maar natuurlijk was Samad Samad niet geweest als hij niet het beste van zijn westerse pragmatisme had aangewend, naar huis was gegaan en de taak krachtig had aangepakt met zijn functionele linkerhand onder het herhalen van *Voor de zuiveren van geest zijn alle dingen zuiver. Voor de zuiveren van geest zijn alle dingen zuiver*, tot er ten slotte een orgasme was gekomen: kleverig, triest en deprimerend. En dat ritueel was zo'n vijf jaar blijven bestaan, in de kleine slaapkamer boven in het huis waar hij alleen sliep (om Alsana niet wakker te maken) na elke nacht, om drie uur in de nacht, teruggeslopen te zijn van het restaurant; heimelijk, stilletjes, want hij werd er, geloof het of niet, door gekweld, door dit stiekeme rukken en knijpen en lozen, door de angst dat hij niet zuiver was, dat zijn daden niet zuiver waren, dat hij nooit zuiver zou zijn, en steeds weer leek zijn God hem kleine tekenen te sturen, kleine waarschuwingen, kleine bezoekingen (een urineweginfectie, 1976, castratiedroom, 1978, vies, aangekoekt laken maar verkeerd begrepen door Alsana's oudtante, 1979), tot 1980 een crisis bracht en Samad Allah in zijn oor hoorde bulderen als de golven in een schelp en het tijd leek te zijn om een deal te maken.

2 EERLIJK IS EERLIJK

De deal was de volgende: op 1 januari 1980 gaf Samad, als een nieuwjaarsafslanker die kaas opgeeft op voorwaarde dat hij chocolade mag eten, masturbatie op, op voorwaarde te mogen drinken. Het was een deal, een zakelijk voorstel dat hij met God maakte, waarbij Samad de partij was ter ene zijde en God de stille partner. En sinds die dag had Samad een relatieve geestelijke rust genoten en menige schuimende Guinness met Archibald Jones; hij had zelfs de gewoonte ontwikkeld om tijdens zijn laatste slok op te kijken naar de hemel als een christen en te denken: ik ben in de grond een goede man. Ik mep de salami niet. Geef me wat ruimte. Zo nu en dan drink ik een glas. *Eerlijk is eerlijk*...

Maar natuurlijk zat hij in de verkeerde godsdienst voor compromissen, deals, afspraken, zwaktes en *eerlijk is eerlijk*... Hij stond achter het verkeerde team als het begrip en concessies waren die hij wilde, als het liberale exegese was die hij wilde, als hij wat ruimte wilde. Zijn God leek niet op die charmante wit-bebaarde prutser van de anglicaanse, methodistische of katholieke kerk. Zijn God deed niet aan ruimte geven. Het moment waarop Samad de mooie, roodharige muzieklerares Poppy Burt-Jones zag, in die augustusmaand van 1984, besefte hij eindelijk hoe waar dit was. Hij wist dat zijn God wraak nam; hij wist dat het spel uit was; hij wist dat het contract was verbroken en dat er tegen de verwachtingen in geen clausule was voor ontoerekeningsvatbaarheid, dat de verleiding welbewust en met kwade opzet op zijn weg was gebracht. Kortom, alle deals waren van de baan.

De masturbatie werd serieus hervat. Die twee maanden, tussen de eerste en tweede ontmoeting met de mooie, roodharige muzieklerares, waren de langste, kleverigste, stinkendste, schuldigste zesenvijftig dagen van Samads leven. Waar hij ook was, wat hij ook deed, hij werd plotseling overvallen door een of andere synesthetische fixatie op de vrouw: hij hoorde de kleur van haar haar in de moskee, rook de aanraking van haar hand op de buis, proefde haar glimlach terwijl hij onschuldig over straat liep op weg naar zijn werk; en dit op zijn beurt leidde tot bekendheid met elk openbaar toilet van Londen, leidde tot een vorm van masturbatie die zelfs een vijftienjarige jongen op de Shetland Eilanden buitensporig zou kunnen vinden. Zijn enige troost was dat hij, net als Roosevelt, een nieuwe deal had gemaakt: hij zou wel iets naar buiten maar niets meer naar binnen werken. Hij was van plan zichzelf op de een of andere manier te purgeren van de aanblik en geuren van Poppy Burt-Jones, van de zonde van istimna, en ofschoon het geen vastentijd was en het de langste dagen van het jaar waren, passeerde niets Samads lippen tussen zonsopgang en zonsondergang, zelfs, dankzij een kleine porseleinen kwispedoor, zijn eigen speeksel niet. En doordat er aan de ene kant geen voedsel inging, was datgene wat er aan de andere kant uitkwam zo dun en verwaarloosbaar, zo schraal en doorzichtig, dat Samad zichzelf er bijna van wist te overtuigen dat de zonde verminderd was, dat hij de eenogige jongeheer op een dag, een heerlijke dag, net zo krachtig zou kunnen masseren als hij wilde en er niets anders uit zou komen dan lucht.

Maar ondanks de intensiteit van de honger – spiritueel, fysiek, seksueel – maakte Samad nog steeds zijn dagelijkse twaalf uur in het restaurant. Eerlijk gezegd was het restaurant de enige plaats die hij kon verdragen. Hij kon het niet verdragen om zijn vrouw en kinderen te zien, hij kon het niet verdragen naar O'Connells te gaan, hij kon het niet verdragen om Archie de voldoening te geven hem in een dergelijke toestand te zien. Half augustus had hij zijn werkdagen verlengd tot veertien uur; iets in het ritueel ervan – zijn mand met roze, zwaanvormige servetten oppakken en het spoor volgen van Shiva's plastic anjers, de ligging van een mes of vork corrigeren, een glas poetsen, de afdruk van een vinger van de porseleinen borden verwijderen – troostte hem. Ook al was hij nog zo'n slechte moslim, niemand kon zeggen dat hij geen voortreffelijke kelner was. Hij had één vervelende vaardigheid genomen en deze tot perfectie geslepen. Hier kon hij in ieder geval anderen het juiste pad wijzen: hoe je een oude uien-*bahji* kon maskeren, hoe je minder garnalen eruit kon laten zien als meer, hoe je een Australiër kon uitleggen dat hij niet de hoeveelheid chili wil die hij meent te willen. Buiten de deuren van de Palace was hij een zelfbevrediger, een slechte echtgenoot, een onverschillige vader, met alle zeden en gewoonten van een anglicaan. Maar binnen, binnen deze vier groene en gele muren in paisleypatroon, was hij een eenhandig genie.

'Shiva. Hier ontbreekt een bloem.'

Het was twee weken sinds Samad zijn nieuwe deal had gesloten en een gewone vrijdag in de Palace, tafels dekken.

'Je hebt deze vaas gemist, Shiva!'

Shiva kwam aankuieren om het lege, uiterst smalle aquamarijnkleurige vaasje op tafel negentien te inspecteren.

'En er drijft wat limoenpickle in de mango chutney in de carrouselsaus op tafel vijftien.'

'Echt waar?' zei Shiva droog. Arme Shiva – bijna dertig nu, niet zo mooi, nog steeds hier. Het was nooit voor hem gebeurd, wat hij ook gedacht mocht hebben dat er voor hem zou gebeuren. Hij was in 1979, herinnerde Samad zich vaag, voor korte tijd bij het restaurant weggegaan om een beveiligingsbureau te beginnen, maar 'niemand wilde Paki-uitsmijters' en hij was teruggekeerd, wat minder agressief, wat wanhopiger, als een getemd paard.

'Ja, Shiva, echt en waar.'

'En daarvan raak je door het dolle heen?'

'Niet door het dolle heen, nee, zover wil ik niet gaan... het baart me zorgen.'

'Want iets,' onderbrak Shiva hem, 'is je helemaal in je kloten geslagen de laatste tijd. We hebben het allemaal gemerkt.'

'We?'

'Wij. De jongens. Gisteren was het een korreltje zout in een servet. De dag daarvoor hing Gandhi niet recht aan de muur. De afgelopen week heb je je gedragen als onze Führer-*wallah*,' zei Shiva met een knikje in de richting van Ardashir. 'Als een krankzinnige. Je glimlacht niet. Je eet niet. Je zit iedereen voortdurend op de nek. En als de ober-kelner er niet helemaal bij is, raakt iedereen van de wijs. Net als een aanvoerder in het voetbal.'

'Ik weet niet waar je het over hebt,' zei Samad met strakke lippen terwijl hij hem het vaasje aangaf.

'En ik weet dat je het wel weet,' zei Shiva uitdagend, terwijl hij het lege vaasje terugzette op de tafel.

Samad voelde een lichte paniek opkomen. 'Als ik me ergens zorgen om maak, is er geen enkele reden waarom dit van invloed zou zijn op mijn werk hier,' zei hij, terwijl hij hem het vaasje teruggaf. 'Ik wil anderen geen overlast bezorgen.'

Shiva zette het vaasje opnieuw terug op de tafel. 'Dus er ís iets. Kom op, man...

Ik weet dat we het niet altijd even goed met elkaar hebben kunnen vinden, maar hier moeten we elkaar steunen. Hoe lang hebben we samengewerkt? Samad Miah?'

Samad keek ineens op naar Shiva, en Shiva zag dat hij zweette, dat hij bijna verdoofd leek. 'Ja, ja... er is... iets.'

Shiva legde zijn hand op Samads schouder. 'Dus waarom vergeten we die stomme anjer niet en gaan we een curry voor je maken... over twintig minuten is de zon onder. Kom op, je kunt Shiva er alles over vertellen. Niet omdat het me een sodemieter kan schelen, begrijp je, maar omdat ik hier ook moet werken en omdat ik helemaal gek van je word, makker.'

Samad, die merkwaardig ontroerd was door dit weinig elegante aanbod van een luisterend oor, legde zijn roze zwanen neer en volgde Shiva naar de keuken.

'Dierlijk, plantaardig, mineraal?'

Shiva stond aan een werkblad en begon een kippenborst in volmaakte blokjes te hakken, die hij door maïzena haalde.

'Neem me niet kwalijk?'

'Is het dierlijk, plantaardig of mineraal?' herhaalde Shiva ongeduldig. 'Datgene wat je dwarszit?'

'Dierlijk, voornamelijk.'

'Vrouwelijk?'

Samad zakte op een dichtbij staande stoel neer en liet zijn hoofd hangen.

'Vrouwelijk,' concludeerde Shiva. 'Je vrouw?'

'Mijn vrouw zal de schande ervan, de pijn ervan ervaren, maar nee... ze is niet de oorzaak.'

'Een ander wijf. Mijn specialisme.' Shiva imiteerde een draaiende camera, zong het deuntje van *Mastermind* en sprong in beeld. 'Shiva Bhagwati, je hebt dertig seconden: over het neuken van andere vrouwen dan je eigen vrouw. Eerste vraag: is het toegestaan? Antwoord: dat hangt ervan af. Tweede vraag: ga ik naar de hel...?'

Samad viel hem vol afkeer in de rede. 'Ik... bedrijf de liefde niet met haar.'

'Ik ben begonnen dus maak ik het af: zal ik naar de hel gaan? Antwoord...'

'Genoeg. Vergeet het. Vergeet alsjeblieft wat ik heb gezegd.'

'Wil je hier aubergine in?'

'Nee... groene paprika is voldoende.'

'Okiedokie,' zei Shiva, en hij gooide een groene paprika de lucht in en ving hem op de punt van zijn mes. 'Eén Kip Bhuna komt eraan. Hoe lang is het al gaande?'

'Er is niets gaande. Ik heb haar maar één keer ontmoet. Ik ken haar nauwelijks.'

'En, wat is de schade? Een graai? Een tongzoen?'

'Een handdruk, alleen. Ze is een lerares van mijn zoons.'

Shiva gooide de ui en paprika in de hete olie. 'Je hebt een keer een overspelige gedachte gehad. En wat dan nog?'

Samad stond op. 'Het is meer dan overspelige gedachten, Shiva. Mijn hele lichaam is opstandig, niets doet wat ik wil. Nooit eerder ben ik onderworpen aan zulke fysieke vernederingen. Bijvoorbeeld: ik heb voortdurend...'

'Ja,' zei Shiva, wijzend op Samads kruis. 'Dat hebben we ook opgemerkt. Waarom doe je de knokkeldans niet voordat je naar je werk gaat?

'Dat doe ik... dat doe ik... maar dat helpt niet. Bovendien heeft Allah het verboden.'

'O, je had nooit religieus moeten worden, Samad. Het past niet bij je.' Shiva veegde een uientraan weg. 'Al dat schuldgevoel is niet gezond.'

'Het is geen schuldgevoel. Het is angst. Ik ben zevenenvijftig, Shiva. Als je zo oud bent als ik ga je je... zorgen maken over je geloof; je wilt niet wachten tot het te laat is. Ik ben aangetast door Engeland, dat besef ik nu... mijn kinderen, mijn vrouw, ook zij zijn aangetast. Ik denk dat ik misschien de verkeerde vrienden heb gemaakt. Misschien ben ik lichtzinnig geweest. Misschien heb ik intellect belangrijker gevonden dan geloof. En nu lijkt deze laatste verzoeking op mijn weg te zijn gebracht. Om mij te straffen, begrijp je? Shiva, jij weet iets van vrouwen. Help me. Hoe is dit gevoel mogelijk? Ik ben pas een paar maanden op de hoogte van het bestaan van deze vrouw; ik heb haar slechts één keer gesproken.'

'Zoals je al zei: je bent zevenenvijftig. Midlifecrisis.'

'Mídlife? Wat betekent dat?' viel Samad geërgerd uit. 'Verdomme, Shiva, ik ben niet van plan honderdveertien te worden.'

'Zo noemen ze dat. Je leest erover in de tijdschriften tegenwoordig. Als een man op een bepaald punt in zijn leven komt, krijgt hij het gevoel dat hij zijn beste jaren heeft gehad... en je bent zo jong als het meisje dat je voelt, als je snapt wat ik bedoel.'

'Ik sta op een morele tweesprong in mijn leven en jij bazelt onzin tegen me.'

'Je zult dit soort dingen moeten weten, maat,' zei Shiva langzaam, geduldig. 'Het vrouwelijk organisme, erogene zones, testikelkanker, de menstropause... de midlifecrisis is er een van. Informatie die de moderne man paraat moet hebben.'

'Maar ik heb geen behoefte aan zulke informatie!' riep Samad terwijl hij opstond en door de keuken begon te benen. 'Dat is precies het punt! Ik wil geen moderne man zijn! Ik wil het leven leiden waarvoor ik altijd bestemd ben geweest. Ik wil terug naar het Oosten.'

'Ja, nou ja... dat willen we allemaal,' mompelde Shiva, terwijl hij de paprika en ui rondschepte door de pan. 'Ik ben weggegaan toen ik drie was. God weet dat ik er in dit land niks van heb gebakken. Maar wie heeft het geld voor de vliegreis? En wie wil in een hut wonen met veertien andere bedienden op de loonlijst. Wie weet wat Shiva Bagwhati in Calcutta was geworden? Prins of pauper? En wie,' zei Shiva, en in zijn gezicht was iets van zijn vroegere schoonheid te zien, 'kan het Westen eruit halen wanneer het er eenmaal in zit?'

Samad bleef maar heen en weer benen. 'Ik had hier nooit moeten komen... dat is waar elk probleem uit voort is gekomen. Ik had mijn zoons hier nooit heen moeten brengen, zo ver van God. Willesden Green! Visitekaartjes in de etalages van snoepwinkels, Judy Bloom op school, condooms op het trottoir, Oogstfeest, lerares-verleidsters!' brulde Samad, zijn onderwerpen willekeurig kiezend. 'Shiva... ik zeg je, in vertrouwen: mijn beste vriend, Archibald Jones, is een ongelovige! Vertel me: wat voor voorbeeld ben ik voor mijn kinderen?'

'Iqbal, ga zitten. Word een beetje rustig. Luister: je verlangt alleen maar naar iemand. Mensen verlangen naar mensen. Dat gebeurt van Delhi tot Deptford. En het is niet het einde van de wereld.'

'Ik wou dat ik daar zeker van kon zijn.'

'Wanneer zie je haar weer?'

'We ontmoeten elkaar voor schoolzaken... de eerste woensdag van september.'

'Juist. Is ze hindoe? Moslim? Ze is geen sikh, hè?'

'Dat is het ergste van alles,' zei Samad, en zijn stem brak. 'Engels. Blank. Engels.'

Shiva schudde zijn hoofd. 'Ik ben met een heleboel blanke meiden uitgeweest, Samad. Een heleboel. Soms werkte het, soms niet. Twee prachtige Amerikaanse meisjes. Ik ben helemaal gevallen voor een Parijse schoonheid. Ik heb zelfs een jaar iets met een Roemeense gehad. Maar nooit met een Engelse. Het werkt nooit. Nooit.'

'Waarom?' vroeg Samad, terwijl hij een aanval met zijn tanden op de nagel van zijn duim deed in afwachting van een vreselijk antwoord, een of ander decreet van boven. 'Waarom niet, Shiva Baghwati?'

'Te veel geschiedenis,' was Shiva's raadselachtige antwoord, terwijl hij de Kip Bhuna opdiende. 'Te veel geschiedenis, verdomme.'

8.30 uur, de eerste woensdag van september, 1984. Samad, enigszins in gedachten verzonken, hoorde de passagiersdeur van zijn Austin Mini Metro open- en dichtgaan – ver weg in de echte wereld – en draaide zich naar links waar hij Millat naast zich vond. Of in ieder geval een vanaf de nek omlaag Millat-vormig ding: het hoofd was vervangen door een Tomytronic – een computerspel dat eruitzag als een grote verrekijker. Daarbinnen, wist Samad uit ervaring, vond een race plaats tussen een kleine rode auto, die zijn zoon vertegenwoordigde, en een groene en een gele auto over een driedimensionale weg van LED's.

Millat zette zijn kleine achterwerk op de bruine plastic stoel. 'Ooo! Koude stoel! Koude stoel! Bevroren kont!'

'Millat, waar zijn Magid en Irie?'

'Komen eraan.'

'Komen eraan met de snelheid van een trein of komen eraan met de snelheid van een slak?'

'Oeoe!' gilde Millat, als reactie op een virtuele blokkade die dreigde zijn rode auto tollend de vergetelheid in te sturen.

'Alsjeblieft, Millat. Zet dat ding af.'

'Kan niet. Ik heb één, nul, twee, zeven, drie punten nodig.'

'Millat, het wordt tijd dat je getallen gaat begrijpen. Herhaal: tienduizend tweehonderddrieënzeventig.'

'Zienmuizend pleedonderdbrieënpeventig.'

'Zet hem af, Millat.'

'Kan niet. Dan ga ik dood. Wil je dat ik doodga, abba?'

Samad luisterde niet. Als dit ritje enige zin wilde hebben, moest hij voor negen uur bij de school zijn. Om negen uur zou ze in de klas zijn. Om twee over negen zou ze met die lange vingers de presentielijst openen; om drie over negen zou ze met haar nagels met die hoge halvemaantjes ergens uit het zicht op een houten bureau staan tikken.

'Waar zijn ze? Willen ze soms te laat op school komen?'

'Eh-heh.'

'Zijn ze altijd zo laat?' vroeg Samad, want dit was niet zijn vaste gewoonte – gewoonlijk bracht Alsana of Clara de kinderen naar school. Alleen om een glimp op te vangen van Burt-Jones (hoewel hun vergadering zou plaatsvinden over slechts zeven uur en zevenenvijftig minuten, zeven uur en zesenvijftig minuten, zeven uur...) had hij de meest gehate ouderlijke taak die er maar was op zich genomen. En het was hem niet meegevallen om Alsana ervan te overtuigen dat er niets vreemds was aan deze plotselinge wens om volledig te participeren in het opvoedkundige vervoer van Archies en zijn nakomelingen.

'Maar, Samad, je komt pas om drie uur 's nachts thuis. Begin je een beetje te malen.'

'Ik wil mijn zoons zien! Ik wil Irie zien! Ze groeien elke ochtend op... ik zie het nooit! Millat is centimeters gegroeid.'

'Maar niet om halfnegen 's morgens. Het is al gek genoeg dat hij de hele tijd groeit... Allah zij geprezen! Het moet wel een wonder zijn. Waar gaat dit over, hmm?' Ze begroef een nagel in het overhangende deel van zijn buik. 'Een of ander kattenkwaad? Ik kan het ruiken... als bedorven geitentong.'

Ah, Alsana's culinaire neus voor schuld, bedrog en angst was ongeëvenaard in de wijde omgeving, en Samad stond er volkomen weerloos tegenover. Wist ze het? Had ze het geraden? Met deze gevoelens van onrust had Samad de hele nacht geslapen (wanneer hij de salami niet mepte) en vervolgens had hij ze meegenomen naar zijn auto om zich af te reageren op zijn kinderen.

'Waar zijn ze, verdomme?'

'Godverdomme!'

'Millat!'

'Jíj vloekte,' zei Millat, terwijl hij ronde veertien nam en een bonus van vijf-nul-nul kreeg voor de ontbranding van de gele auto. 'Dat doe je altijd. Net als meneer Jones.'

'Wij hebben een speciale vloekvergunning.'

De hoofdloze Millat had geen gezicht nodig om zijn verontwaardiging kenbaar te maken. 'ER BESTAAT GEEN...'

'Oké, oké, oké,' zei Samad, terugkrabbelend, want hij wist dat er geen plezier te beleven viel aan een discussie over ontologie met een kind van negen, 'je hebt me te pakken. Er bestaat geen vloekvergunning. Millat, waar is je saxofoon? Je hebt orkestrepetitie vandaag.'

'In de kofferbak,' zei Millat, met een stem waarin tegelijk ongeloof en walging klonk: een man die niet wist dat de saxofoon op zondagavond in de kofferbak ging, was een of andere achterlijke. 'Waarom breng jíj ons weg? Op maandag brengt meneer Jones ons weg. Je weet helemaal niks van ons wegbrengen. Of ons ophalen.'

'Ik ben ervan overtuigd dat ik me er op de een of andere manier wel doorheen weet te worstelen, dank je, Millat. Zo ingewikkeld is het nou ook weer niet. *Waar zijn die twee*!' schreeuwde hij terwijl hij begon te toeteren, van zijn stuk gebracht door het vermogen van zijn negenjarige zoon om het wisselvallige van zijn gedrag te herkennen. 'En wil je alsjeblieft dat verdomde ding afzetten!' Samad graaide naar de Tomytronic en trok het ding omlaag rond Millats hals.

'JE HEBT ME VERMOORD!' Millat keek terug in de Tomytronic, geschokt en net op tijd om te zien hoe zijn kleine rode alter ego tegen de baanwand zwenkte en verdween in een catastrofale lichtshow van neerdalende gele vonken. 'JE HEBT ME VERMOORD TERWIJL IK AAN HET WINNEN WAS!'

Samad sloot zijn ogen en dwong zijn oogballen zo ver mogelijk in zijn hoofd omhoog te rollen in de hoop dat zijn hersenen op ze neer zouden storten: een zelfverblinding, als hij dat kon bereiken, op één lijn met dat andere slachtoffer van de westerse corruptie, Oedipus. Denk: ik wil een andere vrouw. Denk: ik heb mijn zoon vermoord. Ik vloek. Ik eet spek. Ik mep regelmatig de salami. Ik drink Guinness. Mijn beste vriend is een kafir-ongelovige. Ik houd mezelf voor dat het niet telt als ik op en neer wrijf zonder mijn handen te gebruiken. Maar, o, het telt. Het telt allemaal op het grote telraam van Hij die telt. Wat zal er met *Mahshar* gebeuren? Hoe zal ik absolutie vinden wanneer het Laatste Oordeel komt?

... Klik-klap. Klik-klap. Eén Magid, één Irie. Samad opende zijn ogen en keek in de achteruitkijkspiegel. Op de achterbank zaten de twee kinderen op wie hij had gewacht: beiden met hun brilletjes, Irie met haar weerbarstige afro (geen mooi kind met die samengeraapte genen: Archies neus met Clara's vooruitstekende tanden), Magid met zijn dikke zwarte haar tegen zijn schedel geplakt in een weinig flatteuze middenscheiding. Magid met een blokfluit, Irie met viool. Maar afgezien van deze basale details was alles niet zoals het zou moeten zijn. Tenzij hij zich erg vergiste, was er iets mis in deze Mini-Metro – was er iets *aan de gang*. Beide kinderen waren van top tot teen in zwart gekleed. Beiden droegen witte mouwbanden om hun linkerarm waarop ruwe voorstellingen waren geschilderd van manden met groenten. Beiden hadden blokjes schrijfpapier en een pen aan een touwtje om hun nek hangen.

'Wie heeft dit met jullie gedaan?'

Stilte.

'Was het amma? En mevrouw Jones?'

Stilte.

'Magid! Irie. Hebben jullie je tong verloren?'

Meer stilte; kinderstilte, zo wanhopig gewenst door volwassenen maar angstaanjagend als het eindelijk gebeurt.

'Millat, weet jij wat er aan de hand is?'

'Zo saai,' dreinde Millat. 'Ze willen alleen maar slim doen, slim, verwaand, dombo, Heer Magoo en Lelijke Mevrouw Poo.'

Samad draaide zich om op zijn autostoel om de twee andersdenkenden tegemoet te treden. 'Is het de bedoeling dat ik jullie vraag wat dit moet voorstellen?'

Magid greep naar zijn pen en schreef in blokletters, in zijn nette, zakelijke handschrift: ALS JE WILT, scheurde vervolgens het blaadje papier af en overhandigde het aan Samad.

'Een zwijggelofte. Juist. Jij ook, Irie? Ik had gedacht dat jij te verstandig was voor zulke onzin.'

Irie krabbelde even op haar schrijfblok en gaf het schrijven door. WIJ PROSTESTEREN.

'Pros-testeren? Wat is pros en wat is testeren? Heeft je moeder je dit woord geleerd?'

Irie zag eruit alsof ze uit elkaar zou knappen als ze het niet zou uitleggen, maar Magid maakte het gebaar van het dichtritsen van een mond, greep het blaadje papier terug en streepte de eerste 's' door.

'O, ik begrijp het. *Protesteren.*'

Magid en Irie knikten verwoed.

'Nou, dat is wel heel interessant. En ik neem aan dat jullie moeders dit hele gedoe hebben bekokstoofd? De kostuums? De schrijfblokjes?'

Stilte.

'Jullie zijn echte politieke gevangenen... geen woord loslaten, hè. Goed, mag ik vragen wáár jullie tegen protesteren?'

Beide kinderen wezen dringend naar hun mouwband.

'Groenten? Jullie protesteren tegen de aantasting van de rechten van groenten?'

Irie hield een hand voor haar mond om te voorkomen dat ze het antwoord zou uitschreeuwen, terwijl Magid driftig op zijn schrijfblok begon te schrijven. WIJ PROTESTEREN OVER HET OOGSTFEEST.

Samad gromde: 'Daar hebben we het over gehad. Ik wil niet dat jullie meedoen aan die onzin. Het heeft niets met ons te maken, Magid. Waarom wil je altijd iemand zijn die je niet bent?'

Hierop volgde een wederzijdse, stille woede toen ieder van hen aan het pijnlijke incident dacht waarnaar werd verwezen. Een paar maanden eerder, op Magids negende verjaardag, was een groep keurig geklede blanke jongens met onberispelijke manieren aan de deur verschenen en had naar Mark Smith gevraagd.

'Mark? Hier woont geen Mark,' had Alsana vriendelijk glimlachend gezegd terwijl ze zich tot hun hoogte boog. 'Hier woont alleen de familie Iqbal. Jullie hebben het verkeerde huis.'

Maar voordat ze haar zin had afgemaakt, was Magid naar de deur komen hollen en had zijn moeder weggewerkt.

'Hé, jongens.'

'Hé, Mark.'

'We gaan naar de schaakclub, mam.'

'Ja, M-M-Mark,' zei Alsana, bijna in tranen door deze laatste kleinering, de vervanging van 'amma' door 'mam'. 'Niet te laat thuis, hè.'

'IK HEB JE ZO'N LUISTERRIJKE NAAM GEGEVEN ALS MAGID MAHFOOZ MURSHED MUBTASIM IQBAL!' had Samad Magid achterna geroepen nadat hij die avond thuis was gekomen en als een speer de trap op was geschoten om zich in zijn kamer te verbergen. 'EN JIJ WILT MARK SMITH GENOEMD WORDEN!'

Maar dit was slechts een symptoom van een veel dieper onbehagen. Magid wilde echt *tot een ander gezin* behoren. Hij wilde katten hebben en geen kakkerlakken, hij wilde dat zijn moeder de muziek zou maken van de cello, niet het geluid van de naaimachine; hij wilde een latwerk met bloemen aan de zijkant van het huis, in plaats van de steeds groeiende berg rotzooi van andere mensen; hij wilde een piano in de gang in plaats van het kapotte portier van de auto van neef Kurshed; hij wilde op fietsvakantie naar Frankrijk, geen dagtochtjes naar Blackpool om tantes te bezoeken; hij wilde een vloer van glanzend hout in zijn kamer, niet de vloerbedekking in oranje en groene krulpatronen die overgebleven was uit het restaurant; hij wilde dat zijn vader een dokter was, geen eenhandige kelner, en deze maand had Magid al deze verlangens omgezet in de wens mee te doen aan het Oogstfeest zoals Mark Smith zou doen. Zoals alle anderen zouden doen.

MAAR WE WILLEN MEEDOEN. ANDERS MOETEN WE NABLIJVEN. MEVROUW OWEN ZEGT DAT HET TRADITIE IS.

Samad ontplofte. 'Traditie? Van wie?' bulderde hij, terwijl een huilende Magid nog eens verwoed begon te krabbelen. 'Verdomme nog aan toe, je bent een moslim, geen boskabouter! Ik heb het je gezegd, Magid. Ik heb je gezegd op welke voorwaarde je mocht gaan. Je gaat met mij op *haj*. Als ik die zwarte steen mag aanraken voordat ik sterf, zal ik dat doen met mijn oudste zoon aan mijn zij.'

Magid brak het potlood halverwege zijn antwoord en krabbelde de tweede helft met een stompe stift. HET IS NIET EERLIJK! IK KAN NIET OP HAJ GAAN. IK MOET NAAR SCHOOL. IK HEB GEEN TIJD OM NAAR MEKKA TE GAAN. HET IS NIET EERLIJK!

'Welkom in de twintigste eeuw. Het is niet eerlijk. Het is nooit eerlijk.'

Magid scheurde het volgende blaadje papier van het schrijfblok en hield het voor het gezicht van zijn vader. JE HEBT HAAR VADER GEZEGD DAT HIJ HAAR NIET MOCHT LATEN GAAN.

Samad kon het niet ontkennen. De dinsdag daarvoor had hij Archie gevraagd solidariteit te tonen door Irie tijdens de feestweek thuis te houden. Archie had eromheen gedraaid en geprobeerd zich eronderuit te wurmen, Clara's toorn vrezend, maar Samad had hem gerustgesteld: *Neem een voorbeeld aan mij, Archibald. Wie heeft bij mij thuis de broek aan?* Archie had aan Alsana gedacht, zo vaak te zien in die prachtige zijden broeken met de toelopende enkel, en aan Samad, die regelmatig een lange lap van grijs geborduurd katoen, een lendedoek, om zijn middel gewikkeld droeg, een rok feitelijk. Maar hij hield de gedachte voor zich.

WE SPREKEN NIET ALS JE ONS NIET LAAT GAAN. WE ZULLEN NÓÓIT, NÓÓIT, NÓÓIT, NÓÓIT MEER SPREKEN. ALS WE DOODGAAN ZAL IEDEREEN ZEGGEN DAT JIJ HET WAS. JIJ JIJ JIJ.

Geweldig, dacht Samad, *nog meer bloed en kleverige schuld aan mijn ene goede hand.*

Samad wist niets van dirigeren, maar hij wist wat hij mooi vond. Toegegeven, het was waarschijnlijk niet erg ingewikkeld, zoals ze het deed, gewoon een simpele driekwart, gewoon een eendimensionale metronoom met haar wijsvinger in de lucht getrokken – maar *aaah*, wat een vreugde was het om het haar te zien doen! Haar rug naar hem toe; haar blote voeten omhoogkomend – bij elke derde maatslag – uit haar instapschoenen; haar achterste net ietsje uitstekend, haar spijkerbroek spannend steeds wanneer ze zich voorover wierp voor een van de onhandige crescendo's – wat een vreugde was het! Wat een visioen! Hij kon maar net voorkomen dat hij op haar afstormde en haar wegvoerde; het beangstigde hem, de mate waarin hij zijn ogen niet van haar kon afhouden. Maar hij moest rationeel zijn: het orkest had haar nodig – god weet dat ze nooit door deze bewerking van het Zwanenmeer (die meer deed denken aan waggelende eenden door een olieplas) heen zouden komen zonder haar. Maar wat een verschrikkelijke verspilling leek het – zoiets als het zien van een peuter in een bus die gedachteloos de borst grijpt van de vreemde die naast hem zit – wat een verspilling, dat iets van een zo grote schoonheid ter beschikking moest staan van hen die te jong waren om te weten wat ze ermee moesten doen. Het ogenblik waarop deze gedachte in hem opkwam, kapte hij hem weer af: *Samad Miah... dieper kan een man toch niet zinken dan wanneer hij jaloers is op het kind aan de borst van een vrouw, wanneer hij jaloers is op de jeugd, op de toekomst...* En toen, niet voor de eerste keer die middag, terwijl Poppy Burt-Jones weer omhoogkwam uit haar schoenen en de eenden eindelijk bezweken onder de milieuramp, vroeg hij zichzelf: *waarom, in Allah's naam, ben ik hier?* En het antwoord kwam weer terug met de hardnekkigheid van braaksel: *omdat ik gewoon nergens anders kan zijn.*

Tik, tik, tik. Samad was dankbaar voor het geluid van stokje op muziekstandaard, dat deze gedachten onderbrak, deze gedachten die aan waanzin grensden.

'Luister, kinderen, kinderen. Stop. Sst, even rustig.' Monden weg van instrumenten, strijkstokken omlaag. 'Omláág, Anita. Dat is het, juist, op de vloer ermee. Dánk je. Luister, jullie hebben waarschijnlijk al opgemerkt dat we vandaag een bezoeker hebben.' Ze draaide zich naar hem om en hij deed zijn uiterste best een of ander deel van haar te vinden waarop hij zijn blik kon richten, een vierkante centimeter, ergens, die zijn roerige bloed niet zou verhitten. 'Dit is meneer Iqbal, de vader van Magid en Millat.'

Samad stond op alsof hem gevraagd was in de houding te gaan staan, drapeerde zijn overjas met brede revers zorgvuldig over zijn licht ontvlambare kruis, wuifde nogal slapjes, ging weer zitten.

'Zeg "Hallo, meneer Iqbal".'

'HALLO, MENEER ICK-BALL,' schalde het klinkende koor van alle musici op twee na.

'Nou, willen we niet driemaal zo goed spelen omdat we publiek hebben?'

'JA, JUF BURT-JONES.'

'En meneer Iqbal is niet alleen ons publiek voor vandaag, maar hij is ook heel speciaal publiek. Het komt door meneer Iqbal dat we volgende week het *Zwanenmeer* niet meer zullen spelen.'

Deze aankondiging werd ontvangen met een geweldig gejuich, begeleid door een ongecoördineerd akkoord van trompetgetoeter, tromgeroffel en een bekken.

'Goed, goed, zo is het genoeg. Zo veel vreugdevolle bijval had ik niet verwacht.'

Samad glimlachte. Ze had humor dus. Er was geestigheid daar, een beetje scherpte – maar waarom denken dat de zonde kleiner was naarmate er meer redenen waren om te zondigen? Hij dacht weer als een christen; hij zei *eerlijk is eerlijk* tegen de Schepper.

'Instrumenten omlaag. Ja, jíj, Marvin. Dank je zeer.'

'Wat gaan we dan in plaats daarvan doen, juf?'

'Nou...' begon Poppy Burt-Jones – dezelfde half kokette, half uitdagende glimlach die hij eerder had gezien. 'Iets héél spannends. Volgende week wil ik wat experimenteren met Indiase muziek.'

De bekkenspeler, die twijfelde aan de plaats die hij kon innemen bij een zo radicale verandering van genre, waagde het de eerste te zijn om dit plan te bespotten. 'Wat, u bedoelt die Iiiii-IIIEEeeee-IIIiiii-EEOoooo-muziek?' zei hij, een geloofwaardige impressie ten beste gevend van de tonen aan het begin van een Hindi-musical, of in de achterkamer van een 'Indiaas' restaurant, in combinatie met de begeleidende hoofdbewegingen. De klas stootte een brullend gelach uit, zo luid als de kopersectie, en echode de kwinkslag massaal: *Iiii Ieeeoo OOOEeeeh Iiii OOOiieeee...* Dit drong, samen met krijsende parodiërende violen, door tot Samads diepe, erotische dagdroom en stuurde zijn fantasie naar een tuin, een tuin omringd door marmer waar hij zichzelf aantrof gekleed in het wit en zich verbergend achter een grote boom, glurend naar een in sari gehulde, *bindi*-dragende Poppy Burt-Jones die koket een paar fonteinen in en uit kronkelde; soms zichtbaar, soms niet.

'Ik vind niet...' begon Poppy Burt-Jones, pogend het kabaal te overstemmen, toen, enkele decibellen hoger, 'IK VIND NIET DAT HET ERG AARDIG IS OM...' en hier gleed haar stem terug naar normaal toen de klas de boze toon registreerde en rustiger werd. 'Ik vind niet dat het erg aardig is om de draak te steken met *de cultuur van anderen*.'

De orkestleden, niet beseffend dat dat was wat ze hadden gedaan, maar wel beseffend dat het de gruwelijkste misdaad was uit het reglement van de Manor School, staarden naar hun collectieve voeten.

'Vinden jullie dat aardig? Vinden jullie dat aardig? Hoe zou jíj het vinden, Sophie, als iemand de draak stak met Queen?

Sophie, een wat zwakbegaafd meisje van twaalf dat van top tot teen bedekt was met de speciale attributen van die rockband, gluurde woest over haar borrelglaasjesbril.

'Zou ik niet leuk vinden, juf.'

'Nee, dat zou je niet leuk vinden, hè?'

'Nee, juf.'

'Want Freddie Mercury is van jóuw cultuur.'

Samad had de geruchten gehoord die rondgingen in de gelederen van de kelners van de Palace en erop neerkwamen dat die Mercury-figuur in feite een Pers was met een zeer lichte huid die Farookh heette en die de hoofdkok zich herinnerde van school in Panchgani, dicht bij Bombay. Maar wie wilde haren kloven? Omdat hij de verrukkelijke Burt-Jones niet wilde stoppen nu ze zo op gang was, hield Samad de informatie voor zich.

'Soms vinden we de muziek van andere mensen vreemd doordat hun cultuur anders is dan die van ons,' zei juf Burt-Jones plechtig. 'Maar dat betekent niet dat het niet net zo goed is, nietwaar?'

'NEE, JUF.'

'En we kunnen door elkaars cultuur over elkaar leren, nietwaar?'

'JA, JUF.'

'Van wat voor muziek hou jij, Millat?'

Millat dacht een ogenblik na, zwaaide zijn saxofoon naar zijn zij en begon hem te bespelen als een gitaar. '*Bo-orn to ruuun! Da da da da daaa*! Bruce Springsteen, juf! *Da da da da daaa! Baby we were bo-orn...*'

'Eh, niets... niets anders? Iets waar je thuis naar luistert misschien?'

Millats gezicht betrok, verward omdat zijn antwoord niet het juiste antwoord scheen te zijn. Hij keek naar zijn vader, die achter de lerares wild stond te gebaren in een poging de schokkerige hoofd- en handbewegingen uit te drukken van *bharata natyam*, de dansvorm waarvan Alsana ooit had genoten voordat droefenis haar hart bedrukte en baby's haar handen en voeten bonden.

'*Thriiiii-ller*!' zong Millat uit volle borst in de veronderstelling dat hij begrepen had waar zijn vader naar toe wilde. '*Thriii-ller night!* Michael Jackson, juf! Michael Jackson!'

Samad legde zijn hoofd in zijn handen. Juf Burt-Jones keek bevreemd naar het jonge kind dat voor haar op een stoel stond rond te draaien en naar zijn kruis te grijpen. 'Oké, dank je, Millat. Dank je dat je ons... daarvan deelgenoot hebt gemaakt.'

Millat grijnsde. 'Geen probleem, juf.'

Terwijl de kinderen in de rij gingen staan om twintig pence in te wisselen voor twee droge volkorenbiscuitjes en een beker smaakloze kwast volgde Samad als een roofdier de lichte tred van Poppy Burt-Jones naar de muziekkamer – een kleine ruimte, zonder ramen, zonder een mogelijkheid om te ontsnappen, en vol instrumenten, dossierkasten barstensvol bladmuziek en een geur waarvan Samad had gedacht dat hij de hare was maar die hij nu herkende als die van ouder wordend leer van vioolkisten vermengd met de weeïge lucht van kattendarm.

'Is dit,' zei Samad, toen hij een bureau ontwaarde onder een berg papier, 'waar u werkt?'

Poppy bloosde. 'Piepklein, hè? De budgetten voor muziek worden elk jaar verlaagd, tot er dit jaar niets meer over was om te verlagen. Het is zo ver gekomen dat ze bureaus in kasten zetten en die werkkamers noemen. Als de gemeenteraad er niet voor had gezorgd, zou er niet eens een bureau zijn.'

'Het is inderdaad klein,' zei Samad, de ruimte wanhopig afzoekend naar een plek waar hij zou kunnen staan zonder dat zij binnen armbereik was. 'Je zou het bijna claustrofobisch noemen.'

'Ik weet het, het is afschuwelijk... maar wilt u niet gaan zitten?'

Samad zocht naar de stoel waarnaar ze wellicht verwees.

'O god! Het spijt me! Hier.' Ze veegde met één hand papier, boeken en rommel op de grond, waardoor een riskant uitziende kruk te voorschijn kwam. 'Ik heb hem gemaakt, maar hij is behoorlijk veilig.'

'Bent u goed in timmerwerk?' vroeg Samad, opnieuw op zoek naar goede redenen om een slechte zonde te begaan. 'Meubelmaakster én musicus?'

'Nee, nee, nee... ik heb een paar avondcursussen gedaan... niets bijzonders. Ik heb die gemaakt en een voetenbankje, en het voetenbankje is kapot gegaan. Ik ben geen... weet u dat ik op geen enkele timmerman kan komen!'

'Jezus is er altijd nog.'

'Maar ik kan moeilijk zeggen "ik ben geen Jezus"... Ik bedoel, dat is natuurlijk wel duidelijk, maar om andere redenen.'

Samad nam plaats op zijn wiebelige kruk, terwijl Poppy Burt-Jones achter haar bureau ging zitten. 'Bedoelt u dat u geen goed mens bent?'

Samad zag dat hij haar in verwarring had gebracht met de onopzettelijke ernst van de vraag; ze haalde haar vingers door haar pony, speelde met een schildpadknoopje van haar blouse, lachte beverig. 'Ik zie mezelf graag als iemand die niet slecht is.'

'En dat is genoeg?'

'Nou... ik...'

'O, lieve hemel, neem me niet kwalijk...' begon Samad. 'Ik meende het niet serieus, juffrouw Burt-Jones.'

'Nou... Laten we zeggen dat ik geen Chippendale ben... dat volstaat.'

'Ja,' zei Samad vriendelijk, terwijl hij bij zichzelf dacht dat ze veel mooiere benen had dan een Queen Anne-stoel. 'Dat volstaat.'

'Zo, waar waren we?'

Samad boog zich licht over het bureau om haar aan te kijken. 'Waren we ergens, juffrouw Burt-Jones?'

(Hij gebruikte zijn ogen; hij herinnerde zich dat mensen altijd hadden gezegd dat het zijn ogen waren – die nieuwe jongen in Delhi, Samad Miah, zeiden ze, die heeft *ogen om voor te sterven.*)

'Ik zocht... zocht... ik zocht naar mijn aantekeningen... waar zijn mijn aantekeningen?'

Ze begon de catastrofe op haar bureau te doorzoeken, en Samad ging weer rechtop op zijn kruk zitten, zijn weinige voldoening halend uit het feit dat haar vingers, als hij zich niet vergiste, leken te trillen. Was er een *moment* geweest, zo-even? Hij was zevenenvijftig – het was zeker tien jaar geleden dat hij een moment had gehad – hij was er helemaal niet zeker van dat hij een moment zou herkennen als zich er een zou voordoen. *Ouwe man*, zei hij bij zichzelf terwijl hij zijn gezicht bette met een zakdoek, *ouwe dwaas*. Ga weg, nu – ga weg voor je verdrinkt in je eigen schuldige uitscheiding (want hij zweette als een rund), *ga weg voordat je het erger maakt*. Maar was het mogelijk? Was het mogelijk dat ze deze afgelopen maand – de maand waarin hij had gekneed en geloosd, gebeden en gesmeekt, deals had gemaakt en had gedacht, steeds aan haar had gedacht – dat zij aan hém had gedacht?

'O! Terwijl ik aan het zoeken ben... ik herinner me dat ik u iets wilde vragen.'

'Já!' zei het mensachtige stemmetje dat zich in Samads rechtertestikel had gevestigd. Wat de vraag ook mag zijn, het antwoord is já já já. Já, we zullen de liefde bedrijven op deze tafel hier, já, we zullen ervoor branden, en, já, juffrouw Burt-Jones, het antwoord is onvermijdelijk, onontkoombaar JÁ. En toch, daar waar de conversatie doorging, in de rationele wereld ruim een meter boven zijn balzak, bleek het antwoord 'woensdag' te zijn.

Poppy lachte. 'Nee, ik bedoel niet welke dag het is... zo dom zie ik er toch niet uit? Nee, ik bedoelde wát voor dag het is; ik bedoel, voor moslims. Ik zag namelijk dat Magid in een soort kostuum rondliep, en toen ik hem vroeg waar dat voor was, wilde hij niets zeggen. Ik maakte me grote zorgen dat ik hem op de een of andere manier had beledigd.'

Samad fronst zijn voorhoofd. Het is ergerlijk om aan je kinderen te worden herinnerd op het moment dat je de precieze tint en stijfheid probeert in te schatten van een tepel die zich zo kon doen gelden door beha en blouse heen.

'Magid? Maakt u zich geen zorgen om Magid. Ik ben ervan overtuigd dat hij niet beledigd was.'

'Ik had dus gelijk,' zei Poppy blij. 'Het is een soort, ik weet niet, vocaal vasten?'

'Eh... ja, ja,' hakkelde Samad, die zijn gezinsdilemma niet wilde onthullen. 'Het is een symbool van de... opmerking in de koran dat de dag des oordeels ons allen eerst bewusteloos zal maken. Met stomheid zal slaan, begrijpt u. Dus, dus, dus kleedt de oudste zoon van het gezin zich in zwart en, eh, onthoudt zich van spreken voor een... voor een... bepaalde periode als een proces van... van zuivering.'

Goeie god.

'Ik begrijp het. Dat is fascinerend. En Magid is de oudste?'

'Met twee minuten.'

Poppy glimlachte. 'Maar net dus.'

'Twee minuten,' zei Samad geduldig, want hij sprak tegen iemand die niet wist welke invloed zulke korte tijdspannes door de hele geschiedenis van de familie Iqbal heen hadden gehad, 'maken een groot verschil.'

'En heeft dat proces een naam?'

'*Amar durbol lagche.*'

'Wat betekent dat?'

Letterlijke vertaling: *ik voel me zwak.* Het betekent, juffrouw Burt-Jones, dat *elke vezel in mij zich verzwakt voelt door het verlangen u te kussen.*

'Het betekent,' zei Samad hardop, zonder enige aarzeling, 'zwijgende verering van de schepper.'

'Amar durbol lagche. Wauw,' zei Poppy Burt-Jones.

'Inderdaad,' zei Samad Miah.

Poppy Burt-Jones boog zich naar voren op haar stoel. 'Ik weet niet... Voor mij is het zo'n ongelooflijke daad van zelfbeheersing. We hebben dat gewoon niet in het Westen... dat besef van opoffering. Ik heb gewoon zo'n bewondering voor het besef dat jullie hebben van onthouding, van *zelfbedwang.*'

Op dat moment schopte Samad de kruk onder zich vandaan als een man die zich verhangt en sloot de praatgrage lippen van Poppy Burt-Jones met zijn eigen koortsachtige lippen.

7

MAALTANDEN

En de zonden van de oosterse vader zullen bezocht worden op de westerse zonen. Vaak nemen ze de tijd, liggen ze opgeslagen in de genen als kaalheid of prostaatkanker maar soms nog op dezelfde dag. Soms nog op hetzelfde ogenblik. Dat zou tenminste verklaren hoe, twee weken later, tijdens het oude druïdische oogstfeest, te zien is hoe Samad rustig het enige overhemd dat hij nooit naar de moskee heeft gedragen (*Voor de zuiveren van geest zijn alle dingen zuiver*) in een plastic zak pakt, zodat hij zich later kan omkleden en juffrouw Burt-Jones kan ontmoeten (4.30 uur, de grote klok van Harlesden) zonder argwaan te wekken... terwijl Magid en een van-mening-veranderde Millat slechts vier blikken – voorbij-hun-uiterste-verkoopdatum – kikkererwten, een zak gemengde chips en een paar appels in twee rugzakken stoppen (*Eerlijk is eerlijk*) ter voorbereiding op een ontmoeting met Irie (4.30 uur, ijsventer) en een bezoek aan de hun toegewezen oude man, de man aan wie ze heidense liefdadigheid zullen brengen, ene meneer J.P. Hamilton wonend aan Kensal Rise.

Onbekend bij alle betrokkenen, lopen deze twee reizen via oude verbindingslijnen – of, om het in moderne termen te zeggen, dit is een herhaling. We hebben dit al eerder gezien. Dit lijkt op tv kijken in Bombay of Kingston of Dacca, dezelfde Britse komische tv-series zien die in de oude kolonies in één vervelende oneindige cirkel worden uitgebraakt. Want immigranten zijn altijd gevoelig geweest voor herhaling – het heeft iets te maken met die ervaring van verhuizen van West naar Oost of van Oost naar West of van eiland naar eiland. Zelfs wanneer je gearriveerd bent, ga je nog heen en weer; je kinderen gaan rond en rond. Er is geen goede term voor – *erfzonde* lijkt te sterk; misschien zou *erftrauma* beter zijn. Een trauma is tenslotte iets wat men herhaalt en herhaalt, en dat is de tragedie van de Iqbals – dat ze niet anders kunnen dan de spurt herhalen die ze ooit gemaakt hebben van het ene land naar het andere, van het ene geloof naar het andere, van een bruin vaderland naar de bleke, sproeterige armen van een Britse vorst. Het zal een paar herhalingen duren voordat ze verdergaan naar het volgende herkenningsdeuntje. En dat is wat er gaande is terwijl Alsana lawaaiig zit te naaien op haar monsterlijke Singer-machine, een dubbel stiksel legt rond de leegte van een kruisloze broek, zonder aandacht te schenken aan de vader en de zoons, die door het huis sluipen en kleren en voorraden pakken. Het is een epidemie van herhaling. Het is een spurt over continenten. Het is een herhaling. Maar één tegelijk nu, één tegelijk...

❦

En hoe bereiden jongeren zich voor op een ontmoeting met ouderen? Op dezelfde manier als ouderen zich voorbereiden op een ontmoeting met jongeren: met enige neerbuigendheid, met een lage dunk van de rationaliteit van de ander; in de wetenschap dat de ander moeilijk te begrijpen zal vinden wat zij zullen zeggen, dat het de ander ontgaat (niet zozeer boven de pet als wel tussen de benen), en met het gevoel dat ze moeten aankomen met iets wat de ander lekker zal vinden, iets geschikts. Zoals rozijnenkoekjes.

'Ze vinden ze lekker,' legde Irie uit toen de tweeling twijfels uitte over haar keuze, terwijl ze met zijn drieën naar hun bestemming hobbelden op de bovenverdieping van bus 52. 'Ze houden van de rozijnen die erin zitten. Oude mensen houden van rozijnen.'

Vanuit de cocon van zijn Tomytronic zei Millat snuivend: 'Niemand houdt van rozijnen. Dooie druiven... blurgh. Wie wil die dingen nou eten?'

'Oude mensen vinden ze lekker,' hield Irie vol terwijl ze de koekjes terugstopte in haar tas. 'En ze zijn niet dood, trouwens, ze zijn gedroogd.'

'Ja, nadat ze zijn doodgegaan.'

'Hou op, Millat. Magid, zeg dat hij op moet houden!'

Magid duwde zijn bril omhoog naar zijn neusbrug en veranderde diplomatiek van onderwerp. 'Wat heb je nog meer?'

Irie stopte haar hand in haar tas. 'Een kokosnoot.'

'Een kokosnoot!'

'Misschien weet je dat niet,' snauwde Irie, terwijl ze de noot buiten bereik van Millat bracht, 'maar oude mensen houden van kokosnoten. Ze kunnen de melk voor de thee gebruiken.'

Ondanks de braakgeluiden van Millat, ging Irie door. 'En ik heb wat knapperig stokbrood en wat kaaskoekjes en wat appels...'

'Wíj hebben appels, *muts*,' onderbrak Millat haar; 'muts' betekende, om een of andere onverklaarbare reden verborgen in de etymologie, *stommeling*, *trut*, *dombo*, een verliezer van de meest kolossale afmetingen.

'Nou, ik heb méér en bétere appels, hoor, en muntkoek en wat akee en zoutevis.'

'Ik haat akee en zoutevis.'

'Wie zei dat je het moest eten?'

'Ik wil het niet.'

'Nou, je krijgt het niet.'

'Nou, goed, want ik wil het niet.'

'Nou, goed, want je krijgt het niet ook al zou je het willen.'

'Nou, dat komt goed uit want ik wil het niet. Schande,' zei Millat, en zonder zijn Tomytronic te verwijderen deelde hij schande uit door, zoals traditioneel gebeurde, met zijn handpalm over Iries voorhoofd te strijken. 'Schande, schande, zweet in je hande.'

'Nou, je hoeft helemaal niet bang te zijn want je krijgt het niet...'

'Ooo, voel eens hoe heet, voel eens hoe heet!' gilde Magid terwijl hij nogmaals met zijn kleine hand over haar voorhoofd wreef. 'Je moet je hartstikke schamen, man!'

'Nou, ik hoef me niet te schamen, jij moet je hartstikke schamen want het is voor meneer J.P. Hamilton...'

'Onze halte!' riep Magid, terwijl hij overeind schoot en onnodig vaak aan het bellenkoord trok.

'Als je het mij vraagt,' zei een humeurige AOW'er tegen een andere, 'moeten ze allemaal teruggaan naar hun eigen...'

Maar deze, de oudste zin van de wereld, werd overstemd door gerinkel van bellen en gestamp van voeten, tot hij zich terugtrok onder de banken bij de kauwgom.

'Schande, schande, zweet in je hande,' kwaakte Magid. En ze raasden met zijn drieën de trap af en de bus uit.

En bus 52 gaat twee kanten op. Van de caleidoscoop van Willesden kun je hem, net als de kinderen, naar het zuiden nemen: door Kensal Rise, naar Portobello, naar Knightsbridge, en de vele kleuren geleidelijk aan zien overgaan in de heldere witte lichten van de binnenstad, of je kunt hem, zoals Samad deed, naar het noorden nemen; Willesden, Dollis Hill, Harlesden, en met angst zien (als je bang bent, zoals Samad, als je niet meer van de stad hebt geleerd dan de straat over te steken bij de aanblik van mannen met donkere huid) hoe wit vervaagt tot geel vervaagt tot bruin, en dan komt de klok van Harlesden in zicht, die net als het standbeeld van koningin Victoria in Kingston staat – een grote witte steen te midden van zwart.

Samad was verbaasd geweest, ja verbáásd, dat het Harlesden was wat ze tegen hem had gefluisterd toen hij haar hand had gedrukt na de kus – die kus die hij nog steeds kon proeven – en gevraagd had waar hij haar kon vinden, weg van hier, vér weg van hier ('*mijn kinderen, mijn vrouw*,' had hij onsamenhangend gemompeld), in de verwachting 'Islington' te horen of misschien 'West Hampstead' of op zijn minst 'Swiss Cottage' en in plaats daarvan 'Harlesden' te horen. 'Ik woon in Harlesden.'

'Stonebridge Estate?' had Samad geschrokken gevraagd, verbaasd over de creatieve manieren die Allah vond om hem te straffen en met een voorstelling van zichzelf boven op zijn nieuwe geliefde met een twaalf centimeter lang mes van een gangster in zijn rug.

'Nee, maar niet ver daarvandaan. Wil je iets afspreken?'

Samads mond was die dag de eenzame schutter geweest op de Grassy Knoll, die zijn hersenen vermoordde en zichzelf aan de macht bracht.

'Ja. O, verdomme. Já.'

En toen had hij haar opnieuw gekust en – daarmee iets wat nog relatief kuis was in iets anders veranderend – zijn linkerhand om haar borst leggend genoten van haar stokkende adem toen hij dat deed.

Toen hadden ze de korte, obligate uitwisseling gehad die mensen die vreemdgaan moeten hebben om zich minder te voelen als mensen die vreemdgaan.

'Ik zou dit echt niet...'

'Ik weet absoluut niet hoe dit...'

'Nou, we moeten elkaar in ieder geval ontmoeten om te bespreken wat er...'

'Inderdaad, wat er gebeurd is; we moeten erover...'

'Want er is iets gebeurd, maar...'

'Mijn vrouw... mijn kinderen...'

'Laten we het wat tijd gunnen... woensdag over twee weken? Halfvijf? De klok van Harlesden?'

Hij kon zichzelf, in deze platvloerse puinhoop, tenminste feliciteren met zijn timing: 4.15 uur tegen de tijd dat hij uit de bus stapte, wat hem vijf minuten gaf om de toiletten van McDonald's binnen te wippen (die zwarte bewakers bij de deur hadden, zwarte bewakers om de zwarten buiten te houden), zich uit zijn restaurantkleren te wurmen en in een donkerblauw pak, een wollen v-halspullover en een grijs overhemd, waarvan de zak een kam bevatte om zijn dikke haar in een gehoorzame vorm te dwingen. Tegen die tijd was het 4.20 uur: vijf minuten om een bezoek te brengen aan neef Hakim en zijn vrouw Zinat, die de plaatselijke knakenzaak dreven (een soort winkel die werkt onder de valse voorstelling dat er geen artikelen verkocht worden boven deze prijs, terwijl het bij nadere beschouwing de minimumprijs van het aanbod blijkt te zijn) en hem zonder het te weten van een alibi moesten voorzien.

'Samad Miah, o! Wat zie je er mooi uit vandaag... dat kan niet zonder een reden zijn.'

Zinat Mahal: een mond zo groot als de Blackwall Tunnel en Samad rekende erop.

'Dank je, Zinat,' zei Samad, en hij keek bewust alsof hij iets te verbergen had. 'En wat de reden betreft... ik weet niet zeker of ik die moet zeggen.'

'Samad! Mijn mond is als het graf! Alles wat mij wordt verteld, sterft met mij.'

Alles wat Zinat werd verteld, zette het telefoonnetwerk in lichterlaaie, kaatste onderweg van antennes, radiogolven en satellieten om uiteindelijk opgepikt te worden door hoogontwikkelde buitenaardse beschavingen terwijl het door de atmosfeer van ver verwijderde planeten stuiterde.

'Nou, om je de waarheid te zeggen...'

'Bij Allah, schiet op!' riep Zinat, die zo gek was op roddel dat ze zich nu bijna aan

de andere kant van de toonbank bevond. 'Waar ga je heen?'
'Nou... ik ga naar een man in Park Royal om over een levensverzekering te praten. Ik wil dat mijn Alsana na mijn dood goed verzorgd achterblijft, maar...' zei hij, een vinger heen en weer bewegend voor zijn fonkelende, met juwelen bedekte ondervraagster die te veel oogschaduw droeg. 'Ik wil niet dat ze het weet! Gedachten aan de dood zijn gruwelijk voor haar, Zinat.'
'Hoor je dat, Hakim? Er zijn mannen die zich zorgen maken over de toekomst van hun vrouw! Schiet op! Ga, laat me je niet ophouden, neef. En maak je geen zorgen,' riep ze hem achterna, terwijl ze al met haar lange, omkrullende nagels naar de telefoon greep, 'ik zal geen woord tegen Alsi zeggen.'
Alibi geregeld waren er nog drie minuten over voor Samad om te bedenken wat een oude man meebrengt voor een jong meisje; iets wat een oude bruine man meebrengt voor een jong blank meisje op het kruispunt van vier zwarte straten; iets passends...
'Een kokosnoot?'
Poppy Burt-Jones nam het harige voorwerp in haar handen en keek met een verblufte glimlach op naar Samad.
'Het is een ding van tegenstellingen,' begon Samad zenuwachtig. 'Met sap als een vrucht maar hard als een noot. Bruin en oud vanbuiten, wit en fris vanbinnen. Maar de combinatie is, denk ik, niet slecht. Wij gebruiken ze soms,' voegde hij eraan toe, niet wetend wat hij anders moest zeggen, 'in de curry.'
Poppy glimlachte, een fantastische glimlach die alle natuurlijke schoonheid van dat gezicht accentueerde en iets in zich had, dacht Samad, wat nog beter was, iets zonder schande, iets beters en zuiverders dan wat zij deden.
'Hij is prachtig,' zei ze.

Buiten op straat en vijf minuten van het adres op hun schoolformulieren, voelde Irie nog steeds de irritante steek van de schande en wilde revanche.
'Tax die,' zei ze, wijzend naar een nogal aftandse motorfiets die bij het metrostation Kensal Rise stond. 'Tax die, en die,' met een gebaar naar twee BMX'en ernaast.
Millat en Magid kwamen onmiddellijk in actie. De praktijk van iets 'taxeren', waarbij je als een zojuist gearriveerde kolonist recht op iets deed gelden, was bekend en geliefd bij beiden.
'*Cha, man*! Echt, ik wíl die troep niet taxeren,' zei Millat met het Jamaicaanse accent dat alle kinderen, van welke nationaliteit dan ook, gebruikten om minachting uit te drukken. 'Ik tax dát,' zei hij, wijzend naar een inderdaad indrukwekkende kleine glanzende rode MG die op het punt stond de hoek om te rijden. 'En dát!' riep hij toen er een BMW langs zoefde en net voordat Magid het kon doen. 'Man, je wéét dat ik dat tax,' zei hij tegen Magid, die er niet tegen inging. 'Overduidelijk.'
Irie, een beetje van haar stuk gebracht door deze onverwachte wending, wendde

haar blik van de weg naar de grond en werd plotseling getroffen door een flits van inspiratie.

'Ik tax díe!'

Magid en Millat stonden stil en keken vol ontzag naar de volmaakt witte Nikes die nu in Iries bezit waren (met één rood en één blauw vinkje; zo mooi, zoals Millat later opmerkte, dat je er wel een eind aan wilde maken), hoewel ze voor het blote oog in de richting van Queens Park leken te lopen en vastzaten aan een lange, cool uitziende zwarte jongen met rastahaar.

Millat knikte met tegenzin. 'Respect daarvoor. Ik wou dat ik ze had gezien.'

'Tax!' zei Magid ineens, en hij duwde een vieze vinger tegen een of andere winkelruit in de richting van een meer dan een meter lange scheikundedoos met het gezicht van een ouder wordende tv-persoonlijkheid op de voorkant.

Hij beukte op het raam. 'Wauw! Ik tax dat!'

Hierop volgde een korte stilte.

'Dát?' vroeg Millat ongelovig. 'Dát? Een scheikundedoos?'

Voordat die arme Magid wist wat hem overkwam, hadden twee handen een woeste klap op zijn voorhoofd gegeven en wreven nog even goed voor de zekerheid. Magid wierp Irie een soort smekende *et tu Brute*-blik toe, in de wetenschap dat het zinloos was. Er is geen solidariteit onder bijna-tienjarigen.

'Schande! Schande! Zweet in je hande!'

'Maar meneer J.P. Hamilton,' kreunde Magid vanonder de brandende schande. 'We zijn er. Zijn huis is daar. Het is een rustige straat; we kunnen niet zo veel lawaai maken. Hij is oud!'

'Maar als hij oud is, zal hij wel doof zijn,' redeneerde Millat. 'En als je doof bent, kun je niet horen.'

'Zo werkt het niet. Het is moeilijk voor oude mensen. Je begrijpt het niet.'

'Hij is misschien wel te oud om de spullen uit de tassen te halen,' zei Irie. 'We kunnen ze er beter uit halen en in onze handen houden.'

Ze werden het hierover eens, en er ging enige tijd voorbij met het rangschikken van alle levensmiddelen in de handen en alle hoeken en gaten van het lichaam, zodat ze meneer J.P. Hamilton konden 'verrassen' met de omvang van hun liefdadigheid wanneer hij de deur zou openen. Meneer J.P. Hamilton, op zijn stoep geconfronteerd met drie donkere kinderen die een groot aantal projectielen omklemden, was naar behoren verrast. Net zo oud als ze zich hadden voorgesteld maar veel langer en schoner, opende hij de deur slechts op een kier, waarbij hij zijn hand met zijn bergketen van blauwe aders op de knop hield en zijn hoofd om de hoek stak. Hij deed Irie denken aan een deftige oudere adelaar: plukjes haar staken uit oorschelpen, manchetten en kraag van zijn overhemd en één witte lok viel over zijn voorhoofd; zijn vingers waren als klauwen in een permanente kramp gespannen en hij was goed gekleed, zoals je zou verwachten van een oudere Engelse vogel in Wonderland – een suède vest en een tweedjasje, en een horloge aan een gouden ketting.

En schitterend als een ekster, van de blauwe glinstering in zijn ogen, niet afgezwakt door de witte en rode omgeving, de glans van een zegelring, vier zilveren medailles net boven zijn hart en de zilverkleurige rand van een pakje sigaretten dat net uit zijn borstzakje piepte.

'Alsjeblieft,' klonk de stem van de vogelman, een stem waarvan zelfs de kinderen vermoedden dat hij bij een andere stand hoorde, een andere tijd. 'Ik moet jullie verzoeken je te verwijderen van mijn stoep. Ik heb geen geld, dus mochten jullie beroving of een verkooptransactie in de zin hebben dan vrees ik jullie te moeten teleurstellen.'

Magid stapte naar voren in een poging zich in het blikveld van de oude man te plaatsen, want het linkeroog, blauw als een rayleigh-verstrooiing, had naar iets achter hen heen gekeken, terwijl het rechter zo samengeperst was door rimpels dat het bijna dicht zat. 'Meneer Hamilton, weet u het niet meer, de school heeft ons gestuurd; dit zijn...'

Hij zei: 'Goedendag dan,' alsof hij afscheid nam van een oudere tante die aan een treinreis begon, toen nog eens 'Goedendag', en door twee panelen van goedkoop gebrandschilderd glas in de gesloten deur zagen de kinderen de lange gestalte van meneer Hamilton, wazig als door hitte, langzaam van zich weglopen door een gang, tot de bruine vlekken van hem samensmolten met de bruine vlekken van het interieur en de eerste vrijwel verdwenen.

Millat trok zijn Tomytronic omlaag rond zijn hals, fronste zijn wenkbrauwen, en sloeg resoluut met zijn kleine vuist op de deurbel, die hij ingedrukt hield.

'Misschien,' stelde Irie, 'wil hij de spullen niet.'

Millat liet de deurbel een ogenblik los. 'Hij moet ze willen. Hij heeft erom gevraagd,' gromde hij, en hij drukte weer met al zijn kracht op de bel. ''t Is Gods oogst, toch? Meneer Hamilton! Meneer J.P. Hamilton!'

En toen werd dat trage proces van verdwijning teruggespoeld en begon hij zich via de atomen van een trap en een ladekast opnieuw samen te voegen tot hij weer levensgroot was en langs de deur gebogen stond.

Millat, die weinig geduld had, duwde hem het schoolformulier in zijn hand. ''t Is Gods oogst.'

Hij schudde zijn hoofd als een vogel in een vogelbadje. 'Nee, nee, ik laat me echt niet dwingen tot aankopen aan mijn eigen deur. Ik weet niet wat jullie verkopen... lieve hemel laat het geen encyclopedieën zijn... op mijn leeftijd heeft een mens niet méér maar mínder informatie nodig.'

'Maar het is gratis!'

'O... ja, juist... waarom?'

''t Is Gods oogst,' herhaalde Magid.

'De plaatselijke gemeenschap helpen. Meneer Hamilton, u moet met onze lerares hebben gesproken, want zij heeft ons hierheen gestuurd. Misschien bent u het vergeten,' voegde Irie er met haar volwassen stem aan toe.

Meneer Hamilton raakte droevig zijn slaap aan als om de herinnering terug te roepen, deed toen heel langzaam zijn voordeur helemaal open en zette een klein vogelstapje naar voren in de herfstzon. 'Nou... kom dan maar binnen.'

Ze volgden meneer Hamilton naar de donkere hal van zijn stadswoning. Deze was tot aan de rand gevuld met gehavende en beschadigde Victoriaanse curiosa, afgewisseld door tekenen van een recenter leven – kapotte kinderfietsen, een afgedankte Speak & Spell, vier paar bemodderde rubberlaarzen in de verschillende maten van een gezin.

'Zo,' zei hij monter, toen ze de woonkamer bereikten met zijn prachtige erker waardoor een uitgestrekte tuin te zien was, 'wat hebben we hier?'

De kinderen deponeerden hun lading op een mottige chaise longue, waarbij Magid de samenstelling opdreunde als artikelen van een boodschappenlijst, terwijl meneer Hamilton een sigaret opstak en de stadspicknick met beverige vingers inspecteerde.

'Appels... o, lieve hemel, nee... kikkererwten... nee, nee, nee, chips...'

Zo ging het verder, waarbij elk artikel op zijn beurt werd opgepakt en afgekraakt, tot de oude man met enigszins vochtige ogen naar hen opkeek. 'Ik kan hier niets van eten... te hard, veel te hard. Ik zal waarschijnlijk niet veel verder komen dan de melk uit die kokosnoot. Maar goed... we drinken een kopje thee, nietwaar? Willen jullie een kopje thee?'

De kinderen keken hem uitdrukkingsloos aan.

'Toe, beste kinderen, ga toch zitten.'

Irie, Magid en Millat schoven zenuwachtig naast elkaar op de chaise longue. Er klonk een klik-klakgeluid, en toen ze opkeken lagen de tanden van meneer Hamilton op zijn tong, alsof een tweede mond uit de eerste was gekomen. En toen, in een wip, zaten ze er weer in.

'Ik kan gewoon niets eten tenzij het van tevoren helemaal fijn is gemaakt, begrijpen jullie? Mijn eigen schuld. Jaren en jaren van verwaarlozing. Schone tanden... nooit een prioriteit in het leger.' Hij maakte een onbeholpen gebaar naar zichzelf, een onhandige por naar zijn eigen borst met een trillende hand. 'Ik zat in het leger, begrijpen jullie? Maar vertel me: hoe vaak poetsen jullie je tanden?'

'Drie keer per dag,' loog Irie.

'LEUGENAAR,' riepen Millat en Magid in koor. 'Klit in je haar!'

'Tweeënhalf keer.'

'Nou, lieve hemel, wat is het?' zei meneer Hamilton, terwijl hij met zijn ene hand zijn broek gladstreek en met zijn andere zijn thee pakte.

'Eén keer per dag,' zei Irie schaapachtig, door de bezorgdheid in zijn stem gedwongen de waarheid te vertellen. 'Meestal.'

'Ik ben bang dat je daar spijt van zult krijgen. En jullie?'

Magid was halverwege het formuleren van een of andere ingewikkelde fantasie over een tandenborstelmachine die het deed terwijl je sliep, maar Millat was eerlijk. 'Hetzelfde. Eén keer per dag. Ongeveer.'

Meneer Hamilton ging peinzend achterover zitten. 'Soms vergeten we de grote betekenis van onze tanden. We zijn niet als de lagere diersoorten, die tanden regelmatig vervangen en zo; wij horen bij de zoogdieren, begrijpen jullie? En zoogdieren krijgen maar twee kansen, met tanden. Meer suiker?'

De kinderen, hun twee kansen indachtig, sloegen het aanbod af.

'Maar, zoals voor alle dingen geldt, zijn er twee kanten aan de medaille. Schone witte tanden zijn niet altijd verstandig, nietwaar? Par exemplum: toen ik in de Kongo was, kon ik een neger alleen herkennen aan de witheid van zijn tanden, als jullie begrijpen wat ik bedoel. Slechte zaak. Pikkedonker was het. En dat kostte ze hun leven, begrijpen jullie? Arme stakkerds. Of liever, ik heb het overleefd, als je er op een andere manier naar kijkt, begrijpen jullie dat?'

De kinderen zwegen. En toen begon Irie te huilen, heel zachtjes.

Meneer Hamilton vervolgde: 'Dat zijn de razendsnelle beslissingen die je in de oorlog neemt. Je ziet wat wits in een flits en pang! om het zo maar te zeggen... Pikkedonker. Vreselijke tijden. Al die prachtige jongens dood op de grond, recht voor me, recht voor mijn voeten. Buik open, weet je, hun darmen over mijn schoenen. Als het einde van de wereld, verdomme. Prachtige mannen, gemobiliseerd door de moffen, zo zwart als roet; de arme kerels wisten niet eens waar ze waren, voor wie ze vochten, op wie ze schoten. De beslissing van het geweer. Zo snel, kinderen. Zo onmenselijk. Koekje?'

'Ik wil naar huis,' fluisterde Irie.

'Mijn vader was in de oorlog. Hij speelde voor Engeland,' deed Millat woedend en met een rood hoofd een duit in het zakje.

'Nou, jongen, bedoel je het voetbalteam of het leger?'

'Het Engelse leger. Hij bestuurde een tank. Een Churchill. Met haar vader,' legde Magid uit.

'Ik vrees dat jullie je vergissen,' zei meneer Hamilton, nog steeds deftig. 'Er waren beslist geen bruinjoekels voor zover ik me herinner... hoewel je dat tegenwoordig niet meer mag zeggen, denk ik. Maar nee... geen Pakistanen... wat hadden we ze te eten moeten geven? Nee, nee,' bromde hij, de vraag afwegend alsof hij in de gelegenheid werd gesteld op dat eigenste moment de geschiedenis te herschrijven. 'Echt, geen sprake van. Ik had dat gekruide eten nooit kunnen verdragen. Geen Pakistanen. De Pakistanen zouden in het Pakistaanse leger zijn geweest, begrijpen jullie, wat dat ook maar mag hebben voorgesteld. En wat die arme Britten betreft, die hadden al genoeg te stellen met ons oude Queens...'

Meneer Hamilton lachte zachtjes in zichzelf, draaide zijn hoofd om en bewonderde zwijgend de zich wijd uitspreidende takken van een kersenboom die een hele hoek van zijn tuin domineerde. Na een lange pauze draaide hij zich weer om en er stonden weer tranen in zijn ogen – snelle, scherpe tranen, alsof hij in het gezicht was geslagen. 'Nou, jongeheren, jullie zouden geen smoesjes moeten verkopen, hè? Van smoesjes rotten je tanden.'

'Het is geen leugen, meneer J.P. Hamilton, hij heeft echt meegedaan,' zei Magid, altijd de vredestichter, altijd de onderhandelaar. 'Hij is in zijn hand geschoten. Hij heeft medailles. Hij was een held.'

'En als je tanden rotten...'

'Het is waar!' schreeuwde Millat, met een schop tegen het theeblad dat op de vloer tussen hen in stond. 'Stomme ouwe klootzak.'

'En als je tanden rotten,' vervolgde meneer Hamilton, glimlachend naar het plafond, 'aaah, dan is er geen weg terug. Ze kijken niet meer naar je zoals daarvoor. De mooie keuren je geen tweede blik waardig, voor geen goud. Maar als je nog jong bent, zijn het de derde kiezen die belangrijk zijn. Ze worden gewoonlijk de verstandskiezen genoemd, geloof ik. Die derde kiezen, daar moet je als eerste iets aan doen. Dat was mijn ondergang. Jullie zullen ze nog niet hebben, maar mijn achterkleinkinderen beginnen ze net te voelen. Het probleem met derde kiezen is dat je nooit zeker weet of je mond groot genoeg is om er plaats voor te hebben. Ze zijn het enige deel van het lichaam waar een mens naar toe moet groeien. Hij moet groot genoeg zijn voor die tanden, begrijpen jullie? Want als dat niet het geval is... o, lieve help, dan groeien ze scheef of alle kanten op, of ze weigeren helemaal om te groeien. Ze blijven daar zitten, opgesloten in het bot... een inklemming, geloof ik, is de term... en een vreselijke, vreselijke infectie is het gevolg. Zorg dat ze er vroeg uitgaan, dat is wat ik mijn kleindochter Jocelyn vertel met betrekking tot haar zoons. Je moet gewoon. Je kunt er niets tegen doen. Ik wou dat ik het had gedaan. Ik wou dat ik het vroeg had opgegeven en me had ingedekt, als het ware. Want het zijn de tanden van je vader, snappen jullie, verstandskiezen worden doorgegeven door de vader, daar ben ik zeker van. Je moet dus groot genoeg voor ze zijn. God weet dat ik niet groot genoeg was voor die van mij... Laat ze eruithalen en poets drie keer per dag, als mijn goede raad iets betekent.'

Tegen de tijd dat meneer J.P. Hamilton weer omlaag keek om na te gaan of zijn goede raad iets betekende, waren zijn drie gekleurde bezoekers al verdwenen, de zak met appels met zich meenemend (appels die hij had overwogen door Jocelyn door de keukenmachine te laten halen); struikelend over hun eigen voeten, rennend om een groene ruimte te bereiken, om een van de longen van de stad te bereiken, een plek waar ze vrij konden ademhalen.

De kinderen kenden de stad. En ze wisten dat de stad de Gekken voortbrengt. Ze kenden meneer Wit-Gezicht, een Indiër die door de straten van Willesden loopt met een wit geverfd gezicht, blauw geverfde lippen en gekleed in een maillot en een paar bergschoenen; ze kenden meneer Krant, een lange, magere man in een regenjas tot op zijn enkels, die in de bibliotheek van Brent zit, de kranten van die dag uit zijn aktetas haalt en ze methodisch in repen scheurt; ze kenden Gekke Mary, een zwarte voodoovrouw met een rood gezicht, wier territorium zich uitstrekt van Kilburn tot Oxford Street maar die haar bezweringen oplegt vanaf een vuilnisbak in West Hampstead; ze kenden meneer Toupet, die geen wenkbrauwen heeft en een toupetje draagt, niet op zijn hoofd maar aan een koordje om zijn nek. Maar deze mensen kondigden hun gekte duidelijk aan – ze waren beter, minder angstaanjagend dan meneer J.P. Hamilton; ze liepen te koop met hun krankzinnigheid, ze waren niet half gek en half niet-gek, om een deur heen gebogen. Ze waren gek zoals het hoorde in shakespeariaanse zin – ze zeiden verstandige dingen wanneer je er het minst op bedacht was. In Noord-Londen, waar raadsleden ooit stemden voor verandering van de naam van het gebied in Nirwana, is het niet ongewoon om over straat te lopen en plotseling geconfronteerd te worden met wijze woorden van de kalkgezichten, blauwlippigen en wenkbrauwlozen. Van de overkant van de straat of van de andere kant van een metrowagon gebruiken ze hun schizofrene talent voor het ontwaren van verbanden in het willekeurige (voor het zien van de hele wereld in een korrel zand, voor het putten van verhalen uit het niets) om je toe te spreken in raadselen, in rijm, om je totaal te ontleden, om je te vertellen wie je bent en waar je heen gaat (meestal Baker Street – de grote meerderheid van de hedendaagse zieners reist met de Metropolitan Line) en waarom. Maar als stad waarderen we deze mensen niet. Ons instinct is dat ze van plan zijn ons in verlegenheid te brengen, dat ze eropuit zijn ons te beschamen terwijl ze door het gangpad slingeren, met uitpuilende ogen en een karbonkelneus, klaar om ons, onvermijdelijk, te vragen *waar we naar kijken*. Waar kijken we godverdomme naar. Als een soort preventief verdedigingsmechanisme hebben Londenaars geleerd niet te kijken, nooit te kijken, oogcontact te allen tijde te vermijden zodat de gevreesde vraag 'Waar kijk je naar?' en het armzalige, laffe, zinloze antwoord – 'Niets' – kan worden vermeden. Maar met de ontwikkeling van de prooi (en we zijn een prooi voor de Gekken, die ons achterna zitten, wanhopig om hun eigen soort waarheid over te brengen op de ongelukkige forens) ontwikkelt de jager zich, en de ware professionals beginnen genoeg te krijgen van die holle kreet 'Waar kijk je naar' en gaan zich op exotischer terrein begeven. Neem Gekke Mary. O, het principe is nog steeds hetzelfde, het gaat nog steeds om oogcontact en het gevaar dat te maken, maar nu maakt ze oogcontact van honderd, tweehonderd, zelfs driehonderd meter afstand, en als ze je erop betrapt dat jij hetzelfde doet, stormt ze brullend de straat af, met wapperende haren, veren en cape, voodoostok in de hand, tot ze daar is waar jij bent, op je spuugt en begint. Samad wist dat alles – ze hadden eerder met elkaar te maken gehad, hij en Gekke Mary met het rode gezicht; hij had zelfs de pech gehad naast haar in een bus te zitten. Elke andere dag had hij haar met gelijke munt betaald. Maar vandaag voelde hij zich schuldig en kwetsbaar, vandaag hield hij Poppy's hand vast terwijl de zon wegkroop; hij was niet opgewassen tegen Gekke Mary en haar venijnige waarheden, haar lelijke gekte – wat, uiteraard, precies de reden was waarom ze hem in de gaten hield, heel bewust in de gaten hield op Church Road.

'Niet kijken, voor je eigen veiligheid,' zei Samad. 'Blijf gewoon rechtdoor lopen. Ik had geen idee dat ze zo ver in Harlesden kwam.'

Poppy wierp een snelle blik op de veelkleurige, fladderende flits die op een denkbeeldig paard door de straat galoppeerde.

Ze lachte. 'Wie is dát?'

Samad verhoogde het tempo. 'Dat is Gekke Mary. En ze is in de verste verte niet grappig. Ze is gevaarlijk.'

'O, doe niet zo belachelijk. Dat ze dakloos is en problemen heeft met haar geestelijke gezondheid betekent nog niet dat ze iedereen kwaad wil doen. Arme vrouw; kun jij je voorstellen wat er in haar leven moet zijn gebeurd om haar zo te maken?'

Samad zuchtte. 'Om te beginnen is ze niet dakloos. Ze heeft elke verrijdbare vuilnisbak in West Hampstead gestolen en daar een heel behoorlijk onderkomen van gebouwd in Fortune Green. En ten tweede is ze geen "arme vrouw". Iedereen is doodsbang van haar, tot de gemeenteraad aan toe. Sinds ze het Ramchandra heeft vervloekt en de zaak binnen een maand op de fles ging, krijgt ze eten van elke buurtwinkel in Noord-Londen.' Samads gezette gestalte begon langzaamaan flink wat zweet te produceren, terwijl hij op een volgende versnelling overging als reactie op Gekke Mary die hetzelfde aan de overkant van de straat deed.

Buiten adem fluisterde hij: 'En ze houdt niet van blanken.'

Poppy's ogen werden groter. 'Is dat zo?' zei ze, alsof een dergelijk idee nooit in haar was opgekomen, en ze draaide zich om en maakte de fatale vergissing om te kijken. In een seconde was Gekke Mary boven op hen.

Een dikke kwat spuug raakte Samad recht tussen zijn ogen, op de brug van zijn neus. Hij veegde het weg, trok Poppy naar zich toe en probeerde Gekke Mary te ontwijken door de binnenplaats van St. Andrew's Church op te duiken, maar de voodoostok sloeg voor hen beiden op de grond en markeerde een streep in de steentjes en het stof die niet overschreden kon worden.

Ze sprak langzaam en met zo'n dreigende blik dat de linkerzijde van haar gezicht verlamd leek. 'Kijk... je... ergens... naar?'

Poppy wist 'Nee' uit te brengen.

Gekke Mary deelde een mep op Poppy's kuit uit met de voodoostok en richtte zich tot Samad. 'En jij! Kijk... je... ergens... naar?'

Samad schudde zijn hoofd.

Ineens schreeuwde ze. 'ZWARTE MAN! ZE LEGGEN JE OVERAL AAN BANDEN!'

'Alsjeblieft,' stamelde Poppy, die duidelijk doodsbang was. 'We willen geen moeilijkheden.'

'ZWARTE MAN! (Ze sprak graag in gepaarde rijm.) DE TEEF WIL JE ZIEN BRANDEN IN DE HEL!'

'We bemoeien ons met onze eigen zaken...' begon Samad, maar hij werd gestopt door een tweede projectiel, een fluim die hem op zijn wang raakte.

'*Door heuvel en dal weten ze je te vinden, te vinden, Door heuvel en dal zal de duivel zal de duivel je verslinden je verslinden.*' Dit werd voorgedragen in een soort zangerig gefluister, en ging vergezeld van een heen en weer gaande dans met uitgestrekte armen, de voodoostok stevig rustend onder de kin van Poppy Burt-Jones.

'*Wat hebben ze ooit voor ons lichaam gedaan dan ons vermoorden en tot slaaf maken? Wat hebben ze voor onze geest gedaan dan ons kwetsen en razend maken? Wat is de vervuiling?*'

Gekke Mary tilde Poppy's kin op met haar stok en vroeg opnieuw: 'WAT IS DE VERVUILING?'

Poppy huilde. 'Alsjeblieft... ik weet niet wat je van me wilt...'

Gekke Mary zoog op haar tanden en richtte haar aandacht weer op Samad. 'WAT IS DE VERVULLING?'

'Ik weet het niet.'

Gekke Mary sloeg hem met de stok tegen zijn enkels. 'WAT IS DE VERVULLING, ZWARTE MAN?'

Gekke Mary was een prachtige, een opvallende vrouw: een aristocratisch voorhoofd, een prominente neus, leeftijdloze gitzwarte huid en zo'n lange hals waar koninginnen slechts van kunnen dromen. Maar waar Samad zich op concentreerde, waren haar angstaanjagende ogen die een woede uitstraalden die op de rand lag van totale instorting, want hij zag dat ze tegen hem, en alleen tegen hem spraken. Poppy had hier niets mee te maken. Gekke Mary keek naar hem, in herkenning. Gekke Mary had een zielsverwant ontmoet. Zij had de krankzinnige in hem bespeurd (dat wil zeggen, de *profeet*); hij was ervan overtuigd dat ze de woedende man had bespeurd, de masturberende man, de man gestrand in de woestijn ver van zijn zoons, de vreemde man in een vreemd land gevangen tussen grenzen... de man die, als je hem maar genoeg onder druk zet, plotseling tot bezinning komt. Waarom zou ze hem anders uit een straat vol mensen hebben gepikt? Alleen omdat ze hem had herkend. Gewoon omdat ze van dezelfde plaats kwamen, Gekke Mary en hij, dat wil zeggen van *ver weg*.

'Satyagraha,' zei Samad, verbaasd over zijn eigen kalmte.

Gekke Mary, die niet gewend was haar vragen beantwoord te zien, keek hem stomverbaasd aan. 'WAT IS DE VERVULLING?'

'Satyagraha. Het is Sanskriet voor "waarheid en standvastigheid". Gandhi's woord. Hij hield namelijk niet van "passief verzet" of "burgerlijke ongehoorzaamheid".'

Gekke Mary begon zenuwachtig te bewegen en dwangmatig binnensmonds te vloeken, maar Samad voelde dat dit op de een of andere manier een luisterende Gekke Mary was, dat dit Gekke Mary's geest was die probeerde andere woorden dan die van haarzelf te verwerken.

'Die woorden waren niet groot genoeg voor hem. Hij wilde laten zien dat wat wij zwakte noemen sterkte was. Hij begreep dat niet te handelen soms de grootste overwinning van de mens is. Hij was een hindoe. Ik ben een moslim. Mijn vriendin hier is...'

'Rooms-katholiek,' zei Poppy beverig. 'Afvallig.'

'En jij bent?' begon Samad.

Gekke Mary zei een paar keer *kut*, *teef*, *rhasclaat* en spuugde op de grond, wat Samad als een teken beschouwde van afnemende vijandelijkheden.

'Wat ik wil zeggen...'

Samad keek naar de kleine groep methodisten die het lawaai had gehoord en zich nerveus bij de deur van St. Andrews begon te verzamelen. Hij kreeg zelfvertrouwen. Er had altijd een gemankeerde prediker in Samad gescholen. Een betweter, een Plato. Met een klein publiek en veel frisse lucht had hij zichzelf er altijd van kunnen overtuigen dat alle kennis van het universum, alle kennis op de muren, de zijne was.

'Wat ik wil zeggen is dat het leven een ruime kerk is, nietwaar?' Hij wees naar het lelijke gebouw van rode baksteen vol trillende gelovigen. 'Met brede gangpaden.' Hij wees naar de stinkende drukte van zwart, wit, bruin en geel die zich heen en weer door de straat bewoog. Naar de albinovrouw die bij de Cash & Carry madeliefjes stond te verkopen die ze op het kerkhof had geplukt. 'Waarlangs mijn vriendin en ik graag verder willen gaan als je daar geen bezwaar tegen hebt. Geloof me, ik begrijp je bezorgdheid,' zei Samad, nu geïnspireerd door die andere grote straatprediker van Noord-Londen, Ken Livingstone. 'Ik heb zelf moeilijkheden... we hebben allemaal moeilijkheden in dit land, dit land dat tegelijkertijd nieuw voor ons is en oud voor ons is. We zijn een verdeeld volk, nietwaar?'

En nu deed Samad iets bij Gekke Mary dat niemand in meer dan vijftien jaar had gedaan: hij raakte haar aan. Heel licht, op de schouder.

'We zijn gespleten mensen. Wat mij betreft, aan de ene kant wil ik rustig in mijn stoel zitten met mijn benen over elkaar en de dingen waar ik toch geen controle over heb over me heen laten komen. Maar aan de andere kant wil ik de heilige oorlog vechten. Jihad! En we zouden dit natuurlijk uit kunnen knokken op straat, maar ik denk, uiteindelijk, dat jouw verleden niet mijn verleden is en jouw waarheid niet mijn waarheid en jouw vervulling... niet mijn vervulling. Dus ik weet niet wat je van mij zou willen horen. Waarheid en standvastigheid is een suggestie, hoewel er veel andere mensen zijn die je ernaar kunt vragen als dit antwoord niet bevredigend is. Persoonlijk heb ik mijn hoop gevestigd op de laatste dagen. De profeet Mohammed, vrede zij met hem!, vertelt ons dat iedereen op de Dag van de Verrijzenis het bewustzijn zal verliezen. Doof en stom. Geen geklets. Tongloos. En wat zal dat een allemachtige opluchting zijn. Nou, als je me wilt excuseren.'

Samad nam Poppy ferm bij de hand en liep verder, terwijl Gekke Mary met stomheid geslagen bleef staan, heel even, en toen naar de kerkdeur rende om de gemeenschap met speeksel te besproeien.

Poppy veegde een traan van schrik weg en zuchtte.

Ze zei: 'Kalm in een crisis, indrukwekkend.'

Samad, die meer en meer door visioenen werd bezocht, zag die overgrootvader van hem, Mangal Pande, zwaaiend met een musket; vechtend tegen het nieuwe, vasthoudend aan traditie.

'Het zit in de familie,' zei hij.

Later liepen Samad en Poppy door Harlesden, rond Dollis Hill, en toen ze te dicht in de buurt van Willesden leken te komen, wachtte Samad tot de zon onderging, kocht een doos kleverige Indiase snoepjes, ging Roundwood Park in en bewonderde de laatste bloemen. Hij praatte en praatte, dat soort praten dat je doet om het onontkoombare lichamelijke verlangen van je af te zetten, het soort praten dat dit alleen maar versterkt. Hij vertelde haar over Delhi circa 1942, zij vertelde hem over St. Albans circa 1972. Zij klaagde over een lange reeks van volkomen ongeschikte vriendjes, en Samad, niet in staat Alsana te bekritiseren of ook maar haar naam te noemen, sprak over zijn kinderen: vrees voor Millats passie voor vuile praat en een luidruchtig tv-programma over een A-team; de zorg dat Magid niet genoeg direct zonlicht kreeg. Wat deed het land zijn zoons aan, wilde hij weten, wat deed het ze aan?

'Ik vind je leuk,' zei ze ten slotte. 'Heel leuk. Je bent heel grappig. Weet je dat je grappig bent?'

Samad glimlachte en schudde zijn hoofd. 'Ik heb mezelf nooit als een geweldig komische geest gezien.'

'Nee, je bént grappig. Wat je zei over kamelen...' Ze begon te lachen, en haar lach was aanstekelijk.

'Wat?'

'Over kamelen... toen we aan het wandelen waren.'

'O, je bedoelt: "Mannen zijn als kamelen: er is er nauwelijks een op de honderd aan wie je je leven zou toevertrouwen."'

'Ja!'

'Dat is niet komisch, dat is de koran,' zei Samad. 'En het is een goed advies. Ik heb in elk geval gemerkt dat het waar is.'

'Nou, toch is het grappig.'

Ze ging dichter naast hem op de bank zitten en kuste zijn oor. 'Serieus, ik vind je leuk.'

'Ik ben oud genoeg om je vader te zijn. Ik ben getrouwd. Ik ben een moslim.'

'Oké, Computer Partners zou ons dus niet bij elkaar hebben gebracht. Nou en?'

'Wat voor uitdrukking is dat: "Nou en?" Is dat algemeen beschaafd taalgebruik? Nee, dat is het niet. Alleen de immigranten kunnen tegenwoordig nog beschaafd spreken.'

Poppy giechelde. 'En toch zeg ik: nou...'

Maar Samad bedekte haar mond met zijn hand en zag er een ogenblik uit alsof hij van plan was haar te slaan. 'Nou álles! Nou álles! Er is niets grappigs aan deze situatie. Er is niets goed aan. Ik wens goed en fout hiervan niet met jou te bespreken. Laten we het houden bij waar we hier kennelijk voor zijn,' zei hij woest. 'Het zinnelijke, niet het bovenzinnelijke.'

Poppy schoof naar de andere kant van de bank en ging voorover zitten, met haar ellebogen op haar knieën. 'Ik weet,' begon ze langzaam, 'dat dit niet meer is dan het is. Maar ik laat niet zo tegen me praten.'

'Het spijt me. Het was verkeerd van me...'

'Alleen omdat jij je schuldig voelt, zou ik niets voelen?'

'Ja, het spijt me. Ik heb geen...'

'Want je kunt gaan als je...'

Halve gedachten. Plak ze allemaal aan elkaar en je hebt minder dan waar je mee begon.

'Ik wil niet gaan. Ik wil jou.'

Poppy vrolijkte wat op en glimlachte haar half droevige, half ondeugende glimlach.

'Ik wil vannacht... bij je blijven.'

'Goed,' antwoordde ze. 'Want ik heb dit voor je gekocht terwijl jij bij de buren die zoetige snoepjes kocht.'

'Wat is het?'

Ze dook in haar handtas, en in de uitgerekte minuut waarin zij tussen lippenstiften, autosleutels en kleingeld graaide, gebeurden er twee dingen.

1.1 Samad sloot zijn ogen en hoorde de woorden *Voor de zuiveren van geest zijn alle dingen zuiver* en toen, vrijwel onmiddellijk daarna, *Eerlijk is eerlijk.*
1.2 Samad opende zijn ogen en zag uitermate duidelijk, bij de muziektent, zijn twee zoons, die, zwaaiend en glimlachend, hun witte tanden in twee glanzende appels zetten.

En toen dook Poppy weer op, triomfantelijk, met iets van rood plastic in haar hand.

'Een tandenborstel,' zei ze.

8

KERNDELING

De vreemdeling die op goed geluk O'Connells Pool House binnenloopt, hopend op het zachte stijgen en dalen van zijn grootvaders accent wellicht, of met de wens een rode bal van de zijband in de hoekzak te zien kaatsen, is onmiddellijk teleurgesteld wanneer hij bemerkt dat de tent noch Iers is noch een biljartlokaal. Hij zal, in niet geringe verwarring, de met tapijt beklede wanden bekijken, de schilderijen van George Stubbs over de paardenrennen, de ingelijste fragmenten van een of ander buitenlands, oosters geschrift. Hij zal zoeken naar een biljarttafel en in plaats daarvan een lange, bruine man met vreselijke acne vinden die achter een bar eieren en champignons staat te bakken. Zijn blik zal met argwaan vallen op een Ierse vlag en een kaart van de Arabische Emiraten, aan elkaar bevestigd en van muur tot muur hangend, zodat hij afgescheiden is van de rest van de klanten. Dan zal hij zich bewust worden van verschillende paren ogen die op hem rusten, sommige hooghartig, andere ongelovig; de ongelukkige vreemdeling zal, op zijn hoede, achterwaarts naar buiten lopen en daarbij de levensgrote plaat van Viv Richards omgooien. De klanten zullen lachen. O'Connells is geen tent voor vreemden.

O'Connells is het soort tent waar huisvaders komen voor een ander soort familie. Anders dan met bloedverwanten moet je hier je plaats in de gemeenschap verdienen; het kost jaren van toegewijd rondhangen, tijd verspillen, leeglopen, pierewaaien, de verf van de muur kijken – veel meer toewijding dan mannen geven aan het zorgeloze moment van voortplanting. Je moet de tent kennen. Er zijn bijvoorbeeld redenen waarom O'Connells een door Arabieren gedreven Iers biljartlokaal is zonder biljart. En er zijn redenen waarom de met puistjes bedekte Mickey patat, eieren en bonen voor je klaarmaakt, of eieren, patat en bonen, of bonen, patat, eieren en champignons, maar nooit, onder geen beding, patat, bonen, eieren en spek. Voor dat soort informatie moet je er echter rondhangen. We gaan daar later op in. Voor nu volstaat te vertellen dat dit Archies en Samads tweede thuis is; tien jaar al komen ze hier tussen zes (de tijd waarop Archie van zijn werk komt) en acht uur (de tijd waarop Samad begint) om het over alles te hebben, van de betekenis van de Openbaring tot de prijzen van loodgieters. En vrouwen. Hypothetische vrouwen. Als een vrouw langs het met eigeel bevlekte raam van O'Connells liep (geen vrouw had zich voor zover bekend ooit binnen gewaagd) glimlachten ze en speculeerden, afhankelijk van Samads religieuze gevoeligheden die avond, over zulke vergaande vraagstukken als: zou je haar haastig je bed uitschoppen, tot de respectieve verdiensten van kousen en panty's, en dan, onvermijdelijk, door naar het grote debat: kleine borsten (die overeind staan) versus grote borsten (die opzij zakken). Maar nooit was er ook maar de geringste sprake geweest van echte vrouwen, echte vlees-en-bloed en vochtige en kleverige vrouwen. Niet tot op dit moment. En dus vroegen de ongekende gebeurtenissen van de laatste paar maanden om een vroegere O'Connells-top dan gebruikelijk. Samad had eindelijk Archie gebeld en de hele afschuwelijke ellende bekend: hij had zijn vrouw bedrogen, hij bedroog zijn vrouw; hij was gezien door de kinderen en nu zag hij de kinderen, als visioenen, dag en nacht. Archie was even stil geweest, en zei toen: 'Godallemachtig. Vier uur, afgesproken. Godallemachtig.' Zo was hij, Archie. Kalm in een crisis.

Maar om kwart over vier was er nog steeds geen teken van hem, en een vertwijfelde Samad had elke nagel die hij bezat tot op de nagelriem afgebeten en was op de bar in elkaar gezakt, zijn neus geplet tegen het hete glas waarachter de door beslag gehaalde burgers werden bewaard, oog in oog met een ansichtkaart van de acht verschillende plaatselijke bezienswaardigheden van County Antrim.

Mickey, kok, kelner en eigenaar, die er prat op ging de naam van elke klant te weten en te weten wanneer elke klant uit zijn doen was, lichtte Samads gezicht met een eierspatel op van het hete glas.

'Hoi.'

'Hallo, Mickey, hoe gaat het?'

'Z'n gangetje, z'n gangetje. Maar genoeg over mij. Wat is er verdomme met jou aan de hand, makker? Hè? Hè? Ik heb je in de gaten gehouden, Sammy, vanaf het moment dat je naar binnen stapte. Gezicht als een oorwurm. Vertel het maar aan oom Mickey.'

Samad kreunde.

'Hé. Niks daarvan. Je kent me. Ik ben de meevoelende kant van de dienstverlenende industrie, ik ben een dienstverlener met een stomme glimlach, ik zou een klein rood dasje en een klein rood mutsje dragen net als die stomme imbecielen bij Mr Burger als mijn stomme hoofd niet zo groot was.'

Dit was geen metafoor. Mickey had een erg groot hoofd, bijna alsof zijn acne meer plaats had gevraagd en een bouwvergunning had gekregen.

'Wat is het probleem?'

Samad keek op naar Mickeys grote rode hoofd.

'Ik wacht gewoon op Archibald, Mickey. Maak je alsjeblieft geen zorgen. Er is niets aan de hand.'

'Beetje vroeg, niet?'

'Pardon?'

Mickey keek op de klok achter zich, de klok met het in het stenen tijdperk aangekoekte stuk ei op de wijzerplaat. 'Ik zeg: "Beetje vroeg, niet?" Voor jou en onze

Archie. Zes uur verwacht ik jullie. Eén patat, bonen, eieren en champignons. En een omelet champignons. Met seizoenvariaties uiteraard.'

Samad zuchtte. 'We hebben veel te bespreken.'

Mickey sloeg zijn ogen ten hemel. 'Je begint toch niet weer over die Mangy Pandy weetikveelwat, hè? Wie wie doodschoot en wie wie ophing en mijn grootvader leidde de Paki's of weetikveelwat alsof dat welke arme sukkel dan ook maar een stomme reet kan schelen. Je jaagt de klandizie weg. Je creëert...' Mickey bladerde door zijn nieuwe bijbel: *Voedsel tot nadenken: een richtlijn voor werkgevers en werknemers werkzaam in de dienstverlenende voedselindustrie – klantenstrategie en consumentenrelaties*. 'Je creëert een *herhalingssyndroom* dat al die klojo's van hun *culinaire ervaring* berooft.'

'Nee, nee, mijn óvergrootvader staat vandaag niet ter discussie. We hebben andere zaken te bespreken.'

'Nou, de hemel zij gedankt. Ja, herhalingssyndroom, dat is het.' Mickey gaf zijn boek een liefdevol klopje. ''t Staat 'r allemaal in, makker. De beste vier vijfennegentig die ik ooit heb uitgegeven. Over poen gesproken, ga je nog een gokje wagen?' vroeg Mickey, met een gebaar naar beneden.

'Ik ben een moslim, Mickey, ik laat me niet meer gaan.'

'Nou ja, natuurlijk, we zijn allemaal broeders... maar een man moet toch leven. Dat is toch zo? Ik bedoel, dat is toch zo?'

'Ik weet het niet, Mickey, is dat zo?'

Mickey sloeg Samad stevig op zijn rug. 'Natuurlijk is dat zo! Ik zei nog tegen mijn broer Abdul...'

'Welke Abdul?'

Het was traditie, zowel in Mickeys hele familie als in zijn gezin, om alle zoons Abdul te noemen en ze aldus de ijdelheid voor te houden van het aannemen van een hogere status dan een ander, wat allemaal goed en wel was maar in de schooljaren nogal eens tot verwarring leidde. Maar kinderen zijn creatief, en al die vele Abduls voegden als een soort buffer een Engelse naam toe aan de eerste.

'Abdul-Colin.'

'Juist.'

'Nou, weet je, Abdul-Colin ging een beetje fundamenteel doen – EIEREN, BONEN, PATAT, TOAST – grote stomme baard, geen varken, geen drank, geen kutjes, de hele mikmak, makker... alsjeblieft, baas.'

Abdul-Mickey duwde een bord in staat van ontbinding verkerende koolhydraten naar een verschrompelde oude man wiens broek zo hoog was opgetrokken dat hij er bijna in zijn geheel door werd opgeslokt.

'Nou, waar denk je dat mijn oog vorige week op Abdul-Colin valt? Niet minder dan in de Mickey Finn, de kant op van Harrow Road, en ik zeg: "Hé, Abdul-Colin, dat is me nou toch een verrassing," en hij zegt, heel plechtig, weet je, helemaal bebaard, hij zegt...'

'Mickey, Mickey, vind je het heel erg als we het verhaal voor later bewaren... ik...'

'Nee, prima, prima. Waarom doe ik nog moeite?'

'Zou je alsjeblieft tegen Archibald willen zeggen dat ik aan het tafeltje achter de flipperkast zit als hij binnenkomt? O, en het vaste recept.'

'No problemo, maat.'

Ongeveer tien minuten later ging de deur open en keek Mickey op uit hoofdstuk zes, 'Er zit een vlieg in mijn soep: omgaan met structuren van vijandigheid met betrekking tot gezondheidskwesties', en zag Archibald Jones, een goedkope koffer in zijn hand, naar de bar lopen.

'Hé, die Arch. Hoe staat het in de vouwzaken.'

'O, je weet wel. Comme si, comme saar. Samad in de buurt?'

'Is ie in de buurt? Is ie in de buurt? Hij hangt hier verdomme al een halfuur rond als een scheet in een ruimtepak. Gezicht zo lang als het achtereind van een varken. Je zou bijna een hondenpoepschepje pakken en hem opruimen.'

Archie zette zijn koffer op de bar en fronste zijn wenkbrauwen. 'Het gaat niet goed met hem, hè? Tussen ons gezegd en gezwegen, Mickey, ik maak me echt zorgen om hem.'

'Vertel mij wat, verdomme,' zei Mickey, die geïrriteerd was door de bewering in hoofdstuk zes dat je borden met gloeiend heet water moet afspoelen. 'O, wat je ook kan doen, is naar het tafeltje achter de flipperkast gaan.'

'Bedankt, Mickey. O, omelet met...'

'Ik weet het. Champignons.'

Archie liep de linoleum gangpaden van O'Connells af.

'Hallo, Denzel, 'navond, Clarence.'

Denzel en Clarence waren twee uniek grove, vuilgebekte Jamaicanen van in de tachtig. Denzel was onmogelijk dik, Clarence afgrijselijk dun; hun vrouwen waren allebei dood, ze droegen allebei een slappe vilthoed en ze zaten alle uren die ze nog gegund waren domino te spelen in de hoek.

'Wat zeg die klerelijer?'

'Hij zeg 'navond.'

'Ziet ie niet da'k domino speel?'

'Nee man! Die heb een kut in plaats van een gezicht. Hoe kan die nog wat zien?'

Archie incasseerde dit zoals het bedoeld was en ging tegenover Samad aan het tafeltje zitten. 'Ik begrijp het niet,' zei Archie, onmiddellijk doorgaand waar hun telefoongesprek was geëindigd. 'Bedoel je dat je ze daar in je verbeelding ziet of dat je ze daar in het echt ziet?'

'Het is heel simpel. De eerste keer, de allereerste keer, waren ze daar. Maar sinds die tijd, Archie, de afgelopen paar weken, kan ik niet met haar samen zijn of ik zie de tweeling, als een verschijning! Zelfs als we... zie ik ze daar... naar me glimlachen.'

'Weet je zeker dat je niet gewoon overwerkt bent?'

'Luister naar me, Archie: ik zíe ze. Het is een teken.'

'Sam, laten we proberen ons bij de feiten te houden. Toen ze je echt zagen... wat deed je toen?'

'Wat kon ik doen? Ik zei: "Hallo, jongens. Zeg hallo tegen juf Burt-Jones."'

'En wat zeiden ze?'

'Ze zeiden hallo.'

'En wat zei jij?'

'Archibald, zou ik je gewoon kunnen vertellen wat er is gebeurd zonder deze voortdurende zinloze onderbrekingen?'

'PATAT, BONEN, EIEREN, TOMAAT EN CHAMPIGNONS!'

'Sam, dat is die van jou.'

'Ik stoor me aan die beschuldiging. Dat is niet voor mij. Ik bestel nooit tomaat. Ik wil geen arme gepelde tomaat die eerst doodgekookt en dan doodgebakken wordt.'

'Nou, voor mij is het niet. Ik heb omelet besteld.'

'Nou, het is niet voor mij. Mag ik nu doorgaan?'

'Ga je gang.'

'Ik keek naar mijn jongens, Archie... Ik keek naar mijn prachtige jongens... en mijn hart brak, nee, meer dan dat, het versplinterde. Het spatte in zo veel stukken uiteen en elk stuk stak me als een dodelijke wond. Ik bleef maar denken: hoe kan ik mijn jongens iets leren, hoe kan ik ze de rechte weg tonen als ik zelf ben verdwaald?

'Ik dacht,' zei Archie weifelend, 'dat de vrouw het probleem was. Als je echt niet weet wat je met haar moet, nou... we zouden dit muntje kunnen opgooien: kruis je blijft, munt je gaat; je zou in ieder geval een...'

Samad sloeg met zijn goede vuist op tafel. 'Ik wil verdomme geen munt opgooien! Bovendien is het daar te laat voor. Begrijp je het niet? Wat gebeurd is is gebeurd. Ik kom in de hel, dat begrijp ik nu. Dus moet ik me concentreren op mijn zoons. Ik moet ze redden. Ik moet een morele keuze maken.' Samad dempte zijn stem, en al voor hij sprak wist Archie waar hij naar zou verwijzen. 'Jij hebt zelf moeilijke keuzes gemaakt, Archie, jaren geleden. Je verbergt het goed, maar ik weet dat je niet vergeten bent hoe het is. Je hebt een stukje van een kogel in je been als bewijs. Je hebt ermee geworsteld. Jij hebt gewonnen. Ik ben het niet vergeten. Ik heb je daar altijd om bewonderd, Archibald.'

Archie staarde naar de vloer. 'Ik ga daar liever niet...'

'Geloof me, ik schep er geen genoegen in om iets op te rakelen waar jij liever niet aan terugdenkt, mijn vriend. Ik wil alleen dat je mijn situatie begrijpt. Toen was de vraag, net als nu: *in wat voor wereld wil ik mijn kinderen laten opgroeien?* Jij hebt ooit in die zin gehandeld. En nu is het mijn beurt.'

Archie, die nog net zo weinig van Samads toespraken begreep als veertig jaar eerder, speelde een ogenblik met een tandenstoker.

'Nou... waarom hou je niet gewoon op met, nou, met haar te ontmoeten?'

'Ik probeer het... Ik probeer het.'

'Is het zo geweldig?'

'Nee, nou, in de strikte zin... wat ik wil zeggen; het is fijn, ja... maar het is niet verdorven… we kussen, we omhelzen elkaar.'

'Maar geen…'

'In de strikte zin, nee…'

'Maar wat…'

'Archibald, maak je je zorgen om mijn zoons of mijn sperma?'

'Zoons,' zei Archie. 'Zoons, absoluut.'

'Want er is opstandigheid in ze, Archie. Ik kan het zien… het is nog klein maar het groeit. Ik zeg je, ik weet niet wat er in dit land met onze kinderen gebeurt. Overal waar je kijkt is het hetzelfde. Vorige week is Zinats zoon betrapt op het roken van marihuana. Als een Jamaicaan!'

Archie trok zijn wenkbrauwen op.

'O, het was niet verkeerd bedoeld, Archibald.'

'Dat weet ik, makker. Maar je zou niet moeten oordelen voor je het hebt geprobeerd. Mijn huwelijk met een Jamaicaanse heeft wonderen gedaan voor mijn artritis. Maar dat terzijde. Ga door.'

'Neem nou Alsana's zusters… al hun kinderen geven alleen maar problemen. Ze willen niet naar de moskee, ze bidden niet, ze praten vreemd, ze kleden zich vreemd, ze eten allerlei rotzooi, ze hebben gemeenschap met Joost mag weten wie. Geen respect voor traditie. Mensen noemen het assimilatie, terwijl het niets anders is dan verwording. Verwording!'

Archie, niet wetend wat hij moest zeggen, probeerde er eerst uit te zien alsof hij geschokt was en toen alsof hij ervan walgde. Hij hield ervan dat mensen het gewoon goed konden vinden met elkaar, Archie. Hij vond eigenlijk dat mensen gewoon moesten samenleven, je weet wel, in vrede of harmonie of zoiets.

'PATAT, BONEN, EIEREN, CHAMPIGNONS! OMELET CHAMPIGNONS!'

Samad stak zijn hand op en draaide zich naar de bar. 'Abdul-Mickey!' schreeuwde hij, met een stem die een licht komisch, cockney-achtig accent kreeg. 'Deze kant op, baas, alsjeblieft.'

Mickey keek naar Samad, leunde op de bar en veegde zijn neus af met zijn schort.

'Hé, je weet wel beter. Het is zelfbediening hier, heren. Dit is verdomme het Waldorf niet.'

'Ik haal het wel,' zei Archie terwijl hij opstond.

'Hoe is het met hem?' vroeg Mickey zachtjes terwijl hij de borden naar Archie schoof.

Archie fronste zijn voorhoofd. 'Ik weet het niet. Hij heeft het weer over traditie. Hij maakt zich zorgen om zijn zoons, snap je. Kinderen ontsporen nogal gemakkelijk in deze tijd, weet je. Ik weet niet echt wat ik tegen hem moet zeggen.'

'Dat hoef je mij niet te vertellen, makker,' zei Mickey hoofdschuddend. 'Ik weet er alles van. Neem nou mijn jongste, Abdul-Jimmy. Komt volgende week voor de kinderrechter voor het jatten van stomme vw-ornamenten. Ik zeg tegen 'm, waar zitten je hersens? Wat heb dat nou verdomme voor nut? Als je dan toch wil stelen, steel dan verdomme die auto. Ik bedoel, waarom? Hij zegt dat het wat te maken heb met een stel Beetie Boys of zoiets stoms. En ik zeg tegen 'm, nou die zijn morsie dood als ik ze te pakken krijg en dat kan ik je helemaal voor niks vertellen. Geen gevoel voor traditie, geen moraal verdomme, dat is het probleem.'

Archie knikte en pakte een stapeltje servetten om de hete borden te kunnen dragen.

'Als je mijn advies wil, en dat doe je want dat maakt deel uit van de speciale relatie tussen kroegeigenaar en kroegklant, zeg tegen Samad dat hij twee mogelijkheden heeft. Hij kan ze terugsturen naar thuis, terug naar India...'

'Bangladesh,' corrigeerde Archie terwijl hij een patatje pikte van Samads bord.

'Waarverdommedanook. Hij kan ze daarheen terugsturen en ze fatsoenlijk laten opvoeden door hun opa's en oma's, ze laten leren over hun eigen cultuur, verdomme, ze laten opgroeien met wat principes, verdomme. Of... wacht even – PATAT, BONEN, PASTEITJE EN CHAMPIGNONS! VOOR TWEE!'

Denzel en Clarence schuifelden uiterst langzaam naar de hete borden.

'Da pasteitje ziet er vréémd uit,' zei Clarence.

'Hij probeer ons te vergiftigen,' zei Denzel.

'Die champignons zien er ráár uit,' zei Clarence.

'Hij probeer een goed man te infiltreren met duivelseten,' zei Denzel.

Mickey sloeg met zijn eierspatel op Denzels vingers. 'Hé, Morecambe en Wise. Bedenk verdomme 's wat anders.'

'Of wat?' drong Archie aan.

'Een ouwe man vermoorden, dat kan ie. Een ouwe, zwakke man,' mopperde Denzel terwijl ze met zijn tweeën terugschuifelden naar hun stoel.

'Verdomde etters, die twee. Ze leven alleen nog omdat ze te gierig zijn om de crematie te betalen.'

'Of wat?'

'Wat?'

'Wat is de tweede mogelijkheid?'

'O, ja. Nou, de tweede is wel duidelijk, is het niet?'

'Is dat zo?'

'Accepteren. Hij zal het moeten accepteren, niet? We zijn allemaal Engels nu, makker. 't Is slikken of stikken, zoals de rabarber zei tegen de vla. En dat is dan twee vijftig, Archibald, goede vriend. De gouden eeuw van de lunchbonnen is voorbij.'

De gouden eeuw van de lunchbonnen was tien jaar eerder al ten einde gelopen. Tien jaar lang had Mickey gezegd: 'De gouden eeuw van de lunchbonnen is voorbij.' En dat was precies wat Archie zo fijn vond van O'Connells. Alles werd onthouden, niets ging verloren. De geschiedenis werd nooit herzien of opnieuw geïnterpreteerd, aangepast of uitgegumd. Het was zo betrouwbaar en zo simpel als eierkorst op de klok.

Toen Archie terugkwam bij tafel acht was Samad als Jeeves: misschien niet direct ontstemd, maar dan niet helemaal goed gestemd.

'Archibald, ben je de verkeerde kant op gegaan bij de Ganges? Heb je niet naar mijn dilemma's geluisterd? Ik ben verdorven, mijn zoons worden verdorven, spoedig zullen we allemaal branden in het hellevuur. Dit zijn problemen van enigszins dringende aard, Archibald.'

Archie glimlachte sereen en stal nog een patatje. 'Probleem opgelost, Samad, makker.'

'Probleem opgelost?'

'Probleem opgelost. Nou, als je het mij vraagt, heb je twee mogelijkheden...'

Rond het begin van deze eeuw was de koningin van Thailand aan boord van een schip en dobberde rustig rond met haar vele hovelingen, huisknechten, dienstmeisjes, voetenbaders en voorproevers, toen de achtersteven plotseling een golf raakte en de koningin overboord werd geslagen in de turkooiskleurige wateren van de Nippon-Kai, waarin ze, ondanks haar smeekbeden om hulp, verdronk, want niemand op die boot kwam haar te hulp. Hoe mysterieus ook voor de buitenwereld, voor de Thai was de verklaring onmiddellijk duidelijk: de traditie bepaalde, zoals deze tot op de dag van vandaag doet, dat geen man of vrouw de koningin mocht aanraken.

Als godsdienst de opium van het volk is, is traditie een nog boosaardiger verdovend middel, eenvoudigweg doordat ze zelden noodlottig lijkt. Als godsdienst een strakke band is, een kloppende ader en een naald, is traditie een veel huiselijker brouwsel: opium voor in de thee; zoete chocolademelk opgepept met cocaïne; iets wat je grootmoeder had kunnen maken. Voor Samad, net als voor het volk van Thailand, was traditie cultuur, en cultuur leidde naar wortels en wortels waren goed, waren onbesmette principes. Dat betekende niet dat hij ernaar kon leven, zich ernaar kon schikken of groeien op de manier die ze vroegen, maar wortels waren wortels en wortels waren goed. Je zou niets bereiken door hem te vertellen dat ook onkruid wortels heeft of dat loszittende tanden het eerste teken zijn van iets rots, iets gedegenereerds, diep in het tandvlees. Wortels waren veiligheid, het touw dat je uitgooit om drenkelingen te redden, om hun ziel te redden. En hoe verder Samad zelf de zee op dreef, omlaag getrokken naar de diepten door een sirene die Poppy Burt-Jones heette, hoe vastbeslotener hij werd om voor zijn jongens wortels op de kust te creëren, diepe wortels, die geen storm of orkaan kon uitrukken. Gemakkelijker gezegd dan gedaan. Hij was in Poppy's benauwde kleine flat zijn eigen financiën aan het doornemen toen hem duidelijk werd dat hij meer zoons dan geld had. Als hij hen terug zou sturen, zou hij twee toelagen nodig hebben voor de grootouders, twee vergoedingen voor de scholen, twee bedragen voor de kleding. Zoals de zaken ervoor stonden kon hij nauwelijks twee vliegtickets betalen. Poppy had gezegd: 'En je vrouw? Ze komt toch uit een gegoede familie?' Maar Samad had zijn plan nog niet aan Alsana geopenbaard. Hij had alleen de stemming gepeild door het op een terloopse, hypothetische manier tegen Clara te zeggen terwijl ze in de tuin bezig was. Hoe zou zij reageren als iemand Irie, in het belang van het kind zelf, mee zou nemen naar een beter leven? Clara kwam overeind uit haar bloembed, staarde hem in zwijgende bezorgdheid aan en lachte toen lang en hard. *De man die dat zou doen*, zei ze ten slotte, centimeters van zijn kruis met een grote tuinschaar zwaaiend, *hak, hak*. Hak, hak, dacht Samad, en het werd hem duidelijk wat hij zou doen.

'Eén van hen?'

O'Connells weer. 6.25 uur. Eén patat, bonen, eieren en champignons. En één omelet champignons *met erwtjes* (seizoenvariatie).

'Maar één van de twee?'

'Archibald, alsjeblieft, praat niet zo hard.'

'Maar... maar één van de twee?'

'Dat is wat ik zei. Hak, hak.' Hij verdeelde het gebakken ei op zijn bord in tweeën. 'Het kan niet anders.'

'Maar...'

Archie dacht weer na, zo goed als hij kon. Altijd hetzelfde liedje. Waarom konden mensen niet gewoon goed met elkaar omgaan, gewoon samenleven, weet je wel, in vrede of harmonie of zoiets. Maar die dingen zei hij niet. Hij zei alleen: 'Maar...' En toen: 'Maar...'

En toen, ten slotte: 'Maar wie van de twee?'

En dat (als je vliegticket, toelage, eerste schoolgeld rekende) was de drieduizendtweehonderdvijfenveertig-pond-vraag. Toen het geld eenmaal geregeld was – ja, hij nam een nieuwe hypotheek op zijn huis, hij riskeerde zijn grond, de grootste fout die een immigrant kan maken – was het eenvoudigweg een kwestie van het kind kiezen. De eerste week zou het Magid zijn, absoluut Magid. Magid had de hersenen, Magid zou sneller wennen, de taal sneller leren, en Archie had er belang bij om Millat in het land te houden, want hij was de beste aanvaller die Willesden Athletic FC (onder de vijftien) in tientallen jaren had gehad. Dus begon Samad Magids kleren achterover te drukken om ze stiekem te pakken, regelde een afzonderlijk paspoort (hij zou op 4 november op reis gaan met tante Zinat) en had een gesprek onder vier ogen met de school (lange vakantie, kon hij wat huiswerk krijgen om mee te nemen enzovoort).

Maar de volgende week veranderde hij van mening en was het Millat, want Magid was echt Samads lievelingszoon en hij wilde hem ouder zien worden, en Millat was toch degene die meer morele begeleiding nodig had. Dus werden zíjn kleren weggenomen, werd zíjn paspoort geregeld, zíjn naam in de juiste oren gefluisterd.

De week daarna was het Magid tot woensdag en toen Millat, want Archies oude penvriend Horst Ibelgaufts schreef de volgende brief, die Archie, nu vertrouwd met de merkwaardig profetische aard van Horsts correspondentie, bij Samad onder de aandacht bracht:

15 september 1984

Beste Archibald,

Het is enige tijd geleden dat je mijn laatste brief hebt gekregen, maar ik voelde me gedwongen je te schrijven over de heerlijke ontwikkeling in mijn tuin die mij deze laatste paar maanden niet weinig plezier heeft bezorgd. Om een lang verhaal korter en aangenamer te maken, ik ben eindelijk voor het hakwerk gegaan en heb die oude eik verwijderd uit de verre hoek en ik kan je niet zeggen wat voor verschil dat heeft gemaakt! Nu krijgen de zwakkere zaden zoveel meer zon en zijn zo gezond dat ik ze zelfs kan stekken – voor het eerst in mijn herinnering heeft ieder van mijn kinderen een vaas met pioenen op de vensterbank. Ik had al die jaren geleden onder de misvatting dat ik gewoon een zeer middelmatige tuinier was – en al die tijd was het die reusachtige oude boom, die de helft van de tuin in beslag nam met zijn wortels en niets anders de kans gaf te groeien.

De brief ging verder, maar Samad stopte hier. Geïrriteerd zei hij: 'En... wat zou ik hier precies uit moeten opmaken?'

Archie tikte veelbetekenend tegen de zijkant van zijn neus. 'Hak, hak. Het moet Millat worden. Een teken, makker. Je kunt Ibelgaufts vertrouwen.'

En Samad, die normaal gesproken geen tijd had voor tekenen of neusgetik, was nerveus genoeg om het advies op te volgen. Maar toen begon Poppy (die zich er sterk van bewust was dat ze vergeleken met het vraagstuk van de jongens aan het kortste eind trok als het om Samads aandacht ging) plotseling interesse te tonen en beweerde dat ze in een droom gewoon gevóeld had dat het Magid moest zijn, en dus was het weer Magid. Samad, in zijn wanhoop, stond Archie zelfs toe een muntje op te gooien, maar het was moeilijk zich aan de uitkomst te houden – de meeste uit drie, de meeste uit vijf – Samad kon het niet vertrouwen. En dit, als u het kunt geloven, was de manier waarop Archie en Samad een kansspel speelden met twee jongens, het vraagstuk tegen de muren van O'Connells lieten stuiteren, kruis of munt gooiden met zielen om te zien welke kant boven kwam.

Tot hun verdediging moet één ding duidelijk worden gemaakt. Op geen enkel moment werd het woord *kidnap* genoemd. Als dit was aangeboden als terminologie voor wat hij op het punt stond te doen, zou Samad ontzet en geschokt zijn geweest, had hij de hele zaak afgeblazen als de slaapwandelaar die in de ouderslaapkamer wakker wordt met een broodmes in zijn hand. Hij begreep dat hij *Alsana nog niet op de hoogte had gebracht*. Hij begreep dat hij *een vlucht had geboekt voor 3 uur 's nachts*. Maar het was absoluut niet vanzelfsprekend voor hem dat deze twee feiten verband hielden met elkaar of te combineren waren tot het begrip *kidnap*. Dus was het met verbazing dat Samad op 31 oktober om 2 uur 's nachts het verschijnsel begroette van een hevig huilende Alsana, gebogen over de keukentafel. Hij dacht niet: *ah, ze heeft ontdekt wat ik met Magid ga doen* (het was uiteindelijk en voor altijd

Magid), want hij was geen besnorde schurk uit een Victoriaanse misdaadroman en was zich daarnaast niet bewust van het beramen van een of andere misdaad. Zijn eerste gedachte was: *ze weet het dus van Poppy*, en als reactie op deze situatie deed hij wat elke overspelige man instinctief doet: als eerste in de aanval gaan.

'Dus ik kom thuis en dan krijg ik dit, hè?' – tas neersmijten voor effect – 'ik werk de hele avond in dat helse restaurant en dan kom ik thuis en dan krijg ik dat melodramatische gedoe van jou?'

Alsana stikte bijna in haar tranen. Samad merkte ook een murmelend geluid op dat voortkwam uit haar prettige vet dat vibreerde in de spleet van haar sari; ze zwaaide met haar handen naar hem en legde ze toen over haar oren.

'Is dit echt nodig?' vroeg Samad, die zijn angst probeerde te verbergen (hij had woede verwacht; hij wist niet hoe hij met tranen moest omgaan). 'Toe, Alsana, dit is toch een wat overdreven reactie.'

Ze zwaaide nog een keer met haar hand naar hem alsof ze hem weg wilde sturen, kwam toen iets omhoog met haar lichaam en Samad zag dat het gemurmel niet organisch was geweest, dat ze over iets gebogen had gezeten. Een radio.

'Wat is er in 's hemelsnaam...'

Alsana schoof de radio van haar lichaam naar het midden van de tafel en gebaarde Samad het geluid harder te zetten. Vier vertrouwde piepjes, de piepjes die de Engelsen volgen naar welk land dan ook dat ze veroveren, klonken door de keuken, en toen hoorde Samad het volgende in standaarduitspraak:

> Dit is de BBC World Service om 3.00 uur. Mevrouw Indira Gandhi, premier van India, is vandaag vermoord, in een daad van openlijke rebellie doodgeschoten door haar eigen sikh-lijfwachten terwijl ze in de tuin wandelde van haar huis in New Delhi. Het lijdt geen enkele twijfel dat de moord een wraakactie was voor 'Operatie Blue Star', de bestorming in juni jongstleden van het belangrijkste heiligdom van de sikhs in Amritsar. De sikhs, die vinden dat hun cultuur wordt aangevallen door...

'Genoeg,' zei Samad terwijl hij de radio uitzette. 'Ze deugde verdomme toch niet. Ze deugen verdomme geen van allen. En wat kan het ons schelen wat er daar in die beerput India gebeurt. Lieve hemel...' En al voor hij het zei, vroeg hij zich af waarom hij het deed, waarom hij zich deze avond zo *kwaadaardig* voelde. 'Je bent ook echt, echt pathetisch. Ik vraag me af waar die tranen zouden zijn als ík doodging? Nergens... je geeft meer om een of andere corrupte politica die je nooit hebt ontmoet. Weet je dat je het volmaakte voorbeeld bent van de onwetendheid van de massa, Alsi? Weet je dat?' zei hij, tegen haar pratend als tegen een kind en haar kin omhoog houdend. 'Huilen om de rijken en machtigen die zich nog niet eens zouden verwaardigen op je te pissen. Waarschijnlijk zit je volgende week te blèren omdat prinses Diana haar nagel heeft gebroken.'

Alsana verzamelde al het speeksel dat haar mond kon bevatten en spuugde naar hem.

'*Bhainchute!* Ik huil niet om haar, idióót, ik huil om mijn vríenden. Hierdoor zal bloed in de straten vloeien, in India en Bangladesh. Er zullen rellen zijn… messen, vuurwapens. Publieke terechtstellingen, ik heb het gezien. Het zal als Mahshar zijn, het Laatste Oordeel… mensen zullen sterven in de straten, Samad. Jij weet dat en ik weet dat. En Delhi zal het ergst zijn, is altijd het ergst. Ik heb wat familie in Delhi, ik heb vrienden, oude geliefden…'

En op dat moment sloeg Samad haar, deels voor de oude geliefden en deels omdat het vele jaren geleden was dat hij een 'bhainchute' (vertaling: iemand die, om het simpel te zeggen, zijn zusters neukt) was genoemd.

Alsana bracht haar handen naar haar gezicht en sprak kalm. 'Ik huil van verdriet om die arme families en van opluchting om mijn eigen kinderen! Hun vader negeert ze en intimideert ze, ja, maar ze zullen in ieder geval niet als ratten op straat sterven.'

Dus dit werd een van die ruzies: dezelfde posities, dezelfde frasen, dezelfde verwijten, dezelfde rechtse hoeken. Blote vuisten. De bel gaat. Samad komt uit zijn hoek.

'Nee, zij zullen onder iets anders lijden, iets veel ergers: leven in een moreel bankroet land met een moeder die gek wordt. Volslagen maf. Stapelmesjokke. Kijk eens naar jezelf; kijk hoe je eruitziet! Kijk hoe dík je bent!' Hij greep haar vast, en liet toen los alsof hij besmet zou raken. 'Moet je zien hoe je je kleedt. Sportschoenen en een sari? En wat is dát?'

Het was een van Clara's Afrikaanse hoofddoeken, een lange, prachtige lap oranje Kenti-stof waarin Alsana al enige tijd gewoon was haar aanzienlijke haardos te wikkelen. Samad trok hem los en gooide hem door de keuken, zodat Alsana's haar op haar rug viel.

'Je weet niet eens wat je bent, waar je vandaan komt. We zien nooit meer familie… ik schaam me om je aan ze te laten zien. *Waarom ben je helemaal naar Bengalen gegaan voor een vrouw*, dat vragen ze. *Waarom ben je niet gewoon naar Putney gegaan?*'

Alsana glimlachte spijtig en schudde haar hoofd, terwijl Samad kalmte veinsde. Hij vulde de metalen ketel met water en zette hem met een klap op het fornuis.

'En dat is een prachtige *lungi* die jij draagt, Samad Miah,' zei ze bitter, met een knikje naar zijn joggingpak van blauwe badstof bekroond met Poppy's honkbalpet van de LA Raiders.

Samad zei: 'Waar het om gaat is wat hier zit.' Hij keek haar niet aan en beukte iets links van zijn borstbeen. 'Jij bent dankbaar dat we in Engeland zijn, zeg je; dat komt doordat je alles hier kritiekloos hebt omhelsd. Ik kan je wel zeggen dat die jongens thuis een beter leven zouden hebben dan ze ooit…'

'Samad Miah! Waag het niet er ook maar over te beginnen! Het zal over mijn lijk zijn dat dit gezin teruggaat naar een plaats waar ons leven in gevaar is! Clara vertelt me over je, ze vertelt me. Hoe je haar vreemde dingen hebt gevraagd. Wat ben je aan het beramen, Samad? Van Zinat hoor ik over een levensverzekering… wie gaat er dood? Wat ruik ik? Ik zeg je, het zal over mijn lijk zijn...'

'Maar als je al dood bent, Alsi...'

'Hou op! Hou op! Ik ben niet gek. Jij probeert me gek te maken! Ik heb Ardashir gebeld, Samad. Hij vertelt me dat je om halftwaalf van je werk bent weggegaan. *Je komt om twee uur 's nachts thuis*. Ik ben niet gek!'

'Nee, het is erger. Je hebt een zieke geest. Je noemt jezelf een moslim...'

Alsana draaide zich vliegensvlug om naar Samad, die zijn aandacht probeerde te concentreren op de fluitende stoom uit de ketel.

'Nee, Samad. O nee. O nee. Ik noem mezelf niets. Ik beweer niets. Jíj noemt jezelf een moslim. Jíj maakt je deals met Allah. Jíj bent degene die hij zal aanspreken op de dag des oordeels. Jou, Samad Miah. Jou, jou, jóu.'

Tweede ronde. Samad sloeg Alsana. Alsana deelde een rechtse hoek uit in zijn maag en liet die volgen door een dreun op zijn linkerjukbeen. Daarna maakte ze een sprint naar de achterdeur, maar Samad greep haar bij haar middel, paste een rugby-tackle op haar toe, werkte haar tegen de grond en gaf haar een elleboogstoot tegen haar stuitbeen. Alsana, die zwaarder was dan Samad, kwam op haar knieën overeind, waardoor ze hem optilde, gooide hem van zich af en sleepte hem de tuin in, waar ze hem twee keer schopte terwijl hij op de grond lag – twee korte, felle stoten tegen zijn voorhoofd – maar de met rubber beklede zool richtte weinig kwaad aan en hij zat in een wip weer op zijn knieën. Ze graaiden naar elkaars haar, Samad vastbesloten te trekken tot hij bloed zag. Maar hierdoor kwam Alsana's knie vrij en die kwam razendsnel in contact met Samads kruis, waardoor hij gedwongen was haar haar los te laten en een blinde uithaal te doen naar haar mond, die op haar oor terechtkwam. Tegen die tijd was de tweeling nog half slapend uit bed gekomen en nam plaats voor het lange glazen keukenraam om het gevecht gade te slaan, terwijl de beveiligingslampen van de buren aangingen en de tuin van de familie Iqbal als een stadion verlichtten.

'Abba,' zei Magid, nadat hij een ogenblik had gekeken hoe de stand van zaken was. 'Abba, beslist.'

'*Cha*, man. Vergééét het,' zei Millat, knipperend tegen het licht. 'Ik wed om twee sinaasappellolly's dat amma hem helemaal verrot trapt.'

'Ooooooh!' riep de tweeling in koor, alsof het een vuurwerk was, en toen: 'Aaaaaah!'

Alsana had het gevecht zojuist beëindigd met een beetje hulp van de tuinhark.

'Nu kunnen sómmigen van ons, die 's morgens aan het wérk moeten, misschien fatsoenlijk gaan pítten! Verdomde Paki's,' schreeuwde een van de buren.

Een paar minuten later (want ze omarmden elkaar altijd na deze gevechten, een omhelzing die het midden hield tussen genegenheid en ineenstorting) liep Samad, nog steeds lichtelijk groggy, het huis binnen en zei: 'Ga naar bed,' voordat hij een hand door het dikke zwarte haar van elke zoon haalde.

Toen hij bij de deur kwam, stond hij stil. 'Je zult me dankbaar zijn,' zei hij, zich tot Magid wendend, die flauwtjes glimlachte in de veronderstelling dat abba hem misschien toch die scheikundedoos zou geven. 'Uiteindelijk zul je me dankbaar zijn. Dit land deugt niet. We verscheuren elkaar in dit land.'

Toen liep hij de trap op en belde Poppy Burt-Jones, die hij wakker maakte om haar te zeggen dat er geen kussen meer zouden zijn in de middag, geen schuldige wandelingen meer, geen stiekeme taxi's meer. De affaire was voorbij.

Misschien waren alle Iqbals wel profeten, want Alsana's neus voor moeilijkheden had het meer bij het rechte eind dan ooit. Publieke onthoofdingen, hele gezinnen gecremeerd in hun slaap, hangende lichamen buiten de Kashmirpoort, mensen die verdoofd rondstrompelden en stukken van zichzelf misten; lichaamsdelen genomen van moslims door sikhs, van sikhs door hindoes; benen, vingers, neuzen, tenen en tanden, overal tanden, verspreid door het hele land, zich vermengend met het stof. Zo'n duizend mensen hadden de dood gevonden toen Alsana op 4 november uit het badwater te voorschijn kwam en de krakende stem hoorde van Onze Man in Delhi, die haar erover vertelde vanaf de bovenkant van het medicijnkastje.

Vreselijke toestanden. Maar, zoals Samad het zag, sommigen van ons hebben de luxe om in bad te zitten en naar het nieuws uit het buitenland te luisteren, terwijl anderen de kost moeten verdienen, een affaire moeten vergeten en een kind moeten ontvoeren. Hij wrong zich in de wijde, witte broek, controleerde het vliegticket, belde Archie om het plan door te nemen en vertrok naar zijn werk.

In de metro zat een vrij jong, vrij mooi, donker, Spaans uitziend meisje met doorlopende wenkbrauwen te huilen. Net tegenover hem zat ze, met een paar grote roze beenwarmers aan, heel openlijk te huilen. Niemand zei iets. Niemand deed iets. Iedereen hoopte dat ze bij Kilburn zou uitstappen. Maar ze ging verder, bleef zitten, huilend; West Hampstead, Finchley Road, Swiss Cottage, St. John's Wood. Toen, bij Bond Street, trok ze een foto van een niet erg veelbelovend uitziende jongeman uit haar rugzak en liet deze aan Samad en een paar van de andere passagiers zien.

'Waarom hij weg? Hij breken mijn hart... Neil, hij zeggen zijn naam, Neil. Neil, *Neil.*'

Op Charing Cross, eind van de lijn, zag Samad haar het perron oversteken en de metro nemen die rechtstreeks terugging naar Willesden Green. Romantisch, op een bepaalde manier. De manier waarop ze 'Neil' had gezegd, alsof het een woord was dat bij de naden barstte van hartstocht, van verlies. Dat soort vloeiende, vrouwelijke ellende. Hij had, op de een of andere manier, iets soortgelijks van Poppy verwacht; hij had de telefoon opgepakt en zachte, ritmische tranen verwacht, en later brieven, misschien, geurend en gevlekt. En in háár verdriet zou híj zijn gegroeid, zoals Neil waarschijnlijk op dat moment deed; haar verdriet zou een openbaring zijn geweest die hem één stap dichter bij zijn eigen verlossing had gebracht. Maar het enige wat hij in plaats daarvan had gekregen was: 'Verrek maar, verrekte klootzak.'

'Ik heb het je gezegd,' zei Shiva, zijn hoofd schuddend en Samad een mand overhandigend met gele servetten die gevouwd moesten worden als kastelen. 'Ik heb je gezegd dat je daar niet mee in zee moest gaan. Te veel geschiedenis, man. Ze is niet alleen kwaad op jou, snap je?'

Samad haalde zijn schouders op en begon aan de torentjes.

'Nee, man, geschiedenis, geschiedenis. Het is allemaal bruine man verlaat Engelse vrouw, allemaal Nehru die Mevrouw Britannia gedag zwaait met het handje.' In een poging zich te ontwikkelen ging Shiva nu naar de Open Universiteit. 'Het is allemaal gecompliceerde, gecompliceerde rotzooi. Het gaat allemaal om trots. Ik wed om een tientje dat ze je als dienstknaap wilde, als een druivenschiller-wallah.'

'Nee,' protesteerde Samad. 'Zo was het niet. We zitten niet in de Middeleeuwen, Shiva. We zitten in 1984.'

'Daar blijkt wel uit hoeveel je weet. Van wat je me hebt verteld, is ze een klassiek geval, makker, klassiek.'

'Nou, ik heb nu andere zorgen,' mompelde Samad (voor zichzelf bedenkend dat zijn kinderen nu veilig onder de wol zouden liggen bij de familie Jones, waar ze een nachtje logeerden, en dat het nog twee uur zou duren voor Archie Magid zou wekken en Millat zou laten doorslapen...). 'Familiezorgen.'

'Geen tijd!' riep Ardashir, die, zoals gewoonlijk onwaarneembaar, achter hen was komen staan om de kantelen van Samads kastelen te inspecteren. 'Geen tijd voor familiezorgen, neef. Iedereen maakt zich zorgen, iedereen probeert zijn familie uit die puinhoop thuis te krijgen, zelf dok ik duizend flappen voor een ticket voor die schreeuwlelijk van een zuster van me, maar ondertussen moet ik wel naar mijn werk, moet ik wel doorgaan met de dingen. Drukke avond vanavond, neef,' riep Ardashir, terwijl hij de keuken uitliep om in het restaurant te gaan rondbenen in een zwarte smoking. 'Laat me niet in de steek.'

Het was de drukste avond van de week, zaterdag, de avond waarop de mensen in golven komen: voor het theater, na het theater, na de kroeg, na de club; de eerste golf beleefd en spraakzaam, de tweede showdeuntjes neuriënd, de derde lawaaiig, de vierde met starende blik en beledigend. De theatermensen waren vanzelfsprekend favoriet bij de kelners; ze waren gelijkmoedig, gaven royale fooien en vroegen naar de geografie van de gerechten – de oosterse oorsprong, de geschiedenis – waarop vrolijk antwoorden werden verzonnen door de jongere kelners (die nooit verder naar het oosten waren gekomen dan de dagelijkse reis naar huis, naar Whitechapel, Smithfield's, het Isle of Dogs) of met zwarte pen op de achterkant van een roze servet, getrouw en trots werden weergegeven door de oudere kelners.

I'll Bet She Is! was de show in het National die laatste paar maanden, een herontdekte musical uit de jaren vijftig spelend in de jaren dertig. Hij ging over een rijk meisje dat van huis wegloopt en onderweg een arme jongen ontmoet die op weg is om in de Spaanse Burgeroorlog te gaan vechten. Ze worden verliefd. Zelfs Samad, die niet echt een goed gehoor had voor wijsjes, had genoeg achtergelaten programma's gevonden en genoeg tafels in zang horen uitbarsten om de meeste liedjes te kennen; hij vond ze leuk, ze leidden zijn gedachten zelfs af van het eentonige werk (beter nog – deze avond waren ze een zoete verlichting van de zorg of Archie erin zou slagen klokslag één uur die nacht met Magid bij de Palace te zijn); hij mompelde ze samen met de rest van de keuken in een soort werkritme terwijl ze stonden te hakken en marineren, snijden en kneuzen.

I've seen the Paris op'ra and the wonders of the East

'Samad Miah, ik zoek het *rahjah*-mosterdzaad.'

Spent my summers by the Nile and my winters on the piste

'Mosterdzaad... ik denk dat ik Muhammed er net mee zag.'

I've had diamonds, rubies, furs and velvet capes

'Beschuldigingen, beschuldigingen... ik heb geen mosterdzaad gezien.'

I've had Howard Hughes peel me a grape

'Het spijt me, Shiva, als de ouwe het niet heeft, heb ik het niet gezien.'

But what does it mean without love?

'En wat is dit dan?' Shiva kwam van zijn werkplek naast de chef-kok lopen en pakte een pakje mosterdzaad dat bij Samads rechterelleboog lag. 'Kom op, Sam, waar ben je vanavond met je gedachten? In de wolken?'

'Het spijt me... ik heb veel aan mijn hoofd...'

'Die dame zeker, hè?'

'Praat niet zo hard, Shiva.'

'*They tell me I'm spoilt, a rich broad who means trouble*,' zong Shiva in het meest merkwaardige verhindificeerde transatlantische accent. 'Hè, mijn refrein. *But whatever love I'm given I pay it back double*.'

Shiva greep een kleine aquamarijnkleurige vaas en zong zijn grote finale in de naar boven gedraaide voet. '*But no amount of money, will make my honey mine...* Je zou dat advies ter harte moeten nemen, Samad Miah,' zei Shiva, die ervan overtuigd was dat Samads recente hypotheekverhoging zijn heimelijke verhouding moest financieren. 'Het is een goed advies.'

Een paar uur later verscheen Ardashir weer door de klapdeuren en onderbrak het zingen om zijn peppraatje voor de tweede fase te houden. 'Heren, heren! Dat is meer dan genoeg daarvan. Luister: het is halfelf. Ze hebben de show gezien. Ze hebben honger. Ze hebben maar één armzalig bekertje ijs gekregen in de pauze en genoeg Bombay-gin, die, zoals we allen weten, de noodzaak van curry met zich meebrengt, en dat, heren, is waar wij een rol gaan spelen. Twee tafels van vijftien zijn net binnengekomen en achterin gaan zitten. Nou: als ze om water vragen, wat doe je dan? Wat doe je dan, Ravind?'

Ravind was net nieuw, neefje van de chef-kok, zestien, zenuwachtig. 'Je zegt tegen ze...'

'Nee, Ravind, wat doe je nog voordat je iets zegt?'

Ravind beet op zijn lip. 'Ik weet het niet, Ardashir.'

'*Je schudt je hoofd*,' zei Ardashir hoofdschuddend. 'Gelijktijdig met een blik van grote zorg om hun welzijn.' Ardashir demonstreerde de blik. 'En dan zeg je...?'

'"Water helpt niet tegen de scherpte, meneer."'

'Maar wat helpt tegen de scherpte, Ravind? Wat helpt de heer die op dat moment dat brandende gevoel ervaart?'

'Meer rijst, Ardashir.'

'En? En?'

Ravind zag eruit alsof hij met stomheid geslagen was en begon te zweten. Samad, die te vaak door Ardashir was gekleineerd om met plezier te kunnen toekijken hoe iemand anders tot slachtoffer werd gemaakt, boog zich naar hem toe om het antwoord in Ravinds klamme oor te fluisteren.

Ravinds gezicht lichtte op van dankbaarheid. 'Meer *naan*-brood, Ardashir!'

'Ja, want het zuigt de peper op, en, wat belangrijker is, water is gratis en naanbrood is één pond twintig. En neef,' zei Ardashir, zich zwaaiend met een knokige vinger tot Samad richtend, 'hoe moet de jongen het leren? Laat de jongen de volgende keer zelf antwoorden. Jij hebt je eigen zaken: een stel dames aan tafel twaalf heeft specifiek naar de ober-kelner gevraagd, om alleen door hem bediend te worden, dus...'

'Om mij gevraagd? Maar ik dacht dat ik vanavond in de keuken zou kunnen blijven. Bovendien, ik kan toch niet gevraagd worden als een of andere persoonlijke butler, er is te veel te doen... dat is niet het beleid, neef.'

En op dat moment voelt Samad zich paniekerig. Zijn gedachten worden zo in beslag genomen door de ontvoering om één uur, door het vooruitzicht zijn tweeling in tweeën te delen, dat hij zichzelf niet vertrouwt met hete borden en dampende schalen dal, met het spattende vet van kip uit de kleioven, met alle gevaren die op de loer liggen voor een eenhandige kelner. Zijn hoofd is vol van zijn zoons. Hij is half in een droom deze avond. Hij heeft weer eens elke nagel afgebeten tot voorbij de nagelriem en nadert met grote snelheid de doorzichtige halvemaantjes, de bloedende middelpunten.

Hij zegt, hij hoort zichzelf zeggen: 'Ardashir, ik heb zoveel te doen hier in de keuken. En waarom zou...'

En het antwoord komt: 'Omdat de ober-kelner de beste kelner is en natuurlijk hebben ze mij, ons, een fooi gegeven voor het voorrecht. Geen uitvluchten, alsjeblieft, neef. Tafel twaalf, Samad Miah.'

En lichtjes transpirerend, een witte doek over zijn linkerarm gooiend, begint Samad onwelluidend het succesnummer te neuriën terwijl hij door de deuren loopt.

What won't a guy do for a girl? How sweet the scent, how huge the pearl?

Het is een lange wandeling naar tafel twaalf. Niet in afstand, de afstand is maar twintig meter, maar het is een lange wandeling door de zware geuren en de luide stemmen en de eisen; door de roepen van Engelse mannen; langs tafel twee, waar de asbak vol is en afgedekt moet worden door een andere asbak, geruisloos opgetild moet worden en met volmaakte nonchalance vervangen moet worden door de andere asbak; stilstaand bij tafel vier, waar een onherkenbare schotel staat die niet was besteld; debatterend met tafel vijf, die samengevoegd wil worden met tafel zes, hoe onhandig dat ook is; en tafel zeven wil ei met gebakken rijst of dit nu wel of niet een Chinees gerecht is; en tafel acht wiebelt en meer wijn! Meer bier! Het is een lange wandeling als je dwars door de jungle moet; als je aandacht moet schenken aan de onophoudelijke noden en nodeloze oponthouden, de wensen, de eisen van de roze gezichten die nu op Samad overkomen als tropenhelm-dragende heren, de voeten op tafel met geweren op schoot; als thee-slurpende dames op veranda's, koelte zoekend in het briesje van de bruine jongens met de struisvogelveren...

What lenghts won't he travel, how many hits of the gavel

Bij Allah, hoe dánkbaar is hij (*ja, mevrouw, een ogenblik, mevrouw*), hoe verhéugd door de gedachte dat Magid, Magid in elk geval, over zo'n vier uur, naar het oosten zal vliegen, weg van dit oord en zijn eisen, zijn constante behoeften, dit oord waarin geen plaats is voor geduld of medelijden, waar de mensen wat ze willen nú willen, nu meteen (*we hebben twintig minuten op de groenten gewacht*), van hun geliefden, hun kinderen, hun vrienden en zelfs hun goden verwachten dat ze tegen weinig kosten en in weinig tijd arriveren, zoals tafel tien zijn tandoori garnalen verwacht...

At the auction of her choosing, how many Rembrandts, Klimts, De Koonings?

Deze mensen die alle geloof voor seks zouden ruilen en alle seks voor macht, die vrees voor God zouden ruilen voor eigendunk, kennis voor ironie, een bedekt, eerbiedwaardig hoofd voor een lange schreeuwerige bos oranje haar...

Het is Poppy aan tafel twaalf. Het is Poppy Burt-Jones. En alleen de naam zou op dit moment genoeg zijn (want hij is op zijn ontvlambaarst, Samad; hij staat op het punt zijn eigen zoons te splitsen net als die eerste nerveuze chirurg die zijn onhandige spuugnatte mes hanteerde over de samengegroeide huid van de Siamese tweeling), alleen de naam zou genoeg zijn om zijn hersenen op te blazen. De naam alleen al is een torpedo op weg naar een kleine vissersboot, zijn gedachten uit het water blazend. Maar het is meer dan een naam, de echo van een naam gesproken door een of andere onnadenkende stommeling of gevonden aan het einde van een oude brief, het is Poppy Burt-Jones zelf in levenden, sproeterige lijve. Ze zit daar koud en vastbesloten met haar zuster, die, zoals alle broers of zusters van hen die we hebben begeerd, een lelijker, mis-vormde versie lijkt.

'Zeg iets,' zegt Poppy abrupt, frutselend met een pakje Marlboro. 'Geen geestige repliek? Geen gelul over kamelen of kokosnoten? Niets te zeggen?'

Samad heeft niets te zeggen. Hij stopt alleen met het neuriën van zijn wijsje, buigt zijn hoofd in precies de correcte, eerbiedige hoek en houdt de punt van zijn pen gereed bij het papier. Het lijkt een droom.

'Goed dan,' zegt Poppy bijtend, terwijl ze Samad van onder tot boven opneemt en een sigaret opsteekt, 'zoals je wilt. Goed. Als voorgerecht nemen we lamssamosa's en de yoghurt hoehetookheet.'

'En als hoofdgerecht,' zegt de kleinere, lelijker, oranjeachtiger, stompneuzige zuster, 'twee Lam Dhaan Sak en rijst, met patat, alstublíeft, kelner.'

❦

In ieder geval is Archie precies op tijd; het juiste jaar, de juiste datum, het juiste uur; 1984, 4 november, 1 uur 's nachts. Gekleed in een lange regenjas staat hij voor het restaurant bij zijn Vauxhall: één hand streelt een paar spiksplinternieuwe Pirellibanden, in de andere heeft hij een peuk waar hij hard aan trekt, zoals Bogart of een chauffeur of Bogarts chauffeur. Samad arriveert, klemt Archies rechterhand in de zijne en voelt hoe koud de vingers van zijn vriend zijn, voelt hoezeer hij bij hem in het krijt staat. Onwillekeurig blaast hij een wolk bevroren adem in zijn gezicht. 'Ik zal dit niet vergeten, Archibald,' zegt hij. 'Ik zal niet vergeten wat je vanavond voor mij doet, mijn vriend.'

Archie schuifelt ongemakkelijk heen en weer. 'Sam, voordat je... er is iets wat ik...'

Maar Samad steekt zijn hand al uit naar het portier en Archies verklaring kan niet anders dan als een slappe clou volgen op de aanblik van drie bibberende kinderen op de achterbank.

'Ze werden wakker, Sam. Ze sliepen allemaal in dezelfde kamer... een logeerpartijtje, hè. Ik kon er niets aan doen. Ik heb ze alleen een jas over hun pyjama laten aantrekken. Ik kon niet riskeren dat Clara ons zou horen... ik moest ze meebrengen.'

Irie slaapt, opgekruld met haar hoofd op de asbak en haar voeten rustend op de versnellingsbak, maar Millat en Magid strekken blij hun handen uit naar hun vader, trekken aan zijn werkbroek en strijken hem onder de kin.

'Hé, abba! Waar gaan we heen, abba? Naar een geheim discofeest? Gaan we daar echt heen?'

Samad kijkt Archie streng aan; Archie haalt zijn schouders op.

'We gaan een ritje maken naar een vliegveld. Naar Heathrow.'

'Wauw!'

'En dan, als we er zijn, gaat Magid... Magid...'

Het lijkt een droom. Samad voelt de tranen voordat hij ze kan tegenhouden; hij strekt zijn armen uit naar zijn oudste-zoon-met-twee-minuten en klemt hem zo stevig tegen zijn borst dat de poot van zijn bril knapt. 'En dan gaat Magid op reis met tante Zinat.'

'Komt hij terug?' Dat is Millat. 'Het zou gááf zijn als hij niet terug zou komen!'

Magid wurmt zich los uit zijn vaders hoofdgreep. 'Is het ver? Ben ik op tijd terug voor maandag? Ik moet gewoon zien hoe mijn fotosynthese is voor natuurkunde... ik heb twee planten genomen: één in de kast gezet en één in het zonlicht... en ik moet zien, abba, ik moet zien welke...'

Jaren later, uren zelfs nadat dat vliegtuig is vertrokken, zal dit een geschiedenis zijn waaraan Samad niet probeert te denken. Die zijn geheugen niet probeert te onthouden. Een plotselinge steen verzonken. Namaaktanden die geluidloos naar de bodem van een glas zweven.

'Zal ik op tijd terug zijn voor school, abba?'

'Kom op,' zegt Archie ernstig vanaf de bestuurdersplaats. 'We moeten op weg als we het willen halen.'

'Je zult maandag op een school zijn, Magid. Dat beloof ik. Ga nu weer op jullie plaatsen zitten, toe. Voor abba, alsjeblieft.'

Samad doet het portier dicht, gaat op zijn hurken zitten en kijkt hoe zijn twee zoons hun hete adem tegen het raam blazen. Hij brengt zijn ene hand omhoog in een onechte aanraking van hun lippen, die rauw-roze tegen het glas liggen, waar hun speeksel zich mengt met het vuile condensvocht.

9

OPSTAND!

Voor Alsana was het echte verschil tussen mensen niet de kleur. Ook lag het niet in geslacht, geloof, hun relatieve vermogen om te dansen op een gesyncopeerd ritme of hun vuisten te openen om een handvol gouden munten te laten zien. Het echte verschil was veel fundamenteler. Dat was in de aarde. Dat was in de lucht. Wat haar betrof, kon je de hele mensheid in twee kampen verdelen, gewoon door ze te verzoeken een heel eenvoudige vragenlijst in te vullen, van het soort dat je op een dinsdag in een damesblad vindt:

a Is het aannemelijk dat de hemel waaronder je slaapt zich weken achtereen zal openen?
b Is het aannemelijk dat de grond waarop je loopt zal beven en barsten?
c Is er een kans (en kruis alsjeblieft aan, hoe klein de kans ook lijkt) dat de onheilspellende berg die een middagschaduw over je huis werpt op een dag tot uitbarsting zal komen, zonder rede of zin?

Want als het antwoord ja is op een van deze of al deze vragen, dan is het leven dat je leidt een middernachtelijk iets, altijd een haarbreedte verwijderd van het spookuur; het is vluchtig, het is armoedig; het is zonder zorgen in de ware betekenis van dat woord; het is licht, verliesbaar als een sleutelring of een haarspeld. En het is lethargie: waarom niet de hele ochtend, de hele dag, het hele jaar onder dezelfde cipres zitten en het cijfer acht in het stof trekken? Meer dan dat, het is rampspoed, het is cháos: waarom niet de regering omverwerpen in een opwelling, waarom niet de man blind maken die je haatte, waarom niet gek worden, brabbelend door de stad lopen als een zot, zwaaiend met je handen, trekkend aan je haar? Er is niets wat je tegenhoudt – of liever: alles zou je kunnen tegenhouden, elk uur, elke minuut. Dat gevoel. Dat is het echte verschil in een leven. Mensen die op solide grond leven, onder veilige hemels, weten hier niets van; ze zijn als de Engelse krijgsgevangenen in Dresden, die thee bleven schenken en zich voor het eten bleven kleden, zelfs toen het alarm afging, zelfs toen de stad een hoog torenende vuurbal werd. Voortgekomen uit een groen en prettig land, een gematigd land, hebben de Engelsen een fundamenteel onvermogen zich een ramp voor te stellen, zelfs als deze door mensenhanden is gemaakt.

Het is anders voor de mensen van Bangladesh, voorheen Oost-Pakistan, voorheen India, voorheen Bengalen. Zij leven onder de onzichtbare vinger van willekeurige rampspoed, van overstroming en cycloon, van orkaan en aardverschuiving. De helft van de tijd ligt de helft van hun land onder water; generaties weggevaagd met de regelmaat van de klok; de individuele levensverwachting een optimistische tweeënvijftig, en ze zijn zich er kalm van bewust dat als je over Apocalyps spreekt, als je over willekeurige, massale dood spreekt, nou, dat zij op dat bepaalde gebied voorop lopen, zij de eersten zullen zijn om te gaan, de eersten die Atlantisachtig naar de zeebodem zullen glijden als de verduivelde ijskappen van de polen beginnen te verschuiven en smelten. Het is het meest belachelijke land ter wereld, Bangladesh. Het is Gods idee van een *beregoeie grap*, zijn poging tot zwarte komedie. Je hoeft aan Bengalen geen vragenlijsten uit te delen. De rampen horen bij hun leven. Tussen Alsana's zoete zestiende verjaardag (1971), bijvoorbeeld, en het jaar waarin ze ophield rechtstreeks met haar man te praten (1985), stierven meer mensen in Bangladesh, kwamen meer mensen om in de orkanen en de regen, dan in Hiroshima, Nagasaki en Dresden *bij elkaar*. Een miljoen mensen verloor een leven dat ze toch al hadden geleerd niet te serieus te nemen. En dat was wat Alsana Samad echt aanrekende, om de waarheid te zeggen, meer dan het verraad, meer dan de leugens, meer dan de basale feiten van een kidnap: dat Magid zou leren *zijn leven niet te serieus te nemen*. Hoewel hij relatief veilig was daar in de Chittagong Hills, het hoogste punt van dat laaggelegen, vlakke gebied, vond ze het een verschrikkelijke gedachte dat Magid zou zijn zoals zij eens was geweest: vasthoudend aan een leven niet zwaarder dan een *paisa*-munt, onnadenkend door overstromingen wadend, huiverend onder het gewicht van zwarte luchten...

Natuurlijk werd ze hysterisch. Natuurlijk probeerde ze hem terug te krijgen. Ze sprak met de betreffende autoriteiten. De betreffende autoriteiten zeiden dingen als: 'Eerlijk gezegd, schat, maken we ons meer zorgen over degenen die binnenkomen' of: 'Om je de waarheid te zeggen, als het je mán was die de reis heeft geregeld, dan is er niet veel dat wij...,' dus legde ze de telefoon neer. Na een paar maanden hield ze op met bellen. Ze ging uit wanhoop naar Wembley en Whitechapel en bracht epische weekenden van huilen en eten en medelijden door in de huizen van familieleden, maar haar instinct vertelde haar dat de curry weliswaar prima was, maar dat het medelijden niet helemaal was wat het leek. Want er waren er die in stilte genoten van het feit dat Alsana Iqbal, met haar grote huis en haar zwart-witte vrienden en haar man die eruitzag als Omar Sharif en haar zoon die sprak als de Prins van Wales, nu in twijfel en onzekerheid leefde zoals de rest van hen, ellende leerde dragen als een oud, vertrouwd kledingstuk. Er lag een zekere voldóening in, zelfs terwijl Zinat (die haar rol in de daad nooit onthulde) over de stoelleuning heen reikte om Alsana's hand in haar meelevende klauwen te nemen. 'O, Alsi, ik blijf maar denken dat het zo zonde is dat hij de goede moest nemen! Hij was zo ontzettend slim en gedroeg zich zo keurig! Met hem hoefde je je geen zorgen te maken over drugs en vieze meisjes. Alleen over de prijs van brillen met al dat gelees.'

O, er was een zeker plezier. En onderschat mensen nooit, onderschat nooit het plezier dat ze beleven aan het zien van pijn die niet hun eigen pijn is, aan het brengen van slecht nieuws, aan het zien van vallende bommen op de televisie, aan het luisteren naar gesmoorde snikken van de andere kant van een telefoonlijn. Pijn op zich is gewoon Pijn. Maar Pijn + Afstand = vermaak, voyeurisme, het menselijke aspect, *cinéma-vérité*, een smakelijke lach, een meelevende glimlach, een opgetrokken wenkbrauw, verhulde minachting. Alsana voelde dit alles, en meer aan de andere kant van haar telefoonlijn toen de telefoontjes binnenstroomden – 28 mei 1985 – om haar te informeren over, om *medeleven* te betuigen wegens de laatste cycloon.

'Alsi, ik moest gewoon bellen. Ze zeggen dat er zo veel lichamen drijven in de Golf van Bengalen...'

'Ik hoorde net het laatste nieuws op de radio... tienduizend!'

'En de overlevenden drijven op daken rond terwijl de haaien en krokodillen naar hun voeten happen.'

'Het moet vreselijk zijn, Alsi, om niet te weten, niet zeker te zijn...'

Zes dagen en nachten wist Alsana niet, was ze niet zeker. Gedurende deze periode las ze uitgebreid uit het werk van de Bengaalse dichter Rabindranath Tagore en deed haar uiterste best zijn geruststellingen te geloven (*De duisternis van de nacht is een zak die barst van het goud van de dageraad*), maar ze was in de grond een praktische vrouw en vond geen troost in poëzie. Gedurende die zes dagen was haar leven een middernachtelijk iets, altijd een haarbreedte verwijderd van het spookuur. Maar op de zevende dag kwam er licht: het nieuws kwam dat met Magid alles goed was, dat hij alleen een gebroken neus had door een vaas die van zijn hachelijke plek op een hoge plank in de moskee was gevallen, omgeblazen door de eerste ademtocht van de eerste windvlagen (en hou een oogje op die vaas, alsjeblieft, het is dezelfde vaas die Magid bij zijn neus naar zijn roeping zal leiden). Het waren alleen de bedienden, die, nadat ze twee dagen eerder een geheime voorraad gin hadden meegenomen en zich in het gammele bestelbusje van de familie hadden geperst voor een plezierritje naar Dacca, nu dood in de Jamuna-rivier dreven terwijl zilvergevinde vissen met uitpuilende ogen verbijsterd naar hen omhoog staarden.

Samad reageerde triomfantelijk. 'Zie je wel? In Chittagong zal hem niets overkomen! En beter nieuws nog: hij was in een moskee! Hij kan zijn neus beter in een moskee breken dan in een gevecht in Kilburn! Het gaat precies zoals ik had gehoopt. Hij leert de oude gebruiken. Leert hij de oude gebruiken niet?'

Alsana dacht een ogenblik na. Toen zei ze: 'Misschien, Samad Miah.'

'Hoe bedoel je "misschien"?'

'Misschien, Samad Miah, misschien niet.'

Alsana had besloten niet meer rechtstreeks met haar man te spreken. Gedurende de volgende acht jaar zou ze nooit 'ja' tegen hem zeggen, nooit 'nee' tegen hem zeggen, maar hem dwingen net zo te leven als zij leefde – nooit te wéten, nooit zéker te zijn, Samads geestelijke gezondheid als losgeld te eisen tot ze volledig betaald zou zijn met de terugkeer van haar nummer-één-zoon-oudste-met-twee-minuten, tot ze haar mollige hand weer door zijn dikke haar zou kunnen halen. Dat was haar belofte, dat was haar vloek over Samad, en het was een verfijnde wraak. Zo nu en dan dreef het hem bijna over de rand, naar het stadium van het keukenmes, naar het medicijnkastje. Maar Samad was zo iemand die te koppig was om er een eind aan te maken als dit betekende dat hij er iemand anders voldoening mee zou schenken. Hij hield vol. Alsana, zich omdraaiend in haar slaap en mompelend: 'Breng hem gewoon terug, meneer de idioot… als je er helemaal gek van wordt, breng mijn zoon gewoon terug.'

Maar er was geen geld om Magid terug te brengen, zelfs niet als Samad geneigd was geweest de witte *dhoti* te hijsen. Hij leerde ermee leven. Het kwam zover dat Samad, als iemand 'ja' of 'nee' tegen hem zei, op straat of in het restaurant, nauwelijks wist hoe hij moest reageren, dat hij niet meer wist wat die twee elegante kleine aanduidingen betekenden. Hij hoorde ze nooit van Alsana's lippen. Wat de vraag ook mocht zijn in huize Iqbal, er zou nooit meer een rechtstreeks antwoord komen.

'Alsana, heb je mijn pantoffels gezien?'

'Mogelijk, Samad Miah.'

'Hoe laat is het?'

'Het zou drie uur kunnen zijn, Samad Miah, maar Allah weet dat het ook vier uur kan zijn.'

'Alsana, waar heb je de afstandsbediening gelaten?'

'Hij kan net zo goed in de la liggen, Samad Miah, als achter de bank.'

En zo ging het.

Enige tijd na de cycloon van mei ontvingen de Iqbals een brief van hun oudste-zoon-met-twee-minuten, geschreven in een zorgvuldig handschrift op cahierpapier en gevouwen om een recente foto. Het was niet de eerste keer dat hij had geschreven, maar Samad zag iets anders in deze brief, iets wat hem opwond en de onpopulaire beslissing die hij had genomen recht deed; een verandering van toon, een suggestie van volwassenheid, van toenemende oosterse wijsheid; en, na hem eerst zorgvuldig in de tuin te hebben gelezen, schiep hij er een groot genoegen in hem mee naar de keuken te nemen en voor te lezen aan Clara en Alsana, die pepermuntthee zaten te drinken.

'Luister, hier zegt hij: "Gisteren heeft grootvader Tamim (hij is de huisknecht) met een riem geslagen tot zijn achterste roder was dan een tomaat. Hij zei dat Tamim een paar kaarsen had gestolen (dat is waar. Ik heb het hem zien doen!) en dat dit zijn straf was. Soms, zegt hij, straft Allah en soms moeten mensen het doen, en het is een wijs man die weet of het Allahs beurt is of die van hem. Ik hoop dat ik op een dag een wijs man zal zijn." Horen jullie dat? Hij wil een wijs man worden. Hoeveel kinderen op die school kennen jullie die wijze mannen willen worden?'

'Misschien geen een, Samad Miah. Misschien allemaal.'

Samad wierp zijn vrouw een boze blik toe en vervolgde: 'En hier, hier waar hij het over zijn neus heeft. "Het lijkt mij dat een vaas niet op zo'n domme plaats zou moeten staan waar hij kan vallen en de neus van een jongen kan breken. Het zou iemands fout moeten zijn en er zou iemand gestraft moeten worden (maar geen pak op de billen tenzij het gaat om iemand die *klein is en niet om een volwassene*. Iemand die jonger is dan twaalf). Als ik groot ben, zou ik denk ik willen zorgen dat vazen niet op zulke domme plaatsen worden gezet dat ze gevaarlijk kunnen zijn en zou ik ook klagen over andere gevaarlijke dingen (overigens, *met mijn neus is alles weer goed!*)." Zie je?'

Clara fronste haar voorhoofd. 'Zie je wat?'

'Het is duidelijk dat hij iconografie in de moskee afkeurt, dat hij een afkeer heeft van alle heidense, onnodige, gevaarlijke decoratie! Zo'n jongen is voorbestemd voor grootse daden, nietwaar?'

'Misschien, Samad Miah, misschien niet.'

'Misschien komt hij in de regering of in de rechterlijke macht,' suggereerde Clara.

'Onzin! Mijn zoon is voor God, niet voor de mens. Hij is niet bang voor zijn plicht. Hij is niet bang om een echte Bengaal te zijn, een ware moslim. Hier vertelt hij mij dat de geit op de foto dood is. "Ik heb geholpen de geit te doden, abba," zegt hij. "Ze bleef nog een tijdje bewegen nadat we haar in tweeën hadden gedeeld." Is dat een bange jongen?'

Omdat het kennelijk aan iemand was om 'nee' te zeggen, zei Clara het met weinig enthousiasme en stak haar hand uit naar de foto die Samad haar aangaf. Daar was Magid, gekleed in zijn gebruikelijke grijs, staande naast de ten dode opgeschreven geit met het oude huis achter hem.

'O! Moet je zijn neus zien! Moet je die breuk zien. Hij heeft een Romeinse neus nu. Hij ziet eruit als een kleine aristocraat, als een kleine Engelsman. Kijk, Millat.' Clara hield de foto voor Millats kleinere, plattere neus. 'Jullie zien er nu minder uit als een tweeling.'

'Hij ziet eruit,' zei Millat, na een oppervlakkige blik, 'als een leider.'

Samad, die nooit op de hoogte was van de taal van de straten van Willesden, knikte ernstig en streek zijn zoon over zijn haar. 'Het is goed dat je het verschil ziet tussen jullie tweeën, Millat, beter nu dan later.' Samad keek kwaad naar Alsana, die een wijsvinger in een cirkel bij haar slaap liet ronddraaien en op de zijkant van haar hoofd tikte: *gek, gestoord*. 'Anderen mogen hier dan de spot mee drijven, maar jij en ik weten dat jouw broer anderen uit de wildernis zal leiden. Hij zal een aanvoerder van stammen zijn. Hij is een geboren léider.'

Millat lachte hier zo luid om, zo hard, zo onbeheerst, dat hij zijn evenwicht verloor, uitgleed over een dweil en zijn neus brak op de gootsteen.

Twee zoons. Eén onzichtbaar en volmaakt, bevroren op de prettige leeftijd van negen, statisch in een fotolijstje terwijl de televisie onder hem alle rotzooi van de jaren tachtig uitspoog – Ierse bommen, Engelse rellen, transatlantische patstellingen – een puinhoop waarboven het kind onaanraakbaar en onbevlekt oprees, verheven tot de status van eeuwig glimlachende boeddha, vervuld van serene oosterse beschouwing; tot alles in staat, een geboren leider, een geboren moslim, een geboren aanvoerder – kortom, niets anders dan een verschijning. Een spookachtige daguerreotype gevormd uit het kwikzilver van de verbeelding van de vader, geconserveerd door de zoutoplossing van tranen van de moeder. Deze zoon stond zwijgend, afstandelijk, en werd verondersteld 'het goed te maken', als een van de koloniale eiland-buitenposten van Hare Majesteit, vastzittend in een eeuwige staat van oorspronkelijke naïviteit, permanente prepuberteit. Deze zoon kon Samad niet zien. En Samad had al lang geleden geleerd te aanbidden wat hij niet kon zien.

Wat de zoon betreft die hij wel kon zien, de zoon die hem voor de voeten liep en hem dwarszat, nou, het is beter om Samad maar niet over dat onderwerp te laten beginnen, het onderwerp *het probleem Millat*, maar daar gaan we: hij is de tweede zoon, laat als een bus, laat als een teruggave van de belastingen, de slak, het inhaalkind, het kind dat die eerste wedstrijd door het geboortekanaal had verloren en nu eenvoudigweg een volgeling was door genetische predispositie, door het ingewikkelde plan van Allah, de verliezer op twee essentiële minuten die hij nooit zou inlopen, niet in die alziende parabolische spiegels, niet in die glasachtige oogbollen van de godheid, niet in *zijn vaders ogen*.

Nu had een melancholischer kind dan Millat, een dieper denkend kind, de rest van zijn leven achter die twee minuten aan kunnen hollen en zichzelf diepongelukkig kunnen maken, de ongrijpbare prooi kunnen achtervolgen om hem ten slotte aan zijn vaders voeten te leggen. Maar Millat maakte zich niet zo druk om wat zijn vader over hem zei: hij wist van zichzelf dat hij geen volgeling was, geen leider, geen klojo, geen overloper, geen nul, geen eikel – wat zijn vader ook zei. In de taal van de straat was Millat een jongen met babbels, een blitser, in de frontlinie, zo vaak van imago veranderend als van schoenen; snelle jongen, oké, te gék, kinderen heuvelopwaarts voerend om te voetballen, heuvelafwaarts om fruitautomaten te plunderen, de scholen uit, de videotheken in. Bij Rocky Video, Millats vaste stek, gedreven door een weinig scrupuleuze coke-dealer, kreeg je porno als je vijftien was, films van boven de achttien als je elf was en harde porno van onder de toonbank voor vijf pond. Hier leerde Millat echt over vaders. Peetvaders, bloedbroeders, *pacinodeniros*, mannen in het zwart die er goed uitzagen, snel praatten, die nooit aan van die kleretafels hoefden te bedienen, die twee volledig functionerende, wapenvaardige handen hadden. Hij leerde dat je niet met overstromingen, met cyclonen hoefde te leven om een beetje gevaar te krijgen, om een wijs man te zijn. Je gaat ernaar op zoek. Op de leeftijd van twaalf ging Millat ernaar op zoek, en hoewel Willesden Green geen Bronx is, geen South Central, vond hij een beetje, vond hij genoeg. Hij had lef, hij had een grote bek, hij droeg de kiem van zijn felle schoonheid in zich als een duiveltje in een doosje, afgesteld om op zijn dertiende naar buiten te springen, de leeftijd waarop hij promoveerde van aanvoerder van puisterige jongens tot aanvoerder van vrouwen. De Rattenvanger van Willesden Green, smoorverliefde meisjes in zijn kielzog, tong uit de mond, borsten parmantig, vallend in poelen van hartzeer... en allemaal omdat hij de GROOTSTE en de SLECHTSTE was, zijn jonge leven in HOOFDLETTERS leefde: hij rookte het eerst, hij dronk het eerst, hij deed hét zelfs – HET! – dertienenhalf jaar oud. Oké, er was niet veel in de zin van GEVOEL of AANRAKING, het was VOCHTIG en VERWARREND, hij raakte HET kwijt zonder ook maar te weten waar HET BLEEF, maar hij deed HET want het leed geen twijfel, geen enkele TWIJFEL, dat hij de beste was van allemaal, op elke schaal van jeugdcriminaliteit was hij het lichtende voorbeeld van de tienergemeenschap, de DON, de TOP, de PIK van de pikorde, een jongen van de straat, een aanvoerder van stammen. Het enige probleem met Millat was in feite dat hij gek was op problemen. En hij was er goed in. Streep dat door. Hij was gewéldig.

Toch was er veel discussie – thuis, op school, in de verschillende keukens van de wijdverspreide Iqbal/Begum-clan – over *het probleem Millat*, opstandige Millat van dertien, die scheten liet in de moskee, achter blondjes aanzat en naar tabak rook, en niet alleen Millat maar álle kinderen: Mujib (veertien, strafblad voor joyrijden), Khandakar (zestien, wit vriendinnetje, droeg 's avonds mascara), Dipesh (vijftien, marihuana), Kurshed (achttien, marihuana en erg slobberige broek), Khaleda (zeventien, seks voor het huwelijk met Chinese jongen), Bimal (negentien, theaterschool); *wat was er mis met de kinderen*, wat was er misgegaan met deze eerste nakomelingen van het grote oversteekexperiment? Hadden ze niet alles wat ze maar nodig konden hebben? Was er niet een flinke tuin, waren er geen regelmatige maaltijden, schone kleren van Marks 'n' Sparks, uitstekende, eersteklas opleidingen? Hadden de ouderen hun best niet gedaan? Waren ze niet allemaal naar dit eiland gekomen om een reden? Om veilig te zijn. Waren ze niet véilig?

'Te veilig,' legde Samad uit, geduldig een of andere huilende, boze ma of *baba* troostend, een verbluftte en oudere *dadu* of *dida*. 'Ze zijn te veilig in dit land, *accha*? Ze leven in grote plastic bollen die we zelf hebben gemaakt; hun hele leven is voor hen uitgetekend. Persoonlijk kan de heilige Paulus mij gestolen worden, maar de wijsheid is juist, de wijsheid is echt die van Allah: *kinderlijke dingen afleggen*. Hoe kunnen onze jongens mannen worden als ze nooit worden uitgedaagd als mannen? Hmm? Geen twijfel aan, bij nader inzien, Magid terugsturen was het beste. Ik kan het aanbevelen.'

Op dat moment kijken de verzamelde schreiers en klagers treurig naar de gekoesterde foto van Magid met geit. Ze zitten daar gebiologeerd, als hindoes wachtend op de tranen van een stenen koe, tot een zichtbaar aura van de foto lijkt uit te gaan: goedheid en moed bij tegenspoed, bij storm en ontij; de ware moslimjongen, het kind dat zij nooit hadden. Hoe meelijwekkend het ook was, Alsana vond het wel wat vermakelijk dat de rollen waren omgedraaid; niemand huilde meer om haar, ze huilden om zichzelf en hun kinderen, om wat de verschrikkelijke jaren tachtig met hen deden. Deze bijeenkomsten waren als laatste, vertwijfelde politieke topconferenties, ze waren als wanhopige vergaderingen van overheid en kerk achter gesloten deuren terwijl de opstandige meute wild door de straten zwierf, ramen ingooide. Er begon een afstand te ontstaan, niet alleen tussen *vader-zoons, oud-jong, daargeborenen-hiergeborenen*, maar tussen degenen die binnenbleven en degenen die buiten de beest uithingen.

'Te veilig, te gemakkelijk,' herhaalde Samad, terwijl oudtante Bibi Magid liefdevol afnam met wat Glassex. 'Een maand thuis, in het oude vaderland, zou ze stuk voor stuk disciplineren.'

Maar in feite hoefde Millat niet terug naar het oude vaderland: zijn positie was schizofreen, met één voet in Bengalen en de andere in Willesden. Voor zijn gevoel was hij net zozeer daar als hier. Hij had geen paspoort nodig om gelijktijdig op twee plaatsen te zijn, hij had geen visum nodig om het leven van zijn broer en zijn eigen leven te leiden (ze waren tenslotte een tweeling). Alsana was de eerste die het opmerkte. Ze nam Clara in vertrouwen: *Goeie God, ze zijn met elkaar verbonden als door een navelstreng, op elkaar afgestemd als een wip, duw de ene kant, de andere gaat omhoog; wat Millat ziet heeft Magid gezien en andersom*! En Alsana kende slechts de incidenten: overeenkomstige ziekten, gelijktijdige ongelukken, stervende huisdieren continenten van elkaar verwijderd. Ze wist niet dat, terwijl Magid in 1985 zag hoe de cycloon dingen van hoge plaatsen schudde, Millat grote risico's nam op de hoge muur van de begraafplaats in Fortune Green; dat op 10 februari 1988, terwijl Magid zich een weg baande door de gewelddadige mensenmassa's in Dacca en wegdook voor de willekeurig uitgedeelde klappen van degenen die een verkiezing met messen en vuisten wilden regelen, Millat het wist op te nemen tegen drie bezopen, razende, snelvoetige Ieren voor de deur van de beruchte kroeg van Biddy Mulligan in Kilburn. Ah, maar het toeval overtuigt u niet? U wilt feit feit feit. U wilt een treffen met de Grote Man met zwarte kap en zeis? Oké: op de 28ste april 1989 zwiepte een tornado de keuken in Chittagong de lucht in, alles met zich meenemend met uitzondering van Magid, die op wonderbaarlijke wijze opgerold als een bal op de vloer achterbleef. Nu over naar Millat, achtduizend kilometer daarvandaan en zich neerlatend op de legendarische zesdeklasser Natalia Cavendish (wier lichaam een duister geheim voor haar verbergt); de condooms zitten ongeopend in een pakje in zijn kontzak, maar op de een of andere manier zal hij het niet oplopen, ofschoon hij nu ritmisch beweegt, omhoog en erin, dieper en zijwaarts, dansend met de dood.

Drie dagen:

15 OKTOBER 1987

Zelfs toen het licht uitviel en de wind de dubbele beglazing helemaal verrot beukte, zat Alsana, een groot gelover in het orakel dat de BBC heet, in een nachtpon op de bank en weigerde te wijken.

'Als die meneer Fish zegt dat het oké is, is het verdomme oké. Hij is de BBC, in godsnaam!'

Samad gaf het op (het was bijna onmogelijk om Alsana van mening te doen veranderen over de inherente betrouwbaarheid van haar favoriete Engelse instituties, waaronder prinses Anne, Blu-Tack, Children's Royal Variety Performance, Eric Morecambe, *Woman's Hour*). Hij pakte de zaklantaarn uit de keukenla en ging naar boven, op zoek naar Millat.

'Millat? Geef antwoord, Millat! Ben je daar?'

'Misschien, abba, misschien niet.'

Samad volgde de stem naar de badkamer en vond Millat tot aan zijn kin in smerig roze zeepschuim, *Viz* lezend.

'Hé, pa, formidabel. Zaklantaarn. Schijn hierheen zodat ik kan lezen.'

'Hou daar maar mee op.' Samad rukte het stripboek uit zijn zoons handen. 'Er is verdomme een orkaan aan de gang en die getikte moeder van je is van plan hier te blijven zitten tot het dak naar beneden komt. Kom uit bad. Je moet voor me naar de schuur om wat hout en spijkers te halen zodat we...'

'Maar, abba, ik ben spiernaakt!'

'Ga niet haren kloven met mij... dit is een noodgeval. Ik wil dat je...'

Een oorverdovend, scheurend geluid, alsof iets bij de wortels werd afgerukt en tegen een muur werd gesmeten, kwam van buiten.

Twee minuten later en de familie Iqbal stond in verschillende stadia van ongekleed zijn naast elkaar naar buiten te kijken door het lange keukenraam naar de plek in het gras waar de schuur had gestaan. Millat klakte drie keer met zijn hakken en zei met een overdreven buurtwinkelaccent. 'O guttegut. Oost west thuis best. Oost west thuis best.'

'Oké, vrouw. Ga je nú mee?'

'Misschien, Samad Miah, misschien.'

'Verdomme! Ik ben niet in de stemming voor een referendum. We gaan naar Archibald. Misschien hebben zij nog licht. En er is veiligheid in aantallen. Jullie tweeën: kleed je aan, pak de belangrijke dingen, de leven-of-dood-dingen, en stap in de auto!'

Terwijl hij de kofferdeksel openhield tegen een wind die vastbesloten was hem dicht te doen, was Samad eerst geamuseerd en toen terneergeslagen door de spullen die zijn vrouw en zoon de status van essentieel hadden gegeven, leven-of-dood-dingen:

Millat
Born to Run (album) – Springsteen
Poster van De Niro uit de scène
'You talkin' to me' uit *Taxi Driver*
Betamax-exemplaar van
Purple Rain (rockfilm)
Shrink-to-fit Levi's 501 (red tab)
Een paar zwarte Converse-
honkbalschoenen
A Clockwork Orange (boek)

Alsana
Naaimachine
Drie potten tijgerbalsem
Lamsbout (bevroren)
Voetenbad
Linda Goodman's Sterrenbeelden (boek)
Grote doos *beedi*-sigaretten
Divargiit Singh in *Moonshine*
over Kerala (musicalvideo)

Samad sloeg de klep met een klap dicht.

'Geen zakmes, geen etenswaren, geen lichtbronnen. Geweldig. Geen prijzen voor raden wie van de Iqbals de oorlogsveteraan is. Niemand denkt er ook maar aan de koran mee te nemen. Het belangrijkste in een noodsituatie: geestelijke steun. Ik ga weer naar binnen. Blijf in de auto en beweeg je niet.'

Eenmaal in de keuken scheen Samad met zijn zaklantaarn om zich heen: ketel, kookplaat, theekopje, gordijn, en toen een surreële glimp van de schuur die tevreden als een boomhut in de paardenkastanje van de buren zat. Hij pakte het zakmes, waarvan hij zich herinnerde dat hij het onder de gootsteen had gelegd, haalde zijn vergulde en met fluweel afgezette koran uit de woonkamer en stond op het punt weg te gaan toen de verleiding om de storm te voelen, om iets te zien van de ontzagwekkende verwoesting, over hem kwam. Hij wachtte op een windstilte, opende de keukendeur en bewoog zich voorzichtig de tuin in, waar een bliksemschicht een tafereel van voorstedelijke Apocalyps verlichtte: in tuin na tuin gevelde eiken, ceders, platanen, iepen, omgevallen hekken, kapotte tuinmeubelen. Alleen zijn eigen tuin, die vaak bespot was vanwege de omheining van golfplaat, de boomloze inrichting en het ene na het andere bed van weeïg geurende kruiden, was relatief intact gebleven.

Hij was net tevreden bezig een of andere allegorie te formuleren met betrekking tot de buigende oosterse rietstengel tegenover de koppige westerse eik, toen de wind zich opnieuw deed gelden, hem opzij wierp en zijn weg vervolgde naar de dubbele beglazing, die hij moeiteloos deed barsten en uit elkaar deed knallen, waarbij het glas naar binnen werd geblazen en alles uit de keuken naar buiten werd gebraakt, de open lucht in. Samad, met een zojuist opgestegen vergiet op zijn oor rustend, hield zijn boek stijf tegen zijn borst en haastte zich naar de auto.

'Wat doe jíj op de bestuurdersplaats?'

Alsana hield het stuur stevig vast en praatte via de achteruitkijkspiegel tegen Millat. 'Wil iemand alsjeblieft tegen mijn echtgenoot zeggen dat ík ga rijden? Ik ben opgegroeid bij de Golf van Bengalen. Ik heb mijn moeder door stormen als deze zien rijden terwijl mijn echtgenoot zich een beetje liep uit te sloven in Delhi met een hele troep nichterige studentjes. Ik stel voor dat mijn echtgenoot op de passagiersstoel plaatsneemt en zelfs geen wind laat tenzij ik hem opdracht geef.'

Alsana reed met vijf kilometer per uur over de verlaten, verduisterde hoofdweg terwijl windstoten van honderdtachtig kilometer per uur op de toppen van de hoogste gebouwen beukten.

'En dit moet Engeland zijn! Ik ben naar Engeland gegaan om dit niet te hoeven doen. Die meneer Crab zal ik nooit meer vertrouwen.'

'Amma, het is meneer Fish.'

'Van nu af aan is het meneer Crab voor mij,' snauwde Alsana met een donkere blik. 'BBC of geen BBC.'

Het licht wás uitgegaan bij Archie, maar het gezin Jones was voorbereid op elke rampzalige eventualiteit, van vloedgolf tot radioactieve neerslag; toen de Iqbals daar arriveerden, was het hele huis verlicht met tientallen gaslampen, tuinkaarsen en nachtlichtjes, waren de voordeur en ramen haastig versterkt met hardboard en waren de takken van de bomen in de tuin bijeengebonden.

'Het is allemaal een kwestie van voorbereiding,' verkondigde Archie, terwijl hij als een DHZ-koning die de verdrevenen verwelkomt de deur opende voor de wanhopige Iqbals met hun armen vol bezittingen. 'Ik bedoel, je moet je gezin beschermen, nietwaar? Niet dat je op dat vlak hebt gefaald... je weet wat ik bedoel, maar zo zie ik het gewoon: het is ik tegen de wind. Ik heb het je niet één keer gezegd, Ick-Ball, ik heb het je duizenden keren gezegd: *controleer de steunmuren*. Als die niet in bovenste beste vorm zijn, zit je in de penarie, makker. Echt waar. En je moet een pneumatische moersleutel in huis hebben. Essentieel.'

'Dat is bijzonder boeiend, Archibald. Mogen we binnenkomen?'

Archie stapte opzij. 'Tuurlijk. Eerlijk gezegd verwachtte ik jullie al. Je hebt nooit het verschil geweten tussen een boorkop en het handvat van een schroevendraaier, Ick-Ball. De theorie ken je wel, maar de praktijk heb je nooit onder de knie gekregen. Loop door, de trap op en denk om de nachtlichtjes... goed idee, hè, dat? Hallo, Alsi, je ziet er weer prachtig uit; hallo, Millboid, kleine boef. Zo Sam, vertel het maar: wat ben je kwijtgeraakt?'

Samad gaf schaapachtig een opsomming van de tot op dat moment geleden schade.

'Ah, maar luister, dat is niet je beglazing, die is prima, die heb ík erin gezet... het zijn de kozijnen. Gewoon uit die bouwvallige muur gerukt, wed ik.'

Samad gaf met tegenzin toe dat dat inderdaad het geval was.

'Die zijn er het slechtst aan toe, let op mijn woorden. Nou ja, gebeurd is gebeurd. Clara en Irie zijn in de keuken. We hebben een bunsenbrander aan en er is zo wat te eten. Maar wat een storm, hè? Telefoon werkt niet. 'Lektriciteit werkt niet. Nooit zoiets meegemaakt.'

In de keuken heerste een soort kunstmatige rust. Clara roerde in wat bonen terwijl ze zachtjes het deuntje van *Buffalo Soldier* neuriede. Irie zat op de obsessieve manier van dertienjarigen over een schrijfblok gebogen haar dagboek te schrijven:

Halfnegen 's avonds. Millat is net binnengekomen. Hij is zóóó geweldig maar uiterst irritant! Strakke spijkerbroek zoals gewoonlijk. Kijkt niet naar mij (zoals gewoonlijk, behalve op een VRIENDSCHAPPELIJKE manier). Ik ben verliefd op een stommeling (domme ik)! Had hij de hersens van zijn broer maar... nou ja, blabla. Ik heb last van kalverliefde en kalvervet – aaagh! Storm gaat nog tekeer. Moet stoppen. Schrijf later weer.

'Oké,' zei Millat.

'Oké,' zei Irie.

'Te gek dit, hè?'

'Ja, gestoord.'

'Pa gaat uit zijn bol. Het huis is naar de klote.'

'Dito. Het is hier ook een gekkenhuis geweest.'

'En waar zou je zijn zonder mij, jongedame,' zei Archie, terwijl hij weer een spijker in wat hardboard hamerde. 'Dit is het best beschermde huis van Willesden. Je merkt hier amper dat er een storm gaande is.'

'Ja,' zei Millat, terwijl hij een laatste spannende blik door het raam op de apoplectische bomen wierp voordat Archie het zicht op de hemel volledig blokkeerde met hout en spijkers. 'Dat is het juist.'

Samad gaf Millat een klap om zijn oren. 'Je gaat niet brutaal worden, hè? We weten wat we doen. Je vergeet dat Archibald en ik al eerder met extreme situaties te maken hebben gehad. Als je eenmaal midden op een slagveld een vijfmanstank hebt gerepareerd, terwijl je leven bij elke stap in gevaar is, de kogels centimeters van je reet rondgieren en je tegelijkertijd de vijand te pakken neemt onder de moeilijkst denkbare omstandigheden, dan stelt een orkaan helemaal niets voor, dat kan ik je wel vertellen. Je had het heel wat slechter kunnen treffen... ja, ja, dat is vast heel grappig,' mopperde Samad toen de twee kinderen en de twee vrouwen deden alsof ze op slag in slaap vielen. 'Wie wil wat van deze bonen? Ik schep op.'

'Wil iemand een verhaal vertellen?' zei Alsana. 'Het wordt zo vreselijk saai als we de hele avond naar die ouwe veteranenverhalen moeten luisteren.'

'Kom op, Sam,' zei Archie met een knipoog. 'Vertel ons nog eens over Mangal Pande. Daar kunnen we altijd om lachen.'

Een luid 'nééé', gebaren van keel doorsnijden en zelfverstikking gingen door het verzamelde gezelschap.

'Het verhaal over Mangal Pande,' protesteerde Samad, 'is niet om te lachen. Hij is de kriebel in de nies, hij is waardoor we zijn zoals we zijn, de stichter van het moderne India, de grote historische baas.'

Alsana snoof. 'Grote dikke onzin. Elke idioot weet dat Gandhi-wallah de grote baas was. Of Nehru. Of misschien Akbar, maar die had een bochel en een enorme neus; ik moest nooit wat van hem hebben.'

'Verdomme! Praat niet zulke onzin, mens. Wat weet jij ervan? Een feit is: het is gewoon een kwestie van markteconomie, publiciteit, filmrechten. De vraag is: zijn de mooie mannen met de grote witte tanden bereid je te spelen enzovoort. Gandhi had meneer Kingsley, prima, maar wie wil Pande doen, hè? Pande is niet mooi genoeg, hè? Ziet er te Indiaas uit: grote neus, grote wenkbrauwen. Daarom moet ik jullie ondankbaren steeds weer een paar dingen over Mangal Pande vertellen. Waar het op neerkomt: als ik het niet doe, doet niemand het.'

'Luister,' zei Millat, 'ik doe de korte versie. Overgrootvader...'

'Jóuw bétovergrootvader, sufferd,' corrigeerde Alsana.

'Ook goed. Besluit de Engelsen te verneuken...'

'Millat!'

'Tegen de Engelsen in opstand te komen, helemaal in z'n eentje, zo stoned als een garnaal, probeert zijn kapitein dood te schieten, mist, probeert zichzelf dood te schieten, mist, wordt gehangen...'

'Opgehangen,' zei Clara afwezig.

'Opgehangen of gehangen. Ik pak het woordenboek,' zei Archie terwijl hij zijn hamer neerlegde en van het aanrecht klom.

'Ook goed. Einde verhaal. Sáái.'

En nu scheurde een mammoetboom – het soort dat inheems is voor Noord-Londen, de bomen die drie kleinere bomen laten ontspruiten langs de stam voordat ze ten slotte uitbarsten in luisterrijk groen, stadsverblijf voor hele zwermen eksters – een boom van deze soort scheurde zich los uit de hondenpoep en het beton, zette één wankelende stap voorwaarts, bezwijmde en stortte neer: door het gootwerk, door de dubbele beglazing, door het hardboard, gooide een gaslamp om en landde vervolgens in een leegte die Archie-vormig was, want hij had deze zojuist verlaten.

Archie was de eerste die in actie kwam; hij gooide een handdoek op het kleine vuur dat zich verspreidde over de kurktegels in de keuken, terwijl alle anderen beefden en huilden en elkaar controleerden op verwondingen. Toen herwon Archie, die zichtbaar ontdaan was door deze slag voor zijn DHZ-suprematie, de controle over de elementen. Hij bond wat van de takken met keukendoeken bij elkaar en gaf Millat en Irie opdracht het huis door te lopen en de gaslampen uit te doen.

'We willen toch niet verbranden, hè? Ik kan maar beter op zoek gaan naar wat zwart plastic en tape. Ik moet er iets aan doen.'

Samad kon het niet geloven. '*Er iets aan doen*, Archibald? Ik begrijp niet hoe wat tape verandering zal brengen in het feit dat er een halve boom in de keuken ligt.'

'Man, ik ben als de dood,' stamelde Clara na enkele minuten van zwijgen, terwijl de storm afnam. 'De stilte is altijd een slecht teken. Mijn grootmoeder, God hebbe haar, die zei dat altijd. De stilte betekent alleen maar dat God pauzeert om adem te halen voordat hij weer gaat schreeuwen. Ik denk dat we naar de andere kamer moeten gaan.'

'Dat was de enige boom aan deze kant. We kunnen beter hier blijven. Hier is het ergste al gebeurd. Bovendien,' zei Archie, liefhebbend de arm van zijn vrouw aanrakend, 'hebben jullie Bowdens veel erger meegemaakt dan dit! Jouw moeder is verdomme tijdens een aardbeving geboren. 1907, Kingston stort in elkaar en Hortense floept de wereld in. Die zul je niet ondersteboven zien raken van zo'n stormpje als dit. Dat is me nog eens een taaie.'

'Het gaat niet om taai zijn,' zei Clara zacht, terwijl ze opstond om door het kapotte raam naar de chaos buiten te kijken. 'Geluk. Geluk en geloof.'

'Ik stel voor dat we bidden,' zei Samad, zijn koran in luxe uitvoering pakkend. 'Ik stel voor dat we de macht van de Schepper erkennen terwijl hij ons vanavond zijn macht toont.'

Samad begon te bladeren en hield de tekst, toen hij gevonden had wat hij zocht, op patriciërachtige wijze voor de neus van zijn vrouw, maar ze sloeg het boek met een klap dicht en keek hem woest aan. Goddeloze Alsana, die toch zo behendig was met het woord van God (goede school, keurige ouders, o ja), die niets anders miste dan het geloof, maakte zich klaar om te doen wat ze alleen in uiterste nood deed, reciteren: 'Ik dien niet dat wat u dient, noch dient u hem die ik dien: noch zal ik datgene dienen wat u dient, noch zult u hem dienen die ik dien: u zult uw religie hebben en ik zal mijn religie hebben. Sura 109, vertaling N.J. Dawood. Zo, wil iemand,' zei Alsana, naar Clara kijkend, 'mijn echtgenoot eraan herinneren dat hij meneer Manilow niet is en niet de liedjes heeft die de hele wereld aan het zingen brengen. Hij zal zijn deuntje fluiten en ik zal het mijne fluiten.'

Samad wendde zich minachtend van zijn vrouw af en legde beide handen stijfjes op zijn boek. 'Wie wil met mij bidden?'

'Sorry, Sam,' klonk een gedempte stem (Archie zat met zijn hoofd in een keukenkast op zoek naar de vuilniszakken). 'Dat is ook niet echt iets voor mij. Ik ben nooit zo'n kerkman geweest. Neem me niet kwalijk.'

Er gingen nog vijf minuten voorbij zonder de wind. Toen brak de stilte en schreeuwde God, precies zoals Ambrosia Bowden haar kleindochter had verteld. Donder sloeg over het huis als gal van een stervende, bliksem volgde als zijn laatste vervloeking, en Samad sloot zijn ogen.

'Irie! Millat!' riep Clara, toen Alsana. Geen antwoord. Archie kwam met een ruk overeind in de kast, knalde met zijn hoofd tegen de kruidenplank en zei: 'Ze zijn al tien minuten weg. Godsamme. *Waar zijn de kinderen*?'

Eén kind was in Chittagong, waar hij uitgedaagd werd door een vriendje om zijn lungi af te doen en door een berucht krokodillenmoeras te lopen; de andere twee waren het huis uitgeslopen om het oog van de storm te voelen en liepen tegen de wind in alsof ze tot aan hun dijen door water gingen. Ze waadden naar het speelterrein van Willesden, waar het volgende gesprek plaatsvond.

'Dit is ongelooflijk!'

'Jaaa, gestoord!'

'Jij bent gestoord.'

'Hoe bedoel je? Ik ben oké!'

'Dat ben je niet. Je kijkt altijd naar me. En wat was je aan het schrijven? Je bent zo'n oen. Je bent altijd aan het schrijven.'

'Niks. Gewoon. Je weet wel, een dagboek.'

'Je bent zo geil als wat op mij.'

'Ik kan je niet verstaan! Harder!'

'GEIL! ZO GEIL ALS WAT! JE HOORT ME WEL.'

'Helemaal niet! Je bent een egomaniak.'

'Je wil met me neuken.'

'Wees niet zo'n klojo!'

'Nou, het wordt toch niks. Je wordt een beetje fors. Ik hou niet van fors. Je kan me niet krijgen.'

'Ik zou je niet eens willen, meneer de egomaniak.'

'Bovendien, stel je voor hoe onze kinderen eruit zouden zien.'

'Ik denk dat ze er leuk uit zouden zien.'

'Bruinig-zwart. Zwartig-bruin. Afro, platte neus, konijnentanden en sproeten. Het zouden monsters zijn!'

'Moet je hem horen. Ik heb dat portret gezien van je grootvader…'

'BETOVERGROOTVADER.'

'Enorme neus, afschuwelijke wenkbrauwen…'

'Dat is de impressie van een kunstenaar, stomme trut.'

'En ze zouden gek zijn… hij was gek… je hele familie is gek. Het is erfelijk.'

'Ja, ja. Laat maar zitten.'

'En als je het wil weten, ik ben helemaal niet op je. Je hebt een kromme neus. En je betekent ellende. Wie wil er nou ellende?'

'Nou, kijk uit,' zei Millat, en hij boog zich naar voren, kwam in botsing met een paar vooruitstekende tanden, liet een ogenblik zijn tong naar binnen glijden en trok zich terug. 'Want dat is alle ellende die je krijgt.'

14 JANUARI 1989

Millat zette zijn benen uit elkaar als Elvis en smeet zijn portemonnee met een klap voor het loket neer. 'Eén Bradford, ja?'

De kaartjesverkoper bracht zijn vermoeide gezicht vlak bij het glas. 'Is dat een vraag, jongeman, of een bevel?'

'Ik zeg alleen maar, ja? Eén Bradford, ja? Versta je me niet? Dit is King's Cross, ja? Eén Bradford.'

De leden van Millats Club (Rajik, Ranil, Dipesh en Hifan) stonden achter hem te gniffelen en te schuifelen en voegden zich als een soort achtergrondkoortje bij de ja's.

'Alsjeblíeft?'

'Alsjeblieft wát, ja? Eén Bradford, ja? Hoor je me? Eén Bradford. Baas.'

'En moet dat een retour zijn? Voor een kind?'

'Ja, man. Ik ben vijftien, ja? Tuurlijk wil ik een retour. Ik heb een *barii* om naar terug te gaan, net als iedereen.'

'Dat is dan vijfenzeventig pond, alsjeblieft.'

Hierop werd met ongenoegen gereageerd door Millat en Millats Club.

'Wat? Jij denkt je vrijheden te kunnen veroorloven! Meer dan zeventig... *chaaaa*, man. Wat een *rotstreek*. Ik ga geen vijfenzeventig pond betalen!'

'Tja, dat kost het, ben ik bang. De volgende keer dat je een arme oude dame hebt beroofd,' zei de kaartjesverkoper terwijl hij nadrukkelijk naar de klompen goud keek die aan Millats oren, polsen, vingers en om zijn hals hingen, 'kun je misschien hierheen komen voordat je naar de juwelier gaat.'

'Vrijheden!' krijste Hifan.

'Hij beledigt je, ja?' bevestigde Ranil.

'Je kan het maar beter tegen hem zeggen,' waarschuwde Rajik.

Millat wachtte een minuut. Timing was alles. Toen draaide hij zich om, stak zijn kont in de lucht en liet een lange, luide scheet in de richting van de kaartjesverkoper.

De Club in koor: '*Somokāmi*!'

'Hoe noemde je mij? Jij... wat zei je? Kleine etters. Jullie durven het niet in het Engels te zeggen? Jullie moeten het zo nodig in jullie Paki-taal doen?'

Millat sloeg zo hard met zijn vuist op het glas dat het weergalmde door de hokjes naar de kaartjesverkoper aan de andere kant die kaartjes verkocht naar Milton Keynes.

'Ten eerste ben ik geen Paki, stomme idioot. En ten tweede heb je geen vertaler nodig, ja? Ik zal het je recht in je gezicht zeggen. Je bent een vuile flikker, ja? Een mietje, homo, kontruiter, strontpik.'

Er was niets waar Millats Club pratter op ging dan het aantal eufemismen dat ze te bieden hadden voor homoseksualiteit.

'Reetroeier, nichtenneuker, klotenpooier.'

'Je mag God danken voor het glas dat tussen ons zit, jongen.'

'Ja, ja, ja. Ik dank Allah, ja? Ik hoop dat die je goed te grazen neemt, ja? We gaan naar Bradford om met jouw soort af te rekenen, ja. Báás!'

Halverwege perron twaalf, toen ze op het punt stonden in een trein te stappen waarvoor ze geen kaartjes hadden, hield een beveiligingsman van King's Cross Millats Club tegen om ze een vraag te stellen. 'Jullie zijn toch niet op problemen uit?'

Het was een terechte vraag. Millats Club straalde problemen uit. En in die tijd had een club die op die manier problemen uitstraalde een naam; ze waren van een ras: *raggastani*.

Het was een nieuw ras, dat zich nog maar kortgeleden in de rijen had gevoegd van de andere straatbendes: Becks, B-boys, Indie kids, wide-boys, ravers, rudeboys, Acidheads, Sharons, Tracies, Kevs, Nation Brothers, Raggas en Paki's; ze manifesteerden zich als een samenraapsel van de culturen van de laatste drie categorieën. Raggastani's spraken een vreemde mengelmoes van Jamaicaans patois, Bengali, Gujurati en Engels. Hun ethos, hun manifest, als het zo genoemd kan worden, was even hybride: Allah was prominent aanwezig, maar meer als een collectieve grote broer dan een Opperwezen, een keiharde kerel die aan hun kant zou vechten als het nodig was; ook kungfu en de werken van Bruce Lee speelden een centrale rol in de filosofie, met daaraan toegevoegd een beetje Black Power (zoals belichaamd door het album *Fear of a Black Planet*, Public Enemy), maar hun hoofddoel was het Onzichtbare terugbrengen in Indiaas, het Bandieterige terug in Bengali, de P-Funk terug in Pakistani. Mensen hadden Rajik genaaid in de tijd dat hij aan schaken deed en V-halspullovers droeg. Mensen hadden Ranil genaaid toen hij achter in de klas zat en zorgvuldig alle opmerkingen van de leraar in zijn boek noteerde. Mensen hadden Dipesh en Hifan genaaid toen ze traditionele kleding droegen op de speelplaats. Mensen hadden zelfs Millat genaaid met zijn strakke spijkerbroek en zijn witte loopje. Maar nu werden ze niet meer genaaid, geen van allen, want ze straalden problemen uit. Problemen in stereo. Er was, uiteraard, een uniform. Ze stonden stuk voor stuk stijf van het goud en droegen sjaaltjes, ofwel om hun voorhoofd gewikkeld of bij het gewricht van een arm of been. De broeken waren van die enorme dingen waarin ze verdronken, waarbij de linkerpijp altijd en onverklaarbaar opgerold was tot de knie; de sportschoenen waren net zo spectaculair, met tongen die zo groot waren dat ze de hele enkel verborgen; honkbalpetten waren verplicht, diep over de ogen getrokken en muurvast zittend, en alles, alles, alles was *Nike*™; waar ze met zijn vijven ook kwamen, de indruk die ze achterlieten was er een van een enorme ruis, één kolossaal teken van gemeenschappelijke goedkeuring. En ze liepen op een heel speciale manier: de linkerzijde van hun lichaam wendde een soort losse verlamming voor die meegetorst moest worden door de andere zijde; een soort veredeld funky trekkebenen als de langzame, voortgaande beweging die Yeats zich had voorgesteld voor zijn ruwe millenniumbeest. Tien jaar te vroeg, terwijl de blijde LSD-gebruikers door de Summer of Love dansten, sjokte Millats Club naar Bradford.

'Geen problemen, ja?' zei Millat tegen de beveiligingsman.

'We gaan alleen maar...' begon Hifan.

'Naar Bradford,' zei Rajik.

'Voor zaken, ja?' legde Dipesh uit.

'Doei! *Bidāyo*!' riep Hifan, terwijl ze de trein binnenglipten, hun middelvinger naar hem opstaken en hun kont tegen de dichtgaande deuren drukten.

'Tax de plaats bij het raam, ja? Aardig. Ik moet subiet een saf hebben, ja? Ik ben hartstikke opgefokt, ja? Die hele toestand, man. Die verrekte lul, man. Een verrekte kokosnoot, man... die wil ik weleens te grazen nemen, ja?'

'Denk je echt dat hij daar zal zijn?'

Alle serieuze vragen waren altijd aan Millat gericht, en Millat antwoordde altijd aan de groep als geheel. 'Vergeet het maar. Hij zal daar niet zijn. Er zullen alleen broeders zijn. Het is verdomme een protest, oen, waarom zou hij naar een protest tegen zichzelf gaan.'

'Ik zeg alleen maar,' zei Ranil gekwetst, 'dat ik hem te grazen zou nemen, ja? Als hij daar was, snap je. Dat vuile pokkenboek.'

'Het is een belediging, verdomme!' zei Millat, en hij spoog wat kauwgum tegen het raam. 'Wij hebben het te lang maar genomen in dit land. En nou krijgen we het van onze eigen mensen, man. *Rhas clut*! Hij is een verrekte *bādor*, een marionet van de witten.'

'Mijn oom zegt dat hij niet eens kan spellen,' zei een woedende Hifan, de meest oprecht religieuze van het stel. 'En hij waagt het over Allah te spreken!'

'Allah zal hem te pakken nemen, ja?' riep Rajik, de minst intelligente, die God als een soort kruising zag tussen Monkey-Magic en Bruce Willis. 'Hij zal hem in zijn ballen trappen. Dat vuile boek.'

'Heb je het gelezen?' vroeg Ranil, terwijl ze langs Finsbury Park zoefden.

Er volgde een algemene stilte.

Millat zei: 'Ik heb het niet precies gelezen, maar ik weet alles van die troep, ja?'

Nauwkeuriger gezegd, Millat had het niet gelezen. Millat wist niets van de schrijver, niets van het boek; hij zou het boek er niet uit kunnen halen als het in een stapel andere boeken lag, zou de schrijver er niet uit kunnen pikken als hij in een identificatie-opstelling van andere schrijvers stond (onweerstaanbaar, deze opstelling van beledigende schrijvers: Socrates, Protagoras, Ovidius en Juvenalis, Radclyffe Hall, Boris Pasternak, D.H. Lawrence, Solzjenitsyn, allemaal, met dichtgeknepen ogen tegen het flitslampje, hun nummers omhoog houdend voor de foto). Maar hij wist andere dingen. Hij wist dat hij, Millat, een Paki was, waar hij ook vandaan mocht komen; dat hij naar curry rook, geen seksuele identiteit had; dat hij de banen van andere mensen inpikte, of geen baan had en van de overheid profiteerde, of alle banen aan zijn familieleden gaf; dat hij tandarts kon worden of winkelier of kerriemenger, maar dat hij geen voetballer kon worden of filmmaker; dat hij terug zou moeten gaan naar zijn eigen land of zou moeten blijven en dan goddomme zijn eigen kost zou moeten verdienen; dat hij olifanten vereerde en tulbanden droeg; dat niemand die eruitzag als Millat, of sprak als Millat, of voelde als Millat ooit op het nieuws kwam tenzij hij net was vermoord. Hij wist, kortom, dat hij geen gezicht had in dit land, geen stem in het land, tot twee weken geleden toen opeens mensen als Millat op elke zender van radio en tv waren en in elke krant stonden, en die mensen waren boos, en Millat herkende de boosheid, dacht dat de boosheid hem herkende, en greep haar met beide handen aan.

'Dus... je hebt het niet gelezen?' vroeg Ranil nerveus.

'Luister: neem nou maar van me aan dat ik die troep niet koop, man. Ammenooitniet.'

'Ik ook niet,' zei Hifan.

'Van hetzelfde,' zei Rajik.

'Verdomde gore troep,' zei Ranil.

'Twaalfvijfennegentig, weet je!' zei Dipesh.

'Bovendien,' zei Millat, op besliste toon, hoewel zijn stem steeds hoger werd, 'je hoeft geen troep te lezen om te weten dat het godslasterlijk is, snap je?'

❦

Thuis, in Willesden, gaf Samad Iqbal terwijl hij naar het avondnieuws keek, luidkeels uitdrukking aan dezelfde gevoelens.

'Ik hoef het niet te lezen. De relevante passages zijn voor mij gekopieerd.'

'Wil iemand mijn echtgenoot eraan herinneren,' zei Alsana, sprekend tegen de nieuwslezer, 'dat hij niet eens weet waar dat verdomde boek over gaat, want het laatste wat hij gelezen heeft is de verdomde stratengids.'

'Ik vraag je voor de laatste keer of je je mond wil houden zodat ik naar het nieuws kan kijken.'

'Ik hoor wel geschreeuw, maar het lijkt niet mijn stem te zijn.'

'Begrijp je het dan niet, mens? Dit is het belangrijkste wat ons in dit land ooit is overkomen. Het is een crisis. Het is de kriebel in de nies. Het is een groots moment.' Samad drukte een paar keer met zijn duim op de volumeknop. 'Die vrouw... Moira hoezeookmagheten... ze mompelt. Waarom leest ze het nieuws als ze niet fatsoenlijk kan praten?'

Moira, plotseling midden in een zin harder gezet, zei: '... de schrijver ontkent dat er enige sprake is van godslastering en stelt dat het boek over de strijd gaat tussen wereldlijke en religieuze zienswijzen op het leven.'

Samad snoof. 'Welke strijd! Ik zie geen strijd. Ik red me prima. Alle grijze cellen in goede conditie. Geen emotionele problemen.'

Alsana lachte bitter. 'Mijn echtgenoot vecht dag in dag uit de Derde Wereldoorlog in zijn hoofd, zoals iedereen...'

'Nee, nee, nee. Geen strijd. Waar heeft hij het over, hè? Hij kan zich er niet uit draaien door rationeel te zijn. O nee. Een feit is dat hij gewoon beledigend is... hij heeft...'

'Luister,' viel Alsana hem in de rede, 'als mijn kleine groep bijeenkomt, kunnen we het uitpraten als we het ergens niet over eens zijn. Voorbeeld: Mohona Hossain haat Divargiit Singh. Ze vindt al zijn films verschrikkelijk. Ze haat hem hartstochtelijk. Ze houdt van die andere zot met die wimpers als die van een dame! Maar wij komen tot een compromis. Ik heb nooit een video van haar verbrand.'

'Dat is nauwelijks hetzelfde, mevrouw Iqbal, dat is nauwelijks te vergelijken.'

'O, de gemoederen raken verhit in de vrouwengroep... daaruit blijkt wel hoeveel Samad Iqbal weet. Maar ik ben niet als Samad Iqbal. Ik hou me in. Ik leef. Ik laat leven.'

'Het is niet een kwestie van anderen laten leven. Het is een kwestie van bescherming van je cultuur, van bescherming van je religie tegen beschimping. Niet dat jij daar iets van zou weten natuurlijk. Altijd te druk met de lichte kost voor de Hindihersentjes om ook maar enige aandacht aan je eigen cultuur te schenken!'

'Mijn éigen cultuur? En wat mag dat dan wel zijn?'

'Je bent een Bengaalse. Gedraag je daarnaar.'

'En wat is een Bengaalse, echtgenoot, alsjeblieft?'

'Ga voor de tv vandaan en zoek het op.'

Alsana pakte BALTISCH – BREIN, nummer drie van hun vierentwintigdelige *Reader's Digest Encyclopedie*, en las voor onder het betreffende lemma:

> De grote meerderheid van de inwoners van Bangladesh zijn Bengalen, die grotendeels afstammen van Indo-Germanen die duizenden jaren geleden uit het westen naar het land begonnen te migreren en zich in Bengalen vermengd hebben met inheemse groepen van verschillende raciale oorsprong. Etnische minderheden zijn onder andere de Chakma en Mogh, Mongoloïde volken die in het district Chittagong Hill leven, de Santal, voornamelijk afstammend van migranten uit het huidige India, en de Bihari, niet-Bengaalse moslims die na de afscheiding uit India immigreerden.

'Ha, meneer! Indo-Germanen... het ziet ernaar uit dat ik toch westers ben! Misschien moet ik naar Tina Turner luisteren en de ietepieterige leren rokjes dragen. Bah. Hier blijkt wel uit,' zei Alsana, haar correcte Engels demonstrerend, 'je gaat terug en terug en terug en het is nog steeds gemakkelijker om de passende stofzuigerzak te vinden dan één zuivere persoon, één zuiver geloof, op de hele wereld. Denk jij dat iemand Engels is? Echt Engels? Dat is een sprookje!'

'Je weet niet waar je over praat. Je snapt er niets van.'

Alsana hield het deel van de encyclopedie omhoog. 'O, Samad Miah! Wil je ook dit verbranden?'

'Luister, ik heb nu geen tijd om te spelen. Ik probeer naar heel belangrijk nieuws te luisteren. Ernstige rellen in Bradford. Dus als je het niet erg vindt...'

'O, lieve God!' schreeuwde Alsana; terwijl de glimlach van haar gezicht verdween, viel ze op haar knieën voor de televisie neer en ging met haar vinger van het brandende boek naar het gezicht dat ze herkende, dat via de beeldbuis naar haar glimlachte: haar in beeldpunten weergegeven tweede zoon onder haar in een fotolijstje staande eerste. 'Wat doet hij? Is hij gek? Wie denkt hij wel dat hij is? Wat doet hij daar in godsnaam? Hij hoort op school te zijn! Is de dag aangebroken waarop de kinderen de boeken verbranden. Ik kan het niet geloven!'

'Ik heb er niets mee te maken. De kriebel in de nies, mevrouw Iqbal,' zei Samad koeltjes terwijl hij achterover ging zitten in zijn leunstoel. 'De kriebel in de nies.'

Toen Millat die avond thuiskwam, woedde er een groot vuur in de achtertuin. Al zijn wereldlijke spullen – vier jaar van gaaf pre- en post-raggastani, elk album, elke poster, speciale T-shirts, meer dan twee jaar lang verzamelde en bewaarde clubfolders, prachtige Air Max-sportschoenen, afleveringen 20-75 van *2000 AD Magazine*, een gesigneerde foto van Chuck D., een onmogelijk zeldzaam exemplaar van Slick

Rick's *Hey Young World*, *Catcher in the Rye*, zijn gitaar, *Godfather I* en *II*, *Mean Streets*, *Rumble Fish*, *Dog Day Afternoon* en *Shaft in Africa* – alles was op de brandstapel gelegd, die nu een smeulende hoop as was waarvan dampen kwamen van plastic en papier, prikkend in de ogen van de jongen die al gevuld waren met tranen.

'Iedereen moet zijn les leren,' had Alsana enkele uren tevoren gezegd terwijl ze met een zwaar hart de lucifer aanstreek. 'Ofwel alles is heilig of niets. En als hij dingen van anderen begint te verbranden, dan zal hij ook iets heiligs verliezen. Vroeg of laat krijgt ieder wat hij verdient.'

10 NOVEMBER 1989

Er werd een muur neergehaald. Het had iets te maken met geschiedenis. Het was een *historische gebeurtenis*. Niemand wist eigenlijk echt wie hem had opgetrokken, wie hem neerhaalde en of dit goed was, slecht of iets anders; niemand wist hoe hoog hij was, hoe lang hij was, waarom mensen waren gestorven bij een poging hem te passeren en of ze in de toekomst niet meer zouden sterven, maar het was toch leerzaam; een net zo goed excuus om bij elkaar te komen als elk ander. Het was een donderdagavond; Alsana en Clara hadden gekookt en iedereen keek geschiedenis op de tv.

'Wie wil nog wat rijst?'

Millat en Irie hielden hun bord omhoog, elkaar verdringend om de beste plek.

'Wat gebeurt er nu?' vroeg Clara, zich terug haastend naar haar stoel met een schaal Jamaicaanse gebakken knoedels, waar Irie er drie vanaf griste.

'Hetzelfde, man,' bromde Millat. 'Aldoor maar hetzelfde. Een beetje op de muur dansen en hem kapot slaan met een hamer. Het zal wel. Ik wil zien wat er verder is, ja?'

Alsana greep de afstandsbediening en kroop tussen Clara en Archie. 'Waag het niet, knul.'

'Het is leerzaam,' zei Clara welbewust; met haar schrijfblok op de armleuning zat ze te wachten om in actie te komen wanneer zich iets voor zou doen dat haar tot lering zou strekken. 'Naar zoiets horen we allemaal te kijken.'

Alsana knikte en wachtte tot twee merkwaardig gevormde *bhaji*'s haar slokdarm waren afgezakt. 'Dat probeer ik de jongen duidelijk te maken. Heel belangrijk. Historische gebeurtenis van de bovenste plank. Als je eigen kleine Iqbals aan je broek hangen en je vragen waar jij was toen...'

'Dan zeg ik dat ik het op de tv zag en dat ik me de pokken verveelde.'

Millat kreeg een mep om zijn oren voor 'pokken' en nog een voor de onbeschaamdheid van het gevoel. Irie, die in haar gebruikelijke dracht van buttons voor kernontwapening, met graffiti bedekte broek en met kraaltjes vervlochten haar, opvallende overeenkomsten vertoonde met de mensenmassa op de muur, schudde haar hoofd in droevig ongeloof. Ze was op díe leeftijd. Wat ze ook zei, het was pure genialiteit die eeuwen van stilte doorbrak. Wat ze ook aanraakte, het was de eerste aanraking in zijn soort. Wat ze ook geloofde, het was niet gevormd door geloof maar gebeiteld uit zekerheid. Wat ze ook dacht, het was de eerste keer dat deze gedachte ooit was gedacht.

'Dat is hélemaal jouw probleem, Mill. Geen belangstelling voor de buitenwereld. Het is toch verbazingwékkend wat er gebeurt. Ze zijn allemaal vrij! Vind je dat niet verbazingwékkend na al die tijd? Dat ze na jaren in de donkere schaduw van het oosterse communisme te hebben geleefd in het licht van de westerse democratie stappen, verenigd,' zei ze, getrouw de woorden van *Newsnight* herhalend. 'Ik denk gewoon dat democratie de gróótste uitvinding van de mensheid is.'

Alsana, die vond dat Clara's dochter de laatste tijd onmogelijk hoogdravend begon te doen, hield protesterend de kop van een Jamaicaanse gedroogde vis omhoog. 'Nee, schatje, daar vergis je je in. De aardappelschiller is de grootste uitvinding van de mensheid. Of het hondenpoepschepje.'

'Wa ze moete doen,' zei Millat, 'is stoppe met da gepiel met die hamers en wat Semtex erbij hale en da hele stomme ding opblaze als het ze niet meer bevalt, snappe jullie? Dat zou sneller zijn, hè?'

'Waarom praat je zo,' viel Irie uit terwijl ze een knoedel verslond. 'Dat is jouw stem niet. Je klink belachelijk.'

'En wat jij moet doen, is een beetje op die knoedels letten,' zei Millat op zijn buik kloppend. 'Fors is niet mooi.'

'O, flikker op.'

'Weet je,' mompelde Archie, die aan een kippenvleugel zat te kluiven, 'ik ben er nog niet zo zeker van dat het zo goed is. Ik bedoel, denk eraan, Samad en ik, wij zijn daar gewéést. En geloof me, er is een goeie reden om het in tweeën te delen. Verdeel en heers, jongedame.'

'Jezus Christus, pa, wat heb je gebruikt?'

'Hij heeft niets gebruikt,' zei Samad streng. 'Jonge mensen vergeten waarom bepaalde dingen werden gedaan, jullie vergeten de betekenis ervan. Wij zijn daar geweest. We zijn niet allemaal zo optimistisch over een verenigd Duitsland. Dat waren andere tijden, jongedame.'

'Wat is er mis met een heleboel mensen die laten horen dat ze vrij zijn. Moet je ze zien. Moet je zien hoe gelukkig ze zijn.'

Samad keek naar de gelukkige mensen die op de muur dansten en voelde minachting, en iets irritanters daaronder dat weleens jaloezie had kunnen zijn.

'Het is niet dat ik opstandige daden op zich afkeur. Ik vind alleen, als je een oude orde omvergooit, moet je er iets wezenlijks voor in de plaats stellen; dat zal Duitsland moeten begrijpen. Neem nou als voorbeeld mijn overgrootvader Mangal Pande...'

Irie zuchtte de meest veelzeggende zucht die ooit was gezucht. 'Liever niet, als het niet uitmaakt.'

'Irie!' zei Clara, omdat ze vond dat ze dat hoorde te doen.

Irie snoof. En pufte. 'Nou, hij praat altijd alsof hij alles weet. Het gaat altijd allemaal over hem... en ik probeer te praten over nu, vandaag, Duitsland. Ik wed,' zei ze, zich tot Samad wendend, 'dat ik er meer van weet dan jullie. Toe dan. Vraag maar wat. Ik ben er het hele trimester mee bezig geweest. O, trouwens, jullie waren daar niet. Papa en u zijn daar in 1945 weggegaan. Ze hebben die muur pas in 1961 gebouwd.'

Samad negeerde haar. 'De Koude Oorlog,' zei hij wrang. 'Over een hete oorlog hebben ze het niet meer. Zo'n oorlog waarin mannen de dood vinden. Daar heb ik over Europa geleerd. Dat vind je niet in boeken.'

'Hé hé,' zei Archie, in een poging een ruzie af te wenden. 'Jullie weten dat over tien minuten *Last of the Summer Wine* begint? BBC 2?'

'Toe dan,' drong Irie aan, terwijl ze op haar knieën ging zitten en zich omdraaide om Samad aan te kijken. 'Vraag dan wat.'

'De kloof tussen boeken en ervaring,' dreunde Samad plechtig op, 'is een eenzame vallei.'

'Ja. Als je jullie hoort praten, dat is zo'n gel...'

Maar Clara was te snel met een klap om haar oren. 'Irie!'

Irie ging weer zitten, niet zozeer overwonnen als wel verontwaardigd, en zette de tv harder.

> Het vijfenveertig kilometer lange litteken – het lelijkste symbool van een verdeelde wereld, Oost en West – heeft geen betekenis meer. Slechts weinig mensen, onder wie uw verslaggever, dachten het nog bij hun leven mee te maken, maar gisteravond, om klokslag middernacht, lieten de duizenden mensen die aan beide kanten van de muur rondhingen een geweldig gebrul horen, begonnen door de controleposten te stromen en erop en overheen te klimmen.

'Dwaasheid. Hierop volgt een enorm immigratieprobleem,' zei Samad terwijl hij een knoedel in wat ketchup doopte. 'Je kunt niet gewoon een miljoen mensen in een rijk land toelaten. Recept voor een ramp.'

'En wie denkt hij wel dat hij is? Meneer Churchill-wallah?' lachte Alsana smalend. 'Oorspronkelijke witteklippenvandover pasteienpuree palinggelei koninklijkevariëteit britsebuldog, hè?'

'Litteken,' zei Clara, die het opschreef. 'Dat is het juiste woord, hè?'

'Jezus Christus. Begrijpt niemand van jullie de omvang van wat daar gebeurt? Dit zijn de laatste dagen van een regime. Politieke Apocalyps, ineenstorting. Het is een historische gebeurtenis.'

'Dat blijft iedereen maar zeggen,' zei Archie terwijl hij de tv-gids doornam. 'Maar wat denken jullie van *The Krypton Factor*, ITV? Dat is altijd goed, hè? Net begonnen.'

'En hou op met van die woorden als "regime",' zei Millat, die zich ergerde aan al die pretentieuze politieke praat. 'Waarom kun je niet gewoon "bewind" zeggen, zoals iedereen, man? Waarom moet je altijd zo bekakt doen?'

'O, verdomme!' (Ze hield van hem, maar hij was onmogelijk.) 'Wat maakt dat verdomme uit?'

Samad kwam overeind. 'Irie! Dit is mijn huis en je bent nog steeds een gast. Ik wil dat soort taal hier niet horen!'

'Prima! Ik ga er de straat wel mee op, net als de rest van het proletariaat.'

'Dat meisje,' zei Alsana afkeurend toen haar voordeur werd dichtgeslagen. 'Die heeft tegelijkertijd een encyclopedie en een schutting ingeslikt.'

Millat viel tegen zijn moeder uit. 'Begin jij nou ook niet, man. Wat is er mis met "bewind"? Waarom moet iedereen in dit huis altijd zo'n air opzetten, verdomme?'

Samad wees naar de deur. 'Oké, knul. Zo praat je niet tegen je moeder. Eruit, jij ook.'

'Ik denk niet,' zei Clara zacht, nadat Millat naar zijn kamer was gestormd, 'dat we de kinderen moeten ontmoedigen om een eigen mening te hebben. Het is goed dat ze vrijdenkers zijn.'

Samad zei spottend: 'En wat weet jij ervan? Jij doet een heleboel aan vrijdenken? Thuis, terwijl je de hele dag voor de tv zit?'

'Neem me niet kwalijk?'

'Met alle respect, Clara, de wereld is complex. Als die kinderen één ding moeten begrijpen, dan is het dat je regels nodig hebt om te overleven, geen luchtkastelen.'

'Hij heeft gelijk, weet je,' zei Archie ernstig terwijl hij de as van een peuk in een lege curryschaal tikte. 'Emotionele zaken... dan, ja, dat is jullie afdeling...'

'O, vrouwenwerk,' piepte Alsana met een mond vol curry. 'Je wordt bedánkt, Archibald.'

Archie worstelde om door te gaan. 'Maar ervaring, daar kun je niet tegenop, hè? Ik bedoel, jullie tweeën, jullie zijn in zekere zin nog jonge vrouwen. Terwijl wíj, ik bedoel, wij zijn, nou, *bronnen van ervaring*, die de kinderen kunnen gebruiken, weet je, als ze er behoefte aan hebben. We zijn als encyclopedieën. Jullie hebben ze gewoon niet te bieden wat wij te bieden hebben. Geef maar toe.'

Alsana legde haar hand op Archies voorhoofd en streek het zacht. 'Domkop. Weet je niet dat je achtergelaten bent als paard-en-wagen, als waskaarsen. Weet je niet dat je voor hen oud en vies bent als vis-en-patatpapier van gisteren. Ik kan het op één belangrijk punt met je dochter eens zijn.' Alsana stond op om Clara te volgen, die na deze laatste belediging in tranen naar de keuken was gelopen. 'Jullie, heren, praten nogal veel over je-weet-wel.'

Alleen achtergelaten, erkenden Archie en Samad de desertie van vrouwen en kinderen door middel van een wederzijds gerol van ogen en wrange glimlachjes. Ze zaten een ogenblik zwijgend bij elkaar, terwijl Archies duim bedreven langs *Een historische gebeurtenis*, *Een kostuumdrama spelend in Jersey*, *Twee mannen die een vlot proberen te bouwen in dertig seconden*, *Een studiodiscussie over abortus* zapte, en toen terugklikte naar *Een historische gebeurtenis*.

'Klik.'

'Klik.'
'Klik.'
'Klik.'
'Klik.'
'Huis? Kroeg? O'Connells?'
Archie wilde net in zijn zak op zoek gaan naar een glanzende munt, maar besefte toen dat het niet nodig was.
'O'Connells,' zei Archie.
'O'Connells,' zei Samad.

10

DE WORTELKANALEN VAN MANDAL PANDE

Eindelijk, O'Connells. *Onvermijdelijk*, O'Connells. Gewoonweg omdat je bij O'Connells zonder familie kon zijn, zonder bezittingen of status, zonder vergane glorie of toekomstige hoop – je kon die deur door lopen met niets en precies hetzelfde zijn als alle anderen daar. Het kon daarbuiten 1989 zijn, of 1999 of 2009, en je kon toch aan de bar zitten in de v-halspullover die je droeg op je bruiloft in 1975, 1945, 1935. Niets verandert er. Dingen worden alleen opnieuw verteld, herinnerd. Daarom houden oude mannen er zo van.

Het heeft allemaal met tijd te maken. Niet alleen de onbeweeglijkheid ervan, maar ook de onbeschaamde hoeveelheid ervan. Kwantiteit eerder dan kwaliteit. Dit is moeilijk uit te leggen. Als er nou een vergelijking was... iets als:

$$\frac{\text{TIJD HIER DOORGEBRACHT}}{\text{TIJD DIE IK ELDERS NUTTIG HAD KUNNEN DOORBRENGEN}} \;\text{PLEZIER X MASOCHISME} = \text{Reden waarom ik een stamgast ben}$$

Iets om te rationaliseren, om uit te leggen waarom je steeds teruggaat, als Freuds kleinzoon met zijn *fort-da*-spel, naar hetzelfde ellendige scenario. Maar waar het op neerkomt is tíjd. Nadat je een bepaalde hoeveelheid op één plek hebt doorgebracht, zoveel ervan in die ene plek hebt geïnvesteerd, is je krediet huizenhoog gestegen en heb je het gevoel dat je de chronologische bank kunt laten springen. Je hebt het gevoel dat je er wilt blijven tot die plek je terugbetaalt voor alle tijd die je eraan hebt gegeven – ook al gebeurt het nooit.

En met de doorgebrachte tijd, komt de kennis, komt de geschiedenis. Het was O'Connells waar Samad Archie had voorgesteld te hertrouwen, 1974. Onder tafel zes, in een plas van zijn eigen braaksel, had Archie de geboorte van Irie gevierd, 1975. Er is een vlek op de hoek van de fruitmachine, waar Samad voor het eerst burgerbloed had vergoten toen hij een stevige rechtse hoek uitdeelde aan een racistische dronkenlap, 1980. Archie was beneden op de avond waarop hij door vadems whisky zijn vijftigste verjaardag naar zich omhoog zag zweven om hem te begroeten als een oud scheepswrak, 1978. En dat is waar ze samen naar toe gingen, oudejaarsavond 1989 (noch de familie Iqbal noch de familie Jones had de wens geuit de jaren negentig in hun gezelschap binnen te gaan), om tevreden gebruik te maken van Mickeys speciale nieuwjaarsgerecht: £2.85 voor drie eieren, bonen, twee porties toast, champignons en een royale plak seizoenkalkoen.

De seizoenkalkoen was een extraatje. Waar het voor Archie en Samad echt om ging, was de getuige zijn, de *deskundige* zijn. Ze kwamen er omdat ze de tent kenden. Ze kenden hem vanbinnen en vanbuiten. En als je je kind niet kunt uitleggen waarom glas versplintert bij bepaalde schokken en niet bij andere, als je niet begrijpt hoe binnen dezelfde natie een evenwicht kan worden bereikt tussen democratisch secularisme en religieuze overtuiging, of de omstandigheden niet meer weet waaronder Duitsland ooit werd verdeeld, dan voelt het goed, nee, het voelt geweldig, om ten minste één bepaalde plek, één bepaalde periode uit eigen ervaring te kennen, als ooggetuige; om de autoriteit te zijn, om de tijd aan je kant te hebben, voor één keer, *voor één keer*. Geen grotere geschiedkundigen, geen grotere deskundigen op de hele wereld dan Archie en Samad als het ging om *De naoorlogse reconstructie en groei van O'Connells Pool House*.

1952 Ali (Mickeys vader) en zijn drie broers komen in Dover aan met dertig oude ponden en het gouden zakhorloge van hun vader. Ze lijden allemaal aan een ontsierende huidaandoening.

1954-1963 Huwelijken; alle mogelijke losse klussen; geboorte van Abdul-Mickey, de vijf andere Abduls en hun neven.

1968 Na drie jaar als bezorgers te hebben gewerkt voor een Joegoslavische stomerij hebben Ali en zijn broers een klein bedrag bij elkaar waarmee ze een taxibedrijf opzetten met de naam Ali's Taxibedrijf.

1971 Taxi-onderneming een groot succes. Maar Ali is ontevreden. Wat hij echt wil doen, bedenkt hij, is 'voedsel opdienen, mensen gelukkig maken, zo nu en dan een persoonlijk gesprek voeren'. Hij koopt het in onbruik geraakte Ierse biljartlokaal naast het niet meer functionerende treinstation aan Finchley Road en begint het op te knappen.

1972 Aan Finchley Road doen alleen Ierse etablissementen echt een beetje zaken. Dus besluit Ali, ondanks zijn Midden-Oosterse achtergrond en het feit dat hij een kroeg opent en geen biljartlokaal, de oorspronkelijke Ierse naam aan te houden. Hij schildert het hele interieur oranje en groen, hangt schilderijen van renpaarden op en schrijft zijn zaak in onder de naam 'Andrew O'Connell Yusuf'. Zijn broers moedigen hem aan uit eerbied fragmenten uit de koran aan de muur te hangen, zodat 'welwillend' op de hybride zaak zal worden 'neergekeken'.

13 mei 1973 O'Connells wordt geopend.

2 november 1974 Samad en Archie komen op weg naar huis toevallig langs O'Connells en wippen naar binnen voor een vette hap.

1975 Ali besluit de muren met tapijt te bekleden om etensvlekken te beperken.

mei 1977 Samad wint vijftien pond uit een fruitmachine.

1979 Ali heeft een fatale hartaanval door opeenhoping van cholesterol rond het hart. Ali's nabestaanden komen tot de conclusie dat zijn dood het gevolg is van de goddeloze consumptie van varkensvlees. Varkensvlees wordt van het menu verbannen.

1980 Gedenkwaardig jaar. Abdul-Mickey neemt O'Connells over. Zet ondergrondse gokruimte op als compensatie voor de verloren inkomsten op worstjes. Er worden twee grote biljarttafels gebruikt: de 'doodstafel' en de 'levenstafel'. Degenen die om geld spelen, spelen aan de 'doodstafel'. Degenen die hier om religieuze redenen bezwaar tegen hebben of geen geld hebben spelen aan de vriendelijke 'levenstafel'. De opzet is een groot succes. Samad en Archie spelen aan de 'doodstafel'.

december 1980 Archie haalt de hoogste score die ooit genoteerd is op de flipperkast: 51.998 punten.

1981 Archie vindt weggegooide plaat van Viv Richards op de vloer van Selfridges en brengt deze naar O'Connells. Samad vraagt of het portret van zijn overgrootvader Mangal Pande aan de muur mag worden gehangen. Mickey weigert met het argument dat 'zijn ogen te dicht bij elkaar staan'.

1982 Samad speelt niet meer aan de 'doodstafel' om religieuze redenen. Samad zet zijn campagne voor ophanging van het portret voort.

31 oktober 1984 Archie wint £268.72 aan de 'doodstafel'. Koopt een prachtig nieuw stel Pirelli-banden voor aftandse auto.

oudejaarsavond 1989, 22.30 uur Samad haalt Mickey eindelijk over het portret op te hangen. Mickey denkt nog steeds dat het 'de mensen hun eetlust beneemt'.

'Ik denk nog steeds dat het de mensen hun eetlust beneemt. En op oudejaarsavond. Het spijt me, makker. Ik bedoel het niet beledigend. Natuurlijk is mijn mening niet het verdomde woord van God, als het ware, maar het is wel mijn mening.'

Mickey bevestigde een draad aan de achterkant van de goedkope lijst, nam het stoffige glas vluchtig af met zijn schort en hing het portret met tegenzin aan zijn haak boven de oven.

'Ik bedoel, hij ziet er zo geméén uit. Die snor. Hij ziet er echt uit als een rotzak. En wat moet die oorring betekenen? Het is toch geen homo, hè?'

'Nee, nee, nee. Het was niet ongebruikelijk, toen, dat mannen sieraden droegen.'

Mickey twijfelde en keek Samad aan op de manier die hij bewaarde voor mensen die beweerden geen flipperspelletje te hebben gekregen voor hun vijftig pence en het geld terug kwamen vragen. Hij kwam achter de bar vandaan en wierp vanuit deze nieuwe hoek een blik op het portret. 'Wat denk jij, Arch?'

'Goed,' zei Archie ernstig. 'Ik denk: goed!'

'Alsjeblieft. Ik zou het als een grote persoonlijke gunst beschouwen als je het laat hangen.'

Mickey boog zijn hoofd eerst naar de ene en toen naar de andere kant. 'Zoals ik al zei, ik wil je niet beledigen of zo, maar ik vind dat hij er een beetje onbetrouwbaar uitziet. Heb je geen ander portret van hem of zoiets?'

'Dat is het enige wat bewaard is gebleven. Ik zou het als een grote persoonlijke gunst beschouwen, een hele grote.'

'Tja...' zei Mickey peinzend terwijl hij een ei omdraaide, 'aangezien je een stamgast bent, als het ware, en je het er zo verdomde vaak over hebt, moeten we het maar houden, denk ik. Wat denk je van een opinieonderzoek? Wat vind jij ervan, Denzel? Clarence?'

Denzel en Clarence zaten zoals altijd in de hoek, met als enige concessie aan oudejaarsavond een paar armzalige stukjes kerstslinger die aan Denzels vilthoed hingen en een kazoo met veertjes die mondruimte deelde met Clarence' sigaar.

'Wat?'

'Ik zei, wat denken jullie van die knakker die Samad wil ophangen? Het is z'n grootvader.'

'Óvergrootvader,' corrigeerde Samad.

'Je ken toch zien da'k domino speel. Probeer je 'n ouwe man van z'n plezier te beroven? Welk portret?' Denzel draaide zich met tegenzin om en keek ernaar. 'Dat? Hmm! Ik vin 't niks. Ziet eruit als eentje van Satans bende!'

'Een familielid van je?' piepte Clarence tegen Samad met zijn vrouwenstem. 'Dat verklaart veel, m'n vriend, veel! Hij heb een gezicht als een ezelsbakkes.'

Denzel en Clarence barsten in hun smerige gelach uit. 'Genoeg om m'n buik van zijn spijsvertering te beroven, zeker weten!'

'Zie je wel!' riep Mickey zegevierend uit terwijl hij zich weer tot Samad wendde. 'Het beneemt de klanten hun eetlust... dat zei ik meteen al.'

'Beloof me dat je niet naar die twee luistert.'

'Ik weet het niet...' Mickey stond voor zijn fornuis van zijn ene op zijn andere voet te wiebelen; bij diep nadenken was altijd de onwillekeurige inzet van zijn lichaam vereist. 'Ik respecteer je en zo, en je was beste maatjes met mijn vader, maar... hou me ten goede... je wordt goddomme een beetje een zeikerd, Samad, makker, sommigen van de jongere klanten willen misschien niet...'

'Wélke jongere klanten?' vroeg Samad met een gebaar naar Denzel en Clarence.

'Ja ja, ik snap het wel... Maar de klant is koning, als je begrijpt wat ik bedoel.'

Samad was echt gekwetst. 'Ik ben een klant! Ik ben een klant! Ik kom al tien jaar in je zaak, Mickey. Dat is een lange tijd, hoe je het ook bekijkt.'

'Ja... maar het is de meerderheid die telt, hè? Bij de meeste andere dingen neem ik, als het ware, jouw mening in acht. De jongens noemen je "de professor" en, eerlijk gezegd is dat niet zonder reden. Ik respecteer jouw oordeel, zes dagen van de zeven. Maar waar het op neerkomt is: als je maar één kapitein bent en de rest van de bemanning wil muiten... dan ben je mooi de sigaar, nietwaar?'

Mickey demonstreerde de wijsheid hiervan welwillend in zijn bakpan door te laten zien hoe twaalf champignons één champignon over de rand en op de vloer konden werken.

Met het kakelende gelach van Denzel en Clarence nog weergalmend in zijn oren werkte zich een golf van woede in Samad omhoog en rees naar zijn keel voordat hij hem kon tegenhouden.

'Geef het hier!' Hij reikte over de bar naar de plek waar Mangal Pande in een droefgeestige hoek boven het fornuis hing. 'Ik had het nooit moeten vragen... het zou een ontering zijn; het zou een smaad werpen op de herinnering aan Mangal Pande om hem hier in dit goddeloze hol te hangen!'

'Wat?'

'Geef het hier!'

'Hé, luister... wacht eens even...'

Mickey en Archie probeerden hem tegen te houden, maar Samad, overstuur en vol van de vernederingen van het decennium, bleef met Mickey worstelen om langs hem heen te komen. Ze vochten een beetje, maar toen verslapte Samads lichaam en gaf hij zich enigszins bezweet over.

'Luister, Samad,' en op dat moment raakte Mickey Samads schouders met zo'n genegenheid aan dat Samad meende te kunnen huilen. 'Ik heb me niet gerealiseerd dat het zo verdomde belangrijk voor je was. Laten we opnieuw beginnen. We laten het schilderij hier een week hangen en kijken hoe het gaat, oké?'

'Dank je, mijn vriend.' Samad haalde een zakdoek te voorschijn en wreef ermee over zijn voorhoofd. 'Ik waardeer het zeer. Ik waardeer het zeer.'

Mickey gaf hem een verzoenend klopje tussen zijn schouderbladen. 'Ik heb tenslotte genoeg over hem gehoord de afgelopen jaren. We kunnen hem net zo goed aan die klotemuur hangen. Het maakt me eigenlijk ook geen moer uit, denk ik. Comme-si-comme-saar, zoals de fransozen zeggen. Ik bedoel, godallemachtig. God-alle-machtig. En die extra kalkoen vraagt om boter bij de vis, Archibald, mijn goede vriend. De gouden tijd van de lunchbonnen is voorbij. Hemeltjelief, wat een gedoe om niks...'

Samad keek zijn overgrootvader diep in de ogen. Ze hadden deze strijd al vele malen gevoerd, Samad en Pande, de strijd om de reputatie van de laatste. Beiden wisten maar al te goed dat de moderne mening over Mangal Pande verdeeld kon worden in twee kampen:

Een niet-erkende held	**Veel gedoe om niks**
Samad Iqbal	Mickey
A.S. Misra	Magid en Millat
	Alsana
	Archie
	Irie
	Clarence en Denzel
	De Britse wetenschap van 1857 tot de dag van vandaag

Keer op keer en tot vervelens toe had hij dit onderwerp bij Archie aangevoerd. Ze waren in de loop der jaren, zittend bij O'Connells, steeds teruggekomen op dezelfde discussie, soms met nieuwe informatie op basis van Samads doorgaande onderzoek naar de zaak, maar sinds het moment waarop Archie de 'waarheid' over Pande had ontdekt, circa 1953, was hij niet van zijn standpunt af te brengen geweest. Pandes enige aanspraak op roem, zoals Archie zich geen moeite getroostte om uit te leggen, was zijn etymologische gift aan de Engelse taal in de vorm van het woord 'pandy', onder welke titel de nieuwsgierige lezer de volgende definitie zal vinden in de *Oxford English Dictionary*:

> *Pandy* /'pandi/nw. 2 *colloq.* (nu *hist.*) Ook *-dee.* M19 [Missch. v. de achternaam van de eerste opstandeling onder de sepoys in het Bengaalse leger.] *1* Elke sepoy die in opstand kwam tijdens de muiterij van de Bengaalse troepen in 1857-59 *2* Elke opstandeling of verrader *3* Elke dwaas of lafaard in een militaire situatie.

'Zo klaar als een klont, mijn vriend.' En dan sloeg Archie het boek met een uitgelaten klap dicht. 'En ik heb geen woordenboek nodig om dat te weten... maar jij ook niet. Het is een bekende zegswijze. Toen jij en ik in het leger waren, hetzelfde. Je probeerde mij ooit wat wijs te maken, maar de waarheid zal zegevieren, makker. "Pandy" heeft altijd maar één ding betekend. Als ik jou was, zou ik de familieverwantschap een beetje gaan afzwakken, in plaats van iedereen vierentwintig uur per dag de oren van het hoofd te kletsen.'

'Archie, het feit dat dat woord bestaat, betekent nog niet dat het een juiste voorstelling is van het karakter van Mangal Pande. Over de eerste definitie zijn we het eens: mijn overgrootvader was een opstandeling en ik ben trots dit te zeggen. Ik geef toe dat de zaken niet bepaald volgens plan verliepen. Maar verrader? Lafaard? Het woordenboek dat jij mij laat zien, is oud... deze definities zijn in onbruik geraakt. Pande was geen verrader en geen lafaard.'

'Ahhh, tja, kijk, we hebben het hier al eerder over gehad, en mijn gedachte is aldus: *er is geen rook zonder vuur*,' zei Archie dan, met een uitdrukking alsof hij onder de indruk was van de wijsheid van zijn eigen conclusie. 'Weet je wel?' Dit was een van de analytische instrumenten die Archie bij voorkeur gebruikte wanneer hij geconfronteerd werd met nieuwsberichten, historische gebeurtenissen en het lastige dagelijkse proces van het onderscheiden van feit en fictie. *Er is geen rook zonder vuur*. Er was iets zo kwetsbaars in de manier waarop hij op deze overtuiging vertrouwde, dat Samad zich er nooit toe had kunnen brengen hem zijn illusie te ontnemen. Waarom zou je een oude man vertellen dat er rook kan zijn zonder vuur, net zo zeker als er diepe wonden zijn die niet bloeden?

'Natuurlijk begrijp ik jouw gezichtspunt, Archie, echt. Maar mijn punt is, en dat is altijd zo geweest, vanaf de eerste keer dat we over dit onderwerp hebben gesproken, mijn punt is dat dit niet het héle verhaal is. En ik besef heel goed dat we de kwestie een aantal keren grondig hebben onderzocht, maar een feit blijft dat hele verhalen net zo zeldzaam zijn als eerlijkheid, zo kostbaar als diamanten. Als je het geluk hebt er een aan het licht te brengen, zal een heel verhaal als lood op je hersenen drukken. Ze zijn moeilijk. Ze zijn omslachtig. Ze zijn episch. Ze zijn als de verhalen die God ons vertelt: vol onmogelijk gedetailleerde informatie. Je vindt ze niet in het woordenboek.'

'Goed, goed, professor. Vertel jouw versie maar.'

Je ziet vaak oude mannen in een hoek van donkere kroegen zitten discussiëren en gebaren, bierglazen en zoutvaatjes gebruikend om al lang overleden mensen of verre plaatsen te vertegenwoordigen. Op dat moment laten ze een levendigheid zien die op elk ander gebied van hun leven ontbreekt. Ze lichten op. Terwijl ze een volledig verhaal uitpakken op tafel – hier is Churchill-vork, daar is Tsjechoslowakije-servet en hier vinden we een opeenhoping van Duitse troepen vertegenwoordigd door een verzameling erwtjes – worden ze herboren. Maar toen Archie en Samad in de jaren tachtig deze tafeldebatten voerden, waren messen en vorken niet voldoende. Die hele hete Indiase zomer van 1857, dat hele jaar van opstand en massaslachting werd O'Connells binnengesleept en half tot leven gewekt door deze twee geïmproviseerde historici. Het gebied dat zich uitstrekte van de jukebox tot de fruitmachine werd Delhi; Viv Richards verleende zwijgend haar medewerking als Pandes Engelse meerdere, kapitein Hearsay; Clarence en Denzel bleven domino spelen terwijl ze gelijktijdig de rol kregen toegewezen van de rusteloze sepoyhorden van het Britse leger. Iedere man bracht zijn argumenten naar voren, rangschikte ze en vormde ze tot een geheel, ter aanschouwing van de ander. Het doek over het strijdtoneel werd opgehaald. Trajecten van kogels getraceerd. Onenigheid heerste.

Volgens de overlevering werd in het voorjaar van 1857 in een fabriek in Dum-Dum een nieuw type Engelse kogel in productie genomen. Ontworpen om gebruikt te worden in Engelse wapens door Indiase soldaten hadden ze, zoals de meeste kogels in die tijd, een huls waarin gebeten moest worden om in de loop te passen. Er leek niets uitzonderlijks aan ze te zijn, tot een of andere slimme fabrieksarbeider ontdekte dat ze bedekt waren met smeer – smeer gemaakt van varkensvet, monsterlijk voor moslims, en koeienvet, heilig voor hindoes. Het was een onschuldige vergissing – voor zover iets onschuldig kan zijn op gestolen grond – een schandelijke Britse blunder. Maar wat een koortsachtige beroering moet onder de mensen zijn ontstaan toen ze het nieuws hoorden! Onder het misleidende voorwendsel van nieuw wapentuig waren de Engelsen van plan hun kaste te vernietigen, hun eer, hun status in de ogen van God en de mensen – alles, kortom, dat het leven de moeite waard maakte. Een gerucht als dit kon niet geheim worden gehouden; het ging als een lopend vuurtje over de droge gronden van India die zomer, langs de productielijn de straat op, door de huizen in de steden en de hutten op het land, van barak naar barak, tot het hele land gloeide van verlangen naar opstand. Het gerucht bereikte de onooglijke oren van Mangal Pande, een onbekende sepoy uit de kleine stad Barrackpore, die de paradeplaats op kwam paraderen – 29 mei 1857 – en uit de menigte naar voren stapte om een zekere geschiedenis te maken. 'Zichzelf voor gek te zetten, eerder,' zal Archie zeggen (want dezer dagen slikt hij pandyologie niet meer zo lichtgelovig als ooit het geval was).

'Je begrijpt niets van zijn zelfopoffering,' zal Samad antwoorden.

'Welke zelfopoffering? Hij kon zichzelf niet eens fatsoenlijk doden! Het probleem met jou, Sam, is dat je niet naar de bewijzen wilt luisteren. Ik heb het allemaal nagelezen. De waarheid is de waarheid, hoe smerig ze ook mag smaken.'

'Is dat zo? Nou, alsjeblieft, mijn vriend, aangezien je blijkbaar een expert bent in de daden van mijn familie, alsjeblieft, breng mij op de hoogte. Laat jouw versie maar horen.'

Nu is de gemiddelde leerling van tegenwoordig zich bewust van de complexe krachten, bewegingen en diepe stromingen die tot oorlogen leiden en revoluties ontsteken. Maar toen Archie op school zat, leek de wereld veel ontvankelijker voor zijn eigen romantisering. Geschiedenis was toen een andere zaak: onderwezen met één oog op het verhaal en het andere op het drama, hoe onwaarschijnlijk of chronologisch onnauwkeurig ook. Volgens dit schema begon de Russische revolutie doordat iedereen een hekel had aan Raspoetin. Het Romeinse Rijk kwam tot verval en viel doordat Antonius het met Cleopatra deed. Hendrik v triomfeerde bij Agincourt doordat de Fransen het te druk hadden met het bewonderen van hun eigen uitmonstering. En de Grote Opstand der Bengaalse troepen van 1857 begon toen een dronken dwaas die Mangal Pande heette een kogel afvuurde. Ondanks Samads verweer, raakte Archie elke keer dat hij het volgende las meer overtuigd:

Het toneel is Barrackpore, de datum 29 maart 1857. Het is zondagmiddag, maar op de stoffige grond van de paradeplaats speelt zich een drama af dat op alles wijst behalve zondagsrust. Een verwarde massa sepoys, in alle stadia van gekleedheid en ongekleedheid, kwebbelt, zwenkt en golft door elkaar, sommigen gewapend, anderen ongewapend, maar allemaal borrelend van opwinding. Zo'n dertig meter voor de lijn van het 34ste paradeert een sepoy, met de naam Mangal Pande, heen en weer. Hij is halfdron-

ken van de *bhang* en volslagen dronken van religieus fanatisme. Kin in de lucht, geladen musket in de hand, schrijdt hij in een soort halve dans naar voren en achteren en schreeuwt op schrille, nasale toon: 'Kom naar buiten, schurken! Kom allemaal naar buiten! De Engelsen komen eraan. Door op deze kogels te bijten zullen wij allemaal ongelovigen worden!'
De man is in feite in die toestand die veroorzaakt wordt door een combinatie van bhang en 'zenuwen', die een Maleier ertoe brengt amok te maken, en elke schreeuw van zijn lippen gaat als een plotselinge vlam door de hersenen en langs de zenuwbanen van de luisterende troep medesepoys, terwijl de menigte groter wordt en de opwinding toeneemt. Een menselijk kruithuis, kortom, staat op het punt te ontploffen.

En ontploffen deed het. Pande schoot op zijn luitenant en miste hem. Toen pakte hij zijn lange, kromme sabel, een *tulwar*, haalde laf uit terwijl de luitenant met zijn rug naar hem toe stond en raakte hem op de schouder. Een sepoy probeerde hem tegen te houden, maar Pande vocht door. Toen kwamen er versterkingen: ene generaal Hearsay stormde naar voren, zijn zoon aan zijn zij, beiden gewapend en eerbaar en klaar voor hun land te sterven. ('*Hear-say* is precies wat het is! Flauwekul. Verzinsels!') Op dat moment begreep Pande dat het spel uit was, richtte zijn enorme geweer op zijn eigen hoofd en haalde op dramatische wijze de trekker over met zijn linkervoet. Hij miste. Een paar dagen later werd Pande berecht en schuldig bevonden. Aan de andere kant van het land werd, op een chaise longue in Delhi, opdracht gegeven hem terecht te stellen door ene generaal Henry Havelock (een man die, tot grote woede van Samad, door een standbeeld vlak bij het Palace Restaurant, op Trafalgar Square rechts van Nelson, eer wordt bewezen), die er – in een postscriptum bij zijn schriftelijke instructies – aan toevoegde echt te hopen dat dit een eind zou maken aan alle ondoordachte praat over opstand die de laatste tijd werd gehoord. Maar het was te laat. Terwijl Pande, hangend aan een geïmproviseerde galg, heen en weer bungelde in de zwoele wind, trokken zijn kameraden van het ontbonden 34ste op naar Delhi, vastbesloten zich aan te sluiten bij de opstandige krachten van wat een van de bloedigste mislukte opstanden zou worden van die en alle eeuwen.

Deze versie van de gebeurtenissen – van een eigentijdse historicus die Fitchett heette – was voldoende om Samad woedeaanvallen te bezorgen. Als een man niets heeft dan zijn bloed om hem tot iemand te maken, is elke druppel ervan belangrijk, vreselijk belangrijk, en moet afgunstig worden verdedigd, moet beschermd worden tegen aanvallers en lasteraars. Er moet voor gevochten worden. Maar als een vals gerucht was Fitchetts benevelde, onbekwame Pande doorgegeven via een reeks van opeenvolgende historici, waarbij de waarheid veranderde, naar de hand werd gezet en langzaam uit het zicht raakte naarmate het gerucht zich verder verspreidde. Het maakte niet uit dat het zeer onwaarschijnlijk was dat bhang, een hennepdrank die in kleine doses werd gebruikt voor medicinale doeleinden, een dergelijke beneveling zou veroorzaken, of dat het zeer onwaarschijnlijk was dat Pande, een strikte hindoe, dit zou hebben gedronken. Het maakte niet uit dat Samad geen enkel ondersteunend bewijs kon vinden voor de veronderstelling dat Pande die ochtend bhang zou hebben gedronken. Het verhaal kleefde nog steeds, als een gigantische misinterpretatie, aan de reputatie van de Iqbals, zo vast en ogenschijnlijk onverwijderbaar als de misvatting dat Hamlet ooit zou hebben gezegd dat hij Yorick 'goed' kende.

'Genoeg! Het maakt niet uit hoe vaak je mij deze dingen voorleest, Archibald.' (Archie kwam gewoonlijk gewapend met een plastic tas vol boeken uit de bibliotheek van Brent, anti-Pande propaganda en een overvloed aan incorrecte citaten.) 'Het is net zoiets als een stel kinderen die met hun handen in de koektrommel worden betrapt: ze zullen me allemaal dezelfde leugen vertellen. Ik ben niet geïnteresseerd in dat soort lasterpraat. Ik ben niet geïnteresseerd in poppentheater of tragische klucht. Daden interesseren mij, vriend.' En dan drukte Samad met gebaren het definitieve dichtritsen van zijn lippen uit, het weggooien van een sleutel. 'Echte daden. Geen woorden. Ik zeg je, Archibald, Mangal Pande heeft zijn leven geofferd in de naam van rechtvaardigheid voor India, niet doordat hij beneveld of gek was. Geef me de ketchup.'

Het was oudejaarsavonddienst 1989 bij O'Connells, en de discussie was in volle gang.

'Toegegeven, hij was geen held op de manier van jullie westerse helden – hij is niet geslaagd behalve in de wijze waarop hij een eerzame dood heeft gevonden. Maar stel het je voor: daar zat hij.' Samad wees naar Denzel, die op het punt stond zijn winnende dominozet te spelen. 'Tijdens het proces, in de wetenschap dat de dood hem wachtte, weigerde hij de namen van zijn medesamenzweerders te onthullen...'

'Nou, dát,' zei Archie, kloppend op zijn stapel sceptici, Michael Edwardes, P.J.O. Taylor, Syed Moinul Haq en de rest, 'is afhankelijk van wat je leest.'

'Nee, Archie. Dat is een bekende vergissing. De waarheid is níet afhankelijk van wat je leest. Laten we alsjeblieft niet ingaan op de vraag wat waarheid is. Dan hoef jij mijn kaf niet te eten en ik jouw koren niet weg te gooien.'

'Goed, maar Pande, wat heeft hij bereikt? Niets! Het enige wat hij heeft gedaan is een opstand beginnen – te vroeg, hè, voor de afgesproken datum – en sorry dat ik het zo recht voor z'n raap zeg, maar dat is een godallemachtige ramp in militaire termen. Je maakt een plan, je handelt niet op instinct. Hij heeft onnodige slachtoffers op zijn geweten. Engelse én Indiase.'

'Met alle respect, ik geloof niet dat dat het geval was.'

'Nou, je hebt het mis.'

'Met alle respect, ik geloof dat ik gelijk heb.'

'Het is als volgt, Sam: stel dat hier' – hij verzamelde een stapel vuile borden die Mickey net in de vaatwasser wilde zetten – 'alle mensen zijn die in de laatste honderd-en-nog-wat jaar over jouw Pande hebben geschreven. Kijk, hier zijn degenen die het eens zijn met mij.' Hij zette tien borden aan zijn kant van de tafel en schoof er één naar Samad. 'En dat is de gek die aan jouw kant staat.'

'A.S. Misra. Gerespecteerd Indiaas ambtenaar. Geen gek.'

'Juist. Nou, het zou je op zijn minst nog eens honderd-en-nog-wat jaar kosten om net zo veel borden te krijgen als ik heb, zelfs als je ze allemaal zelf zou maken, en als je ze eenmaal hebt, is er een grote kans dat geen arme drommel ervan wil eten. In overdrachtelijke zin gesproken. Begrijp je wat ik bedoel?'

Dat liet alleen A.S. Misra over. Een van Samads neefjes, Rajnu, die in Cambridge studeerde, had hem in het voorjaar van '81 geschreven en terloops gemeld dat hij een boek had gevonden dat misschien interessant kon zijn voor zijn oom. In het boek, zei hij, was een welsprekende verdediging te vinden van hun gemeenschappelijke voorouder, ene Mangal Pande. Het enige bewaard gebleven exemplaar bevond zich in de bibliotheek van zijn universiteit en het was geschreven door een man die Misra heette. Had hij er al van gehoord? Zo niet, zou het dan niet kunnen dienen (voegde Rajnu er in een voorzichtig PS aan toe) als een plezierig excuus om zijn oom weer eens te zien?

De volgende dag al arriveerde Samad per trein en stond op het perron, waar hij in de stromende regen zijn zacht pratende neefje warm begroette, hem verscheidene keren de hand drukte en praatte alsof het uit de mode zou raken.

'Een geweldige dag,' bleef hij maar herhalen, tot beide mannen doorweekt waren tot op de huid. 'Een geweldige dag voor onze familie, Rajnu, een geweldige dag voor de *waarheid*.'

Aangezien natte mannen niet worden toegelaten in universiteitsbibliotheken brachten ze de ochtend door met opdrogen in een bedompt café, op een bovenverdieping vol van het passende soort dames dat het passende soort thee gebruikte. Rajnu, altijd de goede luisteraar, zat er geduldig bij terwijl zijn oom wild zat te ratelen – o, de betékenis van de ontdekking; o, hoe láng had hij niet op dit moment gewacht –, knikte op alle juiste momenten en glimlachte innemend terwijl Samad de tranen uit zijn ooghoeken wreef. 'Het is toch een geweldig boek, nietwaar, Rajnu?' vroeg Samad smekend, terwijl zijn neef een royale fooi achterliet voor de zuurkijkende serveersters die weinig prijs stelden op zeer opgewonden Indiërs die drie uur bleven zitten op één thee met scones en natte afdrukken op het meubilair achterlieten. 'Het wordt toch erkend?'

Rajnu wist diep vanbinnen dat het boek een minderwaardig, onbetekenend, vergeten staaltje van wetenschappelijk werk was, maar hij hield van zijn oom, dus glimlachte hij, knikte en glimlachte weer overtuigend.

Eenmaal in de bibliotheek werd Samad verzocht zich in het bezoekersboek in te schrijven:

Naam: Samad Miah Iqbal
College: elders opgeleid (Delhi)
Onderzoeksproject: waarheid

Rajnu, geamuseerd door deze laatste notitie, pakte de pen en voegde eraan toe: 'en tragedie'.

'Waarheid en tragedie,' zei de bibliothecaresse met een uitgestreken gezicht toen ze het boek weer naar zich toe draaide. 'Van enige specifieke aard?'

'Maakt u zich geen zorgen,' zei Samad opgewekt. 'We vinden het wel.'

Er was een trap voor nodig om erbij te komen, maar het was de inspanning meer dan waard. Toen Rajnu het boek aan zijn oom overhandigde, voelde Samad zijn vingers tintelen en zag, kijkend naar het omslag, de vorm en de kleur, dat het alles was wat hij had gedroomd. Het was zwaar, had vele pagina's, was in bruinachtig leer gebonden en bedekt met het lichte stoflaagje dat wijst op iets ongelooflijk kostbaars, iets wat zelden is aangeraakt.

'Ik heb er een boekenlegger in achtergelaten. Er is veel te lezen maar er is iets waarvan ik dacht dat u het als eerste zou willen zien,' zei Rajnu terwijl hij het boek op een leestafel legde. Met een zware plof raakte één kant van het boek de tafel, en Samad keek naar de betreffende pagina. Het was meer dan hij had kunnen hopen.

'Het is alleen maar een impressie van een kunstenaar, maar de gelijkenis met...'

'Zeg niets,' zei Samad, terwijl hij met zijn vingers over het portret ging. 'Dit is ons bloed, Rajnu! Ik had nooit gedacht dat ik ooit... Wat een wenkbrauwen! Wat een neus! Ik heb zijn neus!'

'U hebt zijn gezicht, oom. Uitgesprokener, uiteraard.'

'En wat... wat staat eronder? Verdomme! Waar is mijn leesbril... lees het me voor, Rajnu, het is te klein.'

'Het bijschrift? *Mangal Pande vuurde de eerste kogel van de beweging van 1857. Zijn zelfopoffering was het signaal voor het volk om de wapens op te nemen tegen een vreemde overheerser, culminerend in een massaopstand die zijn weerga niet kent in de geschiedenis van de wereld. Hoewel de poging wat de directe gevolgen betreft geen succes was, slaagde ze erin de fundamenten te leggen voor de Onafhankelijkheid die in 1947 zou worden verkregen. Voor zijn patriottisme betaalde hij met zijn leven. Maar tot zijn laatste ademtocht weigerde hij de namen te noemen van degenen die de grote opstand hadden voorbereid en ertoe hadden aangezet.*'

Samad ging op de onderste trede van de trap zitten en huilde.

'Dus, als ik het goed begrijp, vertel je me nu dat er zonder Pande geen Gandhi was geweest. Dat er zonder jouw gekke grootvader geen onafhankelijkheid was geweest...'

'Overgrootvader.'

'Nee, laat me uitpraten, Sam. Is dat wat je óns' – Archie gaf de ongeïnteresseerde Clarence en Denzel een klopje op de schouder – 'serieus vraagt te geloven? Geloof jíj het?' vroeg hij Clarence.

'Ik ken dat niet geloven!' zei Clarence, zonder een idee te hebben waar het over ging.

Denzel snoot zijn neus in een zakdoek. 'De waarheid? Ik geloof liever niks. Horen, zien en zwijgen, da's mijn motto.'

'Hij was de kriebel in de nies, Archibald. Zo eenvoudig is het. Dát is wat ik geloof.'

Het bleef even stil. Archibald keek hoe drie suikerklontjes oplosten in zijn kopje thee. Toen zei hij, nogal aarzelend: 'Ik heb mijn eigen theorie, weet je. Los van de boeken, bedoel ik.'

Samad boog. 'Maak ons daarvan deelgenoot, alsjeblieft.'

'Niet boos worden... Denk even na. Waarom drinkt een strikt religieuze man als Pande bhang? Serieus, ik weet dat ik je er weleens mee plaag. Maar waarom doet hij dat?'

'Je kent mijn mening daarover. Hij doet dat niet. Hij heeft dat niet gedaan. Dat was Engelse propaganda.'

'En hij kon goed schieten...'

'Geen twijfel aan. A.S. Misra geeft een kopie van een document waarin staat dat Pande een jaar een training heeft gedaan in een speciaal regiment, speciaal getraind was in het gebruik van musketten.'

'Oké. Dus, waarom mist hij? Waarom?'

'De enig mogelijke verklaring is volgens mij dat het geweer ondeugdelijk was.'

'Ja... dat is mogelijk. Maar misschien, misschien was het iets anders. Misschien was hij onder druk gezet om naar voren te stappen en een rel te schoppen, weet je, opgehitst door de andere jongens. En wilde hij eigenlijk niemand doden, weet je. Dus deed hij alsof hij dronken was, zodat de jongens in de barakken zouden denken dat hij had gemist.'

'Dat is de allerstomste theorie die ik ooit heb gehoord,' zuchtte Samad, terwijl de secondewijzer van Mickeys met ei bevlekte klok de dertig seconden tot middernacht begon af te tellen. 'Zo'n soort theorie die alleen jij kan bedenken. Het is belachelijk.'

'Waarom?'

'Waarom? Archibald, die Engelsen, die kapiteins Hearsay, Havelock en de rest, waren de doodsvijanden van elke Indiër. Waarom zou hij de levens sparen van mensen die hij verachtte?'

'Misschien kon hij het gewoon niet? Misschien was hij het type niet.'

'Geloof jij echt dat er een type man is dat doodt en een type dat niet doodt?'

'Misschien, Sam, misschien niet.'

'Je klinkt als mijn vrouw,' kreunde Samad terwijl hij een laatste stukje ei opnam. 'Laat me je iets zeggen, Archibald. Een man is een man is een man. Als zijn familie wordt bedreigd, zijn geloof aangevallen, zijn manier van leven vernietigd, zijn hele wereld in elkaar stort... zal hij doden. Vergis je niet. Hij zal de nieuwe orde niet over zich heen laten komen zonder zich te verzetten. Er zullen mensen zijn die hij zal doden.'

'En er zullen mensen zijn die hij zal sparen,' zei Archie Jones, met een raadselachtige uitdrukking die zijn vriend voor onmogelijk had gehouden voor die uitzakkende, dikkige gelaatstrekken. 'Geloof me.'

'Vijf! Vier! Drie! Twee! Eén! Jamaica Irie!' zeiden Denzel en Clarence, hete Irish coffees naar elkaar opheffend in een toast, om vervolgens onmiddellijk aan het negende rondje domino te beginnen.

'GELUKKIG NIEUWJAAR VERDOMME!' brulde Mickey vanachter de bar.

IRIE

1990, 1907

'Was het in deze smeedijzeren wereld met haar wirwar van oorzaak en gevolg mogelijk dat de verborgen klopping die ik van hen stal hún toekomst niet beïnvloedde?'

– *Lolita*, Vladimir Nabokov

(vertaling Rien Verhoef)

11

DE MIS-VORMING VAN IRIE JONES

Op gelijke afstand van het huis van de familie Jones en Glenard Oak Comprehensive stond een lantaarnpaal die sinds enige tijd in Iries dromen verscheen. Niet precies de lantaarnpaal, maar een kleine, met de hand geschreven annonce, die op ooghoogte met plakband rond de paal was bevestigd. Er stond:

VERLIES GEWICHT OM GELD TE VERDIENEN
081 555 6752

Irie Jones, vijftien jaar oud, was fors. De Europese proporties van Clara's figuur hadden een generatie overgeslagen en zij was in plaats daarvan opgezadeld met het omvangrijke Jamaicaanse postuur van Hortense, overladen met ananassen, mango's en guaves; het meisje had gewicht: grote tieten, grote kont, grote heupen, grote dijen, grote tanden. Ze woog ruim tachtig kilo en had veertig gulden op haar spaarrekening. Als er al een doelgroep was, was zij dat; ze wist heel goed, terwijl ze naar school sjokte, met een mond vol donut, haar armen om haar michelinbandjes geslagen, dat de advertentie tot haar sprak. Dat hij tot haar spràk. VERLIES GEWICHT (zei de advertentie) OM GELD TE VERDIENEN. Jij, jij, jíj, juffrouw Jones, met je strategisch geplaatste armen en vest, strak getrokken rond de kont (het eeuwige mysterie: hoe die gezwollen enormiteit, het Jamaicaanse achterwerk, te verkleinen), met je buik-insnoerende onderbroek en je borsten-insnoerende beha, met je nauwgezette lycra korset – het zo bejubelde antwoord van de jaren negentig op de balein – en met je stretchtailles. Ze wist dat de advertentie tegen háár sprak. Maar ze wist niet helemaal wat er bedoeld werd. Waar hadden ze het over? Gesponsord afslanken? De betere marktligging van magere mensen? Of iets veel Jakobusachtigers, het geesteskind van een of andere vuige Shylock uit Willesden, een pond vlees voor een pond goud: *vlees voor geld*?

Rapid. Eye. Movement. Soms liep ze door de school in een bikini met het lantaarnpaalraadsel in krijt op haar bruine rondingen geschreven, op haar diverse richels (plankruimte voor boeken, kopjes thee, manden of, meer ter zake, kinderen, zakken met fruit, emmers water), richels die genetisch geprogrammeerd waren met een ander land in het achterhoofd, een ander klimaat. Andere keren de gesponsorde-slankheidsdroom: ze gaat van deur tot deur, poedelnaakt met een klembord, overgoten door zonlicht, pogend oude mannen over te halen om het vlees-te-eren en een pond-te-doneren. De slechtste keren? Los, witgevlekt vlees losscheuren en in die oude cokeflessen stoppen, die met die rondingen; ze brengt ze naar de buurtwinkel, geeft ze af aan een toonbank, en Millat is de bindi- en v-halspullover-dragende winkelier, die ze optelt en met tegenzin met zijn bloederige klauwen de kassa opent en het geld overhandigt. *Een beetje Caribisch vlees voor een beetje Engels geld.*

Irie Jones werd erdoor geobsedeerd. Zo nu en dan hield haar moeder haar tegen in de gang voordat ze de deur uit sloop, plukte aan haar uitgebreide korsetwerk, vroeg: 'Wat is er met je? Wat heb je in godsnaam aan? Hoe kun je ademen? Irie, lieve schat, er is niets mis met je... je bent alleen gebouwd als een onvervalste Bowden; weet je dan niet dat er niets mis met je is?'

Maar Irie wist niet dat er niets mis met haar was. Daar had je Engeland, een gigantische spiegel, en daar had je Irie, zonder spiegelbeeld. Een vreemde in een vreemder land.

Nachtmerries en dagdromen, in de bus, in bad, in de klas. Voor. Na. Voor. Na. Ná. De mantra van de metamorfosejunk, intrekken, loslaten; niet bereid het genetische lot te aanvaarden; wachtend op haar transformatie van Jamaicaanse zandloper, zwaar van de zandkorrels die zich verzamelen rond de Dunn River Falls, tot *Engelse roos* – ach, je kent haar toch... ze is een rank, teer schepseltje, niet gemaakt voor de hete zon, een surfplank deinend op de golven.

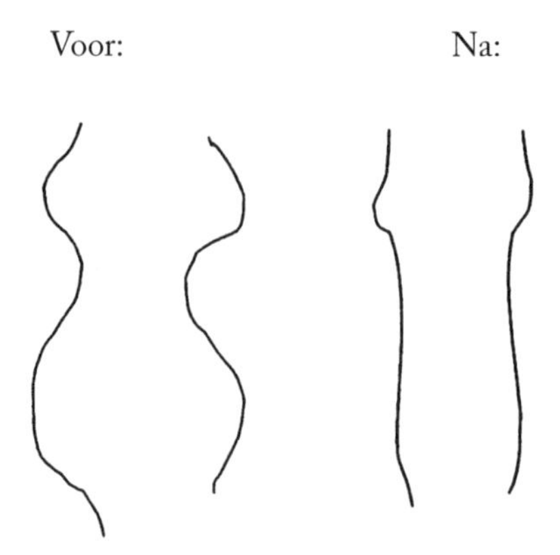

Mevrouw Olive Roody, lerares Engels en deskundig krabbelspotter tot twintig meter afstand, reikte over haar bureau heen naar Iries schrift en scheurde het betreffende vel papier eruit. Keek er met een bedenkelijk gezicht naar. Informeerde vervolgens met melodieuze Schotse klemtoon: 'Voor en na wát?'

'Eh... wat?'

'Voor en na wát?'

'O, niets, juf.'

'Niets? O, kom nou, juffrouw Jones. Geen plaats voor bescheidenheid. Het is duidelijk interessanter dan sonnet 127.'

'Niets. Het is níets!'

'Weet je het zeker? Je wilt de klas niet verder ophouden? Want... sommige klasgenoten moeten luisteren naar... nee, zijn zelfs wel een ietsje pietsje geïnteresseerd in... wat ik te vertellen heb. Dus als jij wat tijd kunt vrijmaken van je gekrrrrabbel...'

Niemand, maar dan ook niemand, zei 'gekrabbel' zoals Olive Roody.

'En je met ons mee kunt doen, gaan we verder. En?'

'En wat?'

'Kun je dat? De tijd vrijmaken?'

'Ja, mevrouw Roody.'

'O, goed! Dat doet me veel genoegen. Sonnet 127 graag.'

'*Zwart gold eertijds ternauwernood voor knap*,' vervolgde Francis Stone in de catatonische dreun waarmee leerlingen sonnetten van Shakespeare oplezen. '*En nimmer droeg het schoonheids erenaam*.'

Irie legde haar rechterhand op haar buik, trok hem in en probeerde Millats blik te vangen. Maar Millat was bezig mooie Nicki Tyler te laten zien hoe hij een smal rolletje van zijn tong kon maken, een fluit. Nikki Tyler liet hem zien hoe haar oorlelletjes niet los hingen maar vastzaten aan de zijkant van haar hoofd. Flirterige overblijfselen van de natuurkundeles van die ochtend: *Erfelijke kenmerken. Deel één (a)*. Los. Bevestigd. Opgerold. Plat. Blauw oog. Bruin oog. Voor. Na.

'*Mijn liefste heeft in ravenzwarte brauwen / Ogen gitzwart die om de eigenwaan... 't Oog mijner vrouwe is niet als zonnelicht / En roder dan haar lippen is het koraal / Geen gouddraad, zwart draad zoomt haar aangezicht...*'

Puberteit, echte, hevige puberteit (niet de lichte ronding van een borst of de schaduwachtige verschijning van dons), had deze oude vrienden, Irie Jones en Millat Iqbal, van elkaar gescheiden. Verschillende kanten van het schoolhek. Irie geloofde dat zij de slechte kaarten had gekregen: bergachtige rondingen, uitstekende tanden en een dikke, metalen beugel, onmogelijk afrohaar, en als klap op de vuurpijl ogen als van een mol die op hun beurt een borrelglaasjesbril vereisten in een lichtroze tint. (Zelfs die blauwe ogen – de ogen waar Archie zo opgewonden over was geweest – hadden het niet langer dan twee weken volgehouden. Ze was ermee geboren, ja, maar op een dag keek Clara weer en zag bruine ogen naar zich opkijken, als de overgang van een gesloten knop naar een open bloem, waarvan het exacte moment nooit is waar te nemen voor het blote, wachtende oog.) En dit geloof in haar lelijkheid, haar *verkeerd-zijn*, had ertoe geleid dat ze in zichzelf gekeerd raakte; ze hield haar eigenwijze opmerkingen voor zichzelf tegenwoordig, ze hield haar rechterhand op haar buik. Ze was helemaal verkéérd.

Millat, daarentegen, was als de jeugd herinnerd door de nostalgische bril van de ouderdom, zichzelf parodiërende schoonheid: gebroken Romeinse neus, lang, slank; licht geaderd, glad gespierd; chocoladebruine ogen met een weerspiegelende groene glans als maanlicht terugkaatsend van een donkere zee; onweerstaanbare glimlach, grote witte tanden. Op Glenard Oak Comprehensive waren zwart, Pakistani, Grieks, Iers – dat waren rassen. Maar degenen met sex-appeal zetten de andere renners op achterstand. Ze vormden een geheel eigen soort.

'*Is de sneeuw blank dan is haar boezem vaal...*'

Ze hield van hem, natuurlijk. Maar hij zei altijd tegen haar: 'Het punt is, mensen vertrouwen op me. Ik moet Millat voor ze zijn. Goeie ouwe Millat. Te gekke Millat. Betrouwbare, aardige Millat. Ik moet cool voor ze zijn. Het is zo ongeveer een verantwoordelijkheid.'

En dat was het zo ongeveer. Ringo Starr zei ooit eens over de Beatles dat ze nooit groter waren geweest dan in Liverpool, eind 1962. Ze hadden alleen meer landen gekregen. En zo was het voor Millat. Hij was zo groot in Cricklewood, in Willesden, in West Hampstead, de zomer van 1990, dat niets wat hij later in zijn leven deed dit kon overtreffen. Vanuit zijn eerste raggastani-groep had hij uitgebreid en bendes opgericht door de hele school, door heel Noord-Londen. Hij was gewoonweg te groot om niet meer te blijven dan het voorwerp van Iries genegenheid, leider van de raggastani's of zoon van Samad en Alsana Iqbal. Hij moest alle mensen de hele tijd tevredenstellen. Voor de cockney wide-boys in de witte jeans en de gekleurde hemden, was hij de kerel, de waaghals, gerespecteerd versierder. Voor de zwarte jongens was hij de kameraad die wiet met ze rookte en een gewaardeerde klant. Voor de Aziatische jongens, held en woordvoerder. Sociale kameleon. En onder dit alles handhaafde zich een altijd aanwezige woede en pijn, het gevoel nergens thuis te horen dat mensen krijgen die overal thuishoren. Het was deze zachte kwetsbaarheid die hem het meest bemind maakte, het meest geadoreerd door Irie en de nette hobospelende, lange rokken dragende meisjes uit de middenklasse, het meest gekoesterd door deze haar-zwaaiende, fuga-zingende vrouwen; hij was hun donkere prins, incidentele geliefde of onmogelijke verliefdheid, het voorwerp van broeierige fantasie en vurige dromen...

En hij was ook hun *project*: wat móesten ze met Millat? Hij móet gewoon stoppen met wiet roken. We móeten zorgen dat hij de klas niet meer uitloopt. Ze maakten zich zorgen over zijn 'houding' tijdens logeerpartijtjes, bespraken zijn vorming hypothetisch met hun ouders (*Stel nou dat er zo'n Indiase jongen is, ja, die altijd in de...*), schreven zelfs gedichten over het onderwerp. Meisjes wilden hem of wilden hem verbeteren, maar het vaakst een combinatie van die twee. Ze wilden hem zo verbeteren dat hij de mate waarin ze hem wilden zou rechtvaardigen. Ieders ruige speeltje, Millat Iqbal.

'Maar jij bent anders,' zei Millat Iqbal dan tegen de martelares Irie Jones. 'Jij bent ánders. Wij kennen elkaar al zo lang. Wij hebben geschiedenis. Jij bent een échte vriendin. Zij betékenen niet echt iets voor me.'

Irie wilde dat graag geloven. Dat ze geschiedenis hadden, dat zij op een goede manier anders was.

'Dat zwart voor mij het mooiste is wat bestaat...'

Mevrouw Roody legde Francis met een opgeheven vinger het zwijgen op. 'Wat zegt hij daar? Annalese?'

Annalese Hersh, die de les tot nu had besteed aan het vlechten van rood en geel garen in haar haar, keek in wezenloze verwarring op.

'*Wat dan ook*, Annalese, meisje. Welk ideetje dan ook. Hoe klein dan ook. Hoe onbeduidend dan ook.'

Annalese beet op haar lip. Keek naar het boek. Keek naar mevrouw Roody. Keek naar het boek.

'Zwart?... Is?... Goed?'

'Ja... nou, ik denk dat we dat kunnen toevoegen aan de bijdrage van vorige week: Hamlet?... Is?... Gek? Iemand anders? Wat denken jullie hiervan? *Ieder neemt de natuur in eigen hand / Het grofste prijkt met opgelegde kunst...* Wat zou dat kunnen betekenen, vraag ik me af.'

Joshua Chalfen, de enige leerling in de klas die vrijwillig met meningen kwam, stak zijn hand op.

'Ja, Joshua?'

'Make-up.'

'Ja,' zei mevrouw Roody, die eruitzag alsof ze dicht bij een orgasme was. 'Ja, Joshua, dat is het. En wat is daarmee?

'Ze heeft een donkere huid die ze lichter probeert te maken door middel van make-up, een kunstgreep. Voor de Elizabethanen was een lichte huid heel belangrijk.'

'Ze zouden dus gek zijn geweest op jou,' zei Millat spottend, want Joshua was een bleke, vrijwel anemische, mollige jongen met krullend haar. 'Je was verdomme een Tom Cruise geweest.'

Gelach. Niet omdat het grappig was, maar omdat het Millat was die een *nerd* zijn plaats wees, de plaats waar een nerd hoorde te zijn.

'Nog één woord van jou, meneer Ick-Ball, en je gaat eruit!'

'Shakespeare. Broeierig. Gelul. Dat zijn er drie. Vrees niet, ik laat mezelf wel uit.'

Dit soort dingen deed Millat zo deskundig. De deur sloeg met een klap dicht. De nette meisjes wierpen elkaar die blik toe. (Hij is gewoon zó onhandelbaar, zó gek... hij heeft écht wat hulp nodig, wat directe, persoonlijke hulp van een *goede vriendin...*) De jongens schuddebuikten. De lerares vroeg zich af of dit het begin was van een opstand. Irie bedekte haar buik met haar rechterhand.

'Fantastisch. Heel volwassen. Millat Iqbal is zeker een soort held.' Mevrouw Roody keek naar de onnozele gezichten van 5F en zag voor het eerst en met ontstellende duidelijkheid dat dat nu precies het geval was.

'Heeft iemand anders nog iets te zeggen over deze sonnetten? Juffrouw Jones!

Wil je ophouden met treurende blikken op de deur werpen! Hij is weg, begrepen. Tenzij je je bij hem wilt voegen?'

'Nee, mevrouw Roody.'

'Goed dan. Heb je iets te zeggen over de sonnetten?'

'Ja.'

'Wat?'

'Is ze zwart?'

'Is wie zwart?'

'De donkere dame.'

'Nee, kind, ze is donker. Ze is niet zwart in de moderne betekenis. Er waren geen... nou, in die tijd waren er geen Afro-Caribiërs in Engeland, kind. Dat is meer een modern verschijnsel, zoals je vast wel weet. En dit was begin zeventiende eeuw. Ik bedoel, ik weet het niet helemaal zeker, maar het lijkt niet erg waarschijnlijk, tenzij ze een soort slavin was, en het is niet erg waarschijnlijk dat hij een serie sonnetten heeft geschreven aan een heer en vervolgens een slavin, nietwaar?'

Irie kreeg een kleur. Ze had gemeend, zonet, iets als een weerspiegeling te zien, maar die verdween langzaam, dus zei ze: 'Ik weet het niet, juf.'

'Bovendien zegt hij heel duidelijk: *In niets dan in uw daden zijt ge zwart*... Nee, kind, ze heeft alleen een donkere teint, begrijp je, zo donker als de mijne, waarschijnlijk.'

Irie keek naar mevrouw Roody. Ze had de kleur van aardbeienmousse.

'Kijk, Joshua heeft gelijk: in die tijd moesten vrouwen bij voorkeur uitzonderlijk bleek zijn. Het sonnet gaat over het debat tussen haar natuurlijke kleur en de make-up die in die tijd de mode was.'

'Ik dacht alleen... als hij zegt, hier: *Zwart zal ik dan de schoonheid zelve zweren*... En dat krullende haar, zwarte draden...'

Irie gaf het op toen ze gegiechel hoorde en haalde haar schouders op.

'Nee, kind, je leest het met een modern oor. Lees wat oud is nooit met een modern oor. Dat kan trouwens als het principe voor vandaag dienen. Willen jullie dat allemaal opschrijven, alsjeblieft.'

5F schreef dat op. En de vage weerspiegeling die Irie had gezien, zakte weg in de vertrouwde duisternis. Toen ze de klas uitliep, werd Irie een briefje overhandigd door Annalese Hersh, die haar schouders ophaalde om duidelijk te maken dat ze niet de schrijfster was maar slechts een van de vele doorgevers. Er stond op: 'Van William Shakespeare: ODE AAN LETITIA EN AL MIJN KROESHARIGE DIKKONTIGE WIJVEN.'

Het raadselachtige geheten P.K.'s Afro Hair: Design en Management bevond zich tussen Fairweather Uitvaartcentrum en Raakshan Tandartsen, en de handige nabijheid betekende dat het voor een lijk van Afrikaanse oorsprong in het geheel niet ongebruikelijk was om op zijn of haar laatste reis naar een open kist een bezoek te brengen aan alle drie de zaken. Dus als je belde voor een afspraak om je haar te laten doen, en Andrea of Denise of Jackie tegen je zei *halfvier Jamaica-tijd*, betekende dit uiteraard: kom laat, maar er was ook een kans dat het betekende dat een of andere steenkoude, godsdienstige dame vastbesloten was haar graf in te gaan met lange nepnagels en een watergolf. Hoe vreemd het ook mag klinken, er zijn genoeg mensen die weigeren de Heer onder ogen te komen met een afrokapsel.

Irie, die niet op de hoogte was van dit alles, verscheen klokslag halfvier voor haar afspraak, uit op een transformatie, uit op het bevechten van haar genen, het vogelnest dat haar haar was verborgen onder een hoofddoek en haar rechterhand zorgvuldig op haar buik geplaatst.

'Je wil wat, pickney?'

Steil haar. Steil steil lang zwart sluik heen-en-weer-beweegbaar zwaaibaar schudbaar aanraakbaar vinger-doorheen-haal-baar wind-waaibaar haar. Met een pony.

'Halfvier,' was het enige wat Irie hiervan wist uit te brengen. 'Met Andrea.'

'Andrea is hiernaast,' antwoordde de vrouw met een knikje in de richting van Fairweather en trekkend aan een stuk uitgerekte kauwgom. 'Vermaakt zich met de dierbare overledenen. Jij kan maar beter gaan zitten en wachten en mij niet lastigvallen. Ik weet niet hoe lang het duurt.'

Irie stond in het midden van de zaak, haar handen om haar rondingen geklemd, en zag er verloren uit. De vrouw kreeg medelijden, slikte haar kauwgum door en bekeek Irie van top tot teen; ze voelde sympathie toen ze Iries chocoladekleurige teint zag, de lichte ogen.

'Jackie.'

'Irie.'

'Bleek, zeg! Sproeten en alles. Mexicaans?'

'Nee.'

'Arabisch?'

'Half Jamaicaans. Half Engels.'

'Halfblóed,' legde Jackie geduldig uit. 'Je moeder wit?'

'M'n vader.'

Jackie trok haar neus op. 'Meestal is 't andersom. Hoe krullerig is 't? La'me zien wat eronder zit...' Ze graaide naar Iries hoofddoek. Irie, ontzet bij de gedachte blootgelegd te worden ten overstaan van andere mensen, was er eerder bij dan zij en hield hem stevig vast.

Jackie zoog op haar tanden. 'Wat verwacht je van ons als we 't niet kunnen zien?'

Irie haalde haar schouders op. Jackie schudde geamuseerd haar hoofd.

'Nooit eerder hier geweest?'

'Nee, nooit.'

'Wat wil je?'

'Steil,' zei Irie resoluut, denkend aan Nikki Taylor. 'Steil en donkerrood.'

'Je meent het! Je haar kortgeleden gewassen?'

'Gisteren,' zei Irie beledigd. Jackie gaf haar een pets op haar hoofd.

'Niet wassen! Als je 't steil wil, niet wassen! Ooit ammonia op je hoofd gehad? Alsof de duivel een feestje bouwt op je schedel. Ben je gek? Twee weken niet wassen en dan terugkomen.'

Maar Irie had geen twee weken. Ze had het helemaal gepland; ze zou die avond naar Millats huis gaan met haar nieuwe haardos, helemaal opgemaakt in een knot, en dan zou ze haar bril afzetten en haar haar losschudden en zou hij zeggen *wel allemachtig, juffrouw Jones, ik had nooit gedacht... wel allemachtig, juffrouw Jones, je bent...*

'Het moet vandáág. Mijn zuster gaat trouwen.'

'Nou, als Andrea terugkomt, gaat ze zeven kleuren stront uit dat haar van je branden en mag je blij zijn als je hier niet met een kale kop vandaan komt. Maar goed, 't is jouw begrafenis. Hier,' zei ze, en ze duwde Irie een stapel tijdschriften in haar handen. 'Daar,' zei ze, wijzend naar een stoel.

P.K.'s was in twee helften gedeeld, voor mannen en vrouwen. Op de mannenafdeling, waar aanhoudende reggae ongelijkmatig uit een gehavende stereo klonk, kregen jonge jongens logo's op hun achterhoofd geschoren door iets oudere jongens die behendig de elektrische tondeuse hanteerden. ADIDAS. BADMUTHA. MARTIN. De mannenafdeling was een en al lach, een en al gepraat, een en al spel; er hing een ontspannen sfeer die voortkwam uit het feit dat geen enkele mannelijke knipbeurt ooit meer kostte dan zes pond of langer duurde dan vijftien minuten. Het was een ongecompliceerde transactie en het was er een waarin vreugde lag: het gezoem van het bewegende mes bij je oor, een ruwe borstelbeurt met een warme hand, spiegels voor en achter om de transformatie te bewonderen. Je kwam binnen met een plukkerig hoofd, ongelijk en grof, verborgen onder een honkbalpet, en je vertrok kort daarna als een andere man, zoetgeurend naar kokosolie en met een coupe zo strak en gestroomlijnd als een krachtterm.

Vergeleken daarmee was de vrouwenafdeling van P.K.'s iets dodelijks. Hier streed het onmogelijke verlangen naar steil, loshangend haar dagelijks met de koppige vastbeslotenheid van het kromme Afrikaanse haarzakje; hier werden ammonia, *hot combs*, klemmen, spelden en gewoon vuur ingezet in de oorlog en deden hun verdomde best om elke krullerige haar met geweld te onderwerpen.

'Is het steil?' was de enige vraag die je hoorde wanneer de handdoeken werden verwijderd en de hoofden kloppend van pijn uit de droger kwamen. 'Is het steil, Denise? Zeg me, Jackie, is het steil?'

Waarop Jackie of Denise, die geen van de verplichtingen hadden van de witte kappers, geen thee hoefden te zetten of kont te kussen, te vleien of conversatie te maken (want het waren geen klanten met wie ze te maken hadden, maar wanhopige, diepongelukkige patiënten), een sceptisch gesnuif lieten horen en het kotsgroene laken wegrukten. ''t Is zo steil als het ooit zal worden!'

Tegenover Irie zaten op dit moment vier vrouwen op hun lippen te bijten en gespannen in een lange, vuile spiegel te staren, wachtend tot hun steilere ik zou verschijnen. Terwijl Irie zenuwachtig in Amerikaanse afrotijdschriften zat te bladeren, trokken de vrouwen grimassen van de pijn. Zo nu en dan zei een van hen tegen een ander: 'Hoe lang?' Waarop het trotse antwoord kwam: 'Vijftien minuten. Hoe lang voor jou?' 'Tweeëntwintig. Die troep zit al tweeëntwintig minuten op m'n hoofd. Als het nou niet steil is...'

Het was een wedstrijd in kwelling. Als rijke vrouwen in dure restaurants die steeds kleinere salades bestellen.

Ten slotte kwam er een gil, of een: ''t Is mooi geweest. Ik hou het niet meer, verdomme!' en werd het betreffende hoofd naar de wasbak afgevoerd, waar het wassen nooit snel genoeg kon gaan (je kunt ammonia niet snel genoeg uit je haar krijgen) en het zachte huilen begon. Dat was het moment waarop vijandigheid de kop opstak; het haar van sommigen was 'kroeziger dan dat van anderen', sommige afro's vochten harder, sommige overleefden. En de vijandigheid verspreidde zich van medeklant naar kapster, naar de toediener van deze pijn, want het was logisch genoeg om Jackie of Denise van iets als sadisme te verdenken: hun vingers waren te traag bij het uitspoelen van het spul, het water leek te druppelen in plaats van te stromen, en ondertussen had de duivel de tijd van zijn leven met het naar zijn mallemoer helpen van je haargrens.

'Is het steil? Jackie, is het steil?'

De jongens bogen hun hoofd om de scheidingswand, Irie keek op uit haar tijdschrift. Er viel weinig te zeggen. Ze kwamen er allemaal steil of steil genoeg uit. Maar ze kwamen er ook dood uit. Droog. Versplinterd. Stijf. Alle veerkracht weg. Als het haar van een lijk wanneer het vocht wegsijpelt.

Jackie of Denise, die heel goed wisten dat het kromme Afrikaanse haarzakje uiteindelijk zijn genetische instructies zal volgen, gaven een filosofische wending aan het slechte nieuws. ''t Is zo steil als het ooit zal worden. Drie weken als je geluk hebt.'

Ondanks de duidelijke mislukking van het project dacht elke vrouw op haar beurt dat het voor haar anders zou zijn, dat wanneer haar onthulling kwam steil steil heen-en-weer-zwaaibare wind-waaibare lokken haar deel zouden zijn. Irie, zo vol vertrouwen als de anderen, keerde terug naar haar tijdschrift.

> Malika, de stralende jonge ster van de enorme succescomedy *Malika's Life*, legt uit hoe ze haar losse, vloeiende *look* krijgt: 'Ik gebruik elke avond warme wikkels en zorg dat de punten licht behandeld zijn met African Queen Afro Sheen™, en 's morgens zet ik een kam op het fornuis gedurende ongeveer...'

De terugkeer van Andrea. Het tijdschrift werd uit haar handen gerukt, haar hoofddoek zonder plichtplegingen verwijderd voordat ze dit kon voorkomen, en vijf lange welsprekende nagels begonnen zich een weg over haar hoofdhuid te banen.

'Ooooo,' mompelde Andrea.

Dit teken van goedkeuring was zeldzaam genoeg om te zorgen dat de rest van de zaak een blik om de scheidingswand wierp.

'Ooooo,' zei Denise, haar vingers aan die van Andrea toevoegend. 'Zo los.'

Een oudere dame, die met een van pijn vertrokken gezicht onder een droger zat, knikte bewonderend.

'Zo'n losse krul,' kirde Jackie, haar eigen verschroeide patiënt aan haar lot overlatend om haar hand in Iries wol te steken.

'Dat is nou halfbloedhaar. Ik wou dat mijn haar zo was. Dat zal prachtig relaxen.'

Irie trok een gezicht. 'Ik haat het!'

'Ze haat het!' zei Denise tegen het gezelschap. 'Hier en daar is 't lichtbruin!'

'Ik ben de hele ochtend met een lijk bezig geweest. Het zal lekker zijn om m'n handen in iets zachts te zetten,' zei Andrea, opduikend uit haar mijmering. 'Wil je het relaxen, schat?'

'Ja. Steil. Steil en rood.'

Andrea maakte een groen hemd rond Iries hals vast en zette haar in een draaistoel. 'Dat rood dat weet ik niet, meid. Maar ik kan het voor je relaxen, geen probleem. Ik denk dat het prachtig wordt, schat.'

Doordat de communicatie tussen de kapsters bij P.K.'s te wensen overliet, vertelde niemand Andrea dat Irie haar haar had gewassen. Twee minuten nadat de dikke witte ammoniasmurrie op haar hoofd was gesmeerd, ging het aanvankelijk koude gevoel over in een afgrijselijk vuur. Er was daar geen vuil om de hoofdhuid te beschermen, en Irie begon te gillen.

'Ik heb 't er net opgedaan. Je wil het toch steil? Hou op met dat lawaai maken!'

'Maar het doet pijn!'

'Leven doet pijn,' zei Andrea minachtend. 'Mooi zijn doet pijn.'

Irie beet nog dertig seconden op haar tong, tot er bloed verscheen boven haar rechteroor. Het arme kind viel in zwijm.

Toen ze bijkwam, hing ze met haar hoofd boven de wastafel en zag hoe haar haar in plukken uitviel en in de afvoer verdween.

'Je had het moeten zeggen,' mopperde Andrea. 'Je had me moeten vertellen dat je het gewassen had. Het moet eerst vies zijn. Moet je nou kijken.'

Moet je nou kijken. Haar dat eens tot halverwege haar ruggengraat had gehangen, kwam nu misschien nog een halve decimeter van haar hoofd.

'Kijk nou wat je hebt gedaan,' vervolgde Andrea, terwijl Irie openlijk huilde. 'Ik zou wel willen weten wat meneer Paul King hierover te zeggen zal hebben. Ik kan hem maar beter bellen en kijken of we dit gratis voor je kunnen oplossen.'

Meneer Paul King, de P.K. in kwestie, was eigenaar van de zaak. Hij was een grote, blanke kerel, midden vijftig, die als ondernemer in de bouw had gezeten tot Zwarte Woensdag en de excessen van zijn vrouw met haar creditcard hem niets anders hadden overgelaten dan wat bakstenen en cement. Op zoek naar een nieuw idee las hij in het lifestyle katern van zijn ochtendkrant dat zwarte vrouwen vijf keer zo veel geld uitgeven als blanke aan schoonheidsproducten en negen keer zoveel aan hun haar. Met zijn vrouw Sheila voor ogen als de archetypische blanke vrouw, begon Paul King te watertanden. Bij nog wat onderzoek in de buurtbibliotheek bleek er sprake te zijn van een miljoenenindustrie. Paul King kocht vervolgens een niet meer in gebruik zijnde slagerij aan Willesden High Road, ronselde Andrea uit een salon in Harlesden en zocht zijn geluk in het zwarte kapsel. Het was op slag een succes. Hij ontdekte met verbazing dat vrouwen met lage inkomens inderdaad bereid waren honderden ponden per maand aan hun haar te besteden en meer nog aan nagels en accessoires. Hij was licht geamuseerd toen Andrea hem uitlegde dat lichamelijke pijn ook deel uitmaakte van het proces. En het beste daarvan was dat er geen sprake was van rechtszaken – ze verwachtten de verbrandingen. Wat wilde hij nog meer.

'Andrea, schat, toe maar, geef haar een gratis behandeling,' schreeuwde Paul King via een steenvormige zaktelefoon boven het lawaai uit dat gepaard ging met de bouw van zijn nieuwe salon in Wembley. 'Maar maak er geen gewoonte van.'

Andrea ging terug naar Irie met het goede nieuws. 'Het komt wel goed, meid. Dit is op onze kosten.'

'Maar wat...' Irie staarde naar haar Hiroshima-achtige spiegelbeeld. 'Wat kan je...'

'Doe je hoofddoek weer om, ga als je buitenkomt linksaf en volg de hoofdweg tot je bij een winkel komt die Roshi's Haircare heet. Neem dit kaartje mee en zeg dat P.K.'s je stuurt. Haal acht pakjes nr. 5 type zwart haar met een rode glans en kom hier als de wiedeweerga weer naar toe.'

'Haar?' herhaalde Irie door snot en tranen. 'Namaakhaar?'

'Doe niet zo dom. Het is geen namaak. Het is echt. En als het op je hoofd zit is het je echte haar. Ga!'

Snotterend als een baby schuifelde Irie P.K.'s uit en liep over de hoofdweg, waarbij ze niet naar haar spiegelbeeld in de etalages probeerde te kijken.

Toen ze bij Roshi's kwam, deed ze haar best zich te vermannen, legde haar rechterhand over haar buik en stapte naar binnen.

Het was donker in Roshi's en het rook er ongeveer hetzelfde als bij P.K.'s, naar ammonia en kokosolie, pijn vermengd met plezier. In het schemerige schijnsel van een flikkerende tl-buis zag Irie dat er geen noemenswaardige kasten waren, maar dat er in plaats daarvan haarproducten als bergen vanaf de vloer stonden opgestapeld, terwijl accessoires (kammen, banden, nagellak) aan de muren waren geniet, waar de prijs met viltstift naast was geschreven. De enige uitstalling van herkenbare aard bevond zich vlak onder het plafond en liep rond door de hele ruimte, de voornaamste positie innemend als een verzameling offerscalpen of jachttrofeeën. Haar. Lange strengen die op een paar centimeter van elkaar waren vastgeniet. Onder elke streng een groot kartonnen bord waarop de afstamming stond:

2 meter. Natuurlijk Thai. Steil. Kastanje.
1 meter. Natuurlijk Pakistaans. Steil met een golf. Zwart.

5 meter. Natuurlijk Chinees. Steil. Zwart.
3 meter. Synthetisch haar. Pijpenkrul. Roze.

Irie liep naar de toonbank. Een gigantisch dikke vrouw in een sari waggelde naar de kassa en terug om vijfentwintig pond te overhandigen aan een Indiaas meisje wier haar op goed geluk dicht bij de schedel was afgeknipt.

'En kijk me alsjeblieft niet zo aan. Vijfentwintig is een heel redelijke prijs. Ik zeg je, meer kan ik niet voor je doen met al die gespleten punten.'

Het meisje maakte bezwaar in een andere taal, pakte de betreffende zak haar van de toonbank en deed alsof ze ermee weg wilde gaan, maar de oudere vrouw pakte hem af.

'Alsjeblieft, breng jezelf niet nog meer in verlegenheid. We hebben allebei de punten gezien. Ik kan je er vijfentwintig voor geven, en dat is het. Je krijgt er bij een ander niet meer voor. Alsjeblieft,' zei ze, terwijl ze over de schouder van het meisje naar Irie keek, 'ik heb andere klanten.'

Irie zag hete tranen, niet zoveel anders dan die van haar, in de ogen van het meisje springen. Ze leek een ogenblik te verstijven, terwijl een uiterst lichte trilling van woede door haar heen ging; toen sloeg ze haar hand op de toonbank neer, veegde haar vijfentwintig pond op en liep naar de deur.

De dikke dame keek het meisje minachtend na en liet haar kinnen schudden. 'Ondankbaar is ze.'

Toen trok ze een sticker van zijn bruine rug en plakte hem met een klap op de zak met haar. Er stond op: '6 METER. INDIAAS. STEIL. ZWART/ROOD.'

'Ja, meisje, wat kan ik voor je doen?'

Irie herhaalde Andrea's instructie en overhandigde het kaartje.

'Acht pakjes? Dat is ongeveer zes meter, niet?'

'Dat weet ik niet.'

'Ja, ja, dat is het. Wil je het steil of met een golf?'

'Steil. Helemaal steil.'

De dikke dame stond even zwijgend te rekenen en pakte toen de zak met haar die het meisje net had achtergelaten. 'Dit is precies wat je zoekt. Ik heb geen tijd gehad om het te verpakken, begrijp je. Maar het is absoluut schoon. Wil je het?'

Irie keek bedenkelijk.

'Maak je geen zorgen over wat ik zei. Geen gespleten punten. Gewoon een dom meisje dat meer probeert te krijgen dan ze verdient. Sommige mensen begrijpen niets van de eenvoudigste zakelijke beginselen. Het doet haar pijn om haar haar af te knippen, dus verwacht ze een miljoen of zoiets krankzinnigs. Prachtig haar, heeft ze. Toen ik jong was, o, mijn haar was ook prachtig, hè?' De dikke dame barstte uit in een hoog gelach, waarbij haar drukke bovenlip haar snor aan het trillen maakte. De lach stierf weg.

'Zeg tegen Andrea dat het zevenendertigenhalf is. Wij Indiase vrouwen hebben het mooie haar, hè? Iedereen wil het!'

Een zwarte vrouw met kinderen in een tweelingwandelwagen stond achter Irie te wachten met een pakje haarspelden. Ze stond zich duidelijk te ergeren. 'Jullie denken dat jullie allemaal zo geweldig zijn,' mompelde ze half in zichzelf. 'Sommigen van ons zijn tevreden met ons Afrikaanse haar, dank je wel. Ik wil geen haar van een of ander arm Indiaas meisje kopen. En ik wou bij God dat ik producten voor zwart haar eens een keer bij zwarte mensen kon kopen. Hoe moeten wij het redden in dit land als we onze eigen zaken niet regelen?'

De huid rond de mond van de dikke dame werd heel strak. Ze begon aan één stuk door te praten terwijl ze Iries haar in een tas deed en een rekening uitschreef, waarbij ze al haar opmerkingen tegen de vrouw via Irie liet lopen en haar best deed de onderbrekingen van de vrouw te negeren. 'Het bevalt je niet om hier boodschappen te doen, doe hier dan alsjeblieft geen boodschappen – er is toch niemand die je dwingt? Nee toch? Niet te geloven: mensen, de grofheid; ik ben geen racist, maar ik kan het begrijpen, ik lever alleen maar een dienst, een dienst. Ik heb geen behoefte aan beledigingen, leg je geld maar op de toonbank, als ik beledigd word, help ik niet.'

'Godallemachtig, niemand beledigt je!'

'Is het mijn schuld als ze steil haar willen... en een lichtere huid soms, net als Michael Jackson, is dat ook mijn schuld? Ze zeggen dat ik de Dr Peacock Whitener niet moet verkopen... het plaatselijke sufferdje, goeie god, wat een gedoe! En dan kopen ze het en gaan met dat recept naar Andrea... wil je het doen, meid, alsjeblieft? Ik probeer alleen maar de kost te verdienen in dit land, net als iedereen. Kijk eens hier, meid, hier is je haar.'

De vrouw boog zich om Irie heen en legde met een boze klap het gepaste bedrag op de toonbank. 'Godallemachtig!'

'Ik kan het niet helpen als ze dat willen... aanbod, vraag. En grove taal, dat neem ik niet! Het is gewoon zakendoen... pas op de afstap als je naar buiten gaat, meid... en jij, nee, kom alsjeblieft niet meer terug want ik bel de politie, ik laat me niet bedreigen, de politie, ik bel ze.'

'Oké, oké, *oké*.'

Irie hield de deur open voor de dubbele wandelwagen en pakte een kant ervan om hem over de stoep te helpen dragen. Buiten stopte de vrouw haar haarspelden in haar zak. Ze zag er uitgeput uit.

'Ik haat dat mens,' zei ze. 'Maar ik heb de haarspelden nodig.'

'Ik heb haar nodig,' zei Irie.

De vrouw schudde haar hoofd. 'Je hébt haar,' zei ze.

Vijfenhalf uur later had Irie Jones, dankzij een lastige operatie waarbij het haar van iemand anders in kleine gedeelten in Iries eigen halve decimeter werd gevlochten en vastgezet met lijm, een volle kop lang, steil, roodachtig-zwart haar.

'Is het steil?' vroeg ze, niet in staat haar eigen ogen te geloven.

'Zo steil als wat,' zei Andrea, die haar werk stond te bewonderen. 'Maar schat, je moet het wel goed vlechten als je wilt dat het erin blijft zitten. Waarom laat je het niet door mij vlechten? Het blijft niet zitten als het los is zoals nu.'

'Jawel,' zei Irie, betoverd door haar eigen spiegelbeeld. 'Het moet.'

Hij – Millat – hoefde het tenslotte maar één keer te zien, één keer maar. Om te waarborgen dat ze hem in ongerepte staat zou bereiken, liep ze de hele weg naar het huis van de Iqbals met haar handen op haar haar, als de dood dat de wind het in de war zou maken.

Alsana kwam aan de deur. 'O, hallo. Nee, hij is er niet. Uit. Vraag me niet waarheen, hij vertelt me niets. Ik weet vaker waar Magid is.'

Irie liep de gang in en ving een heimelijke glimp van zichzelf op in de spiegel. Het was er nog, en allemaal op de juiste plaats.

'Mag ik hier wachten?'

'Natuurlijk. Je ziet er anders uit, meisje. Ben je afgevallen?'

Irie glom. 'Nieuw kapsel.'

'O, ja... je ziet eruit als een nieuwslezeres. Heel aardig. Zo, naar de woonkamer maar. Schande-Nicht en haar valse vriendin zijn er, maar probeer je niets van ze aan te trekken. Ik ben in de keuken aan het werk en Samad is aan het wieden, dus maak niet te veel lawaai.'

Irie liep de kamer in. 'Alleduivels!' gilde Neena bij de naderende verschijning. 'Wat zie jíj eruit!'

Ze zag er prachtig uit. Ze zag er steil uit, onkroezig. Prachtig.

'Je ziet eruit als een kermisattractie! Krijg nou wat! Maxine, man, moet je dat zien. Jezus Christus, Irie. Waar was je precies op uit?'

Wat dat niet duidelijk? Steil. Steilheid. Zwaaibaarheid.

'Ik bedoel, wat was het grote idee? De zwarte Meryl Streep?' Neena klapte dubbel als een dekbed en lachte zich helemaal suf.

'Schande-Nicht,' kwam Alsana's stem uit de keuken. 'Naaien vereist concentratie. Hou die grote bek van je dicht, alsjeblieft!'

Neena's 'valse vriendin', ook bekend als 'Neena's vriendin', een slank, sexy meisje dat Maxine heette en een prachtig gezicht had als fijn porselein, donkere ogen en een grote bos krullend bruin haar, trok even aan Iries merkwaardige lokken. 'Wat heb je gedaan? Je had prachtig haar, man. Een en al krul en wild. Het was schitterend.'

Irie kon even geen woord uitbrengen. De mogelijkheid dat ze er ook maar iets minder dan fantastisch uit zou zien, was niet in haar opgekomen.

'Ik heb alleen maar mijn haar laten doen. Wat maakt het uit?'

'Maar dat is niet jouw haar, god nog aan toe, dat is een of andere arme, onderdrukte Pakistaanse vrouw die het geld voor haar kinderen nodig heeft,' zei Neena terwijl ze er een ruk aan gaf en beloond werd met een handvol ervan. 'O KLOTE!'

Neena en Maxine vielen opnieuw ten prooi aan een aanval van hysterie.

'Ander onderwerp, oké?' Irie trok zich terug in een leunstoel en trok haar knieën op tot onder haar kin. Zo nonchalant mogelijk vroeg ze: 'Dus... eh... waar is Millat?'

'Heb je het daar allemaal voor gedaan?' vroeg Neena verbaasd. 'Voor dat hersenloze neefje van me?'

'Nee. Hou op.'

'Nou, hij is er niet. Hij heeft weer een nieuw stuk. Een Oostblok-turnster met een buik als een wasbord. Niet onaantrekkelijk, sensationele tieten, maar zo truttig als wat. Naam... naam?'

'Stasia,' zei Maxine, die even opkeek van *Top of the Pops*. 'Of zoiets belachelijks.'

Irie zonk dieper weg in de kapotte veren van Samads favoriete stoel.

'Irie, wil je wat advies van me? Vanaf het moment dat ik je ken, heb je als een hond zonder baasje achter die jongen aangelopen. En in die tijd heeft hij iedereen afgelebberd, íedereen behalve jou. Hij heeft zelfs míj afgelebberd, en ik ben zijn volle nicht, verdomme.'

'En mij,' zei Maxine, 'en ik heb geen enkele neiging in die richting.'

'Heb je je nooit afgevraagd waarom hij jou niet heeft afgelebberd?'

'Omdat ik lelijk ben. En dik. Met een afro.'

'Nee, dombo, omdat hij niemand anders heeft dan jou. Hij heeft je nodig. Jullie tweeën hebben een geschiedenis. Jij kent hem echt. Kijk hoe verward hij is. De ene dag is het Allah dit, Allah dat. Het volgende moment zijn het grote, borstige blondjes, Russische turnsters en een blowtje. Hij weet van voren niet dat ie van achteren leeft. Net als zijn vader. Hij weet niet wie hij is. Maar jíj kent hem, een beetje in ieder geval; je hebt alle kanten van hem gezien. En hij heeft dat nodig. Jij bent anders.'

Irie sloeg haar ogen ten hemel. Soms wil je anders zijn. En soms zou je het haar op je hoofd ervoor geven om net zo te zijn als alle anderen.

'Luister: je bent een slimme meid, Irie. Maar je hebt allemaal flauwekul geleerd. Je moet jezelf hervormen. Beseffen wat je waard bent, ophouden met die slaafse toewijding en gaan leven, Irie. Zoek een meid, zoek een vent, maar ga leven.'

'Je bent een heel sexy meisje, Irie,' zei Maxine liefjes.

'Ja. Het zal wel.'

'Geloof haar, ze is een enorme pot,' zei Neena terwijl ze met een liefdevol gebaar Maxines haar in de war maakte en haar een kus gaf. 'Maar die Barbra Streisand-bos die je daar hebt, dat is niks voor jou. De afro was gaaf, man. Die was te gek. Dat was jíj.'

Ineens verscheen Alsana in de deuropening met een enorm bord koekjes en een intens argwanende blik. Maxine wierp haar een kushandje toe.

'Koekjes, Irie? Kom wat koekjes eten. Bij mij. In de keuken.'

Neena kreunde. 'Wees niet bang, tantetje. We proberen haar niet te werven voor de Sappho-cultus.'

'Het maakt me niet uit wat jullie doen. Ik weet niet wat jullie doen. Ik wil zulke dingen niet weten.'

'We kijken tv.'

Op de tv was Madonna te zien, die met haar handen twee kegelvormige borsten betastte.

'Heel mooi, vast,' bitste Alsana met een boze blik naar Maxine. 'Koekjes, Irie?'

'Ik zou wel wat koekjes lusten,' mompelde Maxine met veel geknipper van haar weelderige wimpers.

'Daar ben ik van overtuigd,' zei Alsana langzaam en ad rem, de code vertalend. 'Het soort waar jíj van houdt, heb ik niet.'

Neena en Maxine rolden weer helemaal om.

'Irie?' zei Alsana, met een grimas de keuken aanduidend. Irie volgde haar de kamer uit.

'Ik ben heel liberaal,' klaagde Alsana toen ze eenmaal alleen waren. 'Maar waarom zitten ze altijd zo te lachen en moeten ze overal zo'n toestand van maken? Ik kan niet geloven dat homoseksualiteit zo leuk is. Heteroseksualiteit is dat in ieder geval niet.'

'Ik geloof niet dat ik dat woord ooit nog in mijn huis wil horen,' zei Samad, die met een uitgestreken gezicht naar binnen kwam stappen en zijn tuinhandschoenen op tafel legde.

'Welk woord?'

'Geen van beide. Ik doe mijn uiterste best om hier een godvrezend huishouden te leiden.'

Samad ontwaarde een gedaante aan zijn keukentafel, fronste, kwam tot de conclusie dat het inderdaad Irie Jones was en begon aan de kleine routine die ze samen hadden ontwikkeld. 'Hallo, juffrouw Jones. En hoe maakt je vader het?'

Irie haalde zoals verwacht werd haar schouders op. 'U ziet hem vaker dan wij. Hoe maakt God het?'

'Uitstekend, dank je. Heb je mijn nietsnut-van-een-zoon onlangs nog gezien?'

'Niet onlangs.'

'En mijn goede zoon?'

'In jaren niet.'

'Wil je die nietsnut zeggen dat hij een nietsnut is als je hem vindt?'

'Ik zal mijn best doen, meneer Iqbal.'

'God zegene je.'

'*Gesundheit.*'

'Zo, als je me wilt excuseren.' Samad pakte zijn bidkleedje van de koelkast en verliet het vertrek.

'Wat is er met hém?' vroeg Irie, die gemerkt had dat Samad zijn tekst bepaald niet met enthousiasme had uitgesproken. 'Hij lijkt, ik weet niet, bedroefd.'

Alsana zuchtte. 'Hij is bedroefd. Hij heeft het gevoel dat hij alles heeft verknald. Natuurlijk hééft hij alles verknald, maar ja, wie zal de eerste steen werpen, enzovoort. Hij bidt en bidt. Maar hij wil de feiten niet onder ogen zien: Millat die rondhangt met god mag weten wat voor soort mensen, altijd met de blanke meisjes, en Magid...'

Irie herinnerde zich haar eerste liefde omcirkeld door een wazig aureool van perfectie, een illusie geboren uit de teleurstellingen die Millat haar in de loop der jaren had geboden.

'Waarom, wat is er mis met Magid?'

Met een frons stak Alsana haar hand uit naar de bovenste keukenplank, pakte een dunne luchtpostenvelop en gaf hem aan Irie. Irie haalde er een brief en een foto uit.

Op de foto stond Magid, nu een lange, gedistingeerd uitziende jongeman. Zijn haar was net zo diepzwart als dat van zijn broer, maar niet naar voren over zijn voorhoofd geborsteld. Het had een scheiding aan de linkerkant, was glad tegen zijn hoofd geplakt en achter zijn rechteroor getrokken. Hij was gekleed in een tweed pak en droeg – hoewel het niet zeker te zeggen was, de foto was niet goed – zo te zien een halsdoek. In zijn ene hand had hij een grote zonnehoed. Met de andere omklemde hij de hand van de eminente Indiase schrijver sir R.V. Saraswati. Saraswati was geheel in het wit gekleed en droeg een breedgerande hoed op zijn hoofd en een opzichtige stok in zijn vrije hand. Ze stonden daar samen in een enigszins zelfgenoegzame houding; ze glimlachten breed en zagen eruit alsof ze elkaar elk moment stevig op de rug zouden gaan slaan of dat zojuist hadden gedaan. De middagzon scheen en kaatste van de trap van de Universiteit van Dacca, waar het hele tafereel was vastgelegd.

Met haar wijsvinger veegde Alsana voorzichtig een vlekje van de foto. 'Ken je Saraswati?'

Irie knikte. Verplichte stof voor het eindexamen: *A Stitch in Time* van R.V. Saraswati. Een bitterzoet verhaal over de laatste dagen van het rijk.

'Samad heeft een bloedhekel aan Saraswati, begrijp je. Hij noemt hem een koloniaal overblijfsel, een Engelse kontlikker.'

Irie koos een willekeurige paragraaf uit de brief en las hardop voor:

> Zoals jullie kunnen zien had ik het geluk op een mooie dag in maart de beste schrijver van India te ontmoeten. Na het winnen van een essaywedstrijd (mijn titel: 'Bangladesh – Tot wie kan het zich richten?') ben ik naar Dacca gereisd om tijdens een plechtigheid op de universiteit uit handen van de grote man zelf mijn prijs in ontvangst te nemen (een certificaat en een klein geldbedrag). Het is mij een eer te kunnen zeggen dat hij mij aardig vond en dat we samen een zeer aangename middag hebben doorgebracht; een lange, intieme thee gevolgd door een wandeling langs Dacca's aantrekkelijker vergezichten. Tijdens onze lange gesprekken prees Sir Saraswati mijn geest en ging zelfs zover te zeggen (en ik citeer) dat ik 'een eersteklas jongeman' was – een opmerking die ik zal koesteren! Hij stelde dat mijn toekomst zou kunnen liggen in het recht, de wetenschap of zijn eigen vak van de creatieve pen! Ik vertelde hem dat het eerstgenoemde beroep mij het meest aansprak en dat het al langer mijn intentie was de Aziatische landen tot verstandige gebieden te maken, waar orde zou heersen, waar men voorbereid was op rampen en een jongeman niet langer in gevaar zou verkeren door een vallende vaas (!). Er waren nieuwe wetten, nieuwe regels nodig (vertelde ik hem) om te kunnen omgaan met ons ongelukkige lot – de natuurramp. Maar toen corrigeerde hij mij: 'Niet het lot,' zei hij. 'Te vaak werpen wij Indiërs, wij Bengalen, wij Pakistanen onze handen in de

lucht en roepen "het lot!" wanneer we naar de geschiedenis kijken. Maar velen van ons zijn ongeschoold, velen van ons begrijpen de wereld niet. We moeten meer zijn dan de Engelsen. De Engelsen bevechten het lot tot ze erbij neervallen. Ze luisteren niet naar de geschiedenis, tenzij de geschiedenis hun vertelt wat ze willen horen. Wij zeggen: "Het moest zo zijn!" Het hoeft niet zo te zijn. Niets hoeft zo te zijn.' In één middag heb ik van deze grote man meer geleerd dan...

'Hij leert niets!'

Woedend kwam Samad de keuken weer binnenlopen en smeet de ketel op het fornuis. 'Hij leert niets van een man die niets weet! Waar is zijn baard? Waar is zijn *khamise*? Waar is zijn nederigheid? Als Allah zegt dat er storm zal zijn, zal er storm zijn. Als hij zegt aardbeving, zal er een aardbeving zijn. Zo moet het zijn! Dat is precies de reden waarom ik het kind daarheen heb gestuurd... om te leren begrijpen dat wij in wezen zwak zijn, dat wij de baas niet zijn. Wat betekent islam? Wat betekent het woord, het woord zelf? *Ik geef mij over*. Ik geef mij over aan God. Ik geef mij over aan hem. Dit is niet mijn leven, dit is zijn leven. Dit leven dat ik het mijne noem, is het zijne, om naar eigen goeddunken mee te handelen. Inderdaad, ik zal dobberen en deinen op de golf, en er zal niets tegen te doen zijn. Niets! De natuur zelf is islamitisch omdat ze gehoorzaamt aan de wetten die de schepper haar heeft opgelegd.'

'Geen gepreek in dit huis, Samad Miah! Er zijn plaatsen voor dat soort dingen. Ga naar de moskee, maar doe het niet in de keuken, mensen moeten hier eten...'

'Maar wij, wij gehoorzamen niet automatisch. Wij zijn sluw, wij zijn de sluwe rotzakken, wij mensen. Wij hebben het kwaad in ons, de vrije wil. Wij moeten léren gehoorzamen. Dat is wat het kind Magid Mahfooz Murshed Mubtasim Iqbal moest ontdekken. Zeg mij, heb ik hem daarheen gestuurd om zijn geest te laten vergiftigen door een *Rule-Britannia*-aanbiddende ouwe hindoenicht?'

'Misschien, Samad Miah, misschien niet.'

'Hou op, Alsi, ik waarschuw je...'

'O, ga toch weg, ouwe mooiprater!' Alsana verzamelde haar michelinbandjes om zich heen als een sumoworstelaar. 'Je zegt dat wij de baas niet zijn, maar ondertussen probeer je altijd over alles de baas te spelen! Laat los, Samad Miah. Laat de jongen los. Hij is tweede generatie... hij is hier geboren... natuurlijk zal hij dingen anders doen. Je kunt niet alles plannen. Wat is er tenslotte zo vreselijk... goed, hij wordt geen alim, maar hij heeft een opleiding gedaan, hij is onbezoedeld!'

'En dat is alles wat je vraagt van je zoon? Dat hij onbezoedeld is?'

'Misschien, Samad Miah, misschien...'

'En praat niet tegen mij van een tweede generatie! Eén generatie! Ondeelbaar! Eeuwig!'

Ergens midden in deze ruzie glipte Irie de keuken uit en liep naar de voordeur. Ze ving een ongelukkige glimp van zichzelf op tussen de krassen en vlekken van de spiegel in de gang. Ze zag eruit als de bastaard van Diana Ross en Engelbert Humperdinck.

'Je moet ze hun eigen fouten laten maken...' klonk Alsana's stem in het vuur van de strijd door het goedkope hout van de keukendeur heen naar de gang, waar Irie naar haar spiegelbeeld stond te kijken en druk bezig was het haar van iemand anders met haar blote handen los te trekken.

❦

Zoals elke school had Glenard Oak een complexe geografie. Niet dat de opzet zo labyrintisch was. De school was in twee eenvoudige fases gebouwd, de eerste in 1886 als een werkinrichting (resultaat: een groot rood Victoriaans misbaksel) en een toevoeging in 1963 toen het een school werd (resultaat: grote grijze betonkolos, Heerlijke Zakelijke Nieuwbouw). De twee monstruositeiten werden vervolgens in 1974 met elkaar verbonden door een enorme buisvormige perspex loopbrug. Maar de brug was niet genoeg om van de twee gebouwen één te maken of iets te doen tegen de vastbeslotenheid van de leerlingen om te versplinteren en kleine groepen te vormen. De school had door schade en schande geleerd dat je duizend kinderen niet onder één Latijns motto kunt verenigen (schoolcode: *Laborare est Orare*, Werken is Bidden); kinderen zijn als plassende katten of gravende mollen; ze markeren gebied af binnen gebied, elk deel met zijn eigen regels, overtuigingen, omgangswetten. Ondanks elke poging dit te onderdrukken, bevatte en handhaafde de school territoria, ontmoetingsplaatsen, betwiste gebieden, satellietstaten, staten van verhoogde paraatheid, getto's, enclaves, eilanden. Er waren geen plattegronden, maar het gezonde verstand liet je weten, bijvoorbeeld, dat je geen moer te zoeken had in het gebied tussen de vuilnisbakken en het handenarbeidlokaal. Er waren daar ongelukken gebeurd (met name een arme knul die Keith heette en met zijn hoofd in een bankschroef terecht was gekomen), en met de broodmagere, pezige jongens die in dit gebied rondbanjerden moest je het niet aan de stok krijgen – zij waren de dunne zonen van de dikke mannen met de gemene roddelbladen paraat in hun kontzakken als vuurwapens, de dikke mannen die in oneerlijke gerechtigheid geloofden – *oog om oog, hangen is nog te goed voor ze.*

Daartegenover: de Banken, drie ervan op een rij. Deze waren voor het onderhandse dealen van piepkleine hoeveelheden drugs. Dingen als voor £2.50 aan hasj, zo weinig dat het gemakkelijk zoek kon raken in je potloodetui of verward kon worden met een afgebrokkeld stukje gum. Of een kwart van een pilletje, vooral gebruikt voor het verlichten van hardnekkige menstruatiepijnen. De lichtgelovige kon ook een diversiteit aan huishoudelijke middeltjes kopen – jasmijnthee, tuingras, aspirine, drop, bloem – die allemaal doorgingen voor eersteklas verdovende middelen die gerookt of geslikt moesten worden aan de achterkant, in de holte achter de toneelzaal. Dit – afhankelijk van waar je stond – holronde deel van een muur bood een voor de leraren bijna onzichtbare plek voor rokers die te jong waren om te mogen roken in de rokerstuin (een betontuin voor leerlingen van zestien jaar en ouder, die zich helemaal suf mochten roken – zijn er nog zúlke scholen?). De holte achter het toneel kon beter gemeden worden. Dit waren keiharde kleine rotzakken, twaalf, dertien jaar oude kettingrokers; ze hadden overal schijt aan. Ze hadden echt overal schijt aan – jouw gezondheid, hun gezondheid, leraren, ouders, politie – wat dan ook. Roken was hun antwoord op het universum, hun 42, hun zin van het bestaan. Saffies waren hun lust en hun leven. Geen kenners, geen gepietlut over merken, alleen maar saffies, wat voor saffies dan ook. Ze trokken eraan als baby's aan tepels, en als ze dan ten slotte klaar waren, trapten ze ze met vochtige ogen uit in de modder. Ze waren er gek op. Saffies, saffies, saffies. Het enige waar ze zich naast de saffies voor interesseerden, was politiek, of, beter gezegd, die klootzak, die minister van Financiën, die de prijs van saffies maar bleef verhogen. Want er was nooit genoeg geld en er waren nooit genoeg saffies. Je moest een expert worden in het aftroggelen, bietsen, lenen en stelen van saffies. Een populaire truc was je hele zakgeld voor een week uitgeven aan een pakje van twintig, die uitdelen aan jan en alleman en dan een maand lang iedereen met saffies herinneren aan die keer dat je hun een saffie had gegeven. Maar dat was een zeer riskante strategie. Het was beter om een volslagen onopvallend gezicht hebben, beter om een saffie te kunnen aftroggelen en vijf minuten later te kunnen terugkomen voor een volgende zonder herinnerd te worden. Beter om een onleesbare façade te cultiveren, om een kleurloze nul te zijn met een naam als Mart, Jules of Ian. Anders was je afhankelijk van liefdadigheid en saffies delen. Eén saffie kon op ontelbare manieren worden gedeeld. Het werkte als volgt: iemand (wie dan ook die een pakje saffies had gekocht) steekt op. Iemand schreeuwt 'halve'. Eenmaal half opgerookt wordt het saffie doorgegeven. Zodra het de tweede persoon bereikt, horen we 'derde', dan 'bewaar' (wat de helft van een derde is) en dan 'peuk!'; dan, als het een koude dag is en de behoefte aan een saffie overweldigend, 'laatste trek!' Maar laatste trek is alleen voor de wanhopigen; die is voorbij de perforatie, voorbij de merknaam van de sigaret, voorbij dat deel wat nog redelijkerwijze kan worden beschreven als de peuk. Laatste trek is het gelig wordende materiaal van de peuk, waar dat spul zit dat minder is dan tabak, het spul dat zich in de longen ophoopt als een tijdbom, het immuunsysteem verwoest en tot permanente, snotterende neusloop leidt. Het spul dat witte tanden geel maakt.

Iedereen op Glenard Oak was aan het werk; het waren in tongen sprekende Babyloniërs van elke denkbare soort en kleur, elk in zijn eigen nijvere hoek, hun drukke monden als wierookvaten stuurden het votiefgeschenk van tabaksrook naar de vele goden daarboven (Brent Scholen Rapport 1990: 67 verschillende geloven, 123 verschillende talen).

Laborare est Orare:

nerds bij de vijver doen onderzoek naar kikkerseks;

bekakte meisjes in het muzieklokaal zingen Franse canons, spreken eigen jargon, doen grapefruitdiëten, onderdrukken lesbische neigingen;

dikke jongens rukken zich af in de gang naar de gymzaal;

nerveuze meisjes bij de taalvleugel lezen boeken over moordzaken;
Indiase jongens spelen cricket met tennisrackets op het voetbalveld;
Irie Jones zoekt Millat Iqbal;
Scott Breeze en Lisa Rainbow neuken in het toilet;
Joshua Chalfen, een kobold, een oudste en een dwerg, spelen *Heksen en trollen* achter de natuur- en scheikundevleugel.

En iedereen, iedereen rookt saffies, saffies, saffies, werkt hard aan het bietsen ervan, het opsteken ervan en het inhaleren ervan, het verzamelen van peuken en het maken van nieuwe ervan, genietend van de macht om mensen door culturen en geloven heen bij elkaar te brengen, maar grotendeels gewoon rokend – *een saffie, geef ons een saffie* – eraan puffend als kleine schoorstenen tot de rook zo dicht wordt dat degenen die hier de kachels stookten in 1886, in de dagen van de werkinrichting, zich volkomen thuis hadden gevoeld.

En in de nevel was Irie op zoek naar Millat. Ze had het basketbalveld geprobeerd, de rooktuin, het muzieklokaal, de cafetaria, de toiletten van beide seksen en de begraafplaats die achter de school lag. Ze moest hem waarschuwen. Er zou, als een gezamenlijke actie van het lerarenkorps en het plaatselijke politiekorps, een razzia plaatsvinden om alle illegale rokers van wiet of tabak op te pakken. Het seismische gerommel was afkomstig geweest van Archie, engel van openbaring; ze had een telefoongesprek van hem afgeluisterd en de heilige geheimen van de oudercommissie gehoord. Nu was Irie opgezadeld met een veel zwaardere last dan de seismoloog, opgezadeld, eerder, met de last van de profeet, want zij kende de dag en het tijdstip van de beving (vandaag, halfdrie), zij kende de kracht (mogelijk van school gestuurd worden) en ze wist wie een grote kans liep ten slachtoffer te vallen aan de breuklijn. Ze moest hem redden. Met haar armen rond haar trillende vetrolletjes en zwetend door zo'n acht centimeter afrohaar stormde ze over de terreinen, riep zijn naam, informeerde bij anderen, keek op alle gebruikelijke plaatsen, maar hij was niet bij de cockney *barrow-boys*, de bekakte meisjes, de Indiase groep of de zwarte jongens. Ten slotte sjokte ze naar de schei- en natuurkundevleugel, deel van de oude werkinrichting en een geliefde blinde plek van de school, want de verste muur en de oostelijke hoek verschaften dertig kostbare meters gras waar een leerling die zich overgaf aan illegale activiteiten volledig verborgen was voor nieuwsgierige blikken. Het was een mooie, frisse herfstdag; het was er vol. Irie moest door de populaire tonsillen-tennis/tastkampioenschappen lopen, over het *Heksen en trollen*-spel van Joshua Chalfen stappen (Hé, kijk uit! Let op de Dodengrot!) en door een dichte falanx van saffierokers ploegen voordat ze in het epicentrum van dit alles Millat bereikte, die laconiek aan een kegelvormige joint zat te trekken en naar een lange vent met een machtige baard luisterde.

'Mill!'
'Niet nu, Jones.'
'Maar Mill!'

'Toe, Jones. Dit is Hifan. Een oude vriend. Ik probeer naar hem te luisteren.'

De lange vent, Hifan, was gewoon door blijven praten. Hij had een diepe, zachte stem, als stromend water, onontkoombaar en constant, een stem die een grotere kracht vereiste dan de plotselinge verschijning van Irie, groter misschien dan de zwaartekracht, om gestopt te worden. Hij was gekleed in een strak zwart pak, een wit overhemd en een groen strikdasje. Op zijn borstzakje was een klein embleem geborduurd – twee handen die om een vlam lagen – en daaronder nog iets, te klein om te zien wat het was. Hoewel hij niet ouder was dan Millat, had hij een indrukwekkende haargroei, en zijn baard maakte hem veel ouder.

'… en marihuana verzwakt dus de vermogens, de kracht, en neemt in dit land onze beste mensen van ons weg: mensen als jij, Millat, mensen die natuurlijke leiders zijn, die het vermogen in zich hebben om een volk bij de hand te nemen en te verheffen. Er is een hadith uit de *Bukhāri*, deel vijf, bladzijde twee: *De beste mensen uit mijn gemeenschap zijn mijn tijdgenoten en medestanders.* Jij bent mijn tijdgenoot, Millat, ik bid dat je ook mijn medestander zult worden; er is een oorlog gaande, Millat, een oorlog.'

Hij ging zo door, het ene woord vloeide uit het andere, zonder interpunctie of adem en in dezelfde chocoladeachtige spreektrant – je kon bijna in zijn zinnen in slaap vallen, je kon er bijna in klimmen.

'Mill. Mill! 't Is belangrijk.'

Millat zag er slaperig uit, of het van de marihuana was of van Hifan was niet duidelijk. Hij schudde Irie los van zijn mouw en probeerde een introductie. 'Irie, Hifan. Hij en ik trokken wel met elkaar op. Hifan…'

Hifan stapte naar voren en hing over Irie heen als een klokkentoren. 'Goed je te ontmoeten, zuster. Ik ben Hifan.'

'Geweldig. Millat!'

'Irie, man, verdomme! Kun je even stil zijn?' Hij gaf haar de joint. 'Ik probeer naar de man te luisteren, ja? Hifan is de don. Kijk naar dat pak… gangsterstijltje!' Millat liet een vinger over Hifans revers gaan, en zonder het te willen straalde Hifan van plezier. 'Serieus, Hifan, je ziet er te gek uit, man. Picobello.'

'Ja?'

'Beter dan dat spul waar je in rondliep toen wij nog met elkaar optrokken, hè? In de tijd van Kilburn. Weet je nog toen we naar Bradford gingen en…'

Hifan wist het nog. Zijn gezicht nam weer die uitdrukking aan van vrome vastberadenheid. 'Ik ben bang dat ik me die Kilburn-tijd niet herinner, broeder. Ik deed toen dingen uit onwetendheid. Dat was een andere persoon.'

'Ja ja,' zei Millat schaapachtig. 'Tuurlijk.'

Millat gaf Hifan een plagerige stomp op zijn schouder, en als reactie daarop stond Hifan stil als een deurstijl.

'Dus er is een spirituele oorlog gaande, verdomme… dat is fantastisch, verdomme! Het wordt tijd… we moeten maar eens een stempel drukken op dit kloteland. Hoe was die naam ook alweer, van jullie?'

'Ik ben van de Kilburn-tak van de *Keepers of the Eternal and Victorious Islamic Nation*,' zei Hifan trots.

Irie inhaleerde.

'Keepers of the Eternal and Victorious Islamic Nation,' herhaalde Millat onder de indruk. 'Dat is een te gekke naam. Dat heeft een te gekke kungfu-achtige ruige klank.'

Irie fronste haar wenkbrauwen. 'KEVIN?'

'We zijn ons ervan bewust,' zei Hifan, plechtig wijzend naar de plek onder de vlam en de handen waar de initialen uiterst klein geborduurd waren, 'dat we een acroniemprobleem hebben.'

'Een beetje maar.'

'Maar de naam is van Allah en kan niet worden veranderd... maar om door te gaan met wat ik zei: Millat, mijn vriend, je kunt hoofd zijn van de Cricklewood-tak...'

'Mill!'

'Je kunt hebben wat ik heb, in plaats van die verschrikkelijke verwarring waarin je verkeert, in plaats van die afhankelijkheid van een drug die speciaal geïmporteerd wordt door overheden om de zwarte en Aziatische gemeenschap te onderwerpen, om onze krachten te ondermijnen.'

'Ja,' zei Millat droevig, halverwege het rollen van een nieuwe joint. 'Zo kijk ik er niet echt naar. Ik denk dat ik er zo naar zou moeten kijken.'

'Mill!'

'Jones, hou nou op! Ik zit verdomme midden in een discussie. Hifan, op welke school zit je nu, makker?'

Hifan schudde glimlachend zijn hoofd. 'Ik heb het Engelse schoolsysteem enige tijd geleden verlaten. Maar mijn vorming is nog lang niet ten einde. Als ik je een citaat mag laten horen uit de *Tabrīzī*, hadith nummer 220: *Hij die op zoek gaat naar kennis is in actieve dienst van God tot hij terugkeert en de...*'

'Mill,' fluisterde Irie onder Hifans zoetgevooisde stroom van geluid. 'Mill!'

'Godallemachtig! Wat? Sorry, Hifan, makker, een minuutje.'

Irie nam een diepe trek van haar joint en bracht haar nieuws. Millat zuchtte. 'Irie, ze komen van de ene kant en wij gaan er aan de andere kant uit. Geen probleem. Zo doen we dat altijd. Oké? Nou, ga jij nou maar met het grut spelen. We hebben het hier over serieuze zaken.'

'Het was goed je te ontmoeten, Irie,' zei Hifan terwijl hij zijn hand uitstak en haar van top tot teen opnam. 'Als ik het mag zeggen, het is verfrissend om een vrouw te zien die zich ingetogen kleedt, die haar haar kort draagt. KEVIN gelooft dat een vrouw het niet nodig moet vinden om in te spelen op de erotische fantasieën van de westerse seksualiteit.'

'Eh, juist ja. Bedankt.'

Vol zelfmedelijden en meer dan een beetje stoned zocht Irie haar weg terug door de muur van rook en stapte opnieuw door Joshua Chalfens *Heksen en trollen* heen.

'Hé, we proberen te spelen!'

Irie – vol onderdrukte woede – draaide zich met een ruk om. 'EN?'

Joshua's vrienden – een dikke jongen, een puisterige jongen en een jongen met een abnormaal groot hoofd – deinsden angstig terug. Maar Joshua liet zich niet uit het veld slaan. Hij speelde hobo achter Iries tweede altviool in datgene wat voor een schoolorkest moest doorgaan, en had vaak naar haar vreemde haar en brede schouders gekeken en gedacht dat hij wel een kans zou kunnen maken. Ze was slim en niet onknap, en ze straalde heel sterk iets van een nerd uit, ondanks die jongen waar ze mee omging. Die Indiase jongen. Ze hing om hem heen, maar ze was anders dan hij. Joshua Chalfen had het sterke vermoeden dat ze *een van hen* was. Er was iets latent in haar aanwezig dat hij meende naar boven te kunnen brengen. Ze was een nerd-immigrante die gevlucht was uit het land van de dikken, qua gezicht minder bedeeld en ontwapenend slim. Ze had de bergen van Caldor beklommen, de rivier de Leviathrax overgezwommen en de kloof Duilwen getrotseerd in de krankzinnige spurt naar een ander land, weg van haar ware landgenoten.

'Ik zég alleen maar. Je lijkt het nogal leuk te vinden om het land van Golthon binnen te stappen. Wil je met ons spelen?'

'Nee, ik wil niet met je spelen, stomme lul. Ik ken je niet eens.'

'Joshua Chalfen. Ik heb samen met je op Manor gezeten. En we doen allebei Engels. En we zitten samen in het orkest.'

'Nee, dat zitten we niet. Ik zit in het orkest. Jij zit in het orkest. We zitten op geen enkele manier sámen in het orkest.'

De kobold, de oudste en de dwerg, die een goede woordspeling wel konden waarderen, reageerden daarop met een snuivend gegiechel. Maar beledigingen betekenden niets voor Joshua. Joshua was de Cyrano de Bergerac van het incasseren van beledigingen. Hij had beledigingen geïncasseerd (van de liefhebbende kant: *Chalfen de Big, Kakkie Josh, Josh-met-de-jodenpruik*; van de andere kant: *Hippie-zak, Kloterige krul, Strontvreter*), hij had zijn hele leven al beledigingen geïncasseerd, had het overleefd en was er zelfvoldaan doorheen gekomen. Een belediging was niet meer dan een kiezeltje op zijn pad, bewees slechts de intellectuele minderwaardigheid van haar die hem gooide. Hij ging door, hoe dan ook.

'Ik vind je haar leuk.'

'Probeer je me in de zeik te nemen?'

'Nee, ik hou van kort haar bij meisjes. Ik hou van dat androgyne. Serieus.'

'Wat is je probleem?'

Joshua haalde zijn schouders op. 'Niets. De geringste bekendheid met de basistheorie van Freud wijst erop dat jij degene bent met het probleem. Waar komt al die agressie vandaan? Ik dacht dat roken bedoeld was om je te ontspannen. Mag ik een trek?'

Irie was de brandende joint in haar hand vergeten. 'O, ja, juist. Een echte paffer, hè?'

'Ik liefhebber wat.'

De kobold, de oudste en de dwerg stootten wat gesnuif en vochtige geluiden uit.

'O, waarom niet,' zuchtte Irie, en ze bracht haar hand omlaag om de joint aan hem te geven. 'Ga je gang.'

'Irie!'

Het was Millat. Hij was vergeten zijn joint weer van Irie af te nemen en rende nu naar hen toe om hem terug te pakken. Irie, die hem net aan Joshua wilde overhandigen en zich halverwege deze handeling omdraaide, zag hoe Millat op haar afkwam en voelde tegelijkertijd een gerommel in de grond, een beving die Joshua's kleine, gietijzeren trollenleger op de knieën bracht en ze vervolgens van het bord zwiepte.

'Wat is...' zei Millat

Het was de razziacommissie. Op voorstel van ouder-bestuurder Archibald Jones, een voormalige legerman die deskundig beweerde te zijn op het gebied van de aanval, hadden ze besloten van beide kanten te komen (nooit eerder uitgeprobeerd), waarbij het honderd man sterke gezelschap gebruik zou maken van het verrassingselement en geen andere waarschuwing zou geven dan het geluid van hun naderende voeten; ze sloten de kleine rotzakken gewoon in, sneden zo elke ontsnappingsroute voor de vijand af en betrapten boefjes als Millat Iqbal, Irie Jones en Joshua Chalfen op heterdaad bij het gebruik van marihuana.

Het hoofd van Glenard Oak verkeerde voortdurend in een staat van implosie. Zijn haargrens had zich teruggetrokken en was weggebleven als een vastbesloten eb, zijn ogen lagen diep, zijn lippen waren naar achteren in zijn mond gezogen, hij had geen noemenswaardig lichaam – of eigenlijk vouwde hij wat hij had tot een klein verwrongen pakje dat hij afsloot met een paar gekruiste armen en gekruiste benen. Als om deze persoonlijke, inwendige ineenstorting tegen te gaan had het hoofd de stoelen in een grote kring gezet, een weids gebaar waarvan hij hoopte dat het iedereen zou helpen elkaar te zien en met elkaar te spreken zodat iedereen *zijn punt naar voren zou kunnen brengen* en *zichzelf kon laten horen* en ze allemaal samen bezig konden zijn met *problemen oplossen* in plaats van *gedrag bestraffen*. Sommige ouders waren bang dat het hoofd een liberaal was met een bloedend hart. Als je het Tina vroeg, zijn secretaresse (niet dat iemand Tina ooit iets vroeg, o nee, vreest niet, alleen maar vragen als *Zo, wat hebben deze drie schavuiten uitgehaald?*), had het meer weg van een bloedneus.

'Zo,' zei het hoofd treurig glimlachend tegen Tina, 'wat hebben deze drie schavuiten uitgehaald?'

Vermoeid las Tina de drie aanklachten voor van 'mari-ju-ana-bezit'. Irie stak haar hand op om bezwaar te maken, maar het hoofd legde haar met een zachtmoedige glimlach het zwijgen op.

'Juist. Dat is alles, Tina. Wil je de deur achter je op een kier laten staan, ja, dat is goed, een beetje verder... uitstekend. Ik wil niet dat iemand zich opgesloten voelt, als het ware. Oké. Nou, ik denk dat de meest beschaafde manier om dit te doen,' zei het hoofd, zijn handen plat, met de palmen naar boven, op zijn knieën leggend om te demonstreren dat hij geen wapens droeg, 'zodat we niet de toestand krijgen dat iedereen door elkaar praat, dat ik eerst mijn zegje doe en jullie dan allemaal je zegje doen, te beginnen met jou, Millat, en eindigend met Joshua, en als we dan alles begrepen hebben wat er gezegd is, zal ik mijn laatste zegje doen en dat is het dan. Relatief pijnloos. Goed? Goed.'

'Ik heb een saf nodig,' zei Millat.

Het hoofd herschikte zich. Hij haalde zijn rechterbeen van het linkerbeen en sloeg zijn magere linkerbeen in plaats daarvan over het rechterbeen, bracht zijn twee wijsvingers in de vorm van een kerktoren naar zijn lippen en trok zijn hoofd in als een schildpad.

'Millat, alsjeblieft.'

'Hebt u een safbak?'

'Nee, zeg, Millat, kom op...'

'Dan ga ik er gewoon een bij de poort roken.'

Op die manier chanteerde de hele school het hoofd. Hij kon niet duizend kinderen saffies rokend door de straten van Cricklewood hebben lopen en de naam van de school omlaag laten halen. Dit was het tijdperk van de onderhandelingstafel; van kritische ouders die met hun neus in de onderwijsbijlage van *The Times* zitten en scholen beoordelen op basis van brieven en cijfers en rapporten van inspecteurs. Het hoofd was gedwongen het rookalarm voor hele perioden achtereen uit te zetten en zijn duizend rokers binnen de schoolhekken te houden.

'O... nou ja, zet je stoel maar wat dichter bij het raam dan. Kom op, kom op, maak er niet zo'n toestand van. Dat bedoel ik. Goed zo?'

Een Lambert & Butler bungelde aan Millats lippen. 'Vuur?'

Het hoofd rommelde wat in het borstzakje van zijn eigen overhemd, waar tussen een heleboel papieren zakdoekjes en pennen een pakje shag en een aansteker begraven waren.

'Kijk eens.' Millat stak op en blies rook in de richting van het hoofd. Het hoofd hoestte als een oude vrouw. 'Oké, Millat, jij eerst. Want ik verwacht dit in elk geval van jou! Brand maar los.'

Millat zei: 'Ik was daar aan de achterkant van de schei- en natuurkundevleugel voor een kwestie van spirituele groei.'

Het hoofd boog zich naar voren en tikte een paar keer met de kerktoren tegen zijn lippen. 'Je zult me iets meer moeten geven om mee te werken, Millat. Als hier sprake is van een of ander religieus verband kan het alleen maar in je voordeel zijn, maar ik moet wel weten hoe het zit.'

Millat weidde uit: 'Ik was aan het praten met mijn makker. Hifan.'

Het hoofd schudde zijn hoofd. 'Ik kan je niet volgen, Millat.'

'Hij is een spiritueel leider. Ik kreeg wat advies.'

'Spiritueel leider? Hifan? Zit hij op school? Waar hebben we het over, Millat, een sekte? Ik moet weten of we het over een sekte hebben?'

'Nee, het is verdomme geen sekte,' blafte Irie geërgerd. 'Kunnen we een beetje opschieten? Ik heb viool over tien minuten.'

'Millat is aan het woord, Irie. We luisteren naar Millat. En als jij aan de beurt bent, zal Millat jou hopelijk met wat meer respect behandelen dan waarmee jij hem net hebt behandeld. Oké? We moeten communiceren! Oké, Millat. Ga door. Wat voor soort spiritueel leider?'

'Moslim. Hij hielp me met mijn geloof, ja? Hij is het hoofd van de Cricklewood-tak van de Keepers of the Eternal and Victorious Islamic Nation.'

Het hoofd fronste zijn wenkbrauwen. 'KEVIN?'

'Ze zijn zich ervan bewust dat ze een acroniemprobleem hebben,' legde Irie uit.

'En,' vervolgde het hoofd gretig, 'die vent van KEVIN, was hij degene die het spul bij zich had?'

'Nee,' zei Millat, terwijl hij zijn peuk uitdrukte op de vensterbank, 'het was mijn spul. Hij praatte tegen me en ik rookte het.'

'Kijk,' zei Irie, na nog een paar minuten van langs elkaar heen gepraat, 'het is heel simpel. Het was Millats spul. Ik rookte zonder er echt bij na te denken, toen gaf ik hem aan Joshua om mijn schoenveter vast te maken, maar hij had er niks mee te maken. Oké? Kunnen we nu gaan?'

'Ik had er wel mee te maken!'

Irie wendde zich tot Joshua. 'Wát?'

'Ze probeert me te beschermen. Het was voor een deel mijn marihuana. Ik was marihuana aan het dealen. Toen werd ik gesnapt door de smerissen.'

'O, Jezus Christus. Chalfen, je bent gek.'

Misschien. Maar de laatste twee dagen had Joshua meer respect gekregen, was door meer mensen op de schouder geklopt en had over het algemeen meer de grote baas gespeeld dan ooit eerder in zijn leven. Iets van de glamour van Millat leek door associatie op hem te zijn overgegaan, en wat Irie betreft – nou, hij had in die afgelopen twee dagen een 'vage interesse' tot een volslagen verliefdheid uit laten groeien. Streep dat door. Hij was volslagen verliefd op allebei. Er was iets fascinerends aan hen. Meer dan aan Elvin de dwerg of Moloch de tovenaar. Hij wilde met hen verbonden zijn, hoe los dan ook. Hij was door hen tweeën uit het nerd-dom getrokken, per ongeluk uit de obscuriteit gehaald en in de schijnwerpers gezet. Hij liet zich niet zonder slag of stoot terugsturen.

'Is dat waar, Joshua?'

'Ja… eh, het is klein begonnen, maar nu heb ik geloof ik echt een probleem. Ik wil geen drugs dealen, uiteraard niet, maar het is alsof ik er niet mee kan ophouden…'

'O, in godsnaam…'

'Irie, je moet Joshua de kans geven zijn zegje te doen. Hij heeft net zo veel recht op zijn zegje als jij op het jouwe.'

Millat stak zijn hand uit naar het borstzakje van het hoofd en trok er diens pakje zware tabak uit. Hij gooide de inhoud ervan op de kleine salontafel.

'Hé, Chalfen, gettojongen. Meet een achtste af.'

Joshua keek naar de stinkende bruine berg. 'Een Europees of een Engels achtste?'

'Kun je gewoon doen wat Millat je vraagt,' zei het hoofd geërgerd terwijl hij zich vooroverboog om de tabak te inspecteren. 'Zodat we dit kunnen ophelderen.'

Met trillende vingers trok Joshua een deel van de tabak op zijn hand en hield deze omhoog. Het hoofd bracht Joshua's hand onder Millats neus voor inspectie.

'Amper voor vijf pond,' zei Millat minachtend. 'Van jou zou ik geen shit kopen.'

Het hoofd deed de tabak terug in het pakje. 'Oké, Joshua,' zei hij. 'Ik denk dat we rustig kunnen stellen dat het spel uit is. Zelfs ik wist dat dat niet in de buurt kwam van een achtste. Maar wat me zorgen baart, is dat je het nodig vond om te liegen en we zullen een afspraak moeten maken om daarover te praten.'

'Ja, meneer.'

'Intussen heb ik met jullie ouders gepraat en in lijn met het beleid van de school om van bestraffing over te gaan op constructief gedragsmanagement zijn zij zo bijzonder vriendelijk geweest een programma van twee maanden voor te stellen.'

'Programma?'

'Elke dinsdag en donderdag zullen jij, Millat, en jij, Irie, naar Joshua's huis gaan en je bij hem voegen voor een twee uur durende naschoolse studiegroep verdeeld tussen wiskunde en biologie, jullie zwakkere en zijn sterkere vakken.'

Irie snoof. 'Dat meent u niet.'

'Weet je, ik meen het wel. Ik vind het echt een interessant idee. Op die manier kunnen Joshua's sterke punten gelijkelijk onder jullie worden verdeeld en kunnen jullie naar een stabiele omgeving gaan met als extra voordeel dat jullie van de straat worden gehouden. Ik heb met jullie ouders gepraat en zij zijn tevreden met, eh, deze regeling. En wat echt geweldig is: Joshua's vader is een eminent wetenschapper en zijn moeder hovenierster, geloof ik, dus kunnen jullie hier echt iets van opsteken. Jullie tweeën beschikken over grote mogelijkheden, maar volgens mij zitten jullie vast in dingen die echt beschadigend zijn voor die mogelijkheden. Of dat de gezinsomgeving is of persoonlijke problemen, dat weet ik niet... maar dit is echt een kans om eraan te ontsnappen. Ik hoop dat jullie inzien dat dit meer is dan een straf. Het is constructief. Het is mensen helpen mensen. En ik hoop echt dat jullie dit van harte doen, weet je. Zoiets als dit is zeer in overeenstemming met de geschiedenis, de geest, het hele ethos van Glenard Oak, al sinds sir Glenard zelf.'

De geschiedenis, de geest en het ethos van Glenard Oak konden, zoals elke beetje rechtgeaarde Glenardiaan wist, teruggevoerd worden op sir Edmund Flecker Glenard (1842-1907), die de school besloten had te gedenken als haar vriendelijke Victoriaanse weldoener. De officiële lezing stelde dat Glenard het geld voor het oorspronkelijke gebouw gedoneerd had uit een toegewijde interesse in de maatschappelijke verbetering van de minder bevoorrechten. In plaats van als werkinrichting beschreef het officiële boekje van de oudercommissie het als een 'opvanghuis, werkplaats en opleidingsinstituut', in zijn tijd gebruikt door een mengeling van Engelse en Caribische mensen. Volgens het boekje van de oudercommissie was de stichter van Glenard Oak een filantroop op het gebied van de vorming. Maar, ook volgens het boekje, was 'postklassikale overdenkingstijd voor afwijkend gedrag' een gepaste vervanging voor het woord 'nablijven'.

Een diepgaander onderzoek in de archieven van de plaatselijke Grange Bibliotheek zou onthullen dat sir Edmund Flecker Glenard een succesvolle koloniaal was geweest die een behoorlijke som geld had verdiend met de verbouw van tabak op Jamaica, of, liever gezegd, met toezicht houden op grote plantages waar tabak werd verbouwd. Nadat hij dit twintig jaar had gedaan en veel meer geld had verworven dan nodig was, ging sir Edmund achterover zitten in zijn indrukwekkende leren leunstoel en vroeg zich af of er niet iets was wat hij kon doen. Iets wat hem naar zijn oude dag zou leiden met het warme gevoel dat hij iets goeds en waardevols had gedaan. Iets voor de mensen. De mensen die hij uit zijn raam kon zien. Daarbuiten op het veld.

Een paar maanden lang wist sir Edmund niet wat te doen. Toen, op een zondag, terwijl hij in de namiddag ontspannen door Kingston wandelde, hoorde hij een vertrouwd geluid dat hem nu anders voorkwam. Vroom gezang. Handgeklap. Wenen en weeklagen. Lawaai en hitte en extatische beweging kwam uit kerk na kerk en bewoog zich als een onzichtbaar koor door de dikke lucht van Jamaica. Nou, dát was iets, dacht sir Edmund. Want in tegenstelling tot veel van zijn landgenoten-in-den-vreemde, die het zingen als kattengejank bestempelden en ervan beschuldigden heidens te zijn, was sir Edmund altijd geraakt door de devotie van de Jamaicaanse christenen. Hij hield van het idee van een vrolijke kerk, waar je kon snotteren of hoesten of een plotselinge beweging maken zonder dat de predikant je vreemd aankeek. Sir Edmund was ervan overtuigd dat God in al zijn wijsheid nooit bedoeld had dat de kerk een stijve, miserabele bedoening zou zijn zoals in Tunbridge Wells, maar eerder iets vreugdevols, iets met zingen en dansen, iets met voetstampen en handengeklap. De Jamaicanen begrepen dit. Soms leek dat het enige te zijn wat ze begrepen. Terwijl hij een ogenblik stilstond voor een wel bijzonder levendige kerk, nam sir Edmund de gelegenheid waar om zijn gedachten over deze raadselachtige kwestie te laten gaan: het opmerkelijke verschil tussen de devotie van een Jamaicaan jegens zijn God en zijn devotie jegens zijn werkgever. Het was een onderwerp waar hij in het verleden al vele malen over had moeten nadenken. Alleen deze maand al, terwijl hij in zijn studeerkamer zat en zich probeerde te concentreren op het vraagstuk dat hij zichzelf had voorgelegd, waren zijn opzichters bij hem gekomen met nieuws over drie stakingen, verschillende mannen die op het werk slapend of gedrogeerd waren aangetroffen en een heel collectief van moeders (onder wie

Bowden-vrouwen) die klaagden over de slechte betaling en weigerden te werken. En daar, begrijp je, zat de moeilijkheid, precies daar. Je kon een Jamaicaan elk uur van de dag of de nacht aan het bidden krijgen, ze rolden de kerk in voor elke religieus belangrijke gebeurtenis, zelfs de meest obscure – maar als je ze op de tabaksvelden ook maar één minuut uit het oog verloor, kwam het werk onmiddellijk tot stilstand. Wanneer ze hun godsdienstige plichten vervulden, waren ze een en al energie, bewogen ze als springbonen, balkten ze in de gangpaden... maar op het werk waren ze traag en dwars. Het vraagstuk hield hem zo bezig dat hij eerder dat jaar een brief over het onderwerp had geschreven aan de *Cleaner* met de uitnodiging te reageren, maar hij had geen bevredigende reacties ontvangen. Hoe meer Edmund erover nadacht, hoe duidelijker het voor hem werd dat de situatie in Engeland juist omgekeerd was. Je was onder de indruk van het geloof van de Jamaicaan maar wanhoopte waar het zijn arbeidsethos en opleiding betrof. En andersom bewonderde je het arbeidsethos en de opleiding van de Engelsman maar wanhoopte waar het zijn slecht onderhouden geloof betrof. En nu, terwijl sir Edmund aanstalten maakte om terug te keren naar zijn landgoed, besefte hij dat hij in een positie was om deze situatie te beïnvloeden – nee, meer dan dat – te veranderen! Sir Edmund, die een behoorlijk corpulent man was, een man die eruitzag alsof hij misschien een andere man in zich had verborgen, huppelde zo ongeveer de hele weg naar huis.

De volgende dag al schreef hij een inspirerende brief aan *The Times* en doneerde veertigduizend pond aan een zendingsgroep op voorwaarde dat het geld gebruikt zou worden voor een groot pand in Londen. Daar zouden Jamaicanen zij aan zij kunnen werken met Engelsen bij het verpakken van sir Edmunds sigaretten en 's avonds algemeen onderricht krijgen van de Engelsen. Bij de fabriek moest een kleine kapel worden gebouwd. En op zondag, vervolgde sir Edmund, moesten de Jamaicanen de Engelsen meenemen naar de kerk en ze laten zien hoe een eredienst behoort te zijn.

De hele zaak werd gebouwd, en na ze haastig gouden bergen te hebben beloofd, verscheepte sir Edmund driehonderd Jamaicanen naar Noord-Londen. Twee weken later, van de andere kant van de wereld, stuurden de Jamaicanen Glenard een telegram als bevestiging van hun behouden aankomst, en Glenard stuurde er een terug met het voorstel een Latijns motto te plaatsen onder de plaquette die reeds zijn naam droeg. LABORARE EST ORARE. Een tijdje ging het redelijk goed. De Jamaicanen waren optimistisch over Engeland. Ze probeerden niet aan het ijskoude klimaat te denken en werden vanbinnen verwarmd door sir Edmunds plotselinge enthousiasme voor en interesse in hun welzijn. Sir Edmund had echter altijd problemen gehad met het vasthouden van enthousiasme en interesse. Zijn geest was een klein ding met grote gaten waardoor passies regelmatig naar buiten sijpelden, en *het geloof van Jamaicanen* werd in de omgekeerde zeef van zijn bewustzijn al snel vervangen door andere interesses: *de ontvlambaarheid van de militaire hindoe*; *het onpraktische van de Engelse maagd*; *het effect van extreme hitte op de seksuele neigingen van de Trinidadders*. Afgezien van vrij regelmatige cheques gestuurd door de secretaris van sir Edmund hoorde de Glenard Oak-fabriek de volgende vijftien jaar niets van hem. Toen, tijdens de aardbeving van 1907 in Kingston, werd Glenard voor de ogen van Iries grootmoeder verpletterd door een omgevallen marmeren madonna. (Dit zijn oude geheimen. Ze zullen uitkomen als verstandskiezen wanneer de tijd daar is.) Het was een ongelukkig moment. Hij was van plan geweest diezelfde maand terug te keren naar Britse grond om te zien hoe zijn lang verwaarloosde experiment ervoor stond. Een brief die hij had geschreven, met de bijzonderheden over zijn reisplannen, bereikte Glenard Oak ongeveer rond dezelfde tijd dat een worm, na het afleggen van de twee dagen durende tocht door zijn hersenen, te voorschijn kwam uit het linkeroor van de arme man. Hoewel hij dus als voedsel voor de wormen diende, werd Glenard een nare beproeving bespaard, want zijn experiment stond er slecht voor. De kosten van het vervoeren van vochtige, zware tabak naar Engeland waren van het begin af aan onpraktisch geweest; toen de bijdragen van sir Edmund zes maanden eerder waren opgedroogd, ging het bedrijf ten onder; de zendingsgroep trok zich onopvallend terug en de Engelsen zochten elders een baan. De Jamaicanen, die elders geen werk konden vinden, bleven en telden de dagen tot de voedselvoorraden waren uitgeput. Ze waren inmiddels volledig op de hoogte van de aanvoegende wijs, de tafel van negen, het leven en de dood van Willem de Veroveraar en de eigenschappen van een gelijkzijdige driehoek, maar ze hadden honger. Sommigen stierven aan die honger, sommigen werden gevangen gezet voor de kruimeldiefstallen waar honger toe aanzet, velen zochten een moeizaam heenkomen in het East End en de Engelse arbeidersklasse. Een paar konden zeventien jaar later aangetroffen worden op de British Empire Exhibition van 1924, verkleed als Jamaicanen op de Jamaicaanse stand, waar ze een afschuwelijke imitatie gaven van hun vroegere bestaan – blikken trommels, kralenkettingen – want ze waren nu Engels, Engelser dan de Engelsen dankzij hun teleurstellingen. Op de keper beschouwd had het hoofd het dus fout: van Glenard kon niet worden gezegd dat hij een grote, tot lering strekkende voorbeeldfunctie had vervuld voor toekomstige generaties. Een erfenis is niet iets wat je naar eigen goeddunken kunt geven of nemen, en er zijn geen zekerheden als het om het lastige gebied van nalatenschap gaat. Hoezeer het hem ook zou hebben teleurgesteld, Glenards invloed bleek op het persoonlijke vlak te liggen, niet op dat van werk of vorming; deze invloed was aanwezig in het bloed van mensen en het bloed van hun familie, aanwezig in drie generaties immigranten die zich zowel verlaten als hongerig konden voelen, zelfs wanneer ze in de schoot van hun familie aan een groots feestmaal zaten, en het zat zelfs in het bloed van Irie Jones van Jamaica's Bowden-clan, hoewel ze dat niet wist (maar iemand had haar ook moeten zeggen een achterwaarts oogje op Glenard te houden; Jamaica is klein, je kunt het in een dag belopen, en iedereen die er woonde liep op een goed moment wel alle anderen tegen het lijf).

'Hebben we écht een keuze?' vroeg Irie.

'Jullie zijn eerlijk tegen mij geweest,' zei het hoofd, op zijn kleurloze lip bijtend, 'en ik wil eerlijk zijn tegen jullie.'

'We hebben geen keuze.'

'Eerlijk gezegd, nee. Het is in feite dat óf twee maanden postklassikale overdenkingstijd voor afwijkend gedrag. Ik ben bang dat we de mensen tevreden moeten stellen, Irie. En als we niet alle mensen voortdurend tevreden kunnen stellen, kunnen we in ieder geval een aantal...'

'Ja, geweldig.'

'De ouders van Joshua zijn echt fascinerende mensen, Irie. Ik denk dat deze hele ervaring echt leerzaam voor je zal zijn. Denk je ook niet, Joshua?'

Joshua straalde. 'O ja, meneer. Dat denk ik echt.'

'En het mooie ervan is dat dit een soort proefproject kan zijn voor een heel scala aan programma's,' zei het hoofd, hardop denkend. 'Kinderen van minder bedeelde of minderheidsgroepen in contact brengen met kinderen die hun iets te bieden hebben. En er kan ook een omgekeerde uitwisseling plaatsvinden. Kinderen die kinderen basketbal, voetbal, enzovoort leren. We kunnen er misschien fondsen voor krijgen.' Bij het magische woord 'fondsen' begonnen de diepliggende ogen van het hoofd te verdwijnen achter geagiteerde oogleden.

'Godsamme, man,' zei Millat, ongelovig zijn hoofd schuddend. 'Ik heb een saffie nodig.'

'Halve,' zei Irie terwijl ze hem naar buiten volgde.

'Ik zie jullie dinsdag!' zei Joshua.

12

HOEKTANDEN: DE SCHEURTANDEN

Als het geen te vergezochte vergelijking is, verschilt de seksuele en culturele revolutie die we de afgelopen twee decennia hebben meegemaakt in wezen weinig van de revolutie op het gebied van de hovenierskunst die heeft plaatsgevonden in onze plantenborders en verzonken bloembedden. Terwijl we eens tevreden waren met onze tweejarigen, armzalig gekleurde bloemen die zich zwakjes uit de grond worstelen en een paar keer per jaar (als we geluk hadden) bloeien, vragen we nu zowel variëteit als continuïteit van onze bloemen, de vurige kleuren van exotische bloesems 365 dagen per jaar. Terwijl tuiniers eens zwoeren bij de betrouwbaarheid van de zelfbestuivende plant, waarbij stuifmeel wordt overgebracht van de meeldraad naar de stempel van dezelfde bloem (autogamie), zijn we nu avontuurlijker en zingen de lof van kruisbestuiving, waarbij stuifmeel wordt overgebracht van de ene bloem op de andere van dezelfde plant (geitonogamie), of op een bloem van een andere plant van dezelfde soort (xenogamie). De vogels en de bijen, de dichte nevel van stuifmeel – dit alles moet aangemoedigd worden! Ja, zelfbestuiving is de eenvoudiger en zekerder vorm van de twee bevruchtingsprocessen, vooral voor veel soorten die koloniseren door overvloedige herhaling van dezelfde familie. Maar een soort die een dergelijk uniform nageslacht voortbrengt loopt het risico de hele populatie uitgeroeid te zien worden door één enkele evolutionaire gebeurtenis. In de tuin zou, net als in de sociale en politieke arena, verandering de enige constante behoren te zijn. Onze ouders en de petunia's van onze ouders hebben deze les door schade en schande geleerd. De voortgang van de geschiedenis is niet sentimenteel en vertrapt een generatie en haar eenjarigen met meedogenloze vastbeslotenheid.
Een feit is dat kruisbestuiving een gevarieerder nageslacht produceert dat beter opgewassen is tegen een veranderde omgeving. Er wordt beweerd dat planten door kruisbestuiving ook meer zaad en zaad van betere kwaliteit geven. Als we op mijn één jaar oude zoon (een kruisbestuiving tussen een afvallig-katholieke feministische hovenierster en een intellectuele jood!) mogen afgaan, kan ik zeker instaan voor de waarheid hiervan. Zusters, het komt hierop neer: als we het volgend decennium nog bloemen in ons haar willen dragen, moeten deze wintervast en altijd bij de hand zijn, iets wat alleen de waarlijk zorgzame tuinier kan waarborgen. Als we prettige speelvoorzieningen willen voor onze kinderen, en bezinningshoekjes voor onze echtgenoten, moeten we tuinen creë-

ren die zich kenmerken door diversiteit en interesse. Moeder Aarde is groots en overvloedig, maar zelfs zij heeft zo nu en dan een helpende hand nodig!

– Joyce Chalfen, uit *De nieuwe Flower Power*, Caterpillar Press, 1976.

Joyce Chalfen schreef *De nieuwe Flower Power* in een benauwde zolderkamer die uitkeek op haar eigen wild groeiende tuin tijdens de bloedhete zomer van '76. Het was een ongekunsteld begin voor een vreemd boekje – meer over relaties dan bloemen – dat tot eind jaren zeventig goed en gestadig bleef verkopen (geen essentieel werk voor op de salontafel, maar bij een nauwkeurige blik op de boekenkast van elke babyboomer zien we het stoffig en verwaarloosd opdoemen in gezelschap van andere oude vertrouwden: dr. Spock, Shirley Conran, een beduimeld exemplaar van de Women's Press van *Het derde leven van Grange Copeland* van Alice Walker). De populariteit van *De nieuwe Flower Power* was voor niemand verrassender dan voor Joyce. Eigenlijk had het zichzelf min of meer geschreven, in slechts drie maanden tijd, die ze, in een poging de hitte te bestrijden, grotendeels doorbracht in een piepklein T-shirt en een slipje, terwijl ze tussendoor, bijna afwezig, Joshua borstvoeding gaf en tussen soepel vloeiende paragrafen door bedacht dat dit precies het leven was waarop ze had gehoopt. Dit was de toekomst die ze zich had durven voorstellen toen ze, zeven jaar daarvoor, voor het eerst Marcus' intelligente oogjes op haar witte benen had zien rusten tijdens het oversteken, in minirok, van de binnenplaats van zijn Oxbridge-college. Zij was een van die mensen die het onmíddellijk wisten, op het eerste gezicht, terwijl haar toekomstige echtgenoot nog bezig was zijn mond te openen voor een eerste, nerveus 'hallo'.

Een zeer gelukkig huwelijk. Die zomer van '76, met de hitte en de vliegen en de eindeloze melodieën van ijscokarretjes, gebeurde alles in een waas – Joyce moest zichzelf soms knijpen om te weten dat het echt was. De werkkamer van Marcus was aan het eind van de hal rechts; tweemaal daags beende ze de gang door, Joshua op een stevige heup, en duwde zacht de deur open met de andere, alleen om te weten dat hij er nog was, *dat hij echt bestond*, en wellustig over het bureau leunend stal ze dan een kus van haar lievelingsgenie, die hard aan het werk was aan zijn merkwaardige helixen, zijn verhandelingen en getallen. Ze trok hem graag weg van dat alles om hem het laatste opmerkelijke wapenfeit te laten zien van Joshua, iets wat hij gedaan of geleerd had; geluiden, letterherkenning, gecoördineerde beweging, imitatie: *precies jou*, zei ze dan tegen Marcus, *goede genen*, zei hij dan tegen haar, klopte haar op haar achterste en haar weelderige dijen, woog elke borst in zijn hand en wreef in algehele bewondering voor zijn Engelse Peer, zijn aardegodin, even over haar buikje... en dan was ze tevreden en liep ze, bedekt met een dun laagje gelukkig zweet, als een grote kat met een jong in haar klauwen terug naar haar werkkamer. Op een doelloos gelukkige manier kon ze zichzelf horen mompelen, een orale versie van de wc-deurkrabbels van pubers: Joyce en Marcus, Marcus en Joyce.

Ook Marcus schreef een boek in die zomer van '76. Niet zozeer een boek (op de manier van Joyce), als wel een wetenschappelijk werk. Het heette: *Chimerieke mui-*

zen: een evaluatie en praktische exploratie van het werk van Brinster (1974) betreffende de embryonale versmelting van muizenrassen in het achtcellige stadium van de ontwikkeling. Joyce had tijdens haar studie ook biologie gehad, maar ze deed niet eens een poging het dikke manuscript aan te raken dat als een molshoop groeide aan de voeten van haar man. Joyce kende haar beperkingen. Ze had niet de grote wens Marcus' boeken te lezen. Het was genoeg om gewoon te weten dat ze werden geschreven, op de een of andere manier. Het was genoeg om te weten dat de man die zij had getrouwd ze schreef. Haar man verdiende niet gewoon geld, maakte niet gewoon dingen, of verkocht dingen die andere mensen hadden gemaakt, hij schiep wezens. Hij ging naar de grenzen van de verbeelding van zijn God en maakte muizen die Jahweh zich niet kon voorstellen: muizen met konijnengenen, muizen met vliezen tussen de tenen (zo stelde Joyce het zich voor; ze vroeg het niet), muizen die jaar na jaar een duidelijker en welsprekender uitdrukking waren van Marcus' ontwerpen: van het lukrake proces van selectief kweken tot de chimerieke versmelting van embryo's, en dan de snelle ontwikkelingen die buiten de deskundigheid van Joyce lagen en in de toekomst van Marcus – DNA-micro-injectie, retroviraal tot stand gebrachte transgenese (waarvoor hij op een haar na de Nobelprijs 1987 had gekregen), embryonale stamcel-bewerkstelligde genenoverdracht – allemaal processen waarin Marcus eicellen manipuleerde, de te sterke of te zwakke uitdrukking van een gen reguleerde, instructies en bevelen in kiemcellen plantte om gerealiseerd te worden in fysieke kenmerken. Muizen scheppen met lichamen die precies deden wat Marcus ze vertelde. En altijd met de mensheid in het achterhoofd – een remedie tegen kanker, spastische verlamming, Parkinson – altijd met het vaste geloof in de vervolmaakbaarheid van alle leven, in de mogelijkheid het efficiënter te maken, logischer (want ziekte was, voor Marcus, niets anders dan slechte logica van de kant van het genoom, zoals kapitalisme niets anders was dan slechte logica van de kant van het sociale dier), effectiever, *Chalfenistischer* in de manier waarop het verliep. Hij had net zo veel minachting voor de dierenrechtactivisten – vreselijke mensen die Joyce met een gordijnstang bij de deur moest wegjagen nadat een paar extremisten iets hadden opgevangen over Marcus' werk met muizen – als voor de hippies of boommensen of wie dan ook die het simpele feit niet kon begrijpen dat sociale en wetenschappelijke ontwikkeling wapenbroeders waren. Het was de manier van de Chalfens, al generaties in de familie doorgegeven; ze hadden een aangeboren onvermogen om dwazen te dulden. Als je discussieerde met een Chalfen, een pleidooi hield voor die vreemde Fransen die denken dat waarheid een functie van taal is, of dat geschiedenis interpretatief en wetenschap metaforisch is, liet de Chalfen in kwestie je rustig uitpraten en maakte dan een wegwerpgebaar met zijn hand om aan te geven dat zulk gezwets geen weerwoord waardig was. Waarheid was waarheid voor een Chalfen. En Genie was genie. *Marcus schiep wezens*. En Joyce was zijn vrouw, ijverig bezig kleinere versies van Marcus te creëren.

Vijftien jaar later en Joyce zou nog steeds iedereen tarten haar een gelukkiger huwelijk dan het hare te tonen. Drie kinderen waren op Joshua gevolgd: Benjamin (veertien), Jack (twaalf) en Oscar (zes), levendige jongens met krullenbollen, allemaal welbespraakt en onderhoudend. *Het gemoedsleven van kamerplanten* (1984) en een leerstoel voor Marcus hadden hen door de bloei en recessie van de jaren tachtig geholpen – goed voor een extra badkamer, een serre en de genoegens van het leven: oude kaas, goede wijn, winters in Florence. Nu waren er twee nieuwe werken onderhanden: *De geheime passies van de klimroos* en *Transgene muizen: een studie van de inherente beperkingen van DNA-micro-injectie (Gordon en Ruddle, 1981) in vergelijking met door embryonale stamcel (ES) bewerkstelligde genenoverdracht (Gossler e.a., 1986)*. Marcus werkte ook, samen met een romanschrijver en tegen beter weten in, aan een populair-wetenschappelijk boek, waarvan hij hoopte dat het op zijn minst de studie van de eerste twee kinderen zou financieren. Joshua was een kei in wiskunde, Benjamin wilde geneticus worden net als zijn vader, Jacks passie was psychiatrie en Oscar kon de koning van zijn vader in vijftien zetten schaakmat zetten. En dat allemaal ondanks het feit dat de Chalfens hun kinderen naar Glenard Oak hadden gestuurd, de ideologische gok hadden gewaagd die hun gelijken met een schuldgevoel vermeden, die nerveuze liberalen die hun schouders ophaalden en het geld voor een particuliere school ophoestten. En het waren niet alleen slimme kinderen, het waren ook gelukkige kinderen, op geen enkele manier kasplantjes. Hun enige naschoolse activiteit (ze verachtten sport) was de individuele therapie, vijf keer per week, door een ouderwetse freudiaan die Marjorie heette en Joyce en Marcus (afzonderlijk) in de weekenden deed. Het kan vreemd lijken voor niet-Chalfens, maar Marcus was opgegroeid met een groot respect voor therapie (in zijn familie had therapie lang het judaïsme verdrongen) en over het resultaat viel niet te twisten. Iedere Chalfen verklaarde zichzelf geestelijk gezond en emotioneel stabiel. De kinderen hadden hun oedipale complexen vroeg en in de juiste volgorde; ze waren allemaal fanatiek heteroseksueel, aanbaden hun moeder en bewonderden hun vader, en, ongebruikelijk, dit gevoel werd alleen maar sterker wanneer ze de adolescentie bereikten. Ruzies waren zeldzaam en speels, en gingen alleen over politieke of intellectuele onderwerpen (de grote betekenis van anarchie, de noodzaak van hogere belastingen, het probleem van Zuid-Afrika, de tweedeling ziel/lichaam), waarover ze het toch al eens waren.

De Chalfens hadden geen vrienden. Ze gingen hoofdzakelijk om met de rest van de familie Chalfen (de goede genen waarnaar zo vaak werd verwezen: twee natuurkundigen, een wiskundige, drie psychiaters en een jonge neef die voor de Labour Party werkte). In lijdzaamheid en op nationale feestdagen brachten ze een bezoek aan de lang afgeschreven verwanten van Joyce, de Connor-clan, brievenschrijvers aan de *Daily Mail* die zelfs nu hun afkeer nog niet konden verbergen voor het Israëlitische liefdeshuwelijk van Joyce. Waar het op neerkwam, was dat de Chalfens geen andere mensen nodig hadden. Ze verwezen naar zichzelf in de vorm van naamwoorden, werkwoorden en soms bijvoeglijke naamwoorden: *Het is de*

Chalfen-manier. En toen kwam hij met een echt Chalfenisme. Hij Chalfent weer. We moeten hier een beetje Chalfenistischer mee omgaan. Joyce tartte iedereen haar een gelukkiger gezin te tonen, een Chalfenistischer gezin dan het hunne.

En toch, en toch... Joyce hunkerde naar het gouden tijdperk waarin ze de spil was geweest van het gezin Chalfen. Toen mensen niet konden eten zonder haar. Toen mensen zich niet konden aankleden zonder haar hulp. Nu kon zelfs Oscar een hapje voor zichzelf klaarmaken. Soms leek er niets te verbeteren te zijn, niets te cultiveren. Kortgeleden had ze, terwijl ze bezig was de dode delen van haar klimroos te snoeien, gewenst dat ze een of andere fout kon vinden bij Joshua die haar aandacht vereiste, een of ander geheim trauma bij Jack of Benjamin, iets dwarsigs bij Oscar. Maar ze waren allemaal volmaakt. Soms, wanneer de Chalfens aan hun zondagse maaltijd zaten, een kip uit elkaar trokken tot er niets van over was dan een afgetakelde ribbenkast, zwijgend zaten te schrokken, alleen spraken om zout of peper te krijgen, was de verveling tástbaar. De eeuw liep ten einde en de Chalfens waren verveeld. Als klonen van elkaar was hun eettafel een oefening in weerspiegelde perfectie, waarbij het Chalfenisme en al zijn principes over het vlees en de groenten heen tot walgens toe en tot in het oneindige werd gereflecteerd en van Oscar naar Joyce kaatste, van Joyce naar Joshua, van Joshua naar Marcus, van Marcus naar Benjamin, van Benjamin naar Jack. Ze waren nog steeds het opmerkelijke gezin dat ze altijd waren geweest. Maar doordat ze alle banden hadden verbroken met de mensen uit hun Oxbridge-dagen – rechters, tv-bonzen, reclamemensen, advocaten, acteurs en andere frivole beroepen waar het Chalfenisme zijn neus voor optrok – was er niemand over om het Chalfenisme zelf te bewonderen. De verrukkelijke logica ervan, de compassie ervan, het intellect ervan. Ze waren als vertwijfelde passagiers van The Mayflower zonder ook maar een rots in zicht. Pelgrims en profeten zonder een vreemd land. Ze waren verveeld, en niemand was dat meer dan Joyce.

De verveling tijdens haar lange dagen alleen in huis (Marcus reisde heen en weer naar de universiteit) bracht Joyce er vaak toe de enorme voorraad tijdschriften die bij de Chalfens werd bezorgd door te bladeren (*Nieuw Marxisme*, *Levend Marxisme*, *New Scientist*, *Oxfam Report*, *Third World Action*, *Anarchist's Journal*) en een hunkering te voelen naar de kale Roemenen of de prachtige, dikbuikige Ethiopiërs – ja, ze wist dat het afschúwelijk was, maar het was niet anders – naar de kinderen die het uitschreeuwden vanaf het glanzende papier en haar *nodig hadden*. Wat ze nodig had was nodig zijn. Ze zou de eerste zijn om het toe te geven. Ze vond het bijvoorbeeld vreselijk toen haar kinderen, grootogige verslaafden aan borstmelk, er ten slotte een voor een mee kapten. Ze rekte het gewoonlijk tot twee of drie jaar, en in het geval van Joshua tot vier, maar hoewel het aanbod nooit eindigde gold dat wel voor de vraag. Ze leefde in vrees voor het onvermijdelijke moment waarop ze zouden overgaan van de soft op de hard drugs, de overgang van calcium op de zoetige heerlijkheid van Ribena. Het moment waarop ze ophield met het geven van borstvoeding aan Oscar, was het moment waarop ze zich weer op het tuinieren wierp, waarop ze terugging naar de warme teelaarde waar kleine dingen van haar afhankelijk waren.

En op een dag wandelden Millat Iqbal en Irie Jones met tegenzin haar leven binnen. Ze was in haar achtertuin op dat moment, waar ze met tranen in haar ogen haar Garter Knight-ridderspoor (heliotroop en kobaltblauw met een gitzwart oog, als een kogelgat in de lucht) onderzocht op tekenen van trips, een vervelend soort ongedierte dat haar pluimpapaver ook al had aangetast. De deurbel ging. Met achterovergebogen hoofd wachtte Joyce tot ze de in pantoffels gestoken voeten van Marcus vanuit zijn studeerkamer de trap af hoorde rennen; toen, in de wetenschap dat hij zou opendoen, neusde ze weer verder. Met een opgetrokken wenkbrauw onderzocht ze de opengesperde dubbele bloemen die in de houding stonden langs de één meter tachtig hoge ruggengraat van de stengels. *Trips*, zei ze hardop bij zichzelf, als erkenning van de vergroeiingen die ze rond de bloem zag; *trips*, herhaalde ze, niet zonder tevredenheid, want er zou nu zorg nodig zijn, en het zou zelfs kunnen leiden tot een boek of op zijn minst een hoofdstuk – *trips*. Joyce wist wel een paar dingen over trips:

Trips, gewone naam voor zeer kleine insecten die zich voeden met een breed scala aan planten, waarbij ze in het bijzonder gedijen in de warme atmosfeer die vereist wordt voor een kamer- of exotische plant. De meeste soorten zijn in volwassen vorm niet langer dan 1,5 mm; sommige zijn vleugelloos, maar andere hebben twee paar korte vleugels omzoomd door haartjes. Zowel de volwassen exemplaren als de nimfen hebben zuigende, doorborende monddelen. Hoewel tripsen sommige planten bestuiven en ook sommige schadelijke insecten eten, zijn ze zowel een zegen als een last voor de moderne tuinier en worden in het algemeen beschouwd als schadelijk ongedierte dat bestreden moet worden met insecticiden, zoals Lindex. *Wetenschappelijke classificatie: tripsen behoren tot de orde Thysanoptera.*
– Joyce Chalfen, *Het gemoedsleven van kamerplanten*, uit het register over ongedierte en parasieten.

Ja. Tripsen hebben een goed instinct: ze zijn in wezen welwillende, productieve organismen die de plant helpen bij zijn ontwikkeling. Tripsen *bedoelen het goed*, maar ze gaan te ver; tripsen gaan verder dan bestuiven en ongedierte eten; tripsen beginnen de plant zelf op te eten, van binnenuit op te eten. De trips zal generatie na generatie van ridderspooren infecteren als je hem zijn gang laat gaan. Wat kun je doen aan trips als de Lindex, zoals in dit geval, niet heeft gewerkt? Wat kun je anders doen dan radicaal snoeien, meedogenloos snoeien en helemaal opnieuw beginnen? Joyce haalde diep adem. Ze deed dit voor de ridderspoor. Ze deed dit omdat de ridderspoor zonder haar geen kans had. Joyce haalde de grote tuinschaar uit de zak van haar schort, pakte de schreeuwend oranje handgrepen stevig vast en plaatste de blootliggende keel van een blauwe ridderspoorbloem tussen de twee zilverkleurige kaken. Liefde moet hard kunnen zijn.

'Joyce! Jo-oyce! Joshua en zijn marihuanarokende vrienden zijn hier!'

Pulcher. Het Latijnse woord *pulcher*, schoonheid. Dat was het woord dat het eerst in Joyce opkwam toen Millat Iqbal naar voren stapte op de stoeptreden van haar serre, spottend met de flauwe grappen van Marcus en zijn violette ogen afschermend tegen een waterig winterzonnetje. *Pulcher*: niet alleen het concept maar het hele fysieke woord verscheen voor haar alsof iemand het op haar netvlies had getypt – PULCHER – schoonheid waar je het het minst zou verwachten, verborgen in een woord dat eruitzag alsof het een oprisping of een huidinfectie zou betekenen. Schoonheid in een lange, bruine jongeman die voor Joyce niet te onderscheiden had moeten zijn van de anderen van wie ze regelmatig melk en brood kocht, aan wie ze haar boekhouding gaf voor controle of haar chequeboek overhandigde vanachter het dikke glas van een bankloket.

'Mill-yat Ick-ball,' zei Marcus, een voorstelling makend van de vreemde lettergrepen. 'En Irie Jones, kennelijk. Vrienden van Josh. Ik zei net tegen Josh dat dit de knapste vrienden van hem zijn die we ooit hebben gezien! Meestal zijn ze klein en slordig, zo verziend dat ze bijziend zijn en met horrelvoeten. En ze zijn nóóit van het vrouwelijk geslacht. Zo!' vervolgde Marcus joviaal, de blik van afgrijzen van Joshua wegwuivend. 'Het is verdomde goed dat jullie zijn komen opdagen. We zijn al op zoek geweest naar een vrouw voor die ouwe Josh...'

Marcus stond op de tuintrap heel openlijk Iries borsten te bewonderen (hoewel Irie, eerlijk gezegd, een flinke kop en schouders groter was dan hij). 'Hij is van het goeie slag, slim, en beetje slecht in fractals maar toch houden we van hem. Dus...'

Marcus wachtte tot Joyce uit de tuin kwam, haar handschoenen uitdeed, Millat de hand schudde en hen allemaal naar de keuken volgde. 'Je bent een fors meisje.'

'Eh... bedankt.'

'Daar houden we hier wel van... een gezonde eter. Alle Chalfens zijn gezonde eters. Bij mij komt er geen pondje bij, maar bij Joyce wel. Allemaal op de juiste plaatsen natuurlijk. Blijf je eten?'

Irie stond zwijgend in het midden van de keuken, te nerveus om iets te zeggen. Dit was geen oudersoort die zij kende.

'O, maak je geen zorgen om Marcus,' zei Joshua met een vrolijke knipoog. 'Hij is een beetje een geile bok. Het is een Chalfen-grap. Ze bombarderen je graag zodra je de deur door komt. Nagaan hoe scherp je bent. Chalfens zien geen enkele zin in beleefdheden. Joyce, dit zijn Irie en Millat. Zij zijn die twee van achter de schei- en natuurkundevleugel.'

Joyce, die gedeeltelijk bekomen was van de aanblik van Millat Iqbal, vermande zich voldoende om de haar toebedeelde rol van Moeder Chalfen te spelen.

'Dus júllie zijn die twee die mijn oudste zoon op het slechte pad hebben gebracht. Ik ben Joyce. Willen jullie thee? Dus júllie zijn de sléchte vrienden van Josh. Ik was net de ridderspoor aan het snoeien. Dit is Benjamin, Jack... en dat is Oscar, in de gang. Aardbei en mango of normaal?'

'Normaal voor mij, bedankt, Joyce,' zei Joshua.

'Hetzelfde, bedankt,' zei Irie.

'Ja...' zei Millat.

'Drie normaal en één mango, alsjeblieft, Marcus, schat, alsjeblíeft.'

Marcus, die net de deur uitliep met een zojuist gestopte pijp, kwam met een vermoeide glimlach op zijn schreden terug. 'Ik ben de slaaf van deze vrouw,' zei hij terwijl hij haar om haar middel greep als een gokker die zijn fiches in zijn over elkaar geslagen armen verzamelt. 'Maar als ik dat niet was, zou ze ervandoor kunnen gaan met elke mooie jongeman die het huis komt binnenbanjeren. Ik heb deze week geen zin om het slachtoffer te worden van het darwinisme.'

Deze omhelzing, zo nadrukkelijk als een omhelzing maar kan zijn, was voorwaarts gericht, ogenschijnlijk ter ere van Millat. De bleekblauwe ogen van Joyce waren steeds op hem gericht.

'Dat moet je hebben, Irie,' zei Joyce op een vertrouwelijke quasi-fluistertoon, alsof ze elkaar al vijf jaar in plaats van vijf minuten kenden. 'Een man als Marcus voor de lange termijn. Die nachtbrakers zijn wel goed om wat lol mee te hebben, maar als vaders heb je er niets aan.'

Joshua kreeg een kleur. 'Joyce, ze is nog maar net binnen! Laat haar eerst even theedrinken!'

Joyce veinsde verbazing. 'Ik heb je toch niet in verlegenheid gebracht, hè? Vergeef Moeder Chalfen, ik praat regelmatig mijn mond voorbij.'

Maar Irie was niet in verlegenheid gebracht; ze was gefascineerd, verliefd na vijf minuten. In het gezin Jones maakte niemand grappen over Darwin of zei 'ik praat regelmatig mijn mond voorbij' of bood verschillende soorten thee aan of liet de conversatie vrijelijk stromen van volwassene naar kind, van kind naar volwassene, alsof het communicatiekanaal tussen deze twee volksgroepen niet gestremd was, niet geblokkeerd door geschiedenis, vrij!

'Zo,' zei Joyce, losgelaten door Marcus en plaatsnemend aan de ronde tafel, waarbij ze hen uitnodigde hetzelfde te doen. 'Jullie zien er heel exotisch uit. Waar komen jullie vandaan, als ik vragen mag?'

'Willesden,' zeiden Irie en Millat tegelijk.

'Ja, ja, natuurlijk, maar oorsprónkelijk?'

'*O*,' zei Millat, zijn wat hij noemde *slijm-slijm*-accent opzettend, 'je bedoelt waarvandaan kom ik oorsprónkelijk.'

Joyce zag er verward uit. 'Ja, oorsprónkelijk.'

'Whitechapel,' zei Millat, een sigaret te voorschijn halend. 'Via het Royal London Hospital en bus 207.'

Alle Chalfens die in de keuken rondliepen, Marcus, Josh, Benjamin, Jack, barstten in lachen uit. Joyce volgde gehoorzaam.

'Relax, man,' zei Millat wantrouwig. 'Zo leuk was het verdomme nou ook weer niet.'

Maar de Chalfens gingen door. Chalfens maakten zelden grappen, tenzij ze uitzonderlijk flauw waren of numeriek van aard of beide: wat zei de nul tegen de acht? *Mooie riem.*

‘Ga je dat roken?’ vroeg Joyce ineens met lichte paniek in haar stem, toen het gelach wegstierf. ‘Hierbinnen? Wij vinden die geur vreselijk. We houden alleen van de geur van pijptabak. En als we roken, roken we in de kamer van Marcus omdat Oscar er anders last van krijgt, nietwaar, Oscar?’

‘Nee,’ zei Oscar, de jongste en meest engelachtige van de jongens, bezig een Lego-imperium te bouwen. ‘Mij kan het niet schelen.’

‘Oscar krijgt er last van,’ herhaalde Joyce, weer op die quasi-fluistertoon. ‘Hij vindt het vreselijk.’

‘Ik… ga… er… wel… mee… naar… de… tuin,’ zei Millat langzaam, met zo’n stem die je gebruikt voor gestoorden of buitenlanders. ‘Ik… ben… zo… terug.’

Zodra Millat buiten gehoorsafstand was, en terwijl Marcus de thee bracht, leken de jaren als een dode huid van Joyce af te vallen en ze boog zich als een schoolmeisje over de tafel. ‘God, hij is verrukkelijk, hè? Als Omar Sharif dertig jaar geleden. Gekke Romeinse neus. Zijn jij en hij…?’

‘Laat het kind met rust, Joyce,’ zei Marcus berispend. ‘Je denkt toch niet dat ze dat aan jou vertelt?’

‘Nee,’ zei Irie met het gevoel dat ze deze mensen alles wilde vertellen. ‘Dat zijn we niet.’

‘Maar goed ook. Zijn ouders hebben misschien al iets voor hem geregeld, nietwaar? Het hoofd vertelde me dat hij een moslimjongen is. Hij mag denk ik dankbaar zijn dat hij geen meisje is, hè? Ongelooflijk wat ze met de meisjes doen. Herinner je je dat artikel in *Time*, Marcus?’

Marcus zocht in de koelkast naar een bord koude aardappelen van de vorige dag. ‘Mmm. Ongelooflijk.’

‘Maar ik moet zeggen, van het weinige dat ik heb gezien, hij lijkt helemaal niet op de meeste andere moslimkinderen. Ik bedoel, ik praat uit persoonlijke ervaring. Ik kom op een heleboel scholen met mijn tuinieren, ik werk met kinderen van allerlei leeftijden. Ze zijn meestal zo stil, weet je, zo vreselijk gedwee… maar hij, hij heeft… pit! Maar zulke jongens willen de grote blondjes, niet? Ik bedoel, daar komt het uiteindelijk op neer als ze zo knap zijn. Ik weet hoe je je voelt… ik hield van de herrieschoppers toen ik jouw leeftijd had, maar later weet je wel beter, echt waar. Gevaar is niet echt sexy, geloof me. Je bent een stuk beter af met iemand als Joshua.’

‘Mam!’

‘Hij heeft het de hele week aan één stuk door over je gehad.’

‘Mam!’

Joyce nam haar reprimande met een glimlachje in ontvangst. ‘Nou ja, misschien ben ik wat te openhartig voor jonge mensen als jullie. Ik weet niet… in mijn tijd was je veel directer, je moest wel als je de juiste man wilde strikken. Tweehonderd meisjes op de universiteit en tweeduizend mannen! Ze vochten om een meisje – maar als je slim was, was je kieskeurig.’

‘Hemeltje, jij was kieskeurig,’ zei Marcus, terwijl hij achter haar ging staan en haar oor kuste. ‘En met zo’n uitstekende smaak.’

Joyce nam de kussen in ontvangst als een meisje dat het jongere broertje van haar beste vriendin zijn zin geeft. 'Maar jouw moeder had haar twijfels, hè? Ze dacht dat ik te intellectueel was, dat ik geen kinderen zou willen.'

'Maar je hebt haar overtuigd. Die heupen zouden iedereen overtuigen!'

'Ja, uiteindelijk... maar ze onderschatte me. Ze dacht niet dat ik uit het Chalfen-hout gesneden was.'

'Ze kende je toen gewoon niet.'

'Nou, we hebben haar wel verrast, hè!'

'Het heeft heel wat stevig gecopuleer gekost om die vrouw tevreden te stellen.'

'Vier kleinkinderen later!'

Tijdens deze uitwisseling probeerde Irie zich te concentreren op Oscar, die nu een *ouroubouros* probeerde te maken van een grote roze olifant door de slurf in diens eigen achterste te stoppen. Ze was nog nooit zo dicht bij deze vreemde, fraaie wereld geweest, de middenklasse, en voelde het soort verlegenheid dat in feite nieuwsgierigheid, fascinatie is. Het was zowel vreemd als wonderbaarlijk. Ze voelde zich als een preuts iemand die met de ogen op het zand gericht over een nudistenstrand loopt. Ze voelde zich als Columbus die de naakte Arawaks ontmoet en niet weet waar hij moet kijken.

'Neem het mijn ouders niet kwalijk,' zei Joshua, 'ze kunnen niet van elkaar afblijven.'

Maar zelfs dit werd gezegd met trots, want de kinderen Chalfen wisten dat hun ouders zeldzame wezens waren, een *gelukkig getrouwd paar*, waarvan er niet meer dan een stuk of tien te vinden waren op heel Glenard Oak. Irie dacht aan haar eigen ouders, wier aanrakingen nu virtueel waren, alleen nog plaatsvonden in de lege ruimten waar beide series vingers voorheen waren geweest: de afstandsbediening, het deksel van de koekjestrommel, de lichtschakelaars.

Ze zei: 'Het moet geweldig zijn om je zo te voelen na twintig jaar of zo.'

Joyce draaide zich om alsof iemand een veer had losgelaten. 'Het is prachtig! Het is ongelooflijk! Op een ochtend word je wakker en besef je dat monogamie geen beperking is... het maakt je vrij! En kinderen hebben het nodig om daarmee op te groeien. Ik weet niet of jij het ooit hebt meegemaakt; je leest vaak dat Afro-Caribiërs moeite hebben met het aangaan van duurzame relaties. Dat is vreselijk triest niet? In *Het gemoedsleven van kamerplanten* heb ik over een Dominicaanse vrouw geschreven die haar azalea had meegenomen naar de huizen van zes verschillende mannen; de ene keer naar een vensterbank, dan naar een donkere hoek, daarna naar een slaapkamer op het zuiden enzovoort. Dat kun je een plant gewoon niet aandoen.'

Dit was een klassieke Joyce-invalshoek, en Marcus en Joshua sloegen liefhebbend hun ogen ten hemel.

Millat, sigaret op, glipte weer naar binnen.

'Gaan we nog wat studeren, ja? Dit is allemaal heel leuk en aardig maar ik wil vanavond uit. Ooit.'

Terwijl Irie als een romantische antropoloog verzonken was geweest in haar mijmeringen over de Chalfens, was Millat in de tuin geweest en had door de ramen gekeken om de tent te verkennen. Waar Irie cultuur, verfijning, klasse, intelligentie zag, zag Millat geld, lui geld, geld dat gewoon rond dit gezin hing zonder ook maar iets speciaals te doen, geld dat behoefte had aan een goed doel dat net zo goed hem kon zijn.

'Zo,' zei Joyce in haar handen klappend in een poging hen allemaal nog wat langer in de keuken te houden, in een poging de terugkeer van de Chalfen-stilte zo lang mogelijk uit te stellen. 'Jullie gaan allemaal samen studeren! Nou, Irie en jij zijn echt welkom. Ik heb tegen het hoofd gezegd, nietwaar, Marcus, dat dit echt niet als een straf moet voelen. Het is nou niet bepaald een gruwelijk misdrijf. Onder ons gezegd en gezwegen, ik was ooit een behoorlijk goeie marihuanakweker...'

'Te gék,' zei Millat.

Verzorging, dacht Joyce. Geduldig zijn, regelmatig water geven en niet je kalmte verliezen bij het snoeien.

'... en het hoofd heeft ons uitgelegd dat jullie omgeving thuis nu niet bepaald... nou... ik weet zeker dat jullie hier gemakkelijker kunnen werken. Zo'n belangrijk jaar, het examenjaar. En het is zo duidelijk dat jullie allebei slim zijn... dat zie je zo, alleen door naar jullie ogen te kijken. Nietwaar, Marcus?'

'Josh, je moeder vraagt me of het IQ zich uitdrukt in secundaire fysieke kenmerken als de oogkleur, de oogvorm, enzovoort. Is er een zinnig antwoord op deze vraag?'

Joyce ging door. Muizen en mensen, genen en kiemen, dat was het terrein van Marcus. Zaailingen, lichtbronnen, groei, verzorging, het verborgen hart van de dingen – dat was het hare. Zoals op elk zendingsschip werden taken gedelegeerd. Marcus aan de voorsteven, op wacht voor de storm, Joyce benedendeks het linnengoed controlerend op ongedierte.

'Het hoofd weet hoe erg ik het vind om te zien hoe potentieel wordt verpild... daarom heeft hij jullie naar ons gestuurd.'

'En omdat hij weet dat de meeste Chalfens vierhonderd keer zo slim zijn als hij!' zei Jack, opschepperig. Hij was nog jong en had nog niet geleerd zijn trots op zijn familie op een sociaal aanvaardbaarder manier te demonstreren. 'Zelfs Oscar.'

'Nietwaar,' zei Oscar, terwijl hij een Lego-garage in elkaar trapte die hij kort tevoren had gemaakt. 'Ik ben de stomste van de hele wereld.'

'Oscar heeft een IQ van 178,' fluisterde Joyce. 'Het is een beetje ontzagwekkend, zelfs als je zijn moeder bent.'

'Wauw,' zei Irie, en ze draaide zich met de andere aanwezigen waarderend om naar Oscar, die de kop van een plastic giraf naar binnen probeerde te werken. 'Dat is buitengewoon.'

'Ja, maar hij heeft alles meegekregen, en zo'n groot deel ervan is verzorging, nietwaar? Dat geloof ik echt. We hebben gewoon het geluk gehad dat we hem zoveel konden geven, en met een pappie als Marcus... het is alsof er vierentwintig uur per dag een sterke zonnestraal op hem gericht staat, nietwaar, schat? Hij heeft zo'n geluk dat te hebben. Nou ja, dat geldt voor hen allemaal. Jullie mogen dit vreemd vinden, maar ik ben er altijd op uit geweest een man te trouwen die slimmer was dan ik.' Joyce zette haar handen op haar heupen en wachtte tot Irie dit vreemd zou vinden. 'Nee, echt. En ik ben een overtuigd feministe, vraag maar aan Marcus.'

'Ze is een overtuigd feministe,' zei Marcus vanuit het heiligdom van de koelkast.

'Ik denk niet dat jullie dat begrijpen... jullie generatie heeft andere ideeën... maar ik wist dat het bevrijdend zou zijn. En ik wist wat voor vader ik voor mijn kinderen wilde. Nou, dat heeft jullie verrast, nietwaar? Het spijt me, maar we doen hier gewoon niet aan koetjes en kalfjes. Als we jullie hier elke week zullen zien, leek het me het beste om jullie meteen maar een flinke dosis Chalfen te geven.'

Alle Chalfens die binnen gehoorsafstand van deze laatste opmerking waren, glimlachten en knikten.

Joyce zweeg even en keek naar Millat en Irie op de manier waarop ze had gekeken naar haar Garter Knight-ridderspoor. Ze was snel en ervaren in het opsporen van ziekte, en hier was sprake van beschadiging. Er was een stille pijn in de eerste (*Irieanthus negressium marcusilia*), een gebrek aan een vaderfiguur misschien, een onaangeboord intellect, weinig zelfrespect; en in de tweede (*Millaturea brandolodia joyculatus*) was een diepere droefenis, een verschrikkelijk verlies, een gapende wond. Een gat dat meer nodig had dan opleiding of geld, dat liefde nodig had. Joyce verlangde ernaar die plek aan te raken met de punt van haar groene Chalfen-vingers, het gat te dichten, de huid aaneen te laten groeien.

'Mag ik vragen? Je vader? Wat doet hij...?'

Joyce vroeg zich af wat de ouders deden, wat ze hadden gedaan. Wanneer ze een gemuteerde eerste bloesem vond, wilde ze weten waar de stek vandaan was gekomen. Verkeerde vraag. Het waren niet de ouders, het was niet slechts één generatie, het was de hele eeuw. Niet de knop maar de struik.

'Kerriemenger,' zei Millat. 'Hulpkelner. Ober.'

'Papier,' begon Irie. 'Een soort vouwen ervan... en aan dingen werken als perforaties... een soort direct mail-reclame maar niet echt reclame, niet de ideeënkant... een soort vouwen...' Ze gaf het op. 'Het is moeilijk uit te leggen.'

'O ja. Ja, ja, já. Als er een mannelijk voorbeeld ontbreekt, snap je... dan gaan de dingen echt scheef, in mijn ervaring. Ik heb kort geleden een artikel geschreven voor *Women's Earth*. Ik schreef daarin over een school waar ik werkte, waar ik alle kinderen een vlijtig liesje heb gegeven en ze gevraagd heb er een week voor te zorgen als een papa of mama die voor een baby zorgt. Elk kind koos een van beide ouders als voorbeeld. Er was een schattig Jamaicaans jongetje, Winston, die zijn papa koos. De week daarna belde zijn moeder en vroeg waarom ik Winston had gevraagd zijn plant Pepsi te geven en hem voor de tv te zetten. Ik bedoel, dat is toch verschrikkelijk! Maar ik denk dat veel van deze ouders hun kinderen gewoon niet voldoende waarderen. Het is voor een deel de cultuur. Het maakt me gewoon zo kwaad. Het enige waar Oscar van mij naar mag kijken, is een halfuur *Achtergronden bij het nieuws*. Dat is meer dan genoeg.'

'Wat een bofkont, die Oscar,' zei Millat.

'Maar goed, ik ben echt heel blij dat jullie hier zijn want de Chalfens, ik bedoel... het kan raar klinken, maar ik wilde het hoofd er echt van overtuigen dat dit het beste idee was, en nu ik jullie heb ontmoet ben ik er nog zekerder van want de Chalfens...'

'Weten hoe ze het beste uit mensen kunnen halen,' maakte Joshua de zin af. 'Dat hebben ze met mij ook gedaan.'

'Ja,' zei Joyce, stralend van trots en opgelucht dat haar zoektocht naar de woorden voorbij was. 'Ja!'

Joshua duwde zijn stoel weg van de tafel en stond op. 'Nou, we kunnen maar beter wat aan de studie gaan. Marcus, kun jij straks naar boven komen en helpen met biologie? Ik ben echt slecht in het afbreken van dat voortplantingsgedoe in hapklare brokken.'

'Natuurlijk. Maar ik ben aan het werk aan mijn ToekomstMuis.' Dit was de spotnaam van de familie voor het project van Marcus, en de jongere Chalfens zongen *ToekomstMuis* in navolging van hem, waarbij ze zich een mensvormig knaagdier in korte rode broek voorstelden. 'En ik moet eerst even pianospelen met Jack. Scott Joplin. Jack is de linkerhand, ik de rechter. Geen Art Tatum,' zei hij, Jacks haar door de war makend, 'maar we redden ons wel.'

Irie deed haar uiterste best zich voor te stellen hoe meneer Iqbal de rechterhand van Scott Joplin zou spelen met zijn dode, grijze vingers. Of hoe meneer Jones ook maar iets in hapklare brokken zou delen. Ze voelde haar wangen rood worden van de warme gloed van de Chalfenistische openbaring. Er bestonden dus vaders die in het heden leefden, die geen oude geschiedenis met zich meesleepten alsof ze eraan vastgeketend waren. Er waren dus mannen die niet tot aan hun nek in het moeras van het verleden stonden en langzaam wegzakten.

'Jullie blijven toch eten, hè?' smeekte Joyce. 'Oscar wil echt graag dat jullie blijven. Oscar vindt het heerlijk als er vreemden zijn, hij vindt dat echt stimulerend. Vooral bruine vreemden! Is dat niet zo, Oscar?'

'Nee, dat is niet zo,' bekende Oscar, en hij spuugde in Iries oor. 'Ik haat bruine vreemden.'

'Hij vindt bruine vreemden echt stimulerend,' fluisterde Joyce.

Dit was de eeuw van vreemden, bruin, geel en wit. Dit was de eeuw van het grote immigrantenexperiment. Pas nu is het mogelijk naar een speelterrein te lopen en Isaac Leung bij de visvijver te vinden, Danny Rahman op het omheinde voetbalveld, Quang O'Shea stuiterend met een basketbal en Irie Jones een liedje neuriënd. Kinderen met voor- en achternamen die op een regelrechte botsing afstevenen. Namen die dingen in zich verbergen als massale uittocht, overvolle boten en vliegtuigen, onaangekondigde aankomsten, medische controles. Pas nu is het mogelijk, en misschien alleen in Willesden, vriendinnetjes te vinden als Sita en Sharon, die voortdurend voor elkaar worden aangezien doordat Sita de blanke is (haar moeder vond de naam mooi) en Sharon de Pakistaanse (dit leek haar moeder beter – minder problemen). En toch, ondanks alle vermenging, ondanks het feit dat we elkaars levens eindelijk redelijk comfortabel zijn binnengeglipt (als een man die na een middernachtelijke wandeling terugkeert naar het bed van zijn geliefde), ondanks dit alles, valt het nog steeds niet mee om toe te geven dat niemand Engelser is dan de Indiër, niemand meer Indiaas dan de Engelsen. Er zijn nog steeds jonge blanke mannen die daar kwaad om zijn, die rond sluitingstijd de slecht verlichte straten op gaan met een keukenmes in een stijve vuist.

Maar de immigrant moet lachen om de angsten van de nationalist, bang voor besmetting, penetratie, rassenvermenging, terwijl dat allemaal niets voorstelt, kinderspel is vergeleken met de angsten van de immigrant: verloedering, verdwijning. Zelfs de onverstoorbare Alsana Iqbal wordt regelmatig wakker in een plasje van haar eigen zweet na een nacht bezocht te zijn door visioenen waarin Millat (genetisch *BB*, waarbij *B* staat voor Bengaalsheid) trouwt met iemand die Sarah heet (aa, waarbij 'a' staat voor Arisch), resulterend in een kind dat Michael heet (*B*a), dat op zijn beurt trouwt met iemand die Lucy heet (aa), wat Alsana opscheept met een nalatenschap van onherkenbare achterkleinkinderen (Aaaaaaa!) met een grondig verdunde Bengaalsheid; genotype verborgen door fenotype. Het is tegelijkertijd zowel het meest irrationele als het meest natuurlijke gevoel ter wereld. Op Jamaica is het zelfs terug te vinden in de grammatica: er is geen keuze in het persoonlijk voornaamwoord, geen splitsing tussen *mij* of *jij* of *zij*, er is alleen het pure, homogene *ik*. Toen Hortense Bowden, zelf half blank, van Clara's huwelijk hoorde, kwam ze naar het huis, stond op de stoep, zei: 'Begrijp: ik en ik spreken vanaf dit moment niet meer,' draaide zich op haar hielen om en hield zich aan haar woord. Hortense had niet al die inspanningen in een zwart huwelijk gestopt, in het terugslepen van haar genen van de rand van de afgrond, om haar dochter de kans te geven nog meer kinderen met blozende wangen op de wereld te zetten.

In huize Iqbal waren de gevechtslinies net zo duidelijk afgebakend. Als Millat thuiskwam met een Emily of een Lucy zat Alsana stilletjes te huilen in de keuken en ging Samad de tuin in om de koriander ervan langs te geven. De volgende ochtend was er een afwachtende houding, een furieus bijten op tongen tot de Emily of Lucy het huis uit was en de woordenstrijd kon beginnen. Maar bij Irie en Clara bleef het onderwerp grotendeels onbesproken, want Clara wist dat ze niet in de positie was om te preken. Toch deed ze geen poging haar teleurstelling of het schrijnende verdriet te verbergen. Van Iries slaapkamerheiligdom van groenogige Hollywood-idolen tot groepen blanke vriendinnen die regelmatig haar slaapkamer in en uit marcheerden, zag Clara een zee van roze huiden rondom haar dochter en ze vreesde het tij dat haar mee zou nemen.

Het was deels om deze reden dat Irie haar ouders niet over de Chalfens vertelde. Niet dat ze van plan was met de Chalfens te versmelten... maar het instinct was hetzelfde. Ze had een wazige passie van een vijftienjarige voor hen, die overweldigend was maar echte richting of doel miste. Ze wilde alleen, nou, min of meer in ze opgaan. Ze wilde hun Engelsheid. Hun Chalfen-heid. De zuiverheid ervan. Het kwam niet in haar op dat de Chalfens in zekere zin ook immigranten waren (derde generatie, via Duitsland en Polen, geboren Chalfenovsky), of dat ze haar net zo nodig konden hebben als zij hen. Voor Irie waren de Chalfens Engelser dan de Engelsen. Wanneer Irie bij de Chalfens over de drempel stapte, voelde ze de opwinding van iets verbodens, als een jood die op een varkensworstje kauwt of een hindoe die een Big Mac haalt. Ze ging een grens over, glipte Engeland binnen; het voelde als een ongelooflijk opstandige daad, als het dragen van het uniform van een ander of de huid van een ander.

Ze zei alleen dat ze netbal had op dinsdagavond en liet het daarbij.

Er werd voortdurend geconverseerd bij de Chalfens. Het scheen Irie toe dat niemand hier bad of zijn gevoelens verborg in een gereedschapskist of in stilte vervagende foto's streelde peinzend over hoe het had kunnen zijn. Conversatie was het zout der aarde.

'Hallo, Irie! Kom binnen, kom binnen. Joshua is in de keuken met Joyce. Je ziet er goed uit. Millat niet bij je?'

'Komt later. Hij heeft een afspráákje.'

'Ah, ja. Nou, als er in jullie examens vragen zijn over orale communicatie, zal hij erdoorheen vliegen. Joyce! Irie is er! En hoe gaat de studie? Het is nu... wat? Vier maanden? Straalt het Chalfen-genie al een beetje op je af?'

'Ja... niet slecht, niet slecht. Ik had nooit gedacht dat ik ergens ook maar een natuurkundeknobbeltje had, maar... het lijkt te werken. Hoewel, ik weet niet. Soms lijken mijn hersenen pijn te doen.'

'Dat is gewoon je rechter hersenhelft die na een lange slaap wakker wordt, die weer op gang komt. Ik ben echt onder de indruk; ik heb je gezegd dat het mogelijk was om een leuterende alfaleerling binnen de kortste keren in een bètaleerling te veranderen... o, en ik heb de foto's van de ToekomstMuis. Help me straks herinneren, je wilde ze toch zien, niet? Joyce, de grote bruine godin is gearriveerd!'

'Marcus, hou je in, man... Hallo, Joyce. Hallo, Josh. Hé, Jack. Ooo, hal-lo, Oscar, knulletje van me.'

'Hallo, Irie! Kom hier en geef me een kus. Oscar, kijk, Irie komt ons weer eens opzoeken! O, moet je zijn gezicht zien... hij vraagt zich af waar Millat is, hè, Oscar?'

'Nee, niet waar.'

'O, jawel... moet je dat gezichtje zien... hij vindt het helemaal niet leuk als Millat niet komt opdagen. Vertel Irie eens hoe de nieuwe aap heet, Oscar, die papa je heeft gegeven.'

'George.'

'Nee, niet George... je noemde hem Millat de Aap, weet je nog? Omdat apen ondeugend zijn en Millat *net zo stout* is, hè, Oscar?'

''kWeet niet. Kan me niet schelen.'

'Oscar vindt het helemaal niet leuk als Millat niet komt.'

'Hij komt zo wel. Hij heeft een afspraakje.'

'Wanneer heeft hij geen afspraakje! Al die rondborstige meisjes! We zouden nog jaloers worden, nietwaar, Oscar? Hij brengt meer tijd met hen door dan met ons. Maar we moeten er geen grapjes over maken. Ik denk dat het een beetje moeilijk is voor jou.'

'Nee, het maakt me niet uit, Joyce, echt niet. Ik ben eraan gewend.'

'Maar iedereen houdt van Millat, hè, Oscar! Het is zo moeilijk om niet van hem te houden, nietwaar, Oscar? Wij houden van hem, niet, Oscar?'

'Ik haat hem.'

'O, Oscar, zeg niet van die domme dingen.'

'Kunnen we allemaal ophouden over Millat, alsjeblieft!'

'Ja, goed, Joshua. Hoor je hoe jaloers hij wordt? Ik probeer hem uit te leggen dat Millat een beetje extra aandacht nodig heeft, weet je. Hij heeft een erg moeilijke achtergrond. Het is net als wanneer ik meer tijd besteed aan mijn pioenrozen dan aan mijn herfstasters, herfstasters groeien overal... weet je, Joshi, je kunt soms erg egoïstisch zijn.'

'Oké, mam, oké. Wat doen we met het eten... voor of na het huiswerk?'

'Voor, denk ik, Joyce, niet? Ik moet de hele avond aan ToekomstMuis werken.'

'ToekomstMuis!'

'Sst, Oscar, ik probeer naar papa te luisteren.'

'Ik moet morgen een stuk inleveren, dus kunnen we beter vroeg eten. Als jij het goed vindt, Irie, ik weet hoe belangrijk eten voor je is.'

'Dat is prima.'

'Je moet dat soort dingen niet zeggen, Marcus, schat, ze is heel gevoelig als het om haar gewicht gaat.'

'Nee, ik ben echt niet...'

'Gevoelig? Als het om haar gewicht gaat? Maar iedereen houdt van een fors meisje. Ik anders wel!'

''nAvond allemaal. De deur stond op een kier. Ik heb mezelf maar binnengelaten. Op een dag wandelt hier iemand naar binnen en vermoordt de hele handel.'

'Millat! Oscar, kijk, het is Millat! Oscar, je bent heel erg blij dat Millat er is, nietwaar, schat?'

Oscar trok zijn neus op, deed alsof hij moest kotsen en gooide een houten hamer naar Millats schenen.

'Oscar wordt zo opgewonden als hij je ziet. Nou. Je bent net op tijd voor het eten. Kip en bloemkool met kaas. Ga zitten. Josh, gooi Millats jas ergens neer. Zo. Hoe staan de zaken?'

Met woeste gebaren en ogen die eruitzagen alsof ze recentelijk tranen hadden gezien, ging Millat aan tafel zitten. Hij haalde zijn pakje tabak en een klein zakje wiet te voorschijn.

'Verrekte klote.'

'Klote, hoezo?' vroeg Marcus met weinig aandacht, bezig een groot stuk kaas voor zichzelf af te snijden van een enorm blok Stilton. 'Kon je niet in haar onderbroek komen? Wilde zij niet in jouw onderbroek komen? Droeg ze geen onderbroek? Alleen maar uit belangstelling: wat voor broek droeg...'

'Pap! Hou op,' kreunde Joshua.

'Tja, als jij nou eens echt in iemands broek zou komen, Josh,' zei Marcus met een nadrukkelijke blik naar Irie, 'zou ik mijn kick via jou kunnen krijgen, maar tot nu toe...'

'Hé, hou op, allebei,' snauwde Joyce. 'Ik probeer naar Millat te luisteren.'

Vier maanden eerder had het Josh een geweldige kans geleken om zo'n gave makker als Millat te hebben. Dat hij elke dinsdag naar zijn huis kwam, had het aanzien van Josh op Glenard Oak meer doen stijgen dan hij zich had kunnen voorstellen. En nu Millat, aangemoedigd door Irie, de gewoonte had ontwikkeld om op eigen gelegenheid langs te komen, om sociáál langs te komen, had Joshua Chalfen, geboren Chalfen de Big, het gevoel moeten hebben dat zijn ster nog rijzende was. Maar dat gevoel had hij niet. Hij had de pest in. Want Joshua had geen rekening gehouden met de kracht van Millats aantrekkelijkheid. Zijn magnetische eigenschappen. Hij zag dat Irie, diep vanbinnen, nog steeds aan hem vastzat als een paperclip en zelfs zijn eigen moeder leek zich soms alleen nog op Millat te richten; al haar energie voor tuinieren, voor haar kinderen, voor haar man was gestroomlijnd en werd als ijzervijlsel door dit ene object aangetrokken. Hij had de pest in.

'Mag ik niet praten? Mag ik in mijn eigen huis niet praten?'

'Joshi, stel je niet aan. Millat is duidelijk van streek... Op dit moment probeer ik dáár aandacht aan te besteden.'

'Arme kleine Joshi,' zei Millat op een trage, sarcastische, poeslieve toon. 'Krijgt hij niet genoeg aandacht van mammie? Moet mammie zijn bipsje afvegen?'

'Flikker op, Millat,' zei Joshua.

'OooooooOOO...'

'Joyce, Marcus,' zei Joshua smekend, op zoek naar een onpartijdig oordeel, 'zeg iets.'

Marcus propte een groot stuk kaas in zijn mond en haalde zijn schouders op. 'Ik bwen bwang dat Miwat je moewers tewwein is.'

'Laat me nou eerst hier even aandacht aan schenken, Joshi,' begon Joyce. 'En straks...' Joyce liet de rest van haar zin vastlopen op de keukendeur op het moment dat haar oudste zoon deze met een klap dichtgooide.

'Zal ik achter hem...' vroeg Benjamin.

Joyce schudde haar hoofd en gaf Benjamin een kus op zijn wang. 'Nee, Benji. Laat hem maar even.'

Ze wendde zich weer tot Millat, raakte zijn gezicht aan en volgde met haar vinger het zoutspoor van een oude traan.

'Zo. Wat is er aan de hand?'

Millat begon zijn joint te rollen. Hij hield ervan om ze te laten wachten. Je haalde meer uit een Chalfen als je ze liet wachten.

'O, Millat, rook dat spul alsjeblieft niet. Oscar vindt het zo erg. Hij is niet zo jong meer en hij begrijpt meer dan je denkt. Hij weet wat marihuana is.'

'Wat is mari wana?' vroeg Oscar.

'Je weet wat het is, Oscar. Het is iets wat Millat heel vervelend maakt, waar we het vandaag nog over hadden, en het maakt de kleine hersencelletjes dood die hij heeft.'

'Laat me verdomme met rust, Joyce.'

'Dat probeer ik,' zuchtte Joyce melodramatisch terwijl ze haar vingers door haar haar haalde. 'Millat, wat is er aan de hand? Heb je geld nodig?'

'Ja, nou je het zegt.'

'Waarom? Wat is er gebeurd? Millat! Vertel me wat er is. Je ouders weer?'

Millat duwde het oranje kartonnen mondstukje erin en stopte de joint tussen zijn lippen. 'M'n vader heeft me eruit gegooid.'

'O god,' zei Joyce, terwijl de tranen haar in de ogen sprongen. Ze trok haar stoel dichterbij en pakte zijn hand. 'Als ík je moeder was, zou ik... nou ja, dat ben ik niet... maar ze is zo onbekwaam... het maakt me zo... ik bedoel, stel je toch voor dat je je man een van je kinderen laat weghalen en weet ik veel wat met de andere laat doen, ik kan...'

'Hou je mond over mijn moeder. Je hebt haar nooit ontmoet. Ik had het niet eens over haar.'

'Nou ja, zij weigert mij te ontmoeten, nietwaar? Alsof het om een soort competitie gaat.'

'Hou je bek, Joyce.'

'Nou, het heeft geen zin, hè? Om erover te... het maakt jou ook van streek... dat is duidelijk genoeg, het komt allemaal te dichtbij... Marcus, maak wat thee, hij heeft thee nodig.'

'Godallemachtig! Ik wil geen thee, verdomme. Het enige wat jullie doen is thee drinken! Jullie moeten verdomme wel pure thee pissen.'

'Millat, ik probeer al...'

'Nou, laat maar.'

Een klein marihuanazaadje viel uit Millats joint en plakte aan zijn lippen. Hij plukte het eraf en stopte het in zijn mond. 'Maar ik zou wel wat cognac willen, als dat er is.'

Joyce wenkte Irie met zo'n blik van *wat kun je eraan doen* en gaf tussen wijsvinger en duim een minieme hoeveelheid aan van haar dertig jaar oude Napoleon. Irie ging op een omgekeerde emmer staan om de fles van de bovenste plank te pakken.

'Oké, laten we een beetje rustig worden. Oké? Oké. Zo! Wat is er deze keer gebeurd?'

'Ik noemde hem een ouwe zak. Hij ís een ouwe zak.' Millat mepte Oscars naderbij kruipende vingers weg, die op zoek waren naar iets om mee te spelen en op goed geluk naar zijn lucifers grepen. 'Ik heb een plek nodig waar ik even kan blijven.'

'Nou, dat is zelfs geen vraag, natuurlijk kun je bij ons blijven.'

Tussen hen door, tussen Joyce en Millat door, zette Irie het bolle cognacglas op tafel.

'Oké, Irie, geef hem een beetje ruimte nu, denk ik.'

'Ik wilde alleen...'

'Ja, oké, Irie... je moet nu niet over hem heen hangen...'

'Hij is zo'n verdomde hypocriet, man,' kwam Millat er met een grom tussendoor; hij staarde voor zich uit en sprak net zozeer tegen de serre als tegen wie dan ook. 'Hij bidt vijf keer per dag, maar hij drinkt nog steeds en hij heeft helemaal geen moslimvrienden, en dan krijg ik hem over me heen omdat ik met een wit meisje neuk. En hij heeft de pest in over Magid. Hij reageert al zijn rotzooi op mij af. En hij wil dat ik geen contact meer heb met KEVIN. Ik ben verdomme meer moslim dan hij. Verdomme!'

'Wil je er in dit hele gezelschap over praten?' vroeg Joyce met een betekenisvolle blik rond de keuken. 'Of alleen met mij?'

'Joyce,' zei Millat terwijl hij zijn cognac in één keer naar binnen goot, 'dat maakt me geen reet uit.'

Joyce interpreteerde dat als *alleen met mij* en stuurde de rest met een blik de keuken uit.

Irie was blij dat ze weg kon gaan. In de vier maanden dat Millat en zij nu bij de Chalfens kwamen, zich door *Hogere natuurkunde*, deel I, worstelend en hun keuze aan gekookt voedsel etend, had zich een vreemd patroon ontwikkeld. Hoe meer vooruitgang Irie boekte – of het nu in haar studie was, haar pogingen een beschaafd gesprek te voeren of haar bestudeerde imitatie van het Chalfenisme – hoe minder belangstelling Joyce voor haar toonde. Maar hoe meer Millat ontspoorde – onuitgenodigd komen aanzetten op een zondagavond, zat als een aap, meisjes meebrengend, wiet rokend door het hele huis, in het geniep hun Dom Perignon 1964 drinkend, pissend in de rozentuin, een KEVIN-bijeenkomst houdend in de voorkamer, voor driehonderd pond bellend naar Bangladesh, Marcus vertellend dat hij een flikker was, dreigend Joshua te castreren, Oscar een verwend ettertje noemend, Joyce zelf ervan beschuldigend een maniak te zijn – hoe meer Joyce hem adoreerde. Na vier maanden was hij haar al driehonderd pond, een nieuw dekbed en een fietswiel schuldig.

'Ga je mee naar boven?' vroeg Marcus, nadat hij de keukendeur achter hen had gesloten en als een riet alle kanten opboog om zijn kinderen langs zich heen te laten stuiven. 'Ik heb die foto's die je wilde zien.'

Irie wierp Marcus een dankbare glimlach toe. Het was Marcus die een beetje op haar scheen te letten. Het was Marcus die haar deze twee maanden had geholpen, terwijl haar brein veranderde van iets papperigs in iets hards en gedefinieerds en ze langzaam vertrouwd raakte met de Chalfen-manier van denken. Ze had dit beschouwd als een grote opoffering van de kant van een drukbezet man, maar ze was zich recentelijk gaan afvragen of er ook niet enig plezier in lag. Als zien hoe een blinde de contouren van een onbekend voorwerp verkent misschien. Of een laboratoriumrat die een doolhof doorgrondt. Hoe het ook zij, in ruil voor zijn aandacht had Irie, eerst uit strategische overwegingen en nu oprecht, belangstelling getoond voor zijn ToekomstMuis. Als gevolg daarvan waren uitnodigingen voor een bezoek aan Marcus' studeerkamer boven in het huis, verreweg haar favoriete kamer, frequenter geworden.

'Nou, blijf daar dan niet staan grijnzen als de dorpsgek. Kom mee naar boven.'

Een kamer als die van Marcus had Irie nooit eerder gezien. De kamer had geen gemeenschappelijke functie, geen ander doel in het huis dan Marcus' kamer zijn; er lag geen speelgoed, er lagen geen prullen, geen kapotte dingen, geen reservestrijkplanken: niemand at er, sliep er of bedreef er de liefde. Het was anders dan Clara's zolderruimte, een Kubla Khan van rommel, allemaal zorgvuldig opgeslagen in dozen voorzien van etiket voor het geval ze dit land ooit zou moeten ontvluchten. (Het was anders dan de logeerkamers van immigranten – tot de nok toe gevuld met alles wat ze ooit hebben bezeten, hoe kapot of beschadigd ook, bergen rommel en prullaria – die moeten getuigen van het feit dat ze nu dingen hébben, waar ze tevoren niets hadden.) De kamer van Marcus was uitsluitend gewijd aan Marcus en het werk van Marcus. Een studeerkamer. Zoals in Austen of *Upstairs Downstairs* of Sherlock Holmes. Alleen was dit de eerste studeerkamer die Irie ooit in het echt had gezien.

De kamer zelf was klein en onregelmatig, met een hellende vloer, houten dakspanten, die betekenden dat je op bepaalde plaatsen wel en op andere niet kon staan, en een dakraam dat licht doorliet in bundels, schijnwerpers voor dansend stof. Er waren vier dossierkasten, beesten met open monden die papier spuugden; papier in stapels op de vloer, op de planken, in cirkels rond de stoelen. De geur van een rijke, zoete pijptabak hing in een wolk net boven hoofdniveau en kleurde de bladzijden van de hoogste boeken geel, en op een zijtafel bevond zich een uitgebreid rookstel, extra mondstukken, pijpen variërend van de standaard U-bocht tot steeds curieuzer vormen, snuifdozen, een verzameling gaasjes, allemaal uitgestald in een met fluweel beklede leren cassette, als doktersinstrumenten. Aan de muren en op de schoorsteen waren foto's te zien van de Chalfen-clan, waaronder portretten van een bevallige Joyce met parmantige borsten in haar hippiejeugd, een wipneus die te voorschijn piept tussen twee grote schilden van haar. En dan een paar prominente, grotere, ingelijste stukken. Een kaart van de stamboom van de familie Chalfen. Een portretfoto van Mendel die zeer ingenomen lijkt met zichzelf. Een grote poster van Einstein in zijn Amerikaanse idoolstadium – gekke-professorhaar, 'verwonderde' blik en enorme pijp – met als ondertitel het citaat *God dobbelt niet om de wereld*. Ten slotte de grote eiken leunstoel van Marcus met de rug naar een portret van Crick en Watson die vermoeid maar opgetogen voor hun model staan van desoxyribonucleïnezuur, een spiraalvormige trap van metalen klemmetjes die van de vloer van hun laboratorium in Cambridge tot boven het bereik van de lens van de fotograaf komt.

'Maar waar is Wilkins?' vroeg Marcus, zich buigend waar het plafond laag werd en met een potlood op de foto tikkend. '1962, Wilkins kreeg de Nobelprijs voor geneeskunde met Crick en Watson. Maar geen spoor van Wilkins op de foto's. Alleen Crick en Watson. Watson en Crick. De geschiedenis houdt van eenzame genieën of duo's. Maar ze heeft geen tijd voor drietallen.' Marcus dacht nog even na. 'Tenzij het om komedianten of jazzmusici gaat.'

'Dan zul jij een eenzaam genie moeten zijn, denk ik,' zei Irie monter, terwijl ze zich afwendde van de foto en op een Zweedse stoel zonder rug ging zitten.

'Ah, maar ik heb een mentor, zie je.' Hij wees naar een zwartwitfoto op posterformaat aan de andere muur. 'En mentoren zijn een geval apart.'

Het was een extreme close-up van een extreem oude man, de contouren van zijn gezicht duidelijk gedefinieerd door lijnen en schaduw, arceringen op een topografische kaart.

'Een geweldige oude Fransman, een heer en een geleerde. Heeft me vrijwel alles geleerd wat ik weet. Boven de zeventig en zo bij de tijd als wat. Maar weet je, een mentor hoeft niet vermeld te worden. Dat is zo geweldig aan mentoren. Maar waar is verdorie die foto...'

Terwijl Marcus in een dossierkast rommelde, bestudeerde Irie een klein deel van de stamboom van de familie Chalfen, een uitgebreid geïllustreerde eik die zich vanuit de zeventiende eeuw vertakte naar de dag van vandaag. De verschillen tussen de Chalfens en de Jones/Bowdens waren onmiddellijk te zien. Om te beginnen leek iedereen in de familie Chalfen een normaal aantal kinderen te hebben. En belangrijker nog: iedereen wist welke kinderen van wie waren. De mannen leefden langer dan de vrouwen. De huwelijken waren eenmalig en van lange duur. Geboorte- en overlijdensdata waren duidelijk. En de Chalfens wisten wie ze waren in 1675. Archie Jones kon geen verdere documentatie van zijn familie geven dan zijn vaders eigen toevallige verschijning op de planeet in de achterkamer van een kroeg in Bromley rond 1895 of 1896 of zeer waarschijnlijk 1897, afhankelijk van de negentigjarige voormalige barmeid met wie je sprak. Clara Bowden wist een beetje over haar grootmoeder en geloofde half en half in het verhaal dat haar beroemde en vruchtbare oom P. vierendertig kinderen had gehad, maar kon alleen met zekerheid zeggen dat haar eigen moeder midden in een aardbeving geboren was op 14 januari 1907 om 14.45 uur in een katholieke kerk in Kingston. De rest was gerucht, volksverhaal en mythe.

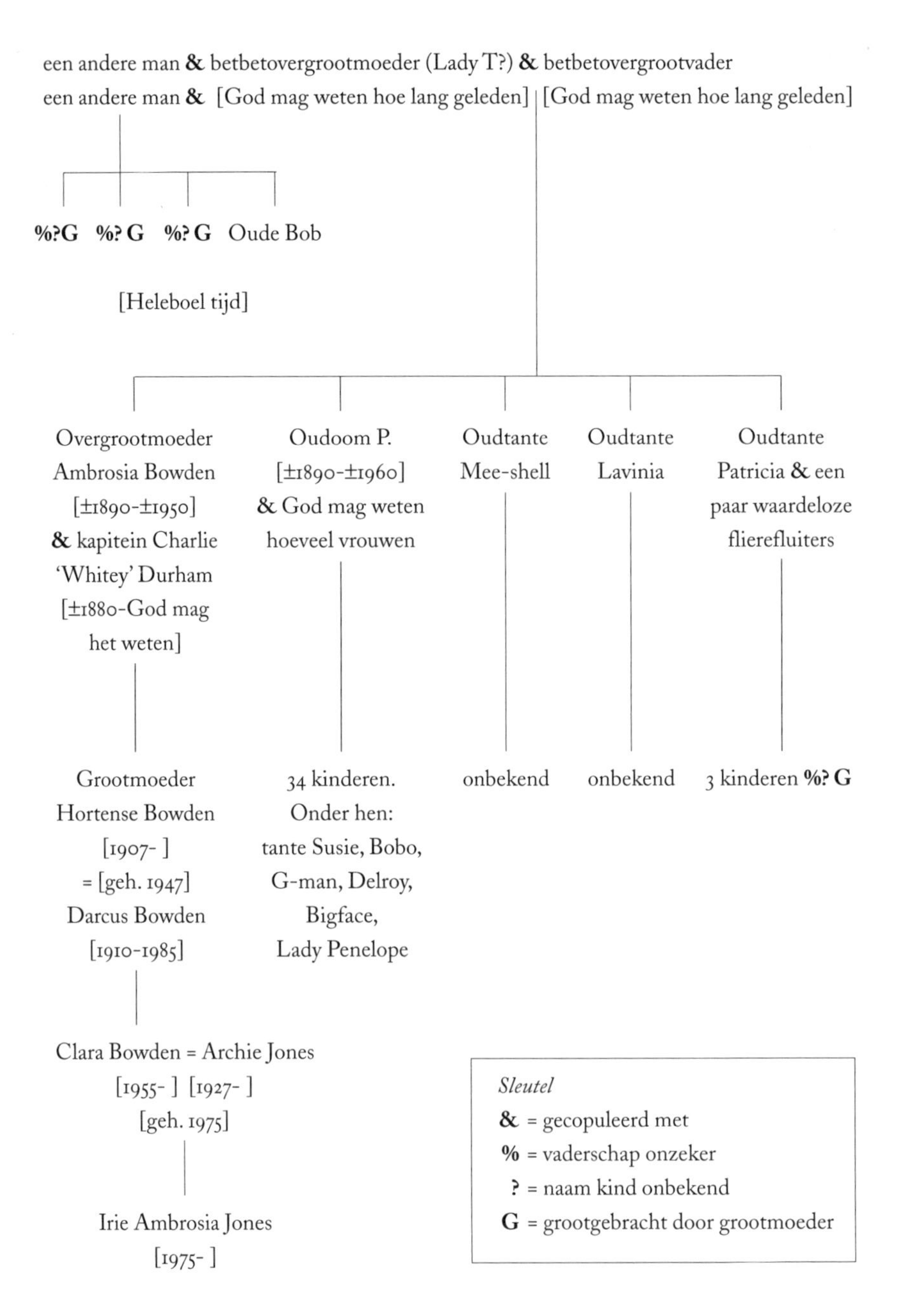

'Jullie gaan zo ver terug,' zei Irie, toen Marcus achter haar kwam staan om te kijken wat er zo interessant was. 'Ongelooflijk. Ik kan me niet voorstellen hoe dat moet voelen.'

'Onzinnige opmerking. We gaan allemaal even ver terug. Het is alleen dat de Chalfens de dingen altijd hebben opgeschreven,' zei Marcus peinzend terwijl hij zijn pijp met verse tabak stopte. 'Het helpt als je herinnerd wilt worden.'

'Mijn familie is er meer een van de mondelinge traditie, denk ik,' zei Irie met een schouderophalen. 'Maar, man, je zou Millat naar zijn familie moeten vragen. Hij is de afstammeling van...'

'Een groot revolutionair. Ik heb het gehoord. Ik zou dat allemaal niet serieus nemen als ik jou was. Eén deel waarheid op drie delen verzinsels in die familie, denk ik zo. Nog een historische figuur van enig gewicht bij jullie?' vroeg Marcus, en toen, onmiddellijk de interesse verliezend in zijn eigen vraag, keerde hij terug naar zijn zoektocht in dossierkast nummer twee.

'Nee... niemand... van betekenis. Maar mijn grootmoeder is geboren in januari 1907, tijdens de aardbeving in...'

'Hier is 't!'

Marcus dook triomfantelijk op uit een stalen lade, zwaaiend met een dunne plastic map waarin een paar papieren zaten.

'Foto's. Speciaal voor jou. Als die dierenrechtactivisten die zouden zien, zou er een prijs op mijn hoofd worden gezet. Een voor een nu. Niet graaien.'

Marcus gaf Irie de eerste foto. Die was van een muis op zijn rug. Zijn buik was bezaaid met kleine paddestoelachtige uitgroeisels, bruin en gezwollen. De bek was, door de liggende houding onnatuurlijk gerekt, als in een kreet van pijn. Maar geen echte pijn, dacht Irie, meer een theatrale pijn. Meer als een muis die een geweldige show van iets maakte. Een overacterende muis. Een knuffelmuis. Hij had iets spottends.

'Embryocellen zijn uitstekend, begrijp je, ze helpen ons inzicht te krijgen in de genetische elementen die een bijdrage leveren aan kanker, maar wat we echt willen weten is hoe een gezwel zich ontwikkelt in levend weefsel. Ik bedoel, dat kun je niet in een cultuur benaderen, niet echt. Dus wat je dan doet is chemische carcinogenen inbrengen in een bepaald orgaan, maar...'

Irie luisterde half en ging half op in de foto's die aan haar werden overhandigd. De volgende was van dezelfde muis, voor zover ze kon zien, deze keer van voren, waar de gezwellen groter waren. Er zat er een in zijn nek die ongeveer even groot leek als zijn oor. Maar de muis zag eruit alsof hij er heel blij mee was. Bijna alsof hij met opzet een nieuw orgaan had laten groeien om te horen wat Marcus over hem zei. Irie was zich ervan bewust dat het belachelijk was om zo te denken over een laboratoriummuis. Maar opnieuw had het muizengezicht iets muizensluws over zich. Er was iets muizenspottends in de muizenogen. Er speelde een muizengrijns om de muizenlippen. *Dodelijke ziekte*? (zei de muis tegen Irie) *Hoezo dodelijke ziekte*?

'... langzaam en onnauwkeurig. Maar als je het betreffende genoom bewérkt, zodat specifíeke vormen van kanker op *vooraf bepaalde* momenten in de ontwikkeling van de muis in specifíeke organen tot uitdrukking komen, heb je het willekéurige uitgeschakeld. Je elimineert de willekeurige werking van een mutagen. Waar je het nu over hebt, is het *genetische programma* van de muis, een kracht die oncogenen binnen cellen activeert. Nu is deze muis een heel jong mannetje...'

Nu werd ToekomstMuis© door twee reusachtige roze vingers bij zijn voorpootjes vastgehouden om rechtop te staan als een stripmuis, waardoor hij zijn kop rechtop moest houden. Hij leek zijn kleine roze muizentong eerst tegen de fotograaf en nu tegen Irie uit te steken. Aan zijn kin hingen de gezwellen als grote druppels vuile regen.

'... en hij drukt het H-ras oncogen uit in bepaalde huidcellen, waardoor hij meerdere goedaardige huidpapilloma's ontwikkelt. En wat interessant is, uiteraard, is dat jonge wijfjes dit niet ontwikkelen, wat...'

Eén oog was gesloten, het andere open. Als een knipoog. Een geslepen muizenknipoog.

'... en hoe komt dat? Door onderlinge rivaliteit bij de mannetjes... de gevechten leiden tot schaafwonden. Geen biologische maar een sociale oorzaak. Genetisch resultaat: hetzelfde. Begrijp je? En dit soort verschillen kun je alleen maar begrijpen door transgene muizen te gebruiken en met het genoom te experimenteren. En deze muis, de muis waar jij naar kijkt, is een uníeke muis, Irie. Ik implanteer een vorm van kanker en de kanker komt te voorschijn, precies wanneer ik het verwacht. Vijftien weken in de ontwikkeling. De genetische code van de muis is nieuw. Nieuw ras. Geen beter argument voor een patent, als je het mij vraagt. Of op zijn minst een soort royaltyregeling: tachtig procent voor God, twintig procent voor mij. Of andersom, als mijn advocaat goed genoeg is. Die arme kerels van Harvard zijn daar nog steeds over aan het knokken. Ik ben persoonlijk niet in het patent geïnteresseerd. Ik ben geïnteresseerd in de *wetenschap*.'

'Wauw,' zei Irie met tegenzin, terwijl ze de foto's teruggaf. 'Het is best moeilijk om te begrijpen. Ik snap het voor de helft en voor de andere helft snap ik het helemaal niet. Het is ongelooflijk.'

'Ach,' zei Marcus, quasi-bescheiden, 'het houdt me van de straat.'

'Het willekeurige kunnen uitschakelen...'

'Schakel het willekeurige uit en je heerst over de wereld,' zei Marcus eenvoudig. 'Waarom zou je het bij oncogenen houden? Je zou elke stap in de ontwikkeling van een organisme kunnen programmeren: voortplanting, voedingsgewoonten, levensduur' – robotstem, armen gestrekt als een zombie, rollende ogen – 'WERELD-HEER-SCHAP-PIJ.'

'Ik zie de krantenkoppen al voor me,' zei Irie.

'Maar, serieus,' zei Marcus, terwijl hij de foto's terugstopte in de map en naar de kast liep om ze weer op te bergen, 'de studie van geïsoleerde rassen van transgene dieren werpt een cruciaal licht op het aspect van het willekeurige. Kun je me volgen? Eén muis geofferd voor 5,3 miljard mensen. Nauwelijks een muizenapocalyps. Niet te veel gevraagd.'

'Nee, natuurlijk niet.'

'Verdomme! Het is hier zo'n verschrikkelijke troep!'

Marcus probeerde drie keer de onderste lade van de kast dicht te doen, verloor zijn geduld en gaf toen een trap tegen de stalen zijkant. 'Klereding!'

Irie liep ernaar toe en keek naar de open lade. 'Je hebt meer hangmappen nodig,' zei ze resoluut. 'En veel van het papier dat je gebruikt is A3, A2 of een ander formaat. Je hebt een of ander vouwbeleid nodig; wat je nu doet is het er gewoon in duwen.'

Marcus wierp zijn hoofd achterover en lachte. 'Vouwbeleid! Nou, dat zul jij wel weten; zo vader zo dochter.'

Hij ging op zijn knieën voor de lade zitten en duwde er weer een paar keer tegen.

'Ik meen het. Ik snap niet hoe je zo kunt werken. Mijn schoolrommel is nog beter georganiseerd, en ik hou me niet bezig met wereldheerschappij.'

Marcus keek vanuit zijn geknielde positie naar haar op. Ze was als een bergketen uit die hoek; een zachte, gevulde versie van de Andes.

'Luister, wat vind je van het volgende: ik betaal je vijftien pond per week als je twee keer per week langskomt en greep krijgt op dit opbergsysteem. Je zult meer leren en ik krijg iets gedaan wat ik gedaan moet krijgen. Hé? Hoe lijkt dat?'

Hoe lijkt dat? Joyce betaalde Millat al in totaal vijfendertig pond per week voor zulke verschillende activiteiten als op Oscar passen, de auto wassen, onkruid wieden, de ramen lappen en al het gekleurde papier in de papierbak stoppen. Waar ze in feite voor betaalde, natuurlijk, was de aanwezigheid van Millat. Die energie om haar heen. En die *afhankelijkheid*.

Irie wist welke afspraak ze op het punt stond te maken; ze begon er niet dronken of stoned of wanhopig of verward aan, zoals Millat had gedaan. Bovendien wílde ze het; ze wílde opgaan in de Chalfens, één vlees zijn; zich losmaken van het chaotische, willekeurige vlees van haar eigen familie en transgeen versmelten met ander vlees. Een uniek dier. Een nieuw ras.

Marcus fronste zijn wenkbrauwen. 'Waarom al dat wikken en wegen? Ik zou dit millennium nog een antwoord willen, als je het niet erg vindt. Is het een goed idee of niet?'

Irie knikte en glimlachte. 'Reken maar. Wanneer begin ik?'

Alsana en Clara waren niet bepaald in hun sas. Maar het duurde even voor ze hun ervaringen uitwisselden en hun ongenoegen bevestigd zagen. Clara ging drie keer per week naar de avondschool (cursussen het Britse imperialisme van 1765 tot heden; Middeleeuwse literatuur van Wales; Zwart feminisme); Alsana zat alle godgegeven daglichturen achter de naaimachine terwijl er thuis, om haar heen, een oorlog woedde. Ze spraken elkaar slechts incidenteel aan de telefoon en zagen elkaar nog minder. Maar ze hadden, onafhankelijk van elkaar, een wat ongemakkelijk gevoel ten aanzien van de Chalfens, over wie ze geleidelijk aan steeds meer hadden gehoord. Na een paar maanden van heimelijke controle was Alsana er nu zeker van dat Millat tijdens zijn regelmatige afwezigheid van huis bij de Chalfens was.

Wat Clara betreft, ze had geluk als ze Irie op een doordeweekse avond te pakken kreeg, en haar netbalexcuses had ze al lang geleden doorzien. Maandenlang al was het de Chalfens voor en de Chalfens na; Joyce zei zoiets geweldigs, Marcus is zo vreselijk slim. Maar Clara wilde er geen toestand van maken; ze wilde wanhopig graag wat het *beste was voor Irie*, en ze was er altijd van overtuigd geweest dat ouderschap voor negen tiende uit opoffering bestond. Ze stelde zelfs een ontmoeting voor, tussen haarzelf en de Chalfens, maar ofwel Clara was paranoïde of Irie deed haar best dit te voorkomen. En steun zoeken bij Archibald had geen zin. Hij zag Irie slechts bij vlagen – wanneer ze thuiskwam om te douchen, zich om te kleden of te eten – en het scheen hem niet te hinderen als ze eindeloos doorging over de kinderen Chalfen (*Ze klinken aardig, schat*) of over iets wat Joyce had gedaan (*Nee maar. Dat is heel slim, hè, schat?*) of iets wat Marcus had gezegd (*Klinkt als een regelrechte Einstein, hè, schat. Nou, leuk voor je. Ik moet gaan. Afspraak met Sammy om acht uur bij O'Connells.*). Archie had een huid als een krokodil. Vader zijn was zo'n solide genetische positie in zijn ogen (het meest solide feit in Archies leven) dat het niet in hem opkwam dat iemand hem de kroon zou willen betwisten. Het werd aan Clara overgelaten om zich in eenzaamheid op haar lip te bijten, te hopen dat ze haar enige dochter niet kwijtraakte, en zich in te houden.

Maar Alsana had ten slotte besloten dat het totale oorlog was en had een bondgenoot nodig. Eind januari '91, Kerstmis en Ramadan veilig achter de rug, pakte ze de telefoon op.

'Dus je weet van die goudvinken?'

'*Chalfens*. De naam is Chalfen volgens mij. Ja, ze zijn de ouders van een vriend van Irie, dacht ik,' zei Clara ontwijkend; ze wilde eerst weten wat Alsana wist. 'Joshua Chalfen. Het lijken aardige mensen.'

Alsana snoof. 'Ik noem ze goudvinken... kleine stropende Europese vogels die de beste zaden wegpikken! Die vogels doen hetzelfde met mijn laurierblaadjes als die mensen met mijn zoon doen. Maar ze zijn erger; ze zijn als vogels met tanden, met kleine, scherpe hoektanden... ze stelen niet alleen, ze verscheuren! Wat weet je van ze?'

'Nou... eigenlijk niets. Ze hebben Irie en Millat met hun bètavakken geholpen, dat heeft ze me tenminste verteld. Ik weet zeker dat het geen kwaad kan, Alsi. En met Irie gaat het nu heel goed op school. Ze is bijna nooit meer thuis, maar ik kan er niet echt tegen optreden.'

Clara hoorde Alsana woest tegen de trapleuning in huize Iqbal slaan. 'Heb je ze ontmoet? Want ík heb ze niet ontmoet en toch vinden ze het maar heel gewoon om mijn zoon geld en onderdak te geven alsof hij geen van beide zou hebben... en ongetwijfeld kwaad te spreken van mij. God mag weten wat hij ze over mij vertelt! Wie zijn ze? Ik ken ze helemaal niet! Millat brengt elke vrije minuut bij ze door en ik zie geen echte verbetering in zijn cijfers en hij rookt nog steeds marihuana en slaapt nog steeds met meisjes. Ik probeer er met Samad over te praten, maar hij leeft in zijn eigen wereld; hij wil gewoon niet luisteren. Hij schreeuwt alleen maar tegen Millat en wil niet met mij praten. We proberen geld bij elkaar te krijgen om Magid terug te halen en naar een goede school te sturen. Ik probeer dit gezin bij elkaar te houden en die goudvinken proberen het uit elkaar te scheuren.'

Clara beet op haar lip en knikte zwijgend tegen de hoorn.

'Ben je er nog, dame?'

'Ja,' zei Clara. 'Ja. Weet je, Irie, nou... ze lijkt ze te aanbidden. Eerst vond ik het heel erg, maar toen vond ik het een beetje dom van mezelf. Archie zegt dat het een beetje dom is.'

'Als je die zultkop zou vertellen dat er geen zwaartekracht is op de maan zou hij denken dat je dom was. We redden het al vijftien jaar zonder zijn mening, Clara, en dat lukt ons nu ook wel,' zei Alsana. Haar zware ademhaling stootte tegen de hoorn en haar stem klonk afgemat. 'Wij *steunen elkaar altijd*... ik heb je nu nódig.'

'Ja... ik denk alleen...'

'Alsjeblieft. Niet denken. Ik heb kaartjes gereserveerd voor een film, oud en Frans, precies wat jij mooi vindt... halfdrie vanmiddag. We zien elkaar voor het Tricycle Theater. Schande-Nicht komt ook. We drinken thee. We praten.'

De film was *A Bout de Souffle*; 16 mm, grijs en wit. Oude Fords en boulevards. Broekomslagen en zakdoeken. Kussen en sigaretten. Clara vond hem geweldig (Prachtige Belmondo! Prachtige Seberg! Prachtig Parijs), Neena vond hem te Frans en Alsana begreep niet waar het verdomde ding over ging. 'Twee jonge mensen die een beetje door Frankrijk zwerven, onzin uitkramen, politiemensen vermoorden, auto's stelen en nooit een beha dragen. Als dat de Europese film is, geef mij dan Bollywood maar, elke dag van de week. Nou, dames, zullen we eens even ter zake komen?'

Neena liep weg om de thee te halen en zette de kopjes met een klap op het tafeltje.

'Zo, vertel eens, wat is dat allemaal over een samenzwering van goudvinken? Het klinkt als Hitchcock.'

Alsana legde de situatie in beknopte bewoordingen uit.

Neena haalde een pakje menthol Consulates uit haar tas, stak er een op en ademde pepermuntachtige rook uit. 'Tantetje, ze klinken als aardige, nette mensen die Millat met zijn school helpen. Heb je me daarvoor van mijn werk gesleept? Ik bedoel, Jonestown is het nou ook niet bepaald.'

'Nee,' zei Clara voorzichtig, 'nee, natuurlijk niet... maar het enige wat je tante zegt is dat Millat en Irie daar zo veel tijd doorbrengen, dus zouden we wel een beetje meer van ze willen weten, begrijp je. Dat is toch logisch, niet?'

Alsana maakte bezwaar. 'Dat is niet het enige wat ik zeg. Ik zeg dat die mensen mijn zoon van me afpakken! Vogels met tanden! Ze verengelsen hem helemaal! Ze leiden hem bewust weg van zijn cultuur en zijn familie en zijn godsdienst...'

'Sinds wanneer geef jij ook maar een flikker om zijn godsdienst?'

'Schande-Nicht, jij weet niet hoe ik blóed zweet voor die jongen, jij wéét niet...'

'Nou, als ik helemaal niks weet, waarom heb je me dan verdomme hier laten komen? Ik heb wel andere dingen te doen, weet je.' Neena greep haar tas en maakte aanstalten om weg te gaan. 'Het spijt me, Clara. Ik weet niet waarom het altijd zo moet gaan. Ik zie je binnenkort...'

Alsana greep haar bij haar arm. 'Ga zitten,' siste ze. 'Ga zitten, oké, dat is duidelijk genoeg, juffrouw wijsneuzige lesbi. We hebben je nodig, oké? Ga zitten, excuus, excuus. Oké? Beter.'

'Goed dan,' zei Neena terwijl ze venijnig haar peuk uitdrukte op een servet. 'Maar ik ga zeggen wat ik ervan vindt en voor één keer hou je die gapende kloof van een mond van je dicht tot ik klaar ben. Oké? Oké. Goed. Nou, je zei zojuist dat Irie het geweldig doet op school, en als Millat het niet zo goed doet, is dat geen groot raadsel... hij voert níets uit. Er is in ieder geval iemand die hem probeert te helpen. En als hij te vaak bij die mensen komt, is dat volgens mij zijn keuze, niet hun keuze. Het is momenteel nou niet bepaald het kinderparadijs bij jou thuis, nietwaar? Hij loopt weg voor zichzelf en hij probeert zo ver van de Iqbals te komen als maar mogelijk is.'

'Aha! Maar ze wonen twee straten verder!' riep Alsana triomfantelijk uit.

'Nee, tante. *Conceptueel* zo ver mogelijk. Een Iqbal zijn is zo nu en dan een beetje verstikkend, weet je. Hij gebruikt dat andere gezin als toevluchtsoord. Ze hebben waarschijnlijk een goede invloed op hem of zoiets.'

'Of zoiets,' zei Alsana veelbetekenend.

'Waar ben je bang voor, Alsi? Hij is tweede generatie, dat zeg je zelf altijd, je moet ze hun eigen weg laten gaan. Ja, en kijk dan wat er met mij is gebeurd, blablabla... ik mag dan Schande-Nicht zijn voor jou, Alsi, maar ik haal een goed inkomen uit mijn schoenen.' Alsana keek bedenkelijk naar de kniehoge zwarte laarzen, die Neena had ontworpen en gemaakt en nu droeg. 'En ik heb een behoorlijk goed leven, weet je; ik leef volgens principes. Ik zeg alleen, hij is al in oorlog met oom Samad. Oorlog met jou kan hij er niet bij hebben.'

Alsana gromde in haar bramenthee.

'Als je je zo nodig ergens zorgen om moet maken, tante, maak je dan zorgen om die KEVIN-mensen waar hij mee omgaat. Ze zijn krankzinnig. En er zijn er zoveel van. En juist van die mensen van wie je het niet verwacht. Mo, weet je, de slager... ja, die ken je... de Hussein-Ishmaels... Ardashirs kant van de familie. Juist, nou, hij is er een van. En die Shiva, van het restaurant... die is bekeerd!'

'De bofkont,' zei Alsana zuur.

'Maar het heeft niets te maken met de echte islam, Alsi. Het is een politieke groep. En wat voor politiek. Een van die kleine rotzakken zei tegen Maxine en mij dat we zouden branden in de hel. We zijn kennelijk de laagste levensvorm, lager dan de slakken. Ik heb zijn balzak een draai van driehonderdzestig graden gegeven. Dat zijn de mensen waar je je zorgen om moet maken.'

Alsana schudde haar hoofd en maakte een wegwuivend gebaar naar Neena. 'Begrijp je het niet? Waar ik me zorgen over maak is dat mijn zoon van me wordt afgenomen. Ik heb er al één verloren. Zes jaar heb ik Magid niet gezien. Zes jaar! En dan zie ik die mensen, die goudvinken, en die brengen meer tijd met Millat door dan ik. Kun je dat op zijn minst begrijpen?'

Neena zuchtte, speelde met een knoop van haar topje, en knikte zwijgend toen ze zag dat de ogen van haar tante zich vulden met tranen.

'Millat en Irie gaan daar vaak eten,' zei Clara zacht. 'En Alsana, nou, je tante en ik vroegen ons af... of je een keer met ze mee zou willen gaan... je ziet er jong uit, en je lijkt jong, en je zou mee kunnen gaan en...'

'Verslag uitbrengen,' maakte Neena, haar ogen ten hemel slaand, de zin af. 'De vijand infiltreren. Die arme mensen... ze hebben geen idee met wie ze te maken hebben, hè? Ze worden in de gaten gehouden en ze weten het niet eens. Het lijkt verdomme de *Thirty-Nine Steps* wel.

'Schande-Nicht: ja of nee?'

Neena kreunde. 'Ja, tantetje. Ja, als het moet.'

'Ik ben je zeer erkentelijk,' zei Alsana, en ze dronk haar thee op.

Joyce was geen homohaatster. Ze mocht homoseksuele mannen. En zij mochten haar. Ze had zelfs, op de universiteit, onopzettelijk een kleine homofanclub om zich heen verzameld, een groep mannen die haar zag als een soort kruising tussen Barbra Streisand, Bette Davis en Joan Baez en eens per maand bijeenkwam om eten voor haar te koken en haar manier van kleden te bewonderen. Dus Joyce kon geen homohaatster zijn. Maar homoseksuele vrouwen... er was iets verwarrends voor Joyce aan homoseksuele vrouwen. Niet dat ze ze niet mocht. Ze kon ze gewoon niet begrijpen. Joyce begreep waarom mannen van mannen konden houden; ze had haar hele leven gewijd aan het houden van mannen, dus ze wist hoe dat voelde. Maar het idee van vrouwen die van vrouwen hielden stond zo ver af van haar cognitieve begrip van de wereld dat ze het niet kon bevatten. Het idee ervan. Ze snapte het gewoon niet. God weet dat ze het had geprobeerd. In de jaren zeventig had ze plichtmatig *The Well of Loneliness* gelezen en *Our Bodies Ourselves* (met een klein hoofdstuk dat daarover ging); meer recentelijk had ze *Sinaasappels zijn niet de enige vruchten* gelezen én gezien, maar het had allemaal niets geholpen. Niet dat het haar tegen het hoofd stootte. Ze begreep het gewoon niet. Dus toen Neena kwam opdagen voor het eten, arm in arm met Maxine, zat Joyce tijdens het voorgerecht (peulvruchten op roggebrood) volkomen gefixeerd naar die twee te staren. De eerste twintig minuten was ze met stomheid geslagen en liet de Chalfen-routine min haar eigen essentiële bijdrage aan de rest van het gezin over. Het was alsof ze gehypnotiseerd was of in een dichte wolk zat, en door de mist hoorde ze flarden van het tafelgesprek dat zonder haar werd gevoerd.

'Dus, altijd de eerste Chalfen-vraag: wat doe je?'

'Schoenen. Ik maak schoenen.'

'Ah. Mmm. Niet het materiaal voor een sprankelende conversatie, vrees ik. En de schone dame?'

'Ik ben een schone niet-werkende dame. Ik draag de schoenen die ze maakt.'

'Ah, niet op de universiteit dus?'

'Nee, ik ben niet naar de universiteit geweest. Is dat in orde?'

Neena ging net zo in de verdediging. 'En voor u het vraagt, ik ook niet.'

'Nou, ik wilde jullie niet in verlegenheid brengen...'

'Dat hebt u niet gedaan.'

'Want het is niet echt een verrassing... Ik weet dat jouw familie niet de meest academische ter wereld is.'

Joyce wist dat de dingen niet goed gingen, maar ze kon haar tong niet vinden om het glad te strijken. Wel duizend gevaarlijke dubbelzinnigheden lagen achter in haar keel op de loer, en als ze haar mond ook maar tot een spleetje (!) zou openen zou een ervan naar buiten glippen, was ze bang. Marcus, die zich er nooit van bewust was als hij mensen beledigde, blunderde vrolijk verder. 'Jullie zijn vreselijke verleidingen voor een man.'

'Is dat zo?'

'O, dat zijn potten altijd. En ik ben ervan overtuigd dat bepaalde heren best een kansje zouden maken... hoewel jullie waarschijnlijk schoonheid boven intellect zouden stellen, denk ik. Dus daar gaan mijn kansen.'

'U lijkt ontzettend zeker van uw intellect, meneer Chalfen.'

'Zou ik dat niet moeten zijn? Ik ben verschrikkelijk slim, weet je.'

Joyce zat alleen maar naar ze te kijken en dacht: *Wie is afhankelijk van wie? Wie leert wie? Wie vormt wie? Wie bestuift en wie zorgt?*

'Nou, het is geweldig om nog een Iqbal aan tafel te hebben, nietwaar, Josh?'

'Ik ben een Begum, geen Iqbal,' zei Neena.

'Ik denk,' zei Marcus, zonder naar haar te luisteren, 'dat een Chalfen-man en een Iqbal-vrouw een fantastische combinatie zou zijn. Als Fred en Ginger. Jij zou ons seks geven en wij zouden jou fijngevoeligheid geven of zoiets. Hé? Je zou een Chalfen alert houden... je bent zo vurig als een Iqbal. Indiase passie. Gek eigenlijk met die familie van je: die van de eerste generatie zijn allemaal geschift, maar die van de tweede generatie hebben hun koppie wel zo ongeveer recht op hun schouders staan.'

'Hmm, luister: niemand noemt mijn familie geschift, oké? Ook al zijn ze het. Ík ben degene die ze geschift mag noemen.'

'Juist, kijk, je moet de taal wel correct proberen te gebruiken. Je kunt zeggen "niemand noemt mijn familie geschift", maar dat is geen correcte stelling. Want mensen doen het en zullen het doen. Wat je wel kunt zeggen, is "ik wil niet dat mensen, enzovoort". Het is niet zo belangrijk, maar we begrijpen elkaar allemaal beter als we de woorden en zinnen op de juiste wijze gebruiken.'

Toen, net op het moment dat Marcus zijn handen in de oven stak om het hoofdgerecht (jachtschotel van kip) eruit te halen, ging de mond van Joyce open, waar om de een of andere onverklaarbare reden het volgende uitkwam: 'Gebruiken jullie elkaars borsten als kussens?'

Neena's vork, die op weg was naar haar mond, stopte net toen hij bij de punt van haar neus was. Millat verslikte zich in een stukje komkommer. Irie deed een bewuste poging haar onderkaak weer in contact te brengen met haar bovenkaak. Maxine begon te giechelen.

Maar Joyce verblikte of verbloosde niet. Joyce stamde af van dat soort onstuitbare vrouwen met donderende dijen dat hun tocht door de Afrikaanse moerassen zelfs vervolgde nadat de bepakte en bezakte inboorlingen hun last hadden afgeworpen en terug waren gekeerd, zelfs wanneer de blanke mannen hoofdschuddend op hun geweer geleund stonden. Ze was uit hetzelfde hout gesneden als de vrouwelijke pioniers, die, slechts gewapend met een bijbel, een geweer en een klamboe, kalm de bruine mannen voorgingen van de horizon naar de vlakten. Terugkrabbelen stond niet haar woordenboek. Joyce hield stand.

'Ik bedoel, in een heleboel Indiase poëzie praten ze over borsten als kussens, donzige borsten, kussenborsten. Ik vroeg me... alleen... alleen... af of blank op bruin slaapt of, zoals je zou mogen verwachten, bruin op blank. Als je de kussenmetafoor doortrekt, begrijpen jullie, ik vroeg me alleen af welke... kant...'

De stilte was lang en breed en hardnekkig. Neena schudde walgend haar hoofd en liet haar bestek met een klap op haar bord vallen. Maxine tikte met haar vingers een nerveuze 'Wilhelm Tell' op het tafelkleed. Josh zag eruit alsof hij kon gaan huilen.

Ten slotte wierp Marcus zijn hoofd achterover, klapte in zijn handen en barstte uit in een enorme Chalfen-lach. 'Dat heb ik de hele avond al willen vragen. Goed gedáán, Moeder Chalfen!'

En zo moest Neena voor het eerst van haar leven toegeven dat haar tante absoluut gelijk had. 'Je wilde een verslag, hier heb je een volledig verslag: een compleet gestoord, totaal geflipt, isoleercelrijp, gillendgek stelletje krankzinnigen. Stuk voor stuk.'

Alsana knikte met open mond en vroeg Neena voor de derde keer te vertellen hoe Joyce, terwijl ze het toetje op tafel zette, had gevraagd of het moeilijk was voor moslimvrouwen om te bakken met die lange, zwarte doeken om – kwamen die flappen niet helemaal onder de cakemeel te zitten? Liep je niet het gevaar jezelf in brand te steken aan de gaspitten?

'Volslagen knetter,' concludeerde Neena.

Maar, zoals dat gaat met deze dingen, toen de bevestiging er eenmaal was, wisten ze eigenlijk niet wat ze met de informatie moesten doen. Irie en Millat waren zestien en werden het niet moe hun respectievelijke moeders te vertellen dat ze nu de wettelijke leeftijd hadden voor diverse activiteiten en konden doen wat ze maar wilden, wanneer ze maar wilden. Sloten op de deuren en tralies voor de ramen daargelaten, waren Clara en Alsana machteloos. Het werd zo mogelijk nog erger.

Irie dompelde zich nog dieper in het Chalfenisme. Clara zag hoe haar gezicht vertrok bij haar vaders manier van praten, en hoe ze een afkeurende blik wierp op de gematigde roddelkrant waarmee Clara zich in bed nestelde. Millat was weken achtereen van huis en kwam terug met geld dat niet van hem was en een accent dat wild heen en weer surfde tussen de ronde tonen van de Chalfens en de straatpraat van de KEVIN-clan. Hij wist Samad onredelijk woest te maken. Nee, dat is niet juist. Er was een reden. Millat was noch het een noch het ander, dit of dat, moslim of christen, Engelsman of Bengaal; hij leefde in een niemandsland, hij deed zijn tweede naam eer aan: *Zulfikar*, het gekletter van twee zwaarden.

'Hoe vaak,' gromde Samad, nadat hij gezien had hoe zijn zoon de autobiografie van Malcolm X kocht, 'is het nodig om in één enkele transactie *dank je* te zeggen? *Dank je* wanneer je het boek overhandigt, *dank je* wanneer zij het ontvangt, *dank je* wanneer ze je de prijs noemt, *dank je* wanneer je de cheque tekent, *dank je* wanneer zij hem aanpakt! Ze noemen het Engelse beleefdheid terwijl het alleen maar arrogantie is. Het enige wezen dat dit soort dank verdient is Allah zelf!'

En Alsana bevond zich weer tussen de twee vuren en probeerde wanhopig een compromis te vinden. 'Als Magid hier was, zou hij jullie wel tot de orde roepen. Met de denkwijze van een advocaat zou hij de problemen oplossen.' Maar Magid was niet hier, hij was daar, en er was nog steeds niet genoeg geld om de situatie te veranderen.

Toen kwam de zomer en daarmee examens. Irie eindigde net achter Chalfen de Big, en Millat deed het veel beter dan wie dan ook, hijzelf inbegrepen, had verwacht. Het kon alleen maar de Chalfen-invloed zijn, en Clara, in elk geval, schaamde zich een beetje. Alsana zei alleen: 'Iqbal-hersenen. Uiteindelijk triomferen ze,' en vierde de gelegenheid met een gezamenlijke barbecue die gehouden zou worden op Samads gazon.

Neena, Maxine, Ardashir, Shiva, tantes, neven en nichten, Iries vriendinnen, Millats vrienden, KEVIN-vrienden en het hoofd, ze kwamen allemaal en maakten pret (behalve de KEVIN-leden, die een kring in een hoek vormden) met papieren bekers gevuld met goedkope Spaanse champie.

Het ging allemaal redelijk goed tot Samad de kring van gevouwen armen en groene strikdasjes opmerkte.

'Wat doen díe hier? Wie heeft die ongelovigen binnengelaten?'

'Nou, jij bent hier tenslotte ook,' bitste Alsana, met een blik naar de drie lege blikjes Guinness die Samad al naar binnen had gewerkt en het hotdogsap dat over zijn kin sijpelde. 'Wie gooit de eerste steen tijdens een barbecue?'

Samad keek haar kwaad aan en liep abrupt weg met Archie om hun gezamenlijke werk aan de opnieuw opgebouwde schuur te bewonderen. Clara maakte van de gelegenheid gebruik om Alsana apart te nemen en haar een vraag te stellen.

Alsana stampte met haar voet in haar eigen koriander. 'Nee! Vergeet het maar. Waar zou ik haar voor moeten bedanken? Als hij het goed heeft gedaan, was dat aan zijn eigen hersenen te danken. *Iqbal*-hersenen. Niet één keer, niet één keer heeft die goudvink met die scheurtanden zich ook maar verwaardigd mij te bellen. Met geen stok krijg je mijn lijk daarheen, dame.'

'Maar... ik denk dat het gewoon een aardig idee is om haar te bedanken voor alle tijd die ze aan de kinderen heeft besteed... Misschien hebben we haar verkeerd beoordeeld...'

'Ga gerust uw gang, mevrouw Jones, ga gerust als u wilt,' zei Alsana smalend. 'Maar wat mij betreft, met geen stok, met geen stok...'

❦

'En dat is dr. Solomon Chalfen, de grootvader van Marcus. Hij was een van de weinigen die bereid was naar Freud te luisteren toen iedereen in Wenen dacht dat ze te maken hadden met iemand met een seksuele afwijking. Een ongelooflijk gezicht, vind je niet? Het straalt zo veel wijsheid uit. De eerste keer dat Marcus mij die foto liet zien, wist ik dat ik met hem wilde trouwen. Ik dacht: als mijn Marcus er op zijn tachtigste zo uitziet, zal ik een heel gelukkig meisje zijn!'

Clara glimlachte en bewonderde de oude foto. Ze had er, met een stuurse Irie in haar kielzog, tot op dat moment al acht bewonderd langs de schoorsteenmantel en er waren er nog minstens evenveel te gaan.

'Het is een voorname oude familie, en als je het niet al te aanmatigend vindt, Clara... mag ik "Clara" zeggen?'

'Clara is uitstekend, mevrouw Chalfen.'

Irie wachtte tot Joyce Clara zou vragen haar Joyce te noemen.

'Goed, zoals ik al zei, het is een voorname oude familie en als je het niet al te aanmatigend vindt, zie ik Irie graag als een soort toevoeging, in zekere zin. Ze is gewoon zó'n bijzonder meisje. We hebben zó van haar gezelschap genoten.'

'Zij heeft van uw gezelschap genoten, denk ik. En ze heeft echt veel aan u te danken. Wij allemaal.'

'O, nee, nee, nee. Ik geloof in de verantwoordelijkheid van intellectuelen... bovendien, het is echt een genoegen geweest. Echt. Ik hoop dat we haar nog blijven zien, ook al zijn de examens voorbij. Ze kan nog naar het vwo, om te beginnen.'

'O, ik weet zeker dat ze toch wel zou komen. Ze heeft het voortdurend over u allemaal. De Chalfens dit, de Chalfens dat...'

Joyce omvatte Clara's handen met de hare. 'O, Clara, dat doet me zo'n genoegen. En het doet me ook genoegen dat we elkaar eindelijk hebben ontmoet. O, ik was nog niet klaar. Waar waren we... o, ja, nou hier hebben we Charles en Anna, oudoom en oudtante, allang begraven, helaas. Hij was psychiater... ja, wéér een... en zij was biologe... een vrouw naar mijn hart.'

Joyce bleef een ogenblik staan kijken, als een kunstcriticus in een galerie, en zette haar handen op haar heupen. 'Ik bedoel, na een tijdje moet je toch wel gaan denken dat het in de genen zit. Al die hersenen. Ik bedoel, verzorging verklaart het toch niet helemaal. Ik bedoel, denk je niet?'

'Eh, nee,' zei Clara instemmend. 'Dat denk ik niet, nee.'

'Nou, gewoon uit belangstelling; ik bedoel, ik ben echt nieuwsgierig... van welke kant denk je dat Irie het heeft, de Jamaicaanse of de Engelse?'

Clara keek de rij langs van dode witte mannen in gesteven boorden, sommigen met monocle, sommigen in uniform, sommigen omringd door hun familieleden, stuk voor stuk stijf in de houding om de camera zijn trage werk te laten doen. Ze deden haar allemaal een beetje aan iemand denken. Aan haar eigen grootvader, de zwierige kapitein Charlie Durham, op de enige bestaande foto van hem: mager en bleek kijkt hij uitdagend in de camera – hij laat niet zozeer een foto van zichzelf maken maar legt zijn beeld op aan het acetaat. De familie Bowden noemde hem 'Whitey'. *Verdomde dwaas van een jongen dacht dat alles wat hij aanraakte van hem was.*

'Mijn kant,' zei Clara aarzelend. 'De Engelsen aan mijn kant, denk ik. Mijn grootvader was een Engelsman, nogal bekakt, naar wat ik heb gehoord. Zijn kind, mijn moeder, werd geboren tijdens de aardbeving in Kingston, in 1907. Ik denk weleens dat het gerommel de hersencellen van de Bowdens op hun plaats heeft geschud want sinds die tijd hebben we het behoorlijk goed gedaan!'

Joyce zag dat Clara een lach verwachtte en zorgde snel dat ze er een leverde.

'Maar serieus, waarschijnlijk was het kapitein Charlie Durham. Hij leerde mijn grootmoeder alles wat ze wist. Een goede Engelse vorming. God weet dat ik niemand kan bedenken die het anders zou moeten zijn.'

'O, dat is fascinerend! Precies wat ik tegen Marcus zeg; het zíjn de genen, wat hij ook mag beweren. Hij zegt dat ik alles versimpel, maar hij is gewoon te theoretisch. Ik krijg *elke keer gelijk*!'

Toen de voordeur achter haar dichtviel, beet Clara nogmaals op haar lip, deze keer van frustratie en woede. Waarom had ze kapitein Charlie Durham genoemd? Dat was gewoon een leugen. Zo vals als haar eigen witte tanden. Clara was slimmer dan kapitein Charlie Durham. Hortense was slimmer dan kapitein Charlie Durham. Waarschijnlijk was zelfs grootmoeder Ambrosia slimmer geweest dan kapitein Charlie Durham. Kapitein Charlie Durham was niet slim. Hij dacht dat hij slim was, maar hij was het niet. Hij had zo'n duizend mensen opgeofferd om één vrouw te redden die hij nooit echt had gekend. Kapitein Charlie Durham was een *verdomd waardeloze dwaas van een jongen.*

13

DE WORTELKANALEN VAN HORTENSE BOWDEN

Een beetje Engelse vorming kan gevaarlijk zijn. Alsana's lievelingsvoorbeeld hiervan was het oude verhaal over lord Ellenborough, die, nadat hij de Indiase provincie Sind had ingenomen, een telegram van slechts één woord naar Delhi stuurde: *peccavi*, een verbogen Latijns werkwoord dat betekent *ik heb gezondigd*. 'De Engelsen zijn het enige volk,' zei ze dan met afkeer, 'die je tegelijkertijd willen onderwijzen en bestelen.' Alsana's wantrouwen jegens de Chalfens was niet meer of minder dan dat.

Clara was het met haar eens, maar om redenen die dichter bij huis lagen: een familieherinnering, een niet-vergeten spoor van onzuiver bloed in de Bowdens. Haar eigen moeder, toen ze in háár moeder zat (want willen we dit verhaal vertellen dan zullen we ze allemaal in elkaar terug moeten schuiven als Russische poppetjes, Irie terug in Clara, Clara terug in Hortense, Hortense terug in Ambrosia), was de stille getuige geweest van wat er gebeurt wanneer een Engelsman ineens besluit dat je vorming nodig hebt. Want het was niet genoeg geweest voor kapitein Charlie Durham – recentelijk gestationeerd op Jamaica – om op een avond, in mei 1906, in beschonken toestand in de provisiekast van de Bowdens de adolescente dochter van zijn hospita te bevruchten. Hij was er niet tevreden mee haar gewoon van haar maagdelijkheid te beroven. Hij moest haar ook nog iets léren.

'Mij? Hij wil míj onderricht geven?' Ambrosia Bowden had haar hand op de kleine bult gelegd die Hortense was en geprobeerd er zo onschuldig mogelijk uit te zien. 'Waarom wil hij mij onderricht geven?'

'Drie keer per week,' antwoordde haar moeder. 'En vraag me niet waarom. Maar de Here God weet dat je wel voor verbetering vatbaar ben. Wees dankbaar voor gen'rosi-teit. Er zijn geen waaroms en waarvoors nodig als een knappe, rechtschapen Engelse heer als meneer Durham gen'reus wil zijn.'

Zelfs Ambrosia Bowden, een wispelturig *maga* dorpskind met lange benen, die in al haar veertien levensjaren geen klaslokaal had gezien, wist dat dit advies op een vergissing berustte. Als een Engelsman genereus wil zijn, is het éérste wat je doet vragen waarom, want er is altijd een reden.

'Ben je nog hier, pickney? Hij wil je zien. La'me niet op de vloer moeten spugen en je dwingen daarnaar toe te gaan voor het droog is!'

Dus was Ambrosia Bowden, met Hortense in haar buik, naar de kamer van de kapitein gestoven en daar vervolgens drie keer per week naar teruggekeerd voor onderwijs. Letters, cijfers, de bijbel, Engelse geschiedenis, trigonometrie – en als dat klaar was, als Ambrosia's moeder veilig het huis uit was, anatomie, een les die langer duurde en boven op de leerling werd gegeven terwijl ze giechelend op haar rug lag. Kapitein Durham zei haar dat ze zich geen zorgen hoefde te maken over de baby, dat hij die geen kwaad kon doen. Kapitein Durham zei haar dat hun geheime kind de slimste negerjongen van Jamaica zou zijn.

Terwijl de maanden voorbijvlogen leerde Ambrosia een heleboel fantastische dingen van de knappe kapitein. Hij leerde haar hoe ze de beproevingen van Job moest lezen en de waarschuwingen van de Openbaring moest bestuderen, hoe ze bij cricket een slaghout moest hanteren, hoe ze 'Jerusalem' moest zingen. Hoe ze een rij getallen moest optellen. Hoe ze een Latijns naamwoord moest verbuigen. Hoe ze het oor van een man moest kussen tot hij huilde als een kind. Maar hij leerde haar vooral dat ze niet langer een dienstmeid was, dat haar vorming haar had verheven, dat ze in haar hart een dame was, hoewel haar dagelijkse karweitjes hetzelfde bleven. *Hierbinnen, hierbinnen*, zei hij altijd, ergens onder haar borstbeen wijzend, precies naar de plek in feite waar ze altijd haar bezem liet rusten. *Geen dienstmaagd meer, Ambrosia, geen dienstmaagd meer*, zei hij altijd, genietend van de woordspeling.

En op een middag, toen Hortense vijf maanden ongeboren was, rende Ambrosia de trap op in een zeer losse, geraffineerde katoenen jurk, roffelde met haar ene hand op de deur en verborg een bosje Engelse goudsbloemen in haar andere hand achter haar rug. Ze wilde haar minnaar verrassen met bloemen waarvan ze wist dat ze hem aan thuis zouden herinneren. Ze bonsde en bonsde en riep en riep. Maar hij was weg.

'Vraag me niet waarom,' zei Ambrosia's moeder terwijl ze een argwanende blik wierp op de buik van haar dochter. 'Hij is gewoon weggegaan, zomaar ineens. Maar hij heeft een boodschap achtergelaten dat hij wil dat er voor jou wordt gezorgd. Hij wil dat je meteen naar het grote huis gaat en je vervoegt bij meneer Glenard, een goede christelijke heer. De Here God weet dat je wel voor verbetering vatbaar ben. La'me niet op de vloer moeten spugen en...'

Maar Ambrosia was de deur uit voordat de woorden de grond raakten.

Het scheen dat Durham naar Kingston was gegaan om de situatie in een drukkerij onder controle te krijgen, waar een jongeman die Garvey heette een staking van de drukkers voor hogere lonen had georganiseerd. En daarna was hij van plan nog drie maanden weg te blijven om de Trinidadse soldaten van Hare Majesteit te trainen, ze te laten zien hoe het moest. De Engelsen zijn meesters in het opgeven van de ene verantwoordelijkheid en een andere op zich te nemen. Maar ze zien zichzelf ook graag als gewetensvolle heren, dus vertrouwde hij in de tussentijd de vorming van

Ambrosia Bowden toe aan zijn goede vriend sir Edmund Flecker Glenard, die, net als Durham, van mening was dat de inheemse bevolking onderwijs, het christelijk geloof en morele begeleiding nodig had. Glenard had haar graag om zich heen – wie niet – een mooi, gehoorzaam meisje, bereidwillig en bekwaam in huis. Maar na een verblijf van twee weken werd duidelijk dat ze zwanger was. Mensen begonnen te praten. Het kon gewoon niet.

'Vraag me niet waarom,' zei Ambrosia's moeder, Glenards brief waarin hij zijn spijt betuigde uit de handen van haar huilende dochter grijpend, 'misschien ben je niet voor verbetering vatbaar! Misschien wil hij geen zonde over zijn huis. Je bent nu weer hier! Er valt nu niks aan te doen!' Maar in de brief, zo bleek, werd een troostrijk voorstel gedaan. 'Hij zegt hier dat ie wil dat je een christelijke dame opzoekt die mevrouw Brenton heet. Hij zegt dat je bij haar kan blijven.'

Nu had Durham instructies achtergelaten dat Ambrosia moest worden geïntroduceerd in de Engelse anglicaanse kerk, en Glenard had de Jamaicaanse methodistenkerk voorgesteld, maar mevrouw Brenton, een felle Schotse oude vrijster die zich specialiseerde in verdoolde zielen, had haar eigen ideeën. 'We gaan naar de *Waarheid*,' zei ze resoluut toen het zondag werd, want ze hield niet van het woord 'kerk'. 'Jij en ik en het onschuldige kleintje,' zei ze, slechts enkele centimeters van Hortenses hoofd op Ambrosia's buik kloppend, 'gaan de woorden van Jehova horen.'

(Want het was mevrouw Brenton die de Bowdens bekend had gemaakt met de Getuigen, de Russellieten, de *Wachttoren*, het Bijbeltractaat – in die dagen hadden ze vele namen. Mevrouw Brenton had Charles Taze Russell zelf in Pittsburgh ontmoet bij de voorlaatste eeuwwisseling en was onder de indruk geweest van de kennis van de man, zijn toewijding en zijn machtige baard. Door zijn invloed had ze zich afgekeerd van het protestantisme, en als elke bekeerling, had mevrouw Brenton veel plezier in het bekeren van anderen. Ze vond twee gewillige slachtoffers in Ambrosia en het kind in haar buik, want er was niets waarvan ze bekeerd moesten worden.)

De Waarheid ging de Bowdens binnen in die winter van 1906 en stroomde via het bloed rechtstreeks van Ambrosia naar Hortense. Hortense geloofde dat zij zelf, op het moment dat haar moeder Jehova erkende, bewust werd, hoewel ze nog in de baarmoeder zat. In latere jaren zou ze zweren op elke bijbel die je haar voorhield dat al in haar moeders buik, elk woord uit *Millennial Dawn* van de heer Russell, terwijl Ambrosia hier avond na avond uit werd voorgelezen, als door osmose naar Hortenses ziel was gegaan. Alleen dit zou verklaren waarom het als een 'herinnering' voelde toen ze de zes delen later als volwassene las; hoe het kwam dat ze bladzijden met haar hand kon afdekken en uit het hoofd kon opzeggen, hoewel ze ze nooit eerder had gelezen. Dit is de reden waarom elk wortelkanaal van Hortense rechtstreeks naar het allereerste begin moet gaan, want ze was daar; zij herinnert het zich; de gebeurtenissen van 14 januari 1907, de dag van de verschrikkelijke aardbeving op Jamaica, zijn niet voor haar verborgen maar helder en klaar als een klok.

'U zoek ik... Mijn ziel dorst naar u, mijn vlees smacht naar u in een dor en dorstig land, zonder water...'

Zo zong Ambrosia terwijl haar zwangerschap ten einde liep, en ze stuiterde met haar enorme bult door King Street biddend voor de terugkeer van Christus of de terugkeer van Charlie Durham, de twee mannen die haar konden redden en wat haar betrof zo op elkaar leken dat ze de gewoonte had ze door elkaar te halen. Ze was halverwege het derde vers – zo vertelde Hortense het – toen die luidruchtige ouwe zuiplap van een sir Edmund Flecker Glenard met de blozende kleur van één neut te veel in de Jamaica Club, hun de weg versperde. *Kapitein Durhams dienstmaagd!* herinnerde Hortense zich hem, bij wijze van begroeting, te hebben horen zeggen, wat hem niets anders opleverde van Ambrosia dan een boze blik. *Dit wordt nog een mooie dag, hè?* Ambrosia had geprobeerd hem te ontwijken, maar hij ging weer recht voor haar staan.

Dus je bent tegenwoordig een keurig meisje? Ik heb via via gehoord dat mevrouw Brenton je in haar kerk heeft geïntroduceerd. Zeer interessant, die Getuigen. Maar zijn ze voorbereid, zo vraag ik me af, op dit nieuwe mulattenlid van hun kudde?

Hortense herinnerde zich goed het gevoel van die dikke hand die heet op haar moeder werd gelegd; ze herinnerde zich er met al haar kracht naar te hebben geschopt.

O, het geeft niet, kind. De kapitein heeft me je geheimpje verteld. Maar geheimen hebben natuurlijk een prijs, Ambrosia. Net als yammen en pepers en mijn tabak iets kosten. Dus, heb je de oude Spaanse kerk gezien, Santa Antonia? Ben je binnen geweest? Het is hier vlakbij. Het is echt een pracht daarbinnen, meer in esthetisch dan religieus opzicht. Het duurt maar een momentje, meisje. Je moet tenslotte nooit de kans op een beetje vorming laten lopen.

Elk moment gebeurt twee keer: vanbinnen en vanbuiten, en het zijn twee verschillende verhalen. Buiten Ambrosia was veel witte steen, geen mensen, een altaar waar goud van afbladderde, weinig licht, walmende kaarsen, Spaanse namen in de vloer gegraveerd en een grote marmeren madonna die met gebogen hoofd op een voetstuk stond. Het was onnatuurlijk stil toen Glenard haar begon te betasten. Vanbinnen was er een hart dat op hol sloeg, de verstrakking van duizend spieren die wanhopig weerstand wilden bieden tegen Glenards pogingen tot vorming. De klamme vingers die nu al aan haar borst zaten, onder dun katoen gleden en in tepels knepen die al zwaar waren van melk, melk die nooit bedoeld was geweest voor een zo ruwe mond. Vanbinnen rende ze King Street al uit. Maar vanbuiten was Ambrosia verstijfd. Vastgenageld aan de vloer, een steen zo vrouwelijke als om het even welke madonna.

En toen begon de wereld te beven. Binnen Ambrosia brak het water. Buiten Ambrosia scheurde de vloer. Een muur stortte in, het gebrandschilderde glas spatte uiteen, en de madonna viel als een bezwijmende engel van haar grote hoogte. Ambrosia maakte zich strompelend uit de voeten, maar kwam niet verder dan de biechtstoelen voordat de grond opnieuw spleet – een machtige knal! – en ze viel, in het zicht van Glenard zelf, die verpletterd onder zijn engel lag, zijn tanden verspreid over de vloer, zijn broek rond zijn enkels. En de grond bleef trillen. Er kwam een tweede knal. En een derde. De pilaren vielen om, het halve dak verdween. Elke andere middag op Jamaica hadden de schreeuwen van Ambrosia, de schreeuwen die volgden op elke samentrekking van haar baarmoeder terwijl Hortense naar buiten werd geperst, iemands aandacht getrokken, iemand te hulp doen snellen. Maar de wereld hield op te bestaan die middag in Kingston. Iedereen schreeuwde.

Als dit een sprookje was, zou het nu tijd worden voor kapitein Durham om de held te spelen. Het lijkt hem niet aan de benodigde kwalificaties te ontbreken. Het is niet dat hij niet knap is, of groot of sterk, of dat hij haar niet wil helpen, of dat hij niet van haar houdt (o, hij houdt van haar, zoals de Engelsen hielden van India en Afrika en Ierland; het is de liefde die het probleem is, mensen behandelen hun geliefden slecht) – al deze dingen zijn waar. Misschien is het decor gewoon fout. Misschien mag niets wat op gestolen grond gebeurt een gelukkig einde verwachten.

Want wanneer Durham terugkeert, de dag na de eerste bevingen, treft hij een verwoest eiland aan, al tweeduizend doden, brand in de heuvels, delen van Kingston in zee gestort, honger, ontzetting, hele straten opgeslokt door de aarde – en niets van dit alles vervult hem zo van ontsteltenis als de gedachte dat hij haar misschien nooit meer zal zien. Nu begrijpt hij wat liefde betekent. Hij staat op de paradeplaats, eenzaam en verontrust, omringd door duizend zwarte gezichten die hij niet herkent; de enige andere blanke is het standbeeld van Victoria, door vijf naschokken zo rondgedraaid dat ze de mensen haar rug schijnt toe te keren. Dit is niet ver bezijden de waarheid. Het zijn de Amerikanen, niet de Britten, die de middelen hebben om serieuze hulp te beloven: drie oorlogsschepen vol voorraden die op dat moment van Cuba langs de kust komen glijden. Het is een Amerikaanse publiciteitsstunt die de Britse regering niet op prijs stelt, en net als zijn landgenoten kan Durham niets anders voelen dan een zekere gekwetste trots. Hij ziet het land nog steeds als het zijne, het zijne om te helpen of het zijne om kwaad te doen, zelfs nu het bewezen heeft een geheel eigen wil te hebben. Hij heeft nog genoeg van zijn Engelse opvoeding in zich om zich gekleineerd te voelen wanneer hij twee Amerikaanse soldaten ontwaart die zonder toestemming de haven zijn binnengelopen (alle landingen moeten via Durham of zijn superieuren gaan) en voor hun consulaat schaamteloos hun tabak staan te pruimen. Het is een vreemd gevoel, deze machteloosheid: te ontdekken dat een ander land beter is uitgerust om dit kleine eiland te redden dan de Engelsen. Het is een vreemd gevoel uit te kijken op een zee van zwarte gezichten zonder dat ene te kunnen vinden dat hij liefheeft, dat ene dat hij meent te bezitten. Want Durham heeft opdracht gekregen hier te staan en de namen te roepen van het handjevol bedienden, butlers en dienstmeisjes, de weinige uitverkorenen die de Engelsen zullen meenemen naar Cuba tot de branden voorbij zijn. God weet, als hij haar achternaam wist, zou hij die uitroepen. Maar bij al dat onderrichten, heeft hij die nooit leren kennen. Hij heeft het nooit gevraagd.

Toch is het niet om deze onoplettendheid dat kapitein Durham, de grote opvoeder, in de annalen van de Bowden-clan wordt herinnerd als een *dwaze jongen*. Hij ontdekte snel genoeg waar ze was; hij ontdekte het kleine nichtje Marlene in de menigte en stuurde haar met een briefje naar de kerk waar zij Ambrosia het laatst had gezien, zingend met de Getuigen, dankzeggend voor het Laatste Oordeel. Terwijl Marlene zo snel rende als haar asgrijze benen haar konden dragen, liep Durham rustig, denkend dat de laatste akte was verricht, naar King's House, de residentie van sir James Swettenham, gouverneur van Jamaica. Daar vroeg hij hem een uitzondering te maken voor Ambrosia, een 'ontwikkelde negerin', met wie hij wilde trouwen. Ze was anders dan de anderen. Ze moest een plaats bij hem krijgen op het volgende vertrekkende schip.

Maar als je een land moet besturen dat niet het jouwe is, dan raak je eraan gewend uitzonderingen te negeren; Swettenham deelde hem ronduit mede dat er op zijn schepen geen plaats was voor zwarte hoeren en vee. Durham, gekrenkt en wraakzuchtig, impliceerde dat Swettenham geen macht had, dat de komst van Amerikaanse schepen dat wel bewees, en noemde toen, als laatste opmerking, de twee Amerikaanse soldaten die zonder toestemming op Britse bodem waren, arrogante nieuwkomers op grond die zij niet bezaten. *Wordt het kind met het badwater weggegooid?* vroeg Durham met een gezicht zo rood als een biet, zijn toevlucht nemend tot de religie van bezit die zijn geboorterecht was. *Is dit land niet nog steeds van ons? Wordt ons gezag zo gemakkelijk omvergeworpen door wat gerommel in de grond?*

De rest is dat vreselijke iets: geschiedenis. Terwijl Swettenham de Amerikaanse schepen bevel gaf terug te keren naar Cuba, kwam Marlene terugrennen met Ambrosia's antwoord. Eén zin uit Job gescheurd: *Ik zal mijn kennis ver ophalen*. (Hortense bewaarde de bijbel waar deze uit was gescheurd en zei altijd dat vanaf die dag geen enkele Bowden-vrouw nog lessen had aanvaard van iemand anders dan de Heer.) Marlene overhandigde de zin aan Durham en rende zo gelukkig als een kind naar de paradeplaats, op zoek naar haar vader en moeder, die gewond en zwak waren, op hun laatste benen liepen en net als duizenden anderen op de schepen wachtten. Ze wilde hun het goede nieuws vertellen, wat Ambrosia haar had verteld: *Het komt spoedig, het komt spoedig*. De schepen? had Marlene gevraagd, en Ambrosia had geknikt, hoewel ze het te druk had met bidden, te extatisch was om de vraag te horen. *Het komt spoedig, het komt spoedig*, zei ze, herhalend wat zij had geleerd uit de Openbaring, wat Durham en toen Glenard en toen mevrouw Brenton haar op hun verschillende manieren hadden geleerd: waar het vuur en de scheuren in de aarde en de donder van getuigden. *Het komt spoedig*, zei ze tegen Marlene, die haar woord voor waar aannam. Een beetje Engelse vorming kan gevaarlijk zijn.

14

ENGELSER DAN DE ENGELSEN

In de grootse traditie van de Engelse opvoeding werden Marcus en Magid penvrienden. Hoe ze penvrienden werden was onderwerp van heftig debat (Alsana legde de schuld bij Millat, Millat beweerde dat Irie zich het adres had laten ontvallen tegen Marcus, Irie zei dat Joyce stiekem in haar adressenboekje had gekeken – de Joyce-verklaring was de juiste), maar hoe het ook mocht zijn, ze waren het, en vanaf maart '91 wisselden ze brieven uit met een regelmaat die slechts gehinderd werd door de chronische tekortkomingen van de Bengaalse posterijen. Hun gezamenlijke productie was ongelooflijk. Binnen twee maanden hadden ze een band gevuld die minstens zo dik was als die van Keats, en na vier maanden waren ze hard op weg in lengte en hoeveelheid de ware epistofielen te evenaren, de heilige Paulus, Clarissa, misnoegd uit Tunbridge Wells. Omdat Marcus kopieën maakte van al zijn eigen brieven moest Irie haar archiefsysteem herordenen om een lade vrij te maken die uitsluitend gewijd was aan hun correspondentie. Ze splitste het archiefsysteem in tweeën, ervoor kiezend primair op auteur en dan chronologisch op te slaan, in plaats van alleen de datums de scepter te laten zwaaien. Want dit ging allemaal om mensen. Mensen die over de grenzen van continenten, over zeeën heen contact legden. Ze maakte twee etiketten om de stapels materiaal te scheiden. Op het eerste stond: VAN MARCUS AAN MAGID. Op het tweede stond: VAN MAGID AAN MARCUS.

Een onplezierige combinatie van jaloezie en vijandigheid bracht Irie ertoe misbruik te maken van haar functie als secretaresse. Ze drukte kleine hoeveelheden brieven, die niet gemist zouden worden, achterover, nam ze mee naar huis, haalde ze uit hun omhulsel en stopte ze, na ze te hebben gelezen met een grondigheid die F.R. Leavis in de schaduw zou hebben gesteld, zorgvuldig terug in het archief. Wat ze aantrof in die kleurig gestempelde luchtpostenveloppen bracht haar geen vreugde. Haar mentor had een nieuwe protégé. Marcus en Magid. Magid en Marcus. Het klónk zelfs beter. Zoals Watson en Crick beter klonk dan Watson, Crick en Wilkins.

John Donne zei *meer dan kussen brengen brieven zielen te zamen*, en dat doen ze: Irie schrok van een dergelijk vermengen, een dergelijk succesvol samensmelten van twee mensen door papier en inkt ondanks de afstand tussen hen. Geen liefdesbrieven hadden vuriger kunnen zijn. Geen passie vollediger beantwoord, van het begin af aan. De eerste paar brieven stroomden over van de grenzeloze vreugde van wederzijdse herkenning: saai voor de slinkse jongens van de postkamer in Dacca, verbijsterend voor Irie, fascinerend voor de schrijvers zelf:

Het is alsof ik je altijd heb gekend; als ik een hindoe was, zou ik vermoeden dat we elkaar in een vorig leven hadden ontmoet – Magid.

Je denkt als ik. Je bent exact. Dat bevalt me – Marcus.

Je formuleert zo goed en verwoordt mijn gedachten beter dan ik ooit zou kunnen. In mijn wens rechten te studeren, in mijn verlangen het lot te verbeteren van mijn arme land – dat het slachtoffer is van elke gril van God, elke orkaan en overstroming – welk instinct is fundamenteel in deze oogmerken? Wat is de wortel, de droom die deze ambities verbindt? De wereld begrijpen. De willekeur uitschakelen. – Magid.

En dan was er de wederzijdse bewondering. Die duurde een paar maanden:

Waar je aan werkt, Marcus, die opmerkelijke muizen, is niets minder dan revolutionair. Wanneer je graaft in de mysteries van erfelijke eigenschappen, ga je recht naar het wezen van de mens, zo dramatisch en fundamenteel als een dichter, met dit verschil dat jij gewapend bent met iets essentieels dat de dichter niet heeft: de waarheid. Ik ben vervuld van ontzag voor visionaire ideeën en de mensen die ze hebben. Ik ben vervuld van ontzag voor een man als Marcus Chalfen. Ik noem het een eer hem mijn vriend te kunnen noemen. Ik dank je vanuit het diepst van mijn hart dat je een zo onverklaarbare en glorieuze belangstelling toont voor het welzijn van mijn familie – Magid.

Het is ongelooflijk voor me, de drukte die mensen verdomme maken over een idee als klonen. Klonen, wanneer het gebeurt (en ik kan je wel vertellen dat het eerder vroeger dan later zal zijn), is niets anders dan op vertraagde wijze een tweeling vormen, en ik ben nooit van mijn leven een tweeling tegengekomen die een sterker argument vormt tegen genetisch determinisme dan Millat en jij. Op elk gebied waarop hij tekortschiet, blink jij uit – ik wou dat ik die zin kon omdraaien voor het omgekeerde effect, maar de harde waarheid is dat hij nergens in uitblinkt behalve de elastische tailleband van de volumineuze broek van mijn vrouw charmeren. – Marcus.

En ten slotte waren er de plannen voor de toekomst, plannen die blindelings en met verliefde snelheid werden gemaakt, als de Engelse nerd die met een honderdtwintig kilo wegende mormoon uit Minnesota trouwde omdat ze zo sexy klonk op de babbellijn.

Je moet zo snel mogelijk naar Engeland komen, begin '92 op zijn laatst. Ik kan wel wat van het geld ophoesten als het moet. Dan kunnen we je inschrijven op de plaatselijke school en na de examens sturen we je met snelle spoed naar welke van de grote leerzetels je voorkeur ook maar mag hebben (hoewel er natuurlijk maar één echte keuze is), en als je daar bezig bent kun je zorgen dat je wat ouder wordt, je rechtenstudie afrondt en het soort advocaat wordt dat ik nodig heb om voor me te vechten. Mijn ToekomstMuis© heeft een loyale verdediger nodig. Haast je, kerel. Ik heb niet het hele millennium – Marcus.

De laatste brief, niet de laatste brief die ze schreven maar de laatste die Irie aankon, bevatte deze afsluitende paragraaf van Marcus:

Alles gaat een beetje zijn gangetje, behalve dat mijn archieven nu uitstekend geordend zijn, dankzij Irie. Je zult haar leuk vinden: ze is een slim meisje en ze heeft fantastische borsten... Helaas heb ik weinig hoop voor haar aspiraties op het gebied van de 'echte wetenschap', specifieker gezegd mijn eigen gebied van de biotechnologie, waar ze haar zinnen op lijkt te hebben gezet... ze is scherp, op een bepaalde manier, maar waar ze goed in is, is het ondergeschikte werk, het uitvoeren van opdrachten – ze zou misschien een goede laboratoriumassistente kunnen zijn, maar ze heeft geen aanleg voor het ontwikkelen van ideeën, absoluut niet. Ze zou medicijnen kunnen proberen, denk ik, maar zelfs daarvoor heb je wat meer gotspe nodig dan waar zij over beschikt... dus misschien moet het maar tandheelkunde worden voor onze Irie (ze zou op zijn minst iets aan haar eigen tanden kunnen doen), een eerlijk vak, geen twijfel aan, maar een vak dat jij naar ik hoop niet zult kiezen...

Uiteindelijk was Irie niet beledigd. Ze snotterde een tijdje, maar dat was snel over. Ze was als haar moeder, als haar vader – ze kon zich aanpassen, ze kon het doen met wat ze had. Kun je geen oorlogscorrespondent zijn? Word een wielrenner. Kun je geen wielrenner zijn? Vouw papier. Kun je niet naast Jezus zitten met de 144.000? Voeg je bij de Grote Schare. Kun je de Grote Schare niet uitstaan? Trouw Archie. Irie was niet erg van streek. Ze dacht gewoon, goed: tandheelkunde. Ik wordt tandarts. Tandheelkunde. Goed.

En intussen hield Joyce zich benedendeks bezig met Millats problemen met blanke vrouwen. Die talrijk waren. Alle vrouwen, van elke schakering, van gitzwart tot albino, vielen voor Millat. Ze gaven hem hun telefoonnummer, pijpten hem op openbare plaatsen, liepen dwars door volle bars om hem een drankje aan te bieden, trokken hem taxi's in, volgden hem naar huis. Wat het ook mocht zijn – de Romeinse neus, de ogen als een donkere zee, de huid als chocolade, het haar als gordijnen van zwarte zijde, of misschien alleen maar zijn pure, simpele geur – het werkte. Nou niet jaloers worden. Dat heeft geen zin. Er zijn altijd mensen geweest, en ze zullen er altijd zijn, die seks uitstralen (die het ademen, die het zweten). Een paar voorbeelden, zomaar uit de lucht gegrepen: de jonge Brando, Madonna, Cleopatra, Pam Grier, Valentino, een meisje dat Tamara heet en tegenover de Londense renbaan woont, gewoon midden in de stad, Imran Khan, Michelangelo's David. Tegen dat soort verbazingwekkende, ongenuanceerde macht kun je niets ondernemen, want het hoeft niet per se symmetrie of schoonheid te zijn die het doet (Tamara heeft een kromme neus), en er is geen enkele manier om het te krijgen. De oudste Amerikaanse zin, betrekking hebbend op economische, politieke en romantische zaken, is hier beslist van toepassing: *je hebt het of je hebt het niet*. En Millat had het. Onmiskenbaar. Hij kon kiezen uit de hele bekende wereld, uit elke weelderige vrouw van maatje 8 tot 28, Thai of Tongaans, van Zanzibar tot Zürich, zo ver het oog reikte en in welke richting ook had hij uitzicht op beschikbaar en gewillig vrouwenvlees. Van een man met een dergelijke aangeboren gave om te proeven van de roompotjes van een grote variëteit aan vrouwen zouden we redelijkerwijze mogen verwachten dat hij veel en ver zou experimenteren. En toch waren Millat Iqbals belangrijkste scharreltjes vrijwel uitsluitend blanke protestantse vrouwen, maatje 10, van tussen vijftien en achtentwintig, woonachtig in of in de onmiddellijke nabijheid van West Hampstead.

Aanvankelijk vond Millat dit geen probleem noch ongewoon. Zijn school wemelde van de meisjes die aan deze algemene beschrijving beantwoordden. Volgens de wet van de gemiddelden – hij was de enige vent op Glenard Oak die de moeite waard was om te neuken – zou hij een groot aantal van hen naaien. En met Karina Cain, zijn huidige liefje, was het allemaal heel plezierig. Hij bedroog haar met slechts drie andere vrouwen (Alexandra Andrusier, Polly Houghton, Rosie Dew), en dat was een persoonlijk record. Daar kwam bij dat Karina Cain anders was. Het was niet alleen maar de seks met Karina Cain. Hij mocht haar en zij mocht hem, en ze had een geweldig gevoel voor humor, wat wel een wonder mocht heten, en ze zorgde voor hem als hij het niet zag zitten en hij zorgde, op zijn manier, ook voor haar en gaf haar bloemen en zo. Het was zowel de wet van de gemiddelden als iets van geluk en toeval waardoor hij gelukkiger was dan gewoonlijk. Dus dat was dat.

Alleen zag KEVIN het anders. Op een avond, nadat Karina hem in haar moeders Renault had afgezet voor een bijeenkomst bij KEVIN, kwamen broeder Hifan en broeder Tyrone het buurthuis van Kilburn doorlopen als twee menselijke bergen, vastbesloten zich aan de voeten van Mohammed te werpen. Ze waren nadrukkelijk aanwezig.

'Hé, Hifan, m'n kick, Tyrone, m'n maat, waarom de lange gezichten?'

Maar broeders Hifan en Tyrone wilden hem niet zeggen waarom de lange gezichten. In plaats daarvan gaven ze hem een folder. De titel was: *Wie is waarlijk vrij? De zusters van KEVIN of de zusters van Soho*? Millat bedankte ze hartelijk. Toen stopte hij het papiertje onder in zijn tas.

Hoe was het? vroegen ze hem de volgende week. *Was het een goede tekst, broeder Millat*? De waarheid was dat broeder Millat niet aan lezing ervan was toegekomen (en eerlijk gezegd gaf hij de voorkeur aan folders met titels als *De grote Amerikaan-*

se duivel: hoe de Amerikaanse maffia de wereld regeert of *Wetenschap versus de Schepper: de uitslag staat vast*), maar hij merkte dat het belangrijk was voor broeder Hifan en broeder Tyrone, dus zei hij dat hij het gelezen had. Dit leek ze plezier te doen, en ze gaven hem een andere folder. Deze heette: *Lycra-bevrijding? Verkrachting en de westerse wereld.*

'Dringt het licht door in je duisternis, broeder Millat?' vroeg broeder Tyrone gretig toen ze de volgende woensdag weer bijeenkwamen. 'Worden de dingen helderder?'

'Helderder' leek Millat nu niet precies het juiste woord. Eerder die week had hij wat tijd vrijgemaakt om beide folders te lezen, en vanaf dat moment had hij zich vreemd gevoeld. In drie dagen tijd had Karina Cain, een schat van een meisje, echt van het goede slag, die hem nooit irriteerde (integendeel, die hem gelukkig maakte! Blij!) hem meer geïrriteerd dan in dat hele jaar dat ze met elkaar hadden geneukt. En geen gewone irritatie. Een diepe, ongeneeslijke, onoplosbare irritatie, als jeuk aan een verdwenen been. En het was hem niet duidelijk waarom dat zo was.

'Ja man, Tyrone,' zei Millat met een knikje en een brede grijns, 'kristal, makker, kristal.'

Broeder Tyrone knikte terug. Millat was verheugd te zien dat hij verheugd leek. Het had iets van de echte maffia of een Bond-film of zoiets. Zij met zijn tweeën in hun zwart met witte pakken, knikkend tegen elkaar. *Ik begrijp dat we elkaar begrijpen.*

'Dit is zuster Aeyisha,' zei broeder Tyrone. Hij trok Millats groene strikdasje recht en duwde hem in de richting van een klein, prachtig zwart meisje met amandelvormige ogen en hoge jukbeenderen. 'Ze is een Afrikaanse godin.'

'Echt?' zei Millat, onder de indruk. 'Waar kom je vandaan?'

'Noord-Clapham,' zei zuster Aeyisha met een verlegen glimlach.

Millat sloeg zijn handen in elkaar en stampte met zijn voet. 'O man, je móet café Redback kennen.'

Het gezicht van zuster Aeyisha, de Afrikaanse godin, lichtte op. 'Ja man, dat was de tent waar ik vroeger kwam! Kom je daar?'

'Altijd! Te gekke tent. Nou, misschien zie ik je daar wel een keer. Het was me aangenaam, zuster. Broeder Tyrone, ik moet ervandoor, man, mijn dame wacht op me.'

Broeder Tyrone leek teleurgesteld. Vlak voordat Millat wegging, drukte hij hem een andere folder in de hand en hij bleef zijn hand vasthouden tot het papier vochtig werd tussen hun beider handpalmen.

'Je zou een groot leider kunnen zijn, Millat,' zei broeder Tyrone (waarom bleef iedereen dat maar tegen hem zeggen?), eerst naar hem kijkend en toen naar Karina Cain, die de claxon door de straat liet toeteren terwijl de ronding van haar borsten net boven het autoportier heen te zien was. 'Maar op dit moment ben je maar half de man. Wij hebben de hele man nodig.'

'Ja, te gek, bedankt, jij ook broeder,' zei Millat, even naar de folder kijkend en toen de deuren openduwend. 'Ik zie je.'

'Wat is dat?' vroeg Karina Cain, toen ze zich opzij boog om het portier open te doen en het wat doorweekte papier opmerkte.

Instinctief stopte Millat de folder onmiddellijk in zijn zak. Dat was vreemd. Normaal gesproken liet hij Karina altijd alles zien. Nu irriteerde alleen haar vraag hem al. En wat had ze eigenlijk aan? Hetzelfde korte topje dat ze altijd droeg. Maar was het niet korter? Waren de tepels niet duidelijker, opzettelijker?

Hij zei: 'Niets.' Humeurig. Maar het was niet niets. Het was de laatste folder in de KEVIN-serie over westerse vrouwen. *Het recht te ontbloten: de naakte waarheid over westerse seksualiteit.*

En, nu we het toch over naaktheid hebben, Karina Cain had een heerlijk klein lichaam. Een en al romige rondingen en slanke ledematen. En als het weekend werd, droeg ze graag iets om dat te laten zien. De eerste keer dat Millat haar opmerkte, was op een feestje in de buurt toen hij een flits zag van een zilverkleurige broek, een zilverkleurig strapless topje en de blote heuvel van een licht uitstekende buik die daartussen oprees met nog wat zilver in de navel. Er was iets uitnodigends aan dat buikje van Karina Cain. Zij haatte het, maar Millat was er gek op. Hij vond het prachtig als ze dingen droeg die het lieten zien. Maar nu maakten de folders de dingen duidelijker. Hij begon op te merken wat ze droeg en de manier waarop andere mannen naar haar keken. En wanneer hij erover begon, zei ze: 'O, dat vind ik vreselijk. Al die geile ouwe kerels.' Maar het scheen Millat toe dat ze het aanmoedigde, dat ze echt wilde dat mannen naar haar keken, dat ze – zoals *Het recht te ontbloten* suggereerde – 'zichzelf prostitueerde voor de mannelijke blik'. Vooral witte mannen. Want zo werkte het tussen westerse mannen en westerse vrouwen, nietwaar. Ze deden het bij voorkeur allemaal in het openbaar. Hoe meer hij erover nadacht, hoe meer hij de pest in kreeg. Waarom kon ze zich niet bedekken? Op wie wilde ze indruk maken? Afrikaanse godinnen uit Noord-Clapham respecteerden zichzelf – waarom kon Karina Cain dat niet? 'Ik kan geen respect voor je hebben,' legde Millat zorgvuldig uit, ervoor zorgend dat hij de woorden precies zo herhaalde als hij ze had gelezen, 'voordat je respect voor jezelf hebt.' Karina Cain zei dat ze respect voor zichzelf had, maar Millat kon haar niet geloven. Wat vreemd was, want Karina Cain loog nooit, voor zover hij wist; ze was er het type niet voor.

Toen ze zich klaarmaakten om uit te gaan, zei hij: 'Je kleedt je niet voor mij, je kleedt je voor iedereen!' Karina zei dat ze zich niet voor hem of voor wie dan ook kleedde, dat ze zich voor zichzelf kleedde. Toen ze 'Sexual Healing' zong op een karaokeavond in het café, zei hij: 'Seks is iets persoonlijks, tussen jou en mij... het is niet voor iedereen!' Karina zei dat ze had gezongen, en geen seks had gehad ten overstaan van de stamgasten van de Rat & Carrot. Toen ze de liefde bedreven, zei hij: 'Doe dat alsjeblieft niet... bied het me niet aan als een hoer. Heb je nooit gehoord van onnatuurlijke daden? Bovendien neem ik het als ik het wil... en waarom kun je geen dame zijn, maak niet zo'n lawaai.' Karina gaf hem een klap en huilde vaak. Ze zei dat ze niet begreep wat er met hem aan de hand was. *Ik ook niet*, dacht

Millat, terwijl hij de deur uit zijn scharnieren knalde, dat is het probleem. En na die ruzie praatten ze een tijdje niet met elkaar.

Ongeveer twee weken later draaide hij een dienst in de Palace voor wat extra geld en sprak erover met Shiva, een nieuwe KEVIN-bekeerling en opkomende ster in de organisatie. 'Praat me niet van witte vrouwen,' kreunde Shiva, zich afvragend hoeveel generaties Iqbals hij hetzelfde advies zou moeten geven. 'In het Westen is het zover gekomen dat vrouwen mannen zijn! Ik bedoel dat ze dezelfde verlangens en driften hebben als mannen – *ze willen het verdomme altijd*. En ze kleden zich alsof ze iedereen willen laten weten dat ze het willen. Wat denk je? Is dat goed?'

Maar voordat de discussie verder kon gaan, was Samad door de klapdeuren gekomen op zoek naar wat mango-chutney, en Millat had zijn hakwerk hervat.

Die avond, na het werk, zag Millat door het raam van een café op Piccadilly een Indiase vrouw met een rond, ingetogen gezicht die en profil wel iets weg had van zijn moeder zoals ze op jeugdige foto's stond. Ze was gekleed in een zwart coltruitje en een lange, zwarte broek; haar ogen waren gedeeltelijk versluierd door lang zwart haar en haar enige versiering waren de rode patronen van *mhendi* op haar handpalmen. Ze zat daar alleen.

Met dezelfde nonchalante lef die hij gebruikte om lekkere meiden en discodellen te versieren, met de durf van een man die er niet tegenop ziet om met vreemden te praten, ging Millat naar binnen en begon haar, zo ongeveer woordelijk, de inhoud te vertellen van de achterpagina van *Het recht te ontbloten*, in de hoop dat zij het zou begrijpen. Allemaal over geestverwanten, over zelfrespect, over vrouwen die 'visueel genot' alleen willen geven aan de man die van hen houdt. Hij legde uit: 'Het is de bevrijding van de sluier, nietwaar? Kijk, zoals hier: *Vrij van de ketenen van de mannelijke blik en de normen voor aantrekkelijkheid is de vrouw vrij om te zijn wie ze vanbinnen is, gevrijwaard van een voorstelling als sekssymbool en van begeerte alsof ze een stuk vlees in een schap was dat opgepakt en gekeurd mag worden*. Zo denken wij erover,' zei hij, niet zeker of hij er zo over dacht. 'Dat is onze mening,' zei hij, niet zeker of dat zijn mening was. 'Ik hoor bij een groep, zie je...'

De dame trok een bedenkelijk gezicht en legde licht haar wijsvinger op zijn lippen. 'O, schat,' mompelde ze droevig, zijn schoonheid bewonderend. 'Als ik je geld geef, ga je dan weg?'

En toen kwam haar vriend opdagen, een verrassend lange Chinees in een leren jack.

Diep in de put besloot Millat de twaalf kilometer naar huis te lopen, beginnend in Soho, dreigende blikken werpend op de hoeren met hun lange benen, hun kruisloze broeken en hun veren boa's. Tegen de tijd dat hij Marble Arch bereikte, had hij zichzelf zo opgefokt dat hij Karina Cain belde vanuit een telefooncel die beklad was met tieten en konten (hoeren, hoeren, hoeren) en haar zonder plichtplegingen dumpte. De andere meisjes die hij neukte (Alexandra Andrusier, Polly Houghton, Rosie Dew) konden hem niet schelen want dat waren regelrechte, kakkineuze sletten. Maar Karina Cain kon hem wel iets schelen, want ze was zijn liefje, en zijn liefje moest zijn liefje zijn en van niemand anders. Beschermd als de vrouw van Liotta in *GoodFellas* of de zuster van Pacino in *Scarface*. Behandeld als een prinses. Zich gedragend als een prinses. In een toren. Geheel bedekt.

Langzamer lopend nu, treuzelend – er was niemand om naar toe te gaan – werd hij opgehouden op Edgware Road, waar de oude dikke kerels hem naar zich toe riepen ('Kijk, 't is Millat, kleine Millat de Rokkenjager. Millat de Prins van de Poesiepompers! Te groot geworden voor een blowtje?'), en hij zwichtte met een treurige glimlach. Waterpijpen, halal gebakken kip en illegaal geïmporteerde absint, buiten geconsumeerd rond wiebelende tafeltjes, kijkend naar de vrouwen die zich in volle purdah voorbij haastten, als drukke, zwarte geesten die door de straten waarden om laat op de avond nog een paar boodschappen te doen of hun dwalende echtgenoten te zoeken. Millat keek graag naar ze: de levendige conversatie, de prachtige kleuren van de sprekende ogen, de lachsalvo's van onzichtbare lippen. Hij herinnerde zich iets wat zijn vader hem eens had verteld in de tijd dat ze nog met elkaar spraken. Je kent de betekenis niet van de erotiek, Millat, je kent de betekenis niet van begeerte, mijn tweede zoon, voordat je met een borrelende pijp op Edgware Road hebt gezeten en al je verbeeldingskracht hebt gebruikt om je voor te stellen wat zich rond de twintig vierkante centimeter huid bevindt die *hajib* onthult, wat zich onder die grote, donkere kleden bevindt.

Ongeveer zes uur later verscheen Millat aan de keukentafel van de Chalfens, heel, heel dronken, huilerig en gewelddadig. Hij maakte Oscars Lego-brandweerkazerne kapot en smeet het koffiezetapparaat door de keuken. Toen deed hij datgene waar Joyce die twaalf maanden op had gewacht. Hij vroeg haar om raad.

Er leken sinds die tijd maanden aan die keukentafel te zijn doorgebracht, met Joyce die mensen de keuken uit stuurde, haar leesmateriaal doornam, haar handen wrong, waarbij de geur van dope zich vermengde met de damp die opsteeg uit eindeloze koppen aardbeienthee. Want Joyce hield echt van hem en wilde hem helpen, maar haar advies was lang en ingewikkeld. Ze had zich in het onderwerp verdiept. En het scheen dat Millat vervuld was van walging en haat voor zijn eigen soort; dat hij mogelijk een slavenmentaliteit had of misschien een kleurcomplex gericht op zijn moeder (hij was veel donkerder dan zij) of een wens tot zelfvernietiging door middel van oplossing in een blanke genenplas, of een onvermogen om twee tegenovergestelde culturen met elkaar te verzoenen... en wat bleek was dat zestig procent van de Aziatische mannen dít deed... en negentig procent van de moslims dát voelde... en het was een bekend feit dat Aziatische gezinnen vaak... en hormonaal waren jongens eerder... en de therapeute die ze voor hem vond was echt heel aardig, drie dagen per week en maak je geen zorgen om het geld... en maak je geen zorgen om Joshua, hij loopt gewoon een beetje te mokken... en, en, én.

Diep, diep weggezakt in de roes van de hasj en het praten herinnerde Millat zich een meisje dat Karina Huppeldepup heette, dat hij had gemogen. En ze had een geweldig gevoel voor humor wat wel een wonder mocht heten, en ze zorgde voor hem als hij het niet zag zitten en hij zorgde, op zijn manier, ook voor haar en gaf haar bloemen en zo. Ze leek ver weg nu, als knikkeren en de kindertijd. En dat was dat.

❦

Er waren problemen bij de familie Jones. Irie stond op het punt om als de eerste Bowden of Jones (mogelijk, misschien, als alles meezat, bij de gratie Gods, duimen) naar de universiteit te gaan. Haar eindexamenvakken waren scheikunde, biologie en godsdienstwetenschappen. Ze wilde tandheelkunde gaan studeren (witte boord! £20.000+!), waar iedereen heel blij om was, maar ze wilde ook een jaar weg, naar het subcontinent en Afrika (Malaria! Armoede! Lintworm!), wat tot drie maanden van openlijke oorlog leidde tussen haar en Clara. De ene kant wilde financiering en toestemming, de andere kant was vastbesloten geen van beide toe te staan. Het was een langdurig en bitter conflict, en alle bemiddelaars gingen met lege handen (*ze is vastbesloten, er valt niet te praten met die vrouw* – Samad) of gebrouilleerd (*waarom mag ze niet naar Bangladesh als ze dat wil? Wil je zeggen dat mijn land niet goed genoeg is voor je dochter?* – Alsana) naar huis.

De patstelling was zo uitgesproken dat de grond verdeeld en toegewezen was; Irie eiste haar slaapkamer en de zolder, Archie, een gewetensbezwaarde dienstweigeraar, vroeg alleen om de logeerkamer, een televisie en een satellietschotel (het beste van het beste), en Clara nam de rest, waarbij de badkamer gezamenlijk terrein was. Er werd met deuren geslagen. De tijd van praten was voorbij.

Op 25 oktober 1992 om één uur 's nachts begon Irie aan een nachtelijke aanval. Ze wist uit ervaring dat haar moeder het meest kwetsbaar was wanneer ze in bed lag; laat op de avond sprak ze zachtjes als een kind en lispelde ze door haar vermoeidheid; dat was de tijd waarop je de grootste kans had datgene te krijgen waar je naar smachtte: zakgeld, een nieuwe fiets, een latere tijd om thuis te komen. Het was zo'n afgezaagde tactiek dat Irie hem tot op dit moment niet waardig had gevonden hiervoor te gebruiken: haar felste en langdurigste meningsverschil met haar moeder. Maar een beter idee had ze niet.

'Irie? Wad...? Is midden in de nach... Ga drug naar bed...'

Irie deed de deur verder open, waardoor nog meer ganglicht de slaapkamer binnenstroomde.

Archie begroef zijn hoofd in een kussen. 'Verdomme, schat, 't is één uur 's nachts! Sommige mensen moeten morgen werken.'

Irie liep naar het voeteneind van het bed. 'Ik wil met mam praten,' zei ze resoluut. 'Overdag wil ze niet met me praten, dus moet ik het wel zo doen.'

'Irie, awsjebwief... Ik ben doodmoe... Ik probeer wad swaap de krijgen.'

'Ik wil niet alleen een jaar weg, ik móet een jaar weg. Ik heb het nodig... ik ben jong, ik wil wat ervaring opdoen. Ik heb mijn hele leven in deze verdomde buitenwijk gewoond. Iedereen is hetzelfde hier. Ik wil andere volkeren zien... Josh doet het ook en zijn ouders steunen hem!'

'Nou, wij kunnen het gewoon niet betalen,' gromde Archie, die onder het dons vandaan kwam. 'Wij hebben tenslotte geen sjieke baantjes in de wetenschap.'

'Het gáát me niet om het geld... ik vind wel een baantje ergens of zo, maar ik wil toestemming! Van jullie allebei! Ik wil niet zes maanden weg zijn en elke dag denken dat jullie boos zijn.'

'Nou, ik kan het niet beslissen, schat. Het is je moeder feitelijk... Ik...'

'Ja, pap, bedankt voor die open deur.'

'O, juist,' zei Archie verontwaardigd terwijl hij zich naar de muur keerde. 'Ik zal maar niks meer zeggen dan...'

'O, pap, ik wilde je niet... Mam? Wil je alsjeblieft rechtop gaan zitten en fatsoenlijk spreken? Ik probeer met je te praten? Ik lijk wel tegen mezelf te praten?' zei Irie met absurde intonaties, want dit was het jaar waarin Australische soaps een generatie van Engelse kinderen alles als een vraag leerden formuleren. 'Luister, ik wil je toestemming, ja?'

Zelfs in het donker kon Irie Clara zien fronsen. 'Doesdemming voor wad...? Om weg de gaan en naar arme zwardjes de sdaren en de gapen? Dr. Wivingsdone, neem ik aan? Heb je dad van de Chawfens geweerd? Want aws je dad wiw, kun je 'd ned zo goed hier doen. Ga gewoon zes maanden naar mij zidden kijken!'

'Daar heeft het niks mee te maken! Ik wil zien hoe andere mensen leven!'

'En in een kist terugkomen! Waarom ga je nied naar hiernaasd, daar zijn andere mensen. Ga kijken hoe die weven!'

Woest greep Irie de bedknop en liep naar Clara's kant van het bed. 'Waarom kun je niet fatsoenlijk rechtop gaan zitten en fatsoenlijk tegen me praten en dat belachelijke kleinemeisjesstemme...'

In het donker gooide Irie een glas om en zoog scherp haar adem naar binnen toen het koude water tussen haar tenen door in het tapijt sijpelde. Toen, terwijl het laatste water wegstroomde, had Irie het vreemde, akelige gevoel dat ze gebeten werd.

'Au!'

'O, in godsnaam,' zei Archie terwijl hij zijn hand uitstak naar het bedlampje en het aanknipte. 'Wat nou?'

Irie keek omlaag naar waar het pijn deed. In welke oorlog dan ook, was deze klap wel erg ver onder de gordel. Het voorste deel van een kunstgebit, zonder een mond eraan, had haar rechtervoet te pakken.

'Godallemachtig! Wat is dat?'

Maar de vraag was overbodig; terwijl de woorden zich nog vormden in haar mond had Irie het al begrepen. De middernachtelijke stem. Het volmaakt rechte en witte overdag.

Clara stak haastig haar hand uit, greep de tanden van Iries voet en legde ze, aangezien het nu toch te laat was om het te verhullen, gewoon op het nachtkastje.

'Devreden?' vroeg Clara vermoeid. (Het was niet dat ze het bewust had verzwegen. Het had gewoon nooit het juiste moment geleken.)

Maar Irie was zestien en op die leeftijd lijkt alles opzet. Voor haar was dit gewoon het volgende punt op een lange lijst van ouderlijke hypocrisie en onwaarheden, was dit weer een voorbeeld van de Jones/Bowden-gave voor geheime geschiedenissen, verhalen die je nooit werden verteld, verleden dat je nooit helemaal aan het licht bracht, geruchten die je nooit ontrafelde, waar niets mee mis zou zijn ware het niet dat elke dag bezaaid was met aanwijzingen en suggesties; kogelscherf in Archies been... foto van vreemde blanke grootvader Durham... de naam 'Ophelia' en het woord 'gekkenhuis'... een wielrennershelm en een oud spatbord... de geur van gebakken eten van O'Connells... een vage herinnering aan een nachtelijk autoritje, zwaaien naar een jongen in een vliegtuig... brieven met Zweedse postzegels, Horst Ibelgaufts, indien onbestelbaar retour afzender...

Ach wat spinnen we een ingewikkeld web. Millat had gelijk: deze ouders waren beschadigde mensen, die handen misten, tanden misten. Deze ouders waren vol van informatie die je wilde weten maar bevreesd was om te horen. Maar zij wilde het niet meer, ze had er genoeg van. Ze was het beu om nooit de hele waarheid te krijgen. Ze ging retour afzender.

'Hé, kijk niet zo geschokt, schat,' zei Archie goedmoedig. 'Het zijn alleen maar een paar tanden. Nu weet je het dus. Het is niet het einde van de wereld.'

Maar dat was het wel, in zekere zin. Wat haar betrof was het mooi geweest. Ze liep terug naar haar kamer, pakte haar schoolspullen en wat benodigde kleding in een grote rugzak en trok een zware jas aan over haar nachthemd. Ze dacht een halve seconde aan de Chalfens, maar ze wist al dat daar geen antwoorden waren, alleen meer plaatsen om te ontsnappen. Bovendien was er maar één logeerkamer, en die had Millat. Irie wist waar ze naar toe moest, diep naar de kern ervan, waar alleen de N17 haar rond deze tijd van de nacht zou brengen, zittend op de bovenverdieping, stoelen versierd met kots, rammelend langs zevenenveertig bushaltes voor hij zijn bestemming zou bereiken. Maar ze kwam er uiteindelijk.

'Here Jezus,' mompelde Hortense, ijzeren krulspelden onveranderd, met slaperige ogen in de deuropening. 'Irie Ambrosia Jones, ben jíj dat?'

15

CHALFENISME VERSUS BOWDENISME

En het was Irie Jones. Zeven jaar ouder dan de laatste keer dat ze elkaar hadden gezien. Langer, breder, met borsten en zonder haar en pantoffels net zichtbaar onder een lange duffelse jas. En het was Hortense Bowden. Zeven jaar ouder, korter, breder, met borsten op haar buik en zonder haar (hoewel ze de merkwaardige gewoonte had ontwikkeld haar pruik in de krulspelden te zetten) en pantoffels net zichtbaar onder een lange, gewatteerde, babyroze ochtendjas. Maar het echte verschil was dat Hortense vierentachtig was. In geen enkel opzicht een klein oud vrouwtje; ze was een rond, robuust exemplaar, haar vet zo strak tegen haar huid dat het de epidermis niet meeviel te rimpelen. Maar toch, vierentachtig is geen zevenenzeventig of drieënzestig; op je vierentachtigste ligt er niet méér voor je dan de dood, vervelend in zijn aandrang. Het was te zien in haar gezicht zoals Irie het nooit eerder had gezien. Het wachten en de vrees en de gezegende verlichting.

Maar hoewel er verschillen waren, werd Irie, toen ze de trap afliep en Hortenses souterrain betrad, met een schok getroffen door de onveranderlijkheid. Jaren geleden was ze vrij regelmatig bij haar grootmoeder op bezoek geweest: heimelijke bezoekjes met Archie terwijl haar moeder naar cursus was, en altijd vertrekkend met iets ongewoons, een ingelegde vissenkop, chiliknoedels, de tekst van een verdwaalde maar hardnekkige psalm. Toen, op de begrafenis van Darcus, in 1985, had de tienjarige Irie iets losgelaten over deze bezoekjes, waarop Clara er een eind aan had gemaakt. Ze belden elkaar nog, zo nu en dan. En tot op de dag van vandaag ontving Irie korte brieven op cahierpapier met een exemplaar van de *Wachttoren* erin. Soms keek Irie naar het gezicht van haar moeder en zag dat van haar grootmoeder: die majestueuze jukbeenderen, die katachtige ogen. Maar ze hadden elkaar zeven jaar lang niet gezien.

Wat het huis betreft, leken er zeven seconden voorbij te zijn gegaan. Nog steeds donker, nog steeds bedompt, nog steeds ondergronds. Nog steeds opgeluisterd met honderden wereldlijke beeldjes ('Assepoester op weg naar het bal', 'Mrs Tiddlytum wijst de eekhoorntjes de weg naar de picknick'), allemaal precies in het midden van hun afzonderlijke kleedjes en vrolijk lachend onder elkaar, geamuseerd door de gedachte dat iemand honderdvijftig pond in vijftien termijnen zou betalen voor zulke minderwaardige stukken porselein en glas als zij. Een enorm driedelig wandkleed, waarvan Irie zich nog herinnerde dat het werd gemaakt, hing nu aan de muur boven de kachel, met, op het eerste deel, een voorstelling van de Gezalfden gezeten naast Jezus in het hemels gericht. De Gezalfden hadden allemaal blond haar en blauwe ogen, verschenen zo sereen als Hortenses goedkope wol maar had toegestaan en keken neer op de Grote Schare die – er gelukkig uitziend maar niet zo gelukkig als de Gezalfden – ronddartelde in het eeuwig aards paradijs. De Grote Schare keek op zijn beurt medelijdend neer op de heidenen (verreweg de grootste groep), die als sardientjes op elkaar gestapeld dood in hun graven lagen.

Het enige wat ontbrak was Darcus (die Irie zich vaag herinnerde als een mengeling van geur en textuur; naftaleen en vochtige wol); daar stond zijn grote, lege stoel, nog steeds stinkend, en daar was zijn televisie, nog steeds aan.

'Irie, wat zie je d'r uit! Pickney heb niet eens een muts op – 't kind moet 't ijskoud hebben! Rillend als een Mexicaanse boon. Laat me je voelen. Koorts! Je brengt koorts in mijn huis?'

Het was belangrijk, in Hortenses huis, nooit toe te geven dat je ziek was. De remedie was, zoals in de meeste Jamaicaanse huishoudingen, altijd pijnlijker dan de symptomen.

'Ik voel me goed. Er is niets aan de hand met...'

'O, is dat zo?' Hortense legde Iries hand op haar eigen voorhoofd. 'Da's koorts zo zeker als koorts koorts is. Voel je het?'

Irie voelde het. Ze was gloeiend heet.

'Kom 'ier.' Hortense pakte een kleed van Darcus' stoel en wikkelde het om Iries schouders. 'Zo, kom mee naar de keuken en hou op met rillen. Een beetje rondlopen op een nacht als deze met alleen maar dunne niemendalletjes aan. Je krijgt een warme *cerace*-thee en dan ga je sneller naar je bed dan je ooit van je leven heb gedaan.'

Irie accepteerde de stinkende lap en volgde Hortense naar de kleine keuken, waar ze allebei gingen zitten.

'La'me naar je kijken.'

Hortense leunde tegen het fornuis met haar handen op haar heupen. 'Je ziet eruit als magere Hein, je nieuwe minnaar. Hoe ben je hier gekomen?'

Ook hier was een zorgvuldig antwoord vereist. Hortenses minachting voor het Londense openbaar vervoer was een grote troost voor haar op haar oude dag. Ze kon één woord nemen, als 'trein' en er een hele melodie uit halen (*Noordlijn*), die overging in een aria (*De Ondergrondse*), zich ontwikkelde tot een thema (*De Bovengrondse*) en vervolgens exponentieel uitgroeide tot een operette (*De Rampen en Onrechtvaardigheden van de Britse Spoorwegen*).

'Eh... Bus. N17. Het was koud bovenin. Misschien heb ik kou gevat.'

'Ik denk niet dat misschien op z'n plaats is, jongedame. En ik begrijp echt niet waarom je met de bus bent gekomen, als het drie uur duurt voordat hij komt en je in de kou moet wachten en als je d'r in stapt de ramen toch open zijn en je half doodvriest.'

Hortense goot uit een plastic flesje een kleurloze vloeistof in haar hand. 'Kom 'ier.'

'Waarom?' vroeg Irie, onmiddellijk argwanend. 'Wat is dat?'

'Niks, kom 'ier. Doe je bril af.'

Hortense naderde met het spul in haar hand.

'Niet in mijn ogen. Er is niets aan de hand met mijn ogen!'

'Maak je niet druk. Ik doe niks in je ogen.'

'Vertel me alleen wat het is,' zei Irie smekend, in een poging erachter te komen voor welke opening het was bedoeld en gillend toen de hand haar gezicht bereikte en het vocht van voorhoofd tot kin verspreidde.

'Aaagh! Het brandt!'

'Bay rum,' zei Hortense nuchter. 'Brandt de koorts weg. Nee, niet eraf wassen. Laat 't gewoon z'n werk doen.'

Irie zette haar tanden op elkaar terwijl de marteling van duizend speldenprikken afnam tot vijfhonderd, toen vijfentwintig, tot het ten slotte nog slechts een warme gloed was van het type dat volgt op een korte, scherpe klap.

'Zo!' zei Hortense, nu helemaal wakker en enigszins triomfantelijk. 'Eindelijk weggelopen bij die goddeloze vrouw, begrijp ik. En daarbij een griep opgelopen! Nou... d'r zijn mensen die je dat niet kwalijk zullen nemen, nee, helemaal niet. Niemand weet beter dan ik hoe die vrouw is. Nooit thuis, leert al die ismes en gismes op de universiteit, laat man en pickney thuis, hongerig en mager. Here God, natuurlijk vlucht je weg! Nou...' Ze zuchtte en zette een koperen ketel op het fornuis. ''t Staat geschreven. *En gij zult de vlucht nemen in het dal mijner bergen, want het dal der bergen zal tot Azal reiken; ja, gij zult de vlucht nemen zoals gij de vlucht genomen hebt voor de aardbeving in de dagen van Uzzia, den koning van Juda. En de Here, mijn God, zal komen, alle heiligen met Hem.* Zacharia 14:5. Uiteindelijk zullen de goeden het kwaad ontvluchten. O, Irie Ambrosia... ik wíst dat je uiteindelijk zou komen. Alle kinderen Gods komen uiteindelijk terug.'

'Oma, ik ben niet gekomen om God te vinden. Ik wil hier alleen een beetje rustig studeren en de dingen voor mezelf op een rijtje zetten. Ik heb een paar maanden nodig... minstens tot nieuwjaar. O... eh... ik voel me een beetje slapjes. Mag ik een sinaasappel?'

'Ja, ze komen uiteindelijk allemaal terug naar de Here Jezus,' vervolgde Hortense in zichzelf terwijl ze de bittere ceracewortel in een theeketel deed. 'Dat is geen echte sinaasappel, kind. Alle vruchten zijn geplastificeerd. De bloemen zijn ook geplastificeerd. Ik geloof niet dat de Heer het zo heb bedoeld dat ik het weinige huishoudgeld dat ik heb aan beperkt houdbare producten uitgeef. Neem wat dadels.'

Irie trok een gezicht bij de verschrompelde vruchten die met een plof voor haar werden neergelegd.

'Dus jij heb Archibald bij die vrouw achtergelaten... de stumper. Ik mag Archibald altijd,' zei Hortense droevig terwijl ze met twee ingezeepte vingers de bruine randen uit een theekopje boende. 'Hij was nooit mijn bezwaar als zodanig. Hij was altijd wel een nuchtere man. Gezegend zijn de vredestichters. Hij kwam altijd op me over als een vredestichter. Maar het is meer het principe ervan, weet je? Zwart en wit dat komt nooit goed. De Here Jezus heb nooit bedoeld dat we ons zouden vermengen. Daarom heb hij een heleboel drukte gemaakt over de kinderen van mannen die de toren van Babel bouwden. Hij wil dat iedereen de dingen gescheiden houdt. *Omdat de Here daar de taal der gehele aarde verward heeft en de Here hen vandaar over de gehele aarde verstrooid heeft.* Genesis 11:9. Als je 't vermengt, daar kan niks goeds uit komen. Het was niet bedoeld. Behalve jij,' voegde ze er als bij nadere overweging aan toe. 'Jij ben zo ongeveer 't enige goede dat daaruit is voortgekomen... Tjonge, soms is 't als kijken in een spiegel,' zei ze, Iries kin met haar gerimpelde vingers optillend. 'Je bent gebouwd als mij, groot, weet je! Heup en dij en kont, en tietjes. M'n moeder was net zo. Je ben zelfs naar m'n moeder genoemd.'

'Irie?' vroeg Irie, die haar uiterste best deed om te luisteren, maar voelde hoe de klamme waas van de koorts haar overmande.

'Nee, kind, *Ambrosia*. Dat spul waarvan je voor altijd blijft leven. Zo,' zei ze, en ze sloeg haar handen in elkaar, Iries volgende vraag afbrekend. 'Je slaapt in de woonkamer. Ik haal een deken en kussens en dan praten we morgenochtend weer. Ik ben om zes uur op, want 'k heb Getuigenzaken, dus denk niet dat je na achten nog slaapt. Pickney, hoor je me?'

'Mmm. Maar hoe zit het met de oude kamer van mam? Kan ik daar niet slapen?'

Hortense nam Iries gewicht half op haar schouder en leidde haar naar de woonkamer. 'Nee, dat kan niet. D'r is 'n zekere situatie,' zei Hortense geheimzinnig. 'Dat kan wachten tot de zon op is om uitgelegd te worden. *Vreest hen dan niet, want er is niets bedekt, of het zal geopenbaard worden,*' intoneerde ze zachtjes, '*en verborgen, of het zal bekend worden.* Dat is Mattheüs, 10:26.'

Een winterochtend was de enige tijd die de moeite waard was om in dat souterrain door te brengen. Tussen vijf en zes uur, wanneer de zon nog laag stond, schoot het licht door het raam aan de voorkant, baadde de salon in geel, bespikkelde het lange, smalle tuintje (2,10 x 9 meter) en gaf een gezonde rode glans aan de tomaten. Je kon jezelf er bijna van overtuigen, om zes uur 's morgens, dat je op de benedenverdieping van een of ander strandhuisje in het buitenland was, of op zijn minst op straatniveau in Torquay, in plaats van onder de grond in Lambeth. Het schijnsel was zodanig dat je de rangeersporen niet meer kon zien waar de groenstrook eindigde, of de drukke, dagelijkse voeten die het raam van de salon passeerden en stof door het traliewerk naar het glas schopten. Om zes uur in de ochtend was het een en al wit licht en scherpe schaduw. Gezeten aan de keukentafel, een kopje thee in haar handen, haar ogen dichtknijpend naar het gras, zag Irie daarbuiten wijngaarden; ze zag Florentijnse taferelen in plaats van de ongelijke wirwar van daken van Lambeth; ze zag een gespierde, schimmige Italiaan rijpe bessen plukken en fijnstampen onder zijn voeten. Toen, afhankelijk van de zon als ze was, verdween de luchtspiegeling, werd het hele tafereel opgeslokt door een verslindende wolk. Er bleven slechts wat bouwvallige, Edwardiaanse huizen over. Rangeersporen genoemd naar een onoplettend kind. Een lange, smalle strook grond waar vrijwel niets wilde groeien. En een uitgebleekte, roodharige man met o-benen gestoken in rubber laarzen en een vreselijke houding, die over de berijpte grond stampte in een poging de overblijfselen van een verpletterde tomaat van zijn hak te schudden.

'Da's meneer Topps,' zei Hortense, die door de keuken draafde in een donkerbruine jurk, de haakjes en oogjes los, en een hoed in haar hand met scheefstaande plastic bloemen erop. 'Hij is zo'n steun voor me geweest sinds Darcus is gestorven. Hij kalmeert m'n ergernis en brengt m'n geest tot rust.'

Ze zwaaide naar hem, en hij ging rechtop staan en zwaaide terug. Irie zag hoe hij twee plastic tassen gevuld met tomaten oppakte en met zijn vreemde, duifachtige loopje door de tuin naar de keukendeur kwam.

'En hij is de enige man die het voor elkaar heb gekregen om daar ook maar iets te laten groeien. Een tomatenoogst als je nooit heb gezien! Irie Ambrosia, hou op met staren en kom hier en maak deze jurk dicht. Vlug, voordat die puilogen van je d'ruit vallen.'

'Woont hij hier?' fluisterde Irie verbaasd, worstelend om de twee kanten van Hortenses jurk over haar aanzienlijke flank bijeen te brengen. 'Ik bedoel, met jou?'

'Niet in de zin die *jij* bedoelt,' snoof Hortense. 'Hij is alleen een geweldige hulp voor me op m'n ouwe dag. Hij is deze zes jaar bij me geweest, God zegene hem en beware zijn ziel. Nou, geef me die speld aan.'

Irie gaf haar de lange hoedenspeld aan, die op een botervlootje lag. Hortense zette de plastic anjers recht op haar hoed, stak ze stevig vast en bracht de speld toen weer omhoog door het vilt, waardoor er zo'n vijf centimeter zilver omhoogstak uit de hoed als een Duitse punthelm.

'Nou, kijk niet zo geschokt. 't Is een zeer bevredigende regeling. Vrouwen hebben een man in huis nodig, anders worden de dingen rommelig. Meneer Topps en ik, we zijn oude soldaten die de strijd van de Heer voeren. Een tijdje geleden is hij bekeerd tot de kerk van de Getuigen, en z'n opkomst is snel en zeker geweest. Ik heb vijftig jaar gewacht om iets anders in de Kingdom Hall te doen dan schoonmaken,' zei Hortense droevig. 'Maar ze willen niet dat vrouwen zich met de echte kerkzaken bemoeien. Maar meneer Topps doet heel veel, en hij laat me af en toe helpen. Hij is een goede man. Maar z'n familie is gemeen-gemeen,' mompelde ze op vertrouwelijke toon. 'De vader is een vreselijke man, gokker en hoereerder... dus na een tijdje, met de kamer leeg en Darcus weg, vraag ik hem bij mij te komen wonen. Hij is een beschaafde jongen. Maar nooit getrouwd. Getrouwd met de kerk, ja zeker! En hij noemt mij al zeven jaar mevrouw Bowden, nooit wat anders.' Hortense liet een heel lichte zucht horen. 'Hij weet niet wat het woord onfatsoenlijk betekent. Het enige wat hij in het leven wil is een van de Gezalfden worden. Ik heb de grootste bewondering voor hem. Hij is zo verbeterd. Hij praat nu zo keurig, weet je! En hij is ook heel goed met de pijpen en de leidingen. Hoe is het met de koorts?'

'Niet geweldig. Laatste haakje... zo, dat is klaar.'

Hortense stuiterde haast bij haar vandaan en liep de hal in om de achterdeur voor Ryan te openen.

'Maar oma, waarom woont hij...'

'Nou, je zal vanmorgen wat bij moeten eten... als je koorts heb moet je veel eten, als je verkouden bent weinig. Deze tomaten gebakken met pisang en wat vis van gisteravond. Ik bak 't op en stop 't dan in de magnetron.'

'Ik dacht dat het was: als je koorts hebt moet je wei...'

'Goeiemogge, meneer Topps.'

'Goeiemoggen, mevrouw Bowden,' zei meneer Topps. Hij sloot de deur achter zich en trok een anorak uit, waarna een goedkoop blauw pak te voorschijn kwam met een klein, gouden kruisje op de kraag. 'Ik vertrouw erop dat u bijna in gereedheid bent? We moeten om klokslag zeven in de kerk zijn.'

Ryan had Irie nog niet gezien. Hij stond voorovergebogen om de modder van zijn laarzen te schudden. En hij deed dat ontzagwekkend langzaam, net zoals hij praatte, en met zijn doorzichtige oogleden knipperend als een man in coma. Vanwaar ze stond, kon Irie slechts de helft van hem zien: een rode lok, een gebogen knie en de manchet van één overhemdsmouw.

Maar de stem was een beeld op zich: cockney maar verfijnd, een stem waar heel hard aan gewerkt was – een stem die medeklinkers miste en andere toevoegde op plaatsen waar ze niet thuishoorden, en alles gepresenteerd door de neus met slechts de geringste hulp van de mond.

'Mooie ochend, mevrouw B., mooie ochend. Iets om de Heer voor te danken.'

Hortense scheen vreselijk nerveus over de op handen zijnde waarschijnlijkheid dat hij zijn hoofd zou opheffen en het meisje zou zien dat bij het fornuis stond. Ze bleef Irie maar naar zich toe wenken en dan weer terugsturen, onzeker of ze elkaar wel zouden moeten ontmoeten.

'O ja, meneer Topps, dat is 't, en ik ben zo gereed als ik maar gereed kan zijn. M'n hoed gaf me wat problemen, weet u, maar ik heb een speld genomen en...'

'Maar de Heer is niet geïnteresseerd in de ijdelheden van het vlees, nietwaar, mevrouw B.?' zei Ryan, elk woord langzaam en pijnlijk articulerend terwijl hij onhandig bukte en zijn linkerlaars uittrok. 'Wat Jehova nodig heb, is de ziel.'

'O ja, zeker, da's de heilige waarheid,' zei Hortense nerveus terwijl ze haar plastic anjers betastte. 'Maar toch wil een Getuigen-dame er ook niet uitzien als, nou, een *buguyaga* in het huis van de Heer.'

Ryan fronste zijn wenkbrauwen. ''t Punt is, dat u de schrift niet zelf moet interpreteren, mevrouw Bowden. Bespreek 't in de toekomst met mijzelf en mijn collega's. Vraag ons: is mooie kleding een aangelegenheid van de Heer? En mijzelf en mijn collega's onder de Gezalfden zullen het noodzakelijke hoofdstuk en vers opzoeken...'

Ryans zin stierf weg in een algemeen *ahhummm*, een geluid dat hij nogal geneigd was te maken. Het begon in zijn gewelfde neusvleugels en weergalmde door zijn tengere, lange, misvormde ledematen als de laatste siddering van een gehangene.

''k Weet niet waarom ik 't doe, meneer Topps,' zei Hortense hoofdschuddend. 'Soms denk ik dat ik een van hen kan zijn die onderrichten, weet u? Ook al ben ik een vrouw... Ik heb het gevoel dat de Heer op 'n speciale manier tegen mij praat... 't Is alleen maar een slechte gewoonte... maar zoveel in de kerk verandert de laatste tijd, soms kan ik 't niet allemaal bijhouden, de regels en de voorschriften.'

Ryan keek naar buiten door de dubbele beglazing. Op zijn gezicht lag een gepijnigde uitdrukking. 'Niks verandert aan 't woord van God, mevrouw B. Alleen mensen vergissen zich. 't Beste wat u voor de waarheid kan doen is bidden dat de Brooklyn Hall ons spoedig de definitieve datum zal geven. *Ahhummm.*'

'O ja, meneer Topps. Dat doe ik dag en nacht.'

Ryan klapte in zijn handen in een zwakke imitatie van enthousiasme. 'Nou, hoorde ik u zeggen pisang voor het ontbijt, mevrouw B.?'

'O ja, meneer Topps, en die tomaten als u zo vriendelijk wil zijn ze te overhandigen aan de kok.'

Zoals Hortense had gehoopt, viel het overhandigen van de tomaten samen met het ontdekken van Irie.

'Nou, dit is m'n kleindochter, Irie Ambrosia Jones. En dit is meneer Ryan Topps. Zeg hallo, Irie, kind.'

Irie deed het. Ze stapte zenuwachtig naar voren en stak haar hand uit om de zijne te schudden. Maar er was geen reactie van Ryan Topps, en de ongelijkheid werd nog versterkt toen hij haar ineens leek te herkennen; er was een gevoel van vertrouwdheid toen zijn ogen haar opnamen, terwijl Irie niets zag, zelfs geen type, zelfs geen genre van gezicht in het zijne; zijn monsterlijkheid was zeer uniek: roder dan elke roodharige, sproetiger dan alle sproetigen, meer dooraderd dan een kreeft.

'Ze is... ze is... Clara's dochter,' zei Hortense aarzelend. 'Meneer Topps heb je moeder gekend, lang geleden. Maar 't is goed, meneer Topps, ze komt nu bij óns wonen.'

'Alleen maar voor korte tijd,' corrigeerde Irie snel toen ze een vaag afgrijzen op het gezicht van meneer Topps zag. 'Alleen voor een paar maanden misschien, de winter door terwijl ik studeer. Ik heb in juni examens.'

Meneer Topps bewoog zich niet. Wat meer was: niets aan hem bewoog. Als een soldaat van het Chinese terracottaleger leek hij gereed voor de strijd maar niet in staat tot beweging.

'Clara's dochter,' herhaalde Hortense met tranen in haar fluisterende stem. 'Ze had van u kunnen zijn.'

Niets verbaasde Irie aan deze laatste, gefluisterde opmerking; ze voegde hem gewoon toe aan de lijst: Ambrosia Bowden kreeg een kind tijdens een aardbeving... kapitein Charlie Durham was een verdomd waardeloze dwaas van een jongen... namaak tanden in een glas... *ze had van u kunnen zijn...*

Halfhartig, zonder een antwoord te verwachten, vroeg Irie: 'Wat?'

'O, niks, Irie, kind. Niks, niks. La'me 's gaan bakken. Ik hoor gerommel van magen. U herinnert zich Clara, nietwaar, meneer Topps? U en zij waren heel goed... bevriend. Meneer Topps?'

Al twee minuten nu stond Ryan – zijn lichaam stijf rechtop, zijn mond licht geopend – Irie onafgebroken aan te staren. Bij de vraag leek hij zichzelf te vermannen, deed zijn mond dicht en ging aan de ongedekte tafel zitten.

'Clara's dochter, hè? *Ahhummm...*' Uit zijn borstzakje haalde hij een klein notitieboekje, als van een politieman, en legde er een pen op alsof dit zijn geheugen weer snel op gang zou brengen.

'Veel van de episodes, mensen en gebeurtenissen uit mijn vroegere leven zijn, als 't ware, gescheiden van mijzelf door het almachtige zwaard dat mij heeft afgesneden van mijn verleden toen het de Heer Jehova goeddunkte mij te verlichten met de Waarheid, en aangezien hij mij gekozen heb voor een nieuwe rol moet ik, zoals Paulus zo wijs heb aanbevolen in zijn boodschap aan de Corinthiërs, de kinderlijke dingen afleggen en toestaan dat eerdere incarnaties van mijzelf gewikkeld worden in een grote mist waarin,' zei Ryan Topps, slechts de lichtste adem nemend en zijn bestek van Hortense, 'jouw moeder, en elke herinnering die ik aan haar zou kunnen hebben, verdwenen lijken te zijn. *Ahhummm.*'

'Ze heeft u ook nooit genoemd,' zei Irie.

'Tja, het is allemaal lang geleden nu,' zei Hortense met geforceerde jovialiteit. 'Maar u heb uw best voor haar gedaan, meneer Topps. Ze was mijn wonder, Clara. Ik was achtenveertig! Ik dacht dat ze Gods kind was. Maar Clara was geboren voor het kwaad... ze was nooit een vroom meisje en uiteindelijk was er niks aan te doen.'

'Hij zal Zijn wraak sturen, mevrouw B.,' zei Ryan, vrolijker en levendiger dan Irie hem tot op dat moment had gezien. 'Drie pisangs voor mij, alstublieft.'

Hortense zette alle drie de borden neer, en Irie, die zich realiseerde dat ze sinds de vorige ochtend niet meer had gegeten, schoof een berg pisang op haar bord.

'Aah! Het is heet!'

'Beter heet dan lauw,' zei Hortense grimmig, met een veelbetekenende huivering. 'Maar toch, amen.'

'Amen,' echode Ryan, de gloeiend hete pisang trotserend. 'Amen. Zo. Welke vakken doe je precies?' vroeg hij, en hij keek zo strak langs Irie heen dat het even duurde voor ze besefte dat hij zich tot haar richtte.

'Scheikunde, biologie en godsdienst.' Irie blies op een heet stuk pisang. 'Ik wil tandarts worden.'

Ryan spitste zijn oren. 'Godsdienst? En maken ze je bekend met de enige ware kerk?'

Irie verschoof op haar stoel. 'Eh... het zijn meer de grote drie godsdiensten, denk ik. Joden, christenen, moslims. We hebben een maand aan het katholicisme besteed.'

Ryan trok een gezicht. 'En heb je nog andere in-te-resses?'

Irie dacht na. 'Muziek. Ik hou van muziek. Concerten, clubs, dat soort dingen.'

'Ja, *ahhummm*. Ik heb dat ooit allemaal zelf gedaan. Tot het Goede Nieuws aan mij werd verkondigd. Grote bijeenkomsten van de jeugd, van dat type dat naar popconcerten gaat, zijn meestal broedplaatsen voor duivelsverering. Een meisje met jouw fysieke... kwaliteiten kan in de wellustige armen worden gelokt van een seksualist,' zei Ryan terwijl hij van tafel opstond en op zijn horloge keek. 'Nu ik erover nadenk, in een bepaald licht lijk je veel op je moeder. Dezelfde... jukbeenderen.'

Ryan veegde een parelachtig streepje zweet van zijn voorhoofd. Er was een stilte gevallen waarin Hortense, een theedoek nerveus in haar handen geklemd, onbeweeglijk bleef staan en Irie fysiek in beweging moest komen voor een glas water om zich los te maken van de starende blik van meneer Topps.

'Goed, nog twintig minuten te gaan, mevrouw B. Zal ik de spullen pakken?'

'O ja, meneer Topps,' zei Hortense met een stralende blik. Maar het moment waarop Ryan de keuken uit was, veranderde de stralende in een boze blik.

'Waarom moet je zo nodig zulke dingen zeggen, hmm? Wil je dat hij denkt dat je een of andere duivelse, heidense meid bent? Waarom kan je niet zeggen postzegels verzamelen of zoiets? Kom, ik moet deze borden afwassen... eet op.'

Irie keek naar de berg eten die nog op haar bord lag en klopte met een schuldig gezicht op haar buik.

'Ha! Precies wat ik dacht. Je ogen zijn groter dan je maag, hè! Geef hier.'

Hortense leunde tegen de gootsteen en begon stukken pisang in haar mond te stoppen. 'Nou, geen brutale praatjes tegen meneer Topps terwijl je hier bent. Jij moet studeren en hij moet studeren,' zei Hortense op gedempte toon. 'Hij voert op 't moment overleg met de heren van Brooklyn... om de definitieve datum vast te stellen; geen vergissingen deze keer. Je hoeft alleen maar te kijken naar de problemen in de wereld om te weten dat we niet ver van de vastgestelde dag zijn.'

'Ik zal niet tot last zijn,' zei Irie terwijl ze als een gebaar van goede wil met de afwas begon te helpen. 'Hij lijkt alleen een beetje... raar.'

'Zij die gekozen zijn door de Heer lijken altijd vreemd voor de heiden. Meneer Topps wordt gewoon verkeerd begrepen. Hij betekent heel veel voor mij. Ik heb nooit eerder iemand gehad. Je moeder vertelt je dat liever niet sinds ze het zo hoog in haar bol heb gekregen, maar de familie Bowden heb 't lange tijd heel moeilijk gehad. Ik ben geboren tijdens een aardbeving. Bijna dood voor ik was geboren. En dan, als ik een volwassen vrouw ben, loopt m'n eigen dochter bij me weg. Nooit zie ik m'n eigen kleinpickney. Ik heb alleen de Heer al die jaren. Meneer Topps is de eerste menselijke man die naar me kijkt en medelijden heb en zorgt. Jouw moeder was een dwaas om hem te laten lopen, ja zeker!'

Irie deed een laatste poging. 'Wat? Wat betekent dat?'

'O, niks, niks, lieve Heer... Ik en ik praten veel te veel deze ochtend... O, meneer Topps, daar bent u. We komen toch niet te laat, hè?'

Meneer Topps, die zojuist de keuken weer was binnengekomen, was volledig, van top tot teen in leer getooid, had een enorme motorhelm op zijn hoofd, een klein rood lampje aan zijn linkerenkel bevestigd en een klein wit lampje rond zijn rechterenkel gesnoerd. Hij wipte de klep omhoog.

'Nee, we komen op tijd bij de gratie Gods. Waar is uw helm, mevrouw B.?'

'O, ik bewaar 'm tegenwoordig in de oven. Dat houdt 'm warm en behaaglijk op de koude ochtenden. Irie Ambrosia, pak 'm voor me, alsjeblieft.'

En ja hoor, midden in de oven, die voorverwarmd was op stand 2, lag Hortenses helm. Irie haalde hem eruit en liet hem voorzichtig over haar grootmoeders plastic anjers zakken.

'U rijdt op een motor,' zei Irie, om iets te zeggen.

Maar meneer Topps leek in de verdediging te gaan. 'Een GS Vespa. Niks bijzonders. Ik heb er op een gegeven moment over gedacht hem weg te geven. Hij vertegenwoordigde een leven dat ik liever zou vergeten, als je snapt wat ik bedoel. Een motor is een seksuele magneet, en God vergeef me, maar ik heb op die manier misbruik van hem gemaakt. Ik was helemaal gereed om hem weg te doen. Maar toen overtuigde mevrouw B. mij ervan dat ik met al mijn spreken in het openbaar iets snels nodig had om me te verplaatsen. En mevrouw B. wil op haar leeftijd niet meer dat gedoe van bussen en treinen, nietwaar mevrouw B.?'

'Nee, inderdaad. Hij heb zo'n klein karretje voor me...'

'Zijspan,' corrigeerde Ryan gepikeerd. 'Dat heet een zijspan. Minetto Motorcombinatie, model 1973.'

'Ja, natuurlijk, een zijspan, en die is zo comfortabel als een bed. We komen er overal mee, meneer Topps en ik.'

Hortense pakte haar jas van een haak aan de deur en haalde twee van klittenband voorziene reflectoren uit haar zak, die ze om elke arm snoerde.

'Luister, Irie, ik heb een heleboel dingen te doen vandaag, dus zul je voor jezelf moeten koken want ik kan niet zeggen hoe laat we thuis zullen zijn. Maar maak je geen zorgen. Ik ben zo weer terug.'

'Geen probleem.'

Hortense zoog op haar tanden. '*Geen probleem.* Dat is wat haar naam betekent in patois: *Irie*, geen probleem. Nou, wat voor naam is dat om...'

Meneer Topps antwoordde niet. Hij stond al buiten op de stoep en startte de Vespa.

'Eerst moet ik haar weghouden bij die Chalfens,' gromt Clara aan de telefoon, met een stem die een resonerende trilling is van woede en angst. 'En nu júllie weer.'

Aan de andere kant haalt haar moeder de was uit de machine en luistert zwijgend, haar tijd afwachtend, via het draadloze apparaat dat tussen haar oor en vermoeide schouder is geklemd.

'Hortense, ik wil niet dat je haar hoofd volstopt met een hele lading onzin. Hoor je me? Jouw moeder was ervan bezeten, en toen was jij ervan bezeten, maar het is bij mij gestopt en het gaat niet verder. Als Irie met die onzin thuiskomt, dan kan je de wederkomst van de Heer wel op je buik schrijven want je zal dood zijn voor het zover is.'

Grote woorden. Maar hoe broos is Clara's atheïsme! Als een van die kleine glazen duiven die Hortense in de kast in de salon bewaart – een ademtocht zou hem omver gooien. Wat dat betreft: Clara houdt haar adem nog steeds in wanneer ze een kerk passeert, zoals adolescente vegetariërs zich langs slagers haasten; ze mijdt Kilburn op een zaterdag uit angst voor straatpredikanten op hun omgekeerde sinaasappelkistjes. Hortense voelt Clara's vrees. Terwijl ze bedaard een volgende lading witgoed in de machine propt en met een zuinig oog het wasmiddel afmeet, zegt ze kortaf en gedecideerd: 'Maak je geen zorgen om Irie Ambrosia. Ze is nou op een goede plek. Ze zal 't je zelf vertellen.' Alsof ze was opgestegen met de hemelse gastheer in plaats van zich ondergronds te hebben begraven in de wijk Lambeth met Ryan Topps.

Clara hoort haar dochter aan het andere toestel komen; eerst wat gekraak en dan een stem zo helder als een carillon. 'Luister, ik kom niet naar huis, oké, dus doe geen moeite. Ik kom terug als ik terugkom, maak je geen zorgen om me.' En er zou niets moeten zijn om je zorgen om te maken, en er is niets om je zorgen om te maken, behalve misschien dat het buiten op straat verschrikkelijk koud is, dat zelfs de hondenpoep is gekristalliseerd, dat het eerste teken van ijs op de voorruiten te zien is en dat Clara winters in dat huis heeft meegemaakt. Ze wéét wat het betekent. O, prachtig licht om zes uur in de ochtend, ja, prachtig licht gedurende een uur. Maar hoe korter de dagen, hoe langer de nachten, hoe donkerder het huis, hoe gemakkelijker het is, hoe gemakkelijker het is, hoe gemakkelijker het is om een schaduw aan te zien voor het teken aan de wand, het geluid van voetstappen buiten voor een donderslag in de verte, en het middernachtelijke luiden van een nieuwjaarsklok voor de klok die het einde van de wereld slaat.

Maar Clara had niet bang hoeven zijn. Iries atheïsme was schokbestendig. Het was Chalfenistisch in zijn zelfvertrouwen, en ze benaderde haar verblijf bij Hortense met een geamuseerde afstandelijkheid. Huize Bowden intrigeerde haar. Het was een plaats van eindspel en wat daarna komt, stilstand en finales, waar rekenen op de komst van morgen een luxe was, en alle dienstverlening, van de melkboer tot elektriciteit, op strikt dagelijkse basis werd betaald om geen geld te besteden aan voorzieningen of goederen die verspild zouden zijn als God de volgende dag in al zijn heilige wraak zou komen opdagen. Het Bowdenisme gaf een geheel nieuwe betekenis aan de uitdrukking 'van de hand in de tand leven'. Dit was leven in het eeuwige moment, onophoudelijk wankelen op de rand van totale vernietiging; er zijn mensen die een heleboel drugs gebruiken om iets te ervaren dat vergelijkbaar is met het dagelijks bestaan van de vierentachtigjarige Hortense Bowden. Goed, je hebt dwergen gezien die hun buik openrijten en je hun ingewanden tonen, je bent een televisie geweest die zonder waarschuwing werd uitgezet, je hebt de hele wereld ervaren als één groot Krishna-bewustzijn, bevrijd van het individuele ego, zwevend door de oneindige kosmos van de ziel? Het zou wat. Dat stelt geen moer voor vergeleken met de trip van de heilige Johannes toen Jezus de tweeëntwintig hoofdstukken van de Openbaring aan hem voorlegde. Het moet een geweldige schok zijn geweest voor de apostel (na dat grondige schrijfwerk, het Nieuwe Testament, al die zoete woorden en sublieme sentimenten) om te ontdekken dat de oudtestamentische wraak toch vlak om de hoek lag. *Die Ik liefheb, bestraf Ik en tuchtig Ik.* Dat moet me een onthulling zijn geweest.

Openbaring is waar alle gestoorden terechtkomen. Het is de laatste halte van de gekkenexpres. En het Bowdenisme, dat de Getuigen plus Openbaring was en dan nog wat, was zo eigenaardig als je maar kunt bedenken. *Par exemple*: Hortense Bowden interpreteerde Openbaring 3:15 – *Ik weet uw werken: dat gij noch koud zijt, noch heet. Waart gij maar koud of heet! Zo dan, omdat gij lauw zijt en noch heet, noch koud, zal Ik u uit mijn mond spuwen* – als een letterlijk mandaat. Ze begreep 'lauw' als een kwade eigenschap in en van zichzelf. Ze had altijd een magnetron bij de hand (haar enige concessie aan de moderne technologie – lange tijd was het een moeilijke keuze tussen de Heer een genoegen doen en jezelf blootstellen aan het stralingsprogramma van de Verenigde Staten om de geest te controleren door middel van hoogfrequente radiogolven) om elke maaltijd tot een onmogelijke temperatuur te verhitten; ze had hele emmers ijs klaarstaan om elk glas water tot 'kouder dan koud' te koelen. Ze droeg, als een gewaarschuwd potentieel verkeersslachtoffer, altijd twee onderbroeken; toen Irie vroeg waarom, onthulde ze schaapachtig dat ze, bij het horen van de eerste tekenen van de Heer (naderende donder, bulderende stem, Wagners Ringcyclus), van plan was de broek die ze direct op haar lichaam droeg te vervangen door het buitenste exemplaar, zodat Jezus haar fris, geurloos en gereed voor de hemel zou aantreffen. In de gang had ze een blik zwarte verf staan zodat ze, als de tijd daar zou zijn, de deuren van de buren met het teken van het Beest zou kunnen beschilderen en aldus de Heer al die moeite zou besparen van het opsporen van alle slechteriken bij het scheiden van de schapen en de bokken. En je kon daar in huis geen enkele zin formuleren die de woorden 'einde', 'voltooid', 'klaar' enzovoort bevatte, want ze brachten als zo vele andere dingen bij zowel Hortense als Ryan een reactie op gang die met een demonisch genoegen werd uitgeleefd:

Irie: De afwas is klaar.
Ryan Topps (plechtig knikkend over de waarheid hiervan): Zoals het op een dag met ons allemaal klaar zal zijn, Irie, kind; wees daarom godvruchtig, en toon berouw.

Of:

Irie: Het was zo'n goeie film. Het einde was geweldig!
Hortense Bowden (huilerig): En zij die een dergelijk einde verwachten voor deze wereld zullen diep teleurgesteld zijn, want Hij zal verschrikking zaaien en ziet, de generatie die getuige is geweest van de gebeurtenissen van 1914 zal nu zien hoe een derde deel van de bomen verbrandt, en een derde deel van de zee in bloed verandert, en een derde deel van de...

En dan was er Hortenses afschuw van weerberichten. Wie het ook was, hoe welwillend, zoetgevooisd en fatsoenlijk gekleed de betreffende persoon ook was, zij vervloekte ze bitter gedurende de vijf minuten dat ze daar stonden, en deed vervolgens, uit wat pure dwarsigheid leek, precies het omgekeerde van welk advies dan ook dat was aangeboden (licht jasje en geen paraplu voor regen, lange jas en regenhoed voor zon). Het duurde weken voordat Irie begreep dat weerkundigen de wereldlijke antithese waren van Hortenses levenswerk, dat, in wezen, neerkwam op een soort superkosmische poging om aan de Heer te twijfelen met één almachtige bijbelse uitleg van een weerbericht. Vergeleken daarmee waren weerkundigen niets anders dan parvenu's... *En morgen kunnen we vanuit het oosten een grote oven verwachten, die opstijgt en het gebied zal hullen in vlammen die geen licht geven, maar eerder zichtbare duisternis... terwijl ik vrees dat de noordelijke gebieden geadviseerd wordt zich warm in te pakken tegen dik geribd ijs, en er is een grote kans dat de kust geteisterd zal worden door eeuwigdurende wervelstormen en ijselijke hagelstenen die op het vasteland niet zullen ontdooien...* Michael Fish en zijn soort deden er maar een gooi naar, vertrouwden volledig op de flauwekul van het Meteorologisch Instituut, dreven de spot met die nauwkeurige wetenschap, eschatologie, waar Hortense al meer dan vijftig jaar in had gestudeerd.

'Nog nieuws, meneer Topps?' (Deze vraag werd vrijwel onveranderlijk gesteld tijdens het ontbijt, en meisjesachtig, ademloos, als een kind dat naar Sinterklaas vraagt.)

'Nee, mevrouw B. We zijn nog bezig met onze studies. Mijn collega's en mijzelf moeten de kans krijgen grondig te overwegen. In dit leven zijn er zij die de leraren zijn en dan zijn er zij die de leerlingen zijn. Er zijn acht miljoen Getuigen van Jehova die op onze beslissing wachten, die op de dag van het Laatste Oordeel wachten. Maar u moet leren zulke dingen over te laten aan zij die de directe lijn hebben, mevrouw B., de directe lijn.'

Nadat ze er een paar weken tussenuit was geknepen, ging Irie eind januari weer naar school. Maar het leek zo'n afstand; zelfs de reis van zuid naar noord elke ochtend voelde als een reusachtige poolreis, en erger nog, een reis die zijn doel niet bereikte en eindigde in de halfwarme gebieden, een afknapper vergeleken met de ziedende maalstroom van huize Bowden. *Zo dan, omdat gij lauw zijt en noch heet, noch*

koud, zal Ik u uit mijn mond spuwen. Je raakt zo gewend aan het extreme, dat ineens niets anders meer goed genoeg is.

Ze zag Millat regelmatig, maar hun gesprekken waren kort. Hij droeg nu de groene strikdas en werd door andere dingen in beslag genomen. Ze hield nog steeds tweemaal per week Marcus' archief bij, maar meed de rest van het gezin zonder zich daarvan bewust te zijn. Zo nu en dan zag ze Josh. Hij leek de Chalfens net zo hardnekkig te mijden als zij. Haar ouders zag ze in het weekend, ijzige gelegenheden waarbij ze elkaar allemaal bij de voornaam noemden (Irie, wil je het zout aan Archie doorgeven? Clara, Archie wil weten waar de schaar is), en alle partijen zich in de steek gelaten voelden. Ze vermoedde dat er over haar gefluisterd werd in NW2, zoals Noord-Londenaren doen als ze denken dat iemand religie onder de leden heeft, die nare ziekte. Dus haastte ze zich weer naar Lindaker Road 28, Lambeth, opgelucht terug te zijn in de duisternis, want het was als overwinteren of ingekapseld zijn, en ze was net zo benieuwd als alle anderen naar de Irie die te voorschijn zou komen. Het was geen gevangenis. Dat huis was een avontuur! In kasten, verwaarloosde laden en groezelige lijsten waren de geheimen te vinden die zo lang waren bewaard, alsof geheimen uit de mode raakten. Ze vond foto's van haar overgrootmoeder Ambrosia, een mager, prachtig meisje met enorme amandelvormige ogen, en een van Charlie 'Whitey' Durham, staande op een hoop puin met een in sepia afgedrukte zee achter hem. Ze vond een bijbel waar één regel uit was gescheurd. Ze vond automaatkiekjes van Clara in schooluniform, maniakaal grijnzend, waardoor de ware verschrikking van de tanden werd onthuld. Ze las afwisselend in *Dental Atonomy* van Gerald M. Cathey en *De Goed Nieuws Bijbel*, en vloog gulzig door Hortenses kleine, eclectische bibliotheek, het rode stof van een Jamaicaans schoolgebouw van de omslagen blazend en vaak een pennenmes hanterend om nooit eerder gelezen bladzijden open te snijden. De lijst van februari zag er als volgt uit:

An Account of a West Indian Sanatorium, van Geo.J.H. Sutton Moxly, Sampson, Low, Marston & Co., Londen, 1886. (Er was een omgekeerde evenredigheid tussen de lengte van de naam van de auteur en de slechte kwaliteit van het boek.)
Tom Cringle's Log, van Michael Scott, Edinburgh, 1875.
In Sugar Cane Land, van Eden Phillpotts, McClure & Co., Londen, 1893.
Dominica: Hints and Notes to Intending Settlers, van de Edelachtbare H. Hesketh Bell, CMG, A. & C. Black, Londen, 1906.

Hoe meer ze las, hoe meer de foto van de zwierige kapitein Durham haar nieuwsgierigheid wekte: knap en melancholisch, kijkend naar de stenen van een halve kerk, iets wereldwijs ondanks zijn jeugd, eruitziend alsof hij iemand wel een paar dingen over iets zou kunnen vertellen. Irie zelf misschien. Voor het geval dat, bewaarde ze hem onder haar kussen. En 's morgens waren daarbuiten geen veritaliaanste wijngaarden meer, maar suiker, suiker, suiker, en daarnaast was niets anders dan tabak, en ze stelde zich aanmatigend voor dat de geur van pisang haar terugbracht naar een plaats, een nogal verzonnen plaats, want ze was er nooit geweest. Een plaats die Columbus St. Jago had genoemd, maar die de Arawaks koppig hadden herdoopt tot Xaymaca, een naam die het langer had volgehouden dan zij. Dichte bossen en stromen. Niet dat Irie gehoord had van die kleine, goedaardige, dikbuikige slachtoffers van hun eigen goedaardigheid. Dat waren wat andere Jamaicanen, die buiten de aandacht van de geschiedenis waren gevallen. Agressief eiste ze het verleden – haar versie van het verleden – op, alsof ze verkeerd bezorgde post ophaalde. Dáár kwam ze dus vandaan. Dat alles behóórde haar toe, was haar geboorterecht, als een stel paarlen oorbellen of een spaarbewijs aan toonder. x markeert de plek, en Irie zette een x op alles wat ze vond, stukken en brokken verzamelend (geboortebewijzen, kaarten, legerverslagen, krantenartikelen) die ze bewaarde onder de bank, zodat de rijkdom ervan als door osmose tijdens haar slaap rechtstreeks door de stof heen in haar kon trekken.

❦

Zoals de knoppen in januari uitkwamen, zo werd ze als elke kluizenaarster bezocht. Eerst door stemmen. Krakend over Hortenses neolithische radio hoorde ze Joyce Chalfen in *Vragenuurtje voor tuiniers*:

Voorzitter: Een andere vraag uit het publiek, denk ik. Mevrouw Sally Whitaker uit Bournemouth heeft een vraag voor het panel, geloof ik. Mevrouw Whitaker?
Mevrouw Whitaker: Dank je, Brian. Ik ben een beginnende tuinierster en dit is mijn eerste vorst en in twee korte maanden tijd is mijn tuin van een ware explosie van kleur in een wel erg kaal geheel veranderd... Vrienden hebben me bloemen met een dichte groeiwijze aangeraden, maar dat betekent een heleboel aurikels en dubbele margrieten en dat ziet er belachelijk uit want de tuin is behoorlijk groot. Wat ik graag wil is iets planten dat wat groter is, ter hoogte van ridderspoor, maar dan komt de wind en kijken mensen over hun hekken en denken: *o, hemeltjelief* (sympathiek gelach van het studiopubliek). Dus mijn vraag aan het panel is: hoe hou je de schone schijn op in de sombere wintermaanden?
Voorzitter: Dank u, mevrouw Whitaker. Tja, dat is een bekend probleem... en het hoeft ook niet gemakkelijker te worden voor de ervaren tuinier. Persoonlijk krijg ik het nooit helemaal goed. Zullen we de vraag voorleggen aan het panel? Joyce Chalfen, enige antwoorden of suggesties voor de sombere wintermaanden?
Joyce Chalfen: Nou, om te beginnen moet ik zeggen dat uw buren zo te horen erg nieuwsgierig zijn. Ik zou tegen ze zeggen dat ze zich met hun eigen zaken moeten bemoeien als ik u was (*gelach van het publiek*). Maar nu serieus, ik denk dat deze trend van bloei door het hele jaar erg ongezond is voor de tuin en de tuinier en vooral voor de grond, dat vind ik echt... Ik denk dat de winter een tijd van rust moet zijn, van zachte kleuren, begrijpt u, en als het dan eindelijk echt lente wordt, krijgen de buren de schok

van hun leven! Baf! Daar heb je hem, die schitterende explosie van groei. Voor mij zijn de echte wintermaanden een tijd om de grond te verzorgen, om deze om te scheppen, rust te geven en de toekomst des te beter te plannen om nieuwsgierige buren te verrassen. Ik zie tuingrond altijd als een vrouwenlichaam – bewegend in cyclussen, begrijpt u, op sommige momenten vruchtbaar en op andere niet, en dat is echt heel natuurlijk. Maar als u het echt graag wilt, is de kerstroos – *Helleborus corsicus* – bijzonder geschikt voor koude, kalkhoudende grond, hoewel ze nogal in de…

Irie zette Joyce uit. Het was heel therapeutisch om Joyce uit te zetten. Dit was niet uitsluitend persoonlijk. Het leek alleen ineens zo vermoeiend en onnodig dat gevecht om iets uit de recalcitrante Engelse grond te krijgen. Waarom de moeite nemen als er nu die andere plaats was? (Want het scheen Irie toe dat Jamaica net gemaakt was. Als Columbus zelf, had ze het door ontdekking een bestaan gegeven.) Deze plaats van dichte bossen en stromen. Waar de dingen welig en zonder toezicht aan de grond ontsproten, waar een jonge, blanke kapitein zonder complicaties een jong zwart meisje kon ontmoeten, beiden fris en onbedorven en zonder verleden of voorgeschreven toekomst – een plaats waar de dingen gewoon bestonden. Geen verzinsels, geen mythes, geen leugens, geen ingewikkeld web – zo stelde Irie zich haar vaderland voor. Want *vaderland* is een van de magische fantasiewoorden, als *eenhoorn* en *ziel* en *oneindigheid* die nu tot de taal zijn gaan behoren. En de bijzondere magie van *vaderland*, de bijzondere betovering ervan voor Irie, was dat het klonk als een begin. Het beginnendste begin. Als de eerste ochtend in het Paradijs en de dag na het Laatste Oordeel. Een onbeschreven blad.

Maar steeds als Irie zich dichterbij voelde, bij de volmaakte onbeschrevenheid van het verleden, was er iets uit het heden dat bij huize Bowden aan de deurbel trok en stoorde. Moederdag bracht een verrassingsbezoek van Joshua, die kwaad op de stoep stond, minstens tien kilo lichter, en veel sjofeler dan gewoonlijk. Voordat Irie een kans had gekregen om zorg of schrik te verwoorden, was hij de salon binnengestormd en had de deur dichtgeslagen. 'Ik word er niet goed van. Ik ben het spuugzat!'

Door de trilling van de deur werd kapitein Durham van zijn plaatsje op Iries vensterbank gegooid, en Irie zette hem zorgvuldig weer rechtop.

'Ja… ook leuk je te zien, man. Waarom ga je niet zitten en kalmeer je wat. Waar word je niet goed van?'

'Van dat hele stel! Ik word niet goed van ze. Ze hebben het altijd over rechten en vrijheid en dan eten ze godverdomme vijftig kippen per week! Stelletje hypocrieten!'

Irie kon het verband niet meteen leggen. Ze nam een sigaret als voorbereiding op een lang verhaal. Tot haar verbazing pakte Joshua er ook een, en ze gingen geknield op de vensterbank zitten en bliezen de rook door het traliewerk de straat op.

'Weet jij hoe kippen in legbatterijen leven?'

Irie wist het niet. Joshua legde het uit. Het grootste deel van hun arme kippenlevens opgesloten in totale kippenduisternis, op elkaar gepakt als kippensardientjes in de kippenstront en gevoerd met het slechtste soort kippenvoer.

En dit was, volgens Joshua, kennelijk nog niets vergeleken met de manier waarop varkens, koeien en schapen hun tijd doorbrachten. 'Het is misdadig, verdomme. Maar probeer Marcus dat maar eens aan het verstand te peuteren. Probeer hem maar eens zover te krijgen dat hij zijn zondagse varkensfestijn opgeeft. Hij is zo verdomd slecht geïnformeerd. Heb jij dat ooit gemerkt? Hij weet zo ontzettend veel van één ding, maar er is een hele andere wereld die... O, voor ik het vergeet, je moet een pamflet nemen.'

Irie had nooit gedacht dat ze nog eens zou meemaken dat Joshua Chalfen haar een pamflet zou overhandigen. Maar daar had ze het, in haar hand. De titel was: *Vlees is moord: de feiten en de verzinsels*, een publicatie van de organisatie FATE.

'Het staat voor *Fighting Animal Torture and Exploitation*. Ze zijn zoiets als de harde kern van Greenpeace of zo. Lees het... het zijn niet gewoon maar zweverige figuren, ze hebben een stevige wetenschappelijke en academische achtergrond en ze werken vanuit een anarchistisch perspectief. Ik heb het gevoel dat ik echt mijn stekkie gevonden heb, snap je. Het is echt een ongelooflijke groep. Gericht op directe actie. De leider heeft in Oxford gestudeerd.'

'Mmm. Hoe gaat het met Millat?

Joshua schudde de vraag van zich af. 'O, ik weet het niet. Gek. Zo gek als een deur. En Joyce blijft maar aan elke gril van hem toegeven. Vraag het maar niet. Ik word niet goed van ze. Alles is veranderd.' Josh haalde gespannen zijn vingers door zijn haar, dat nu net op zijn schouders hing in wat Willesdeners liefdevol de koosnaam jodenpruik geven. 'Ik kan je gewoon niet vertellen hoe alles veranderd is. Ik heb van die echte... *momenten van helderheid*.'

Irie knikte. Ze had sympathie voor momenten van helderheid. Haar zeventiende jaar bleek er vol van te zijn. En Joshua's metamorfose verraste haar niet. Als je al vier maanden zeventien bent, heb je te maken met schommelingen en omzwaaiingen: van Stones-fan naar Beatles-fan, van conservatief naar liberaal democratisch en terug, van lp- naar cd-verslaving. In geen enkele andere periode van je leven beschik je over het vermogen om zo totaal van persoonlijkheid te veranderen

'Ik wist dat je het zou begrijpen. Ik wou dat ik eerder met je had gepraat, maar ik kan er momenteel gewoon niet tegen om thuis te zijn, en als ik je zie lijkt Millat altijd in de weg te lopen. Ik ben echt blij je te zien.'

'Dat is wederzijds. Je ziet er anders uit.'

Josh maakte een geringschattend gebaar naar zijn kleren, die beslist minder nerdy waren dan voorheen.

'Je kunt niet altijd in je vaders oude corduroy blijven lopen, denk ik.'

'Ik denk dat je gelijk hebt.'

Joshua sloeg zijn handen in elkaar. 'Zo, ik heb een kaartje gekocht voor Glastonbury en ik kom misschien niet terug. Ik heb die mensen van FATE ontmoet en ik ga met ze mee.'

'Het is maart. Toch niet tot de zomer?'

'Joely en Crispin, dat zijn die mensen die ik heb leren kennen, zeggen dat we er misschien wat eerder heen gaan. Je weet wel, een beetje kamperen.'

'En school?'

'Als jij ertussenuit kan knijpen, kan ik het ook... ik zal echt niet achter raken. Ik heb nog steeds een Chalfen-hoofd op mijn schouders; ik kom gewoon terug voor de examens en dan ga ik weer pleite. Irie, je moet die mensen echt ontmoeten. Ze zijn gewoon... ongelooflijk. Hij is een dadaïst. En zij is een anarchiste. Een echte. Niet zoals Marcus. Ik heb haar verteld over Marcus en die verrekte ToekomstMuis van hem. Zij denkt dat hij gevaarlijk is. Misschien wel psychopathisch.'

Irie dacht hierover na. 'Mmm. Dat zou me verbazen.'

Zonder zijn peuk uit te maken, gooide hij hem omhoog op het trottoir. 'En ik stop met vlees eten. Op dit moment ben ik een viseter, maar dat zijn halve maatregelen. Ik word verdomme vegetariër.'

Niet zeker wat de gepaste reactie zou zijn, haalde Irie haar schouders op.

'Er valt heel wat te zeggen voor het oude motto, weet je?'

'Oude motto?'

'*Vuur met vuur bestrijden*. Tot iemand als Marcus kun je alleen maar doordringen met echt extreem gedrag. Hij weet niet eens hoe wazig hij is. Het heeft geen enkele zin redelijk tegen hem te zijn, want hij denkt dat hij de redelijkheid in pacht heeft. Hoe moet je zulke mensen aanpakken? O, en ik stop met leer – het dragen van leer – en alle andere dierlijke bijproducten. Gelatine en zo.'

Nadat ze een tijdje naar de passerende voeten had gekeken – leren, sportschoenen, hakken – zei Irie: 'Dat zal ze leren.'

Op 1 april kwam Samad opdagen. Hij was geheel in het wit, op weg naar het restaurant, gekreukeld en verfrommeld als een teleurgestelde heilige. Hij zag eruit alsof hij op de rand van tranen was. Irie liet hem binnen.

'Hallo, juffrouw Jones,' zei Samad met de lichtste buiging. 'En hoe maakt je vader het?'

Irie glimlachte in herkenning. 'U ziet hem vaker dan wij. Hoe maakt God het?'

'Uitstekend, dank je. Heb je mijn nietsnut van een zoon kort geleden nog gezien?'

Voordat Irie de kans had gekregen haar volgende tekstregel uit te spreken, stortte Samad voor haar ogen in en moest naar de woonkamer worden geleid, in Darcus' stoel worden gezet en een kop thee worden overhandigd voordat hij weer kon praten.

'Meneer Iqbal, wat is er mis?'

'Wat is er niet mis?'

'Is er iets met mijn vader gebeurd?'

'O, nee, nee... met Archibald gaat het goed. Hij is net als die wasmachinereclame. Hij blijft maar doorgaan.'

'Wat is er dan?'

'Millat. Hij is al drie weken onvindbaar.'

'God. Hebt u de Chalfens geprobeerd?'

'Daar is hij niet. Ik weet wel waar hij is. Van de drup in de regen. Hij heeft zich ergens teruggetrokken met die krankzinnige mensen met hun groene strikdasjes. In een sportcentrum in Chester.'

'Godallemachtig.'

Irie ging met gekruiste benen zitten en pakte een sigaret. 'Ik heb hem al een tijdje niet op school gezien, maar ik realiseerde me niet hoelang. Maar als u weet waar hij is...'

'Ik ben hier niet gekomen om hem te vinden, maar om je advies te vragen, Irie. Wat kan ik doen? Jij kent hem... hoe dring je tot hem door?'

Irie beet op haar lip, de oude gewoonte van haar moeder. 'Ik bedoel, ik weet het niet... we gaan niet meer zo intensief met elkaar om als vroeger... maar ik heb altijd gedacht dat het misschien met Magid te maken heeft... dat hij hem mist... ik bedoel, hij zou het nooit toegeven... maar Magid is zijn tweelingbroer en misschien... als hij hem zou zien...'

'Nee, nee. Nee, nee, nee. Ik zou willen dat dat de oplossing was. Allah weet hoe ik al mijn hoop op Magid had gevestigd. En nu zegt hij dat hij terugkomt om Engels recht te gaan studeren... op kosten van die Chalfens. Hij wil de wetten van de mens toepassen in plaats van de wetten van God. Hij heeft niets geleerd van de wetten van Mohammed... vrede zij met hem! Zijn moeder is natuurlijk verrukt. Maar voor mij is hij niets dan een teleurstelling. Engelser dan de Engelsen. Geloof me, Magid zal Millat geen goed doen en Millat zal Magid geen goed doen. Ze zijn allebei het spoor bijster. Zo ver afgedwaald van het leven dat ik voor hen in gedachten had. Ze zullen ongetwijfeld allebei trouwen met een blanke vrouw die Sheila heet en mij vroegtijdig naar mijn graf brengen. Het enige wat ik wilde, was twee goede moslimjongens hebben. O, Irie...' Samad pakte haar vrije hand en klopte erop in droevige genegenheid. 'Ik begrijp gewoon niet wat ik verkeerd heb gedaan. Je leert hun maar ze luisteren niet want ze hebben de Public Enemy-muziek op volle sterkte aanstaan. Je wijst hun de weg en ze kiezen het pad naar de balie. Je begeleidt ze en ze rukken zich los uit je greep om naar een sportcentrum in Chester te gaan. Je probeert alles te plannen en niets gaat zoals jij had verwacht...'

Maar als je opnieuw kon beginnen, dacht Irie, als je met ze terug kon gaan naar de bron van de rivier, naar het begin van het verhaal, naar het vaderland... Maar ze zei het niet, want hij voelde het zoals zij het voelde en beiden wisten dat het net zo zinloos was als je eigen schaduw achternazitten. In plaats daarvan trok ze haar hand onder de zijne vandaan en legde hem erop om het vriendelijke gebaar te beantwoorden. 'O, meneer Iqbal. Ik weet niet wat ik moet zeggen...'

'Er zijn geen woorden. De zoon die ik naar huis heb gestuurd, wordt een echte, in wit pak gestoken Engelsman, een dwaze pruikdragende advocaat. De zoon die ik hier houd, is een volledig betalende groene-dasjes-dragende fundamentalistische terrorist. Soms vraag ik me af waarom ik me nog druk maak,' zei Samad bitter, met een Engelse intonatie die zijn verblijf van twintig jaar in het land verraadde. 'Echt waar. Ik heb nu het gevoel dat je een verbond met de duivel sluit als je dit land binnengaat. Je geeft je paspoort af bij de balie, je krijgt een stempel, je wilt een beetje geld verdienen, iets opbouwen... maar je bent van plan terug te gaan! Wie wil er nou blijven? Koud, nat, ellendig; vreselijk eten, afschuwelijke kranten... wie wil er nou blijven? In een land waar je nooit verwelkomd wordt, alleen getolereerd. Alleen getolereerd. Alsof je een dier bent dat eindelijk zindelijk is. Wie wil er nou blijven? Maar je hebt een verbond met de duivel gesloten... het krijgt je in zijn greep en ineens ben je niet meer geschikt om terug te keren, je kinderen zijn onherkenbaar geworden, je hoort nergens thuis.'

'O, dat is toch niet waar?'

'En dan begin je het idéé van ergens thuishoren op te geven. Ineens begint dat... dat *thuishoren* een lange, smerige leugen te lijken... en ik begin te geloven dat een geboorteplaats toeval is, dat alles *toeval* is. Maar als je dat gelooft, waar moet je dan heen? Wat moet je doen? Wat maakt het allemaal nog uit?'

Terwijl Samad dit gevoel van ontheemding met een uitdrukking van afschuw beschreef, besefte Irie beschaamd dat het land van het toeval haar als een *paradijs* in de oren klonk. Als vrijheid.

'Begrijp je het, kind? Ik weet dat je het begrijpt.'

En wat hij echt bedoelde was: spreken we dezelfde taal? Komen we van dezelfde plaats? Zijn we hetzelfde?

Irie kneep in zijn hand en knikte heftig, in een poging zijn tranen af te wenden. Wat kon ze anders tegen hem zeggen dan wat hij wilde horen?

'Ja,' zei ze. 'Ja, ja, ja.'

Toen Hortense en Ryan die avond na een late gebedsbijeenkomst thuiskwamen, waren beiden in een staat van grote opwinding. Vanavond was de avond. Nadat hij Hortense een hele serie instructies had gegeven met betrekking tot de opmaak en het zetten van zijn laatste artikel voor de *Wachttoren*, ging Ryan naar de gang om Brooklyn te bellen voor het nieuws.

'Maar ik dacht dat hij *overleg met hen* voerde?'

'Ja, ja, dat is ook zo... maar de uiteindelijke bevestiging, begrijp je, moet persoonlijk van meneer Charles Wintry in Brooklyn komen,' zei Hortense ademloos. 'Wat een dag is dit! Wat een dag! Help me deze typemachine optillen... ik moet hem op de tafel hebben.'

Irie deed zoals haar gevraagd was en droeg de enorme oude Remington naar de keuken, waar ze hem voor Hortense neerzette. Hortense gaf Irie een stapel wit papier bedekt met het kriebelige handschrift van Ryan.

'Zo, lees me dat voor, Irie Ambrosia, langzaam nou... en dan zal ik het uittypen.'

Irie las een halfuur of zo, een gezicht trekkend bij Ryans vreselijke, kromme proza, de correctievloeistof aanreikend wanneer dit nodig was, en hoorde knarsetandend de onderbrekingen van de auteur aan die elke tien minuten naar binnen wipte om zijn zinsbouw aan te passen of een paragraaf te herformuleren.

'Meneer Topps, hebt u al verbinding gekregen?'

'Nog niet, mevrouw B., nog niet. Zeer druk bezet, meneer Charles Wintry. Ik ga het nu weer proberen.'

Een zin, Samads zin, ging door Iries vermoeide hoofd. *Soms vraag ik me af waarom ik me nog druk maak.* En nu Ryan even weg was, zag Irie haar kans het te vragen, hoewel ze het zorgvuldig inkleedde.

Hortense ging achterover zitten op haar stoel en legde haar handen in haar schoot. 'Ik ben hier al heel lang mee bezig, Irie Ambrosia. Ik wacht al sinds ik een pickney was in lange kousen.'

'Maar dat is geen reden...'

'Wat weet jij van redenen? Helemaal niks. De Getuigen-kerk, daar liggen m'n wortels. De kerk is goed voor me geweest toen niemand anders dat was. Het is het goede dat m'n moeder me heb meegegeven, en ik laat het nou niet los, nou dat we zo dicht bij het einde zijn.'

'Maar, oma, het is niet... je zult nooit...'

'La'me je iets vertellen. Ik ben niet als die Getuigen die gewoon bang zijn om te sterven. Gewoon bang. Die willen dat iedereen sterft behalve zij. Dat is geen reden om je leven aan Jezus Christus te wijden. Ik heb heel andere doelen. Ik hoop nog steeds dat ik een van de Gezalfden ben, ook al ben ik een vrouw. Dat heb ik mijn hele leven al gewild. Ik wil daar zijn met de Heer en de wetten maken en de beslissingen nemen.' Hortense zoog scherp haar adem naar binnen. 'Ik heb er zo genoeg van dat de kerk me almaar vertelt dat ik een vrouw ben of dat ik niet genoeg ontwikkeld ben. Iedereen probeert je altijd maar te ontwikkelen, te ontwikkelen in dit, te ontwikkelen in dat... Dat is altijd 't probleem geweest met de vrouwen in deze familie. D'r is altijd wel iemand die ze probeert te ontwikkelen in iets, en ze doen altijd alsof het om leren gaat terwijl het alleen maar een strijd van de wil is. Maar als ik een van de honderdenvierenveertig ben, zal niemand meer proberen me te ontwikkelen. Dat zou míjn taak zijn! Ik zou mijn eigen wetten maken en ik zou niemands mening nodig hebben. Mijn moeder had diep vanbinnen een sterke wil, en ik ben hetzelfde. De Heer weet dat jouw moeder hetzelfde was. En jij bent hetzelfde.'

'Vertel me over Ambrosia,' zei Irie, een zwakke plek bij Hortense ontdekkend die ze misschien kon benutten. 'Alsjeblieft.'

Maar Hortense was niet te vermurwen. 'Je weet al genoeg. Het verleden is voorbij. Niemand leert er iets van. Boven aan bladzijde vijf, alsjeblieft... ik denk dat we daar waren.'

Op dat moment kwam Ryan weer binnen, zijn gezicht roder dan ooit.

'Wat, meneer Topps? Wat is 't? Weet u 't?'

'God helpe de heidenen, mevrouw B., want de dag is inderdaad nabij! Het is zoals de Heer zo duidelijk heb gesteld in z'n boek Openbaring. Hij heb nooit een tweede millennium bedoeld. Nou moet ik dat artikel uitgetypt hebben, en dan nog een ander dat ik voor de vuist weg zal dicteren; u zal alle leden in Lambeth moeten bellen en materiaal moeten sturen naar...'

'O, ja, meneer Topps, maar geef me nog 'n minuutje om 't te bevatten... Het kan geen enkele andere datum zijn, meneer Topps? Ik zei al dat ik het in mijn botten voelde.'

'Ik weet niet hoeveel uw botten ermee te maken hadden, mevrouw B. Maar ik denk dat we meer te danken hebben aan een grondige studie van de schrift, zoals gedaan door mijzelf en mijn collega's...'

'En God, vermoedelijk,' zei Irie, die hem een scherpe blik toewierp en naar Hortense liep, die hevig zat te snikken, om haar armen om haar heen te slaan. Hortense kuste Irie op beide wangen en Irie glimlachte bij de warme vochtigheid.

'O, Irie Ambrosia. Ik ben zo blij dat je hier bent om dit met ons te delen. Ik leef deze eeuw... ik ben helemaal aan het begin op deze wereld gekomen tijdens een aardbeving en ik zal nogmaals het kwaad en de zondige vervuiling weggevaagd zien worden in een machtig donderende aardbeving. Geloofd zij de Heer! 't Is toch zoals hij beloofd heb. Ik wist dat ik het zou halen. Ik hoef maar zeven jaar te wachten. Tweeënnegentig!' Hortense zoog vol verachting op haar tanden. 'Ha! M'n grootmoeder is honderdendrie geworden en die vrouw kon touwtjespringen tot ze neerviel en de pijp uitging. Ik ga het halen. Ik heb het tot nu toe gehaald. M'n moeder heb geleden om me hier te krijgen, maar ze kende de ware kerk en ze heb zich onder de moeilijkste omstandigheden ingespannen om mij d'ruit te persen zodat ik die glorieuze dag kon meemaken.'

'Amen!'

'O, amen, meneer Topps. Trek de hele wapenrusting van God aan! Luister, Irie Ambrosia, je bent m'n getuige als ik het zeg: ik zal er zijn. En ik zal op Jamaica zijn om het te zien. Ik ga naar huis dat jaar van onze Heer. En jij kan daar ook komen als je van me leert en luistert. Wil je mee naar Jamaica in het jaar tweeduizend?'

Irie liet een gilletje horen en vloog op haar grootmoeder af om haar nog eens te omhelzen.

Hortense veegde haar tranen weg met haar schort. 'Here Jezus, ik leef deze eeuw! Ik heb goed en waarlijk geleefd in deze eeuw met al zijn moeilijkheden en ergernissen. En dankzij u, Heer, zal ik aan beide uiteinden een gerommel voelen.'

MAGID, MILLAT EN MARCUS

1992, 1999

fundamenteel (bn.; fundamenteler, -st) [LFr. *fondamental*, o.i.v. *fundament*], tot grondslag dienend, de grondslag rakend: *een fundamenteel verschil; fundamentele begrippen*, grondbegrippen; *fundamentele problematiek; fundamenteel verschillen*, in de grond.
fundamentalisme (o.), zeer orthodoxe, anti-liberale theologische richting, met een sterk anti-intellectuele inslag (m.n. in het christendom en de islam (maar ook in de politiek)).

– *Van Dale Groot Woordenboek der Nederlandse Taal*

'You must remember this, a kiss is still a kiss,
A sigh is just a sigh;
The fundamental things apply,
As time goes by.'

– Herman Hupfeld, 'As Time Goes By' (1931, liedje)

16

DE TERUGKEER VAN MAGID MAHFOOZ MURSHED MUBTASIM IQBAL

'Neem me niet kwalijk, maar je gaat dat toch niet roken?'

Marcus sloot zijn ogen. Die vreselijke constructie. Hij wilde altijd een gelijksoortig grammaticaal verwrongen antwoord geven. Ja, ik ga dat niet roken. Nee, ik ga dat roken.

'Neem me niet kwalijk, ik zei...'

'Ja, ik heb het wel verstaan,' zei Marcus zacht, terwijl hij zich naar rechts draaide om de spreekster te zien, met wie hij één armleuning deelde – elke twee stoelen in de lange rij gegoten plastic hadden er maar één toegewezen gekregen. 'Is er een reden waarom ik het niet zou doen?'

De ergernis verdween bij de aanblik van zijn gesprekspartner: een slank, mooi Aziatisch meisje, met een aantrekkelijk spleetje tussen haar voortanden en een hoge paardenstaart, gekleed in een legerbroek en op haar schoot (hoe was het mogelijk!) een exemplaar van zijn in het voorjaar in samenwerking (met de romanschrijver Surrey T. Banks) geschreven populair-wetenschappelijke boek *Tijdbommen en biologische klokken: een avontuurlijke reis in onze genetische toekomst.*

'Ja, er is een reden, klootzak. Je mag niet roken op Heathrow. Niet in dit gedeelte. En zo'n pijp kan al helemaal niet. En deze stoelen zitten aan elkaar vast en ik heb astma. Genoeg redenen?'

Marcus haalde goedmoedig zijn schouders op. 'Ja, meer dan genoeg. Goed boek?'

Dit was een nieuwe ervaring voor Marcus. Een ontmoeting met een van zijn lezers. Een ontmoeting met een van zijn lezers in de aankomsthal van een luchthaven. Hij was zijn hele leven een schrijver van wetenschappelijke teksten geweest, teksten met een kleine, selecte groep lezers, die hij in de meeste gevallen persoonlijk kende. Hij had zijn werk nooit als een *party-popper* de wereld in gestuurd, zonder te weten waar de verschillende draden uit zouden komen.

'Pardon?'

'Maak je geen zorgen. Ik zal niet roken als je dat niet wilt. Ik vroeg me alleen af of het een goed boek was.'

Het meisje vertrok haar gezicht, dat niet zo mooi was als Marcus aanvankelijk had gedacht – de kaaklijn was een tikje te streng. Ze deed het boek dicht (ze was halverwege) en keek naar het omslag alsof ze niet meer wist welk boek het was.

'O, het gaat wel, denk ik. Een beetje raar wel. Een beetje een hersenbeuker.'

Marcus fronste zijn wenkbrauwen. Het boek was een idee van zijn agent geweest: op twee niveaus geschreven, hoog en laag, waarbij Marcus een 'echt wetenschappelijk' hoofdstuk schreef over een bepaalde ontwikkeling in de genetica en de romanschrijver een bijbehorend hoofdstuk schreef waarin hij deze ideeën verkende vanuit een futuristisch, fictief gezichtspunt in de trant van wat-als-dit-zou-leiden-tot-dit, enzovoort in van ieder acht hoofdstukken. Marcus had voor de universiteit voorbestemde zoons en de rechtenstudie van Magid om aan te denken, en hij had om financiële redenen met het project ingestemd. Wat dat betreft, was het boek niet het gehoopte of vereiste succes geworden, en Marcus vond het, wanneer hij aan dat alles dacht, een mislukking. Maar raar? Een hersenbeuker?

'Eh, in welke zin raar?'

Het meisje keek plotseling argwanend. 'Wat is dit? Een ondervraging?'

Marcus kroop een beetje in zijn schulp. Zijn Chalfenistische zelfvertrouwen was altijd minder duidelijk wanneer hij op pad was, weg uit de boezem van zijn gezin. Hij was direct, iemand die het nut niet inzag van iets anders dan gerichte vragen stellen, maar in recente jaren was hij zich ervan bewust geworden dat deze directheid niet altijd directe antwoorden oogstte bij vreemden, zoals dat het geval was in zijn eigen kleine kring. In de buitenwereld, de wereld buiten zijn universitaire en huiselijke omgeving, moest je dingen aan je woorden toevoegen. Vooral als je er enigszins vreemd uitzag, zoals voor Marcus gold, naar hij aannam; als je een beetje oud was, met excentriek krullerig haar en een bril zonder onderrand. Je moest dingen aan je woorden toevoegen om deze verteerbaarder te maken. Beleefdheden, wegwerpfrasen, alsjeblieftjes en dankjewels.

'Nee, geen ondervraging. Ik dacht er alleen over het zelf te gaan lezen, snap je. Ik heb gehoord dat het behoorlijk goed is, begrijp je. En ik vroeg me af waarom jij het raar vindt...'

Het meisje, dat op dat moment tot de conclusie kwam dat Marcus een massamoordenaar noch een verkrachter was, ontspande zich en liet zich achterover in haar stoel glijden. 'Och, ik weet het niet. Niet raar, denk ik, éng eerder.'

'Eng, hoe?'

'Nou, het is toch eng, al dat genetische gemanipuleer.'

'Is dat zo?'

'Ja... je weet wel, al dat gerotzooi met het lichaam. Ze denken dat er een gen is voor intelligentie, seksualiteit... voor ongeveer alles, weet je? Recombinant DNA-technologie,' zei het meisje, de term voorzichtig uitsprekend, als om na te gaan hoeveel Marcus wist. Toen ze geen teken van herkenning op zijn gezicht zag, vervolgde ze met meer zelfvertrouwen: 'Als je eenmaal het beperkende enzym weet voor een bepaald, nou, een stúkje DNA, kun je alles aan- en uitzetten, als een radio. En dat doen ze met die arme muizen. Dat is behoorlijk eng, verdomme. Om nog maar te zwijgen van de, nou, pathogene, de *ziekteverwekkende* organismen die ze overal in petrischaaltjes hebben zitten. Ik bedoel, ik studeer politicologie, hè, en ik denk dan: wat zijn ze aan het maken? En wie willen ze uitroeien? Je moet wel compleet naïef zijn als je niet denkt dat het Westen van plan is die troep in het Oosten te gebruiken, op de Arabieren. Een snelle manier om iets aan die fundamentalistische moslims te doen… nee, serieus, man,' zei het meisje als reactie op een opgetrokken wenkbrauw van Marcus, 'het begint gewoon eng te worden. Ik bedoel, als je deze troep leest, besef je pas hoe dicht wetenschap bij sciencefiction komt.'

Voor zover Marcus kon nagaan, waren wetenschap en sciencefiction als schepen in de nacht die elkaar in de mist passeren. Een sciencefictionrobot – zelfs de verwachting van zijn zoon Oscar van een robot – lag bijvoorbeeld duizenden jaren voor op wat de robotica of kunstmatige intelligentie op dat moment kon bereiken. Terwijl de robots die Oscar zich voorstelde zongen en dansten en zijn vreugde en vrees meebeleefden, werkte een of andere arme kerel bij het MIT langzaam en nauwgezet aan een machine die de bewegingen van de menselijke duim kon nadoen. De andere kant van de medaille was dat de simpelste biologische feiten, dierlijke cellen en hun structuur bijvoorbeeld, een mysterie waren voor iedereen behalve veertienjarige kinderen en wetenschappers als hij – waarbij de eersten ze in de klas tekenden en de laatsten ze injecteerden met vreemd DNA. Daar tussenin, zo scheen het Marcus tenminste toe, golfde een grote zee van idioten, mensen die uitgaan van een samenzwering, godsdienstfanaten, aanmatigende romanschrijvers, dierenrechtenactivisten, studenten politicologie en alle andere soorten fundamentalisten die vreemde bezwaren maakten tegen zijn levenswerk. In de afgelopen paar maanden, sinds zijn ToekomstMuis enige publieke aandacht had gekregen, was hij gedwongen in deze mensen te geloven, te geloven dat ze echt bestonden, massaal, en dit was net zo moeilijk voor hem als meegenomen worden naar de tuin en te horen krijgen dat achterin feeën leefden.

'Ik bedoel, ze hebben het over vooruitgang,' zei het meisje, dat een beetje opgewonden raakte, op hoge toon. 'Ze hebben het over stappen vooruit en achteruit op medisch gebied, blablabla, maar denk jij niet, en daar komt het uiteindelijk op neer, dat als iemand weet hoe je "ongewenste" eigenschappen bij mensen kunt wegnemen dat een of andere regering daar geen gebruik van zal maken? Ik bedoel, wat is ongewenst? Er zit een beetje een fascistisch kantje aan dat hele gedoe… het is wel een goed boek, neem ik aan, maar bij sommige dingen denk je: waar gaan we eigenlijk heen? Miljoenen blondjes met blauwe ogen? Postorderbaby's? Ik bedoel, als je Indiaas bent, zoals ik, heb je wel iets om je zorgen over te maken, ja? En dan planten ze kankercellen in arme beesten, maar wie ben jij om te rotzooien met de eigenschappen van een muis? Een dier scheppen om het te laten sterven – dat is voor God spelen! Ik bedoel, ik ben hindoe, ja? Ik ben niet religieus of zo, maar weet je, ik geloof dat het leven heilig is, ja? En die mensen, nou, die programméren die muis, plannen elke beweging, ja, wanneer hij jongen krijgt, wanneer hij doodgaat. Het is gewoon onnatúúrlijk!'

Marcus knikte en probeerde zijn uitputting te verbergen. Het was uitputtend, alleen maar naar haar te luisteren. Nergens in het boek had Marcus menselijke eugenese ook maar aangesneden – het was zijn terrein niet, en hij was er niet specifiek in geïnteresseerd. En toch was dit meisje erin geslaagd een boek te lezen dat zich vrijwel uitsluitend bezighield met de prozaïscher ontwikkelingen van recombinant DNA – gentherapie, eiwitten om bloedstolsels op te lossen, het klonen van insuline – en op basis daarvan vol te raken van de bekende neofascistische sensatiepersfantasieën – hersenloze menselijke klonen, genetische controle op seksuele en raciale kenmerken, gemuteerde ziekten enzovoort. Het enige wat zo'n hysterische reactie had kunnen opwekken was het hoofdstuk over zijn muis. De titel van het boek verwees naar zijn muis (ook een idee van de agent) en het was zijn muis waar de aandacht van de media zich op had gericht. Wat Marcus voorheen slechts had vermoed, zag hij nu heel duidelijk: dat er zonder de muis weinig aandacht voor het boek zou zijn geweest. Geen ander werk waar hij mee bezig was geweest leek de verbeelding van het publiek zo te prikkelen als zijn muis. De toekomst van een muis bepalen verontrustte mensen. Juist omdat mensen het zo zagen: het ging niet om het bepalen van de toekomst van een vorm van kanker of een voortplantingscyclus of het vermogen ouder te worden. Het ging om het bepalen van de toekomst van de muis. Mensen concentreerden zich op de muis op een manier die hem bleef verbazen. Ze schenen niet in staat te zijn het dier te zien als een terrein, een biologisch terrein voor experimenten op het gebied van erfelijkheid, ziekte, sterfelijkheid. Aan de muiselijkheid van de muis scheen niet te ontkomen. Een foto, gemaakt in Marcus' laboratorium, van een van zijn transgene muizen, samen met een artikel over zijn gevecht om een patent te krijgen, was in *The Times* verschenen. Zowel hij als de krant had een ton aan scheldbrieven ontvangen van groepen zo divers als de Conservatieve Vrouwenbeweging, de Anti-vivisectielobby, de Nation of Islam, de predikant van de St. Agneskerk in Berkshire, en de redactieraad van het uiterst linkse *Schnews*. Neena Begum had gebeld om hem te laten weten dat hij gereïncarneerd zou worden als een kakkerlak. Glenard Oak, zich altijd sterk bewust van een veranderend mediatij, had de uitnodiging aan Marcus voor de Nationale Wetenschapsweek ingetrokken. Zijn eigen zoon, zijn Joshua, weigerde nog steeds met hem te spreken. Hij was echt geschókt door de onzinnigheid ervan. De ángst die hij onbedoeld had uitgelokt. En dat allemaal doordat het publiek hem drie stappen voor was, als Oscars robot; de mensen hadden het eindspel al gespeeld, hadden al geconcludeerd wat het resultaat van zijn onderzoek zou zijn – iets waar hij zich niet aan zou durven wagen! –, een resultaat vol van klonen, zombies, designkinderen, homogenen. Hij begreep uiteraard dat het werk dat hij deed een element van moreel geluk bevatte; dat geldt voor alle wetenschappers. Je werkt voor een deel in het duister, zonder de consequenties voor de toekomst te kunnen overzien, zonder te weten welke duisternis misschien nog aan je naam verbonden zal worden, voor welke ongelukken jij verantwoordelijk zult worden gesteld. Niemand die op een nieuw terrein werkt, die met echt visionair werk bezig is, kan er zeker van zijn door zijn eeuw of een volgende heen te komen zonder bloed aan zijn handen te hebben. Maar stoppen met het werk? Einstein de mond snoeren? Heisenbergs handen binden? Wat kun je hopen daarmee te bereiken?

'Maar,' begon Marcus, meer uit zijn doen dan hij van zichzelf had verwacht, 'dat is toch eigenlijk het punt. Alle dieren zijn in zekere zin geprogrammeerd om te sterven. Dat is volkomen natuurlijk. Als dat willekeur lijkt, komt dat alleen doordat we het niet helemaal begrijpen. We begrijpen niet echt waarom sommige mensen aanleg hebben kanker te krijgen. We begrijpen niet echt waarom sommige mensen op hun drieënzestigste een natuurlijke dood sterven en anderen op hun zevenennegentigste. Het zou toch interessant zijn om iets meer van die dingen te weten. De zin van zoiets als een onco-muis is toch dat we de kans krijgen om een leven en een dood fase voor fase onder de micro...'

'Ja, nou,' zei het meisje terwijl ze het boek in haar tas stopte, 'het zal wel. Ik moet naar uitgang 52. Leuk met je gepraat te hebben. Maar, ja, je zou het beslist moeten lezen. Ik ben een grote fan van Surrey T. Banks... hij schrijft over de gekste dingen.'

Marcus keek het meisje en haar dansende paardenstaart na tot ze in de brede gang verdween tussen andere donkerharige meisjes. Hij voelde zich onmiddellijk opgelucht en dacht toen met vreugde aan zijn eigen afspraak met uitgang 32 en Magid Iqbal, die heel andere koek was of zoetere koek, of hoe de uitdrukking ook was. Met nog vijftien minuten te gaan, liet hij zijn koffie staan, die in snel tempo van gloeiend heet naar lauw was gegaan, en begon in de richting van de uitgangen onder de 50 te lopen. De uitdrukking 'een ontmoeten van geesten' ging door zijn hoofd. Hij wist dat dit een absurde gedachte was met betrekking tot een zeventienjarige jongen, maar toch dacht hij het, vóelde hij het: een zekere opgetogenheid, gelijk misschien aan het gevoel dat zijn eigen mentor had gehad toen de achttienjarige Marcus Chalfen voor het eerst zijn benauwde, kleine werkkamer was binnengestapt. Een zekere voldoening. Marcus was bekend met de wederzijds stimulerende zelfvoldaanheid die van mentor naar protégé gaat en terug (ah, maar je bent briljant en waardig gekeurd om je tijd met mij door te brengen! Ah, maar ik ben briljant en trek je aandacht boven alle anderen!). Maar hij gaf zich eraan over. En hij was blij dat hij alleen was bij zijn eerste ontmoeting met Marcus, hoewel hij hoopte er niet van beschuldigd te worden het zo gepland te hebben. Het was meer een serie gelukkige toevalligheden. De auto van de Iqbals had het begeven en die van Marcus was niet groot. Hij had Samad en Alsana ervan overtuigd dat er niet genoeg ruimte voor Magids bagage zou zijn als ze met hem mee zouden rijden. Millat was in Chester, met KEVIN, en zou gezegd hebben (in taal die herinnerde aan zijn periode van maffiavideo's): 'Ik heb geen broer.' Irie had de volgende ochtend een examen. Joshua weigerde in een auto te gaan zitten waarin Marcus zat; in feite meed hij op dat moment alle auto's en koos voor de in milieuopzicht ethische optie van twee wielen. Wat de beslissing van Josh betreft, Marcus keek daarnaar zoals hij naar alle beslissingen van deze aard keek. Je kon het er noch mee eens zijn, noch mee oneens zijn als ideeën. Zoveel van wat mensen deden was zonder enige betekenis. En in zijn huidige vervreemding van Joshua voelde hij zich machtelozer dan ooit. Het deed hem pijn dat zelfs zijn eigen zoon niet zo Chalfenistisch was als hij had gehoopt. En de laatste paar maanden had hij grote verwachtingen gekregen van Magid (en dat zou verklaren waarom zijn tred versnelde, uitgang 28, uitgang 29, uitgang 30); misschien was hij gaan hopen, gaan gelóven, dat Magid een lichtend voorbeeld zou zijn voor de zuivere geest van het Chalfenisme, ook al stierf het hier in de wildernis. Ze zouden elkaar rédden. *Dit kon toch geen geloof zijn, Marcus?* Hij ondervroeg zichzelf direct op dit punt terwijl hij zich voorthaastte. Gedurende anderhalve uitgang bracht de vraag hem van zijn stuk. Toen ging dit voorbij en het antwoord was geruststellend. Niet geloof, nee, Marcus, niet dat soort zonder ogen. Iets sterkers, iets betrouwbaarders. Intellectuéél geloof.

Zo. Uitgang 32. Ze zouden dus met zijn tweeën zijn en elkaar eindelijk ontmoeten na de kloof tussen continenten te hebben overbrugd; de leraar, de bereidwillige leerling, en dan die eerste, historische handdruk. Het kwam geen moment in Marcus op dat het niet goed zou kunnen gaan. Hij had de geschiedenis niet bestudeerd (en de wetenschap had hem geleerd dat het verleden een periode was waarin we dingen zagen als door donker glas, terwijl de toekomst altijd helderder was, een periode waarin we de dingen goed deden of op zijn minst beter); hij kende geen afschrikwekkende verhalen over een ontmoeting tussen een donkere en een blanke man, beiden met grote verwachtingen, maar slechts één met macht. Ook had hij geen stuk wit karton meegebracht, een of ander groot bord met een naam erop, zoals de andere wachtenden, en toen hij rondkeek bij uitgang 32 maakte hij zich daar zorgen om. Hoe zouden ze elkaar herkennen? Toen herinnerde hij zich dat Magid een helft van een tweeling was, en toen hij daaraan dacht moest hij hardop lachen. Het was, zelfs voor hem, ongelooflijk en subliem dat uit die tunnel een jongen zou komen lopen met precies dezelfde genetische code als een jongen die hij al kende, die toch op elke denkbare manier anders zou zijn. Hij zou hem zien en hem toch niet zien. Hij zou hem herkennen en toch zou die herkenning vals zijn. Voordat hij de kans had gekregen om zich af te vragen wat dit betekende, óf het iets betekende, kwamen ze in zijn richting lopen, de passagiers van BA-vlucht 261; een druk pratende maar vermoeide bruine groep, die op hem af stroomde als een rivier, maar op het laatste moment afboog alsof hij de rand van een waterval was. *Nomoskār… sālām ā lekum… kamon āchō?* Dat zeiden ze tegen elkaar en tegen hun vrienden aan de andere kant van de afscheiding; een aantal volledig gesluierde vrouwen, anderen in sari, mannen in vreemde combinaties van stoffen, leer, tweed, wol en nylon, met kleine boothoeden die Marcus aan Nehru deden denken; kinderen in truien gemaakt door Taiwanezen, met rugzakken in helderrood en geel; ze kwamen door de deuren naar de wachtruimte van uitgang 32; ontmoetingen met tantes, ontmoetingen met chauffeurs, ontmoetingen met kinderen, ontmoetingen met ambtenaren, ontmoetingen met zonverbrande vertegenwoordigers van luchtvaartmaatschappijen met witte tanden…

'U bent meneer Chalfen.'

Een ontmoetingen van geesten. Marcus hief zijn hoofd op om naar de lange jongeman te kijken die voor hem stond. Het was Millats gezicht, zeker, maar het had scherpere lijnen en zag er wat jonger uit. De ogen waren niet zo violet, of in elk geval niet zo fel violet. Het haar hing sluik in de Engelse kostschoolstijl en was naar voren geborsteld. De gestalte was stevig en gezond. Marcus was niet goed als het om kleding ging, maar hij kon in ieder geval zeggen dat deze volledig wit was en dat de algemene indruk er een was van goed, goed gemaakt en zacht materiaal. En hij was knap, zelfs Marcus kon dat zien. Wat hem ontbrak aan byroniaans charisma van zijn broer leek hij, met een krachtiger kin en een waardige kaak, goed te maken in een zekere verhevenheid. Dit waren echter allemaal spelden in hooibergen, dit waren de verschillen die je alleen opmerkt doordat de gelijkenis zo opvallend is. Ze waren tweelingbroers, van hun gebroken neus tot hun enorme, lompe voeten. Marcus was zich bewust van een heel licht gevoel van teleurstelling dat dit zo was. Maar oppervlakkige uiterlijkheden daargelaten, was er geen twijfel aan, dacht Marcus, op wie deze jongen, Magid, echt leek. Had Magid Marcus niet opgemerkt te midden van een grote groep mensen? Hadden ze elkaar niet herkend, zojuist, op een veel dieper, fundamenteel niveau? Niet gekoppeld als steden of de twee helften van een willekeurig gespleten eicel, maar samengebracht als twee kanten van een vergelijking: logisch, essentieel, onvermijdelijk. Zoals rationalisten dat doen, liet Marcus het rationalisme even voor wat het was toen hij nadacht over het wonderbaarlijke hiervan. Deze instinctieve ontmoeting bij uitgang 32 (Magid was regelrecht op hem af komen lopen), elkaar vindend in deze mensenmassa, vijfhonderd minstens: hoe groot was de kans daarop? Het leek zo onwaarschijnlijk als de prestatie van zaadcellen die blindelings hun weg naar de eicel weten te vinden. Zo magisch als het feit dat zo'n eicel zich in tweeën deelt. Magid en Marcus. Marcus en Magid.

'Ja! Magid! Eindelijk ontmoeten we elkaar! Ik heb het gevoel dat ik je al ken – nou ja, dat is ook zo, maar ook weer niet – maar, verdomme, hoe wist je dat ik het was?'

Magids gezicht begon te stralen en er verscheen een wat scheve glimlach op van een engelachtige charme. 'Tja, Marcus, beste man, je bent de enige blanke kerel bij uitgang 32.'

De terugkeer van Magid Mahfooz Murshed Mubtasim bracht een flinke schok teweeg in de huizen Iqbal, Jones en Chalfen. 'Ik herken hem niet,' zei Alsana in vertrouwen tegen Clara, nadat hij een paar dagen thuis had doorgebracht. 'Er is iets eigenaardigs aan hem. Toen ik hem vertelde dat Millat in Chester was, zei hij geen woord. Alleen een pokergezicht. Hij heeft zijn broer acht jaar niet gezien. Maar geen kik, geen gefluisterde opmerking. Samad zegt: dit is een of andere kloon, dit is geen Iqbal. Je wilt hem nauwelijks aanraken. Zijn tanden, die poetst hij zes keer per dag. Zijn ondergoed, dat strijkt hij. Het is alsof je aan het ontbijt zit met David Niven.'

Joyce en Irie bekeken de nieuweling met soortgelijke argwaan. Ze hadden zoveel en zo diep en zo vele jaren van de ene broer gehouden, en nu ineens dit nieuwe en toch vertrouwde gezicht – alsof je je favoriete soap aanzette en merkte dat een geliefde acteur stiekem vervangen was door een andere met hetzelfde kapsel. De eerste paar weken wisten ze gewoon niet wat ze van hem moesten denken. Wat Samad betreft, als hij zijn zin had gekregen, had hij de jongen voor altijd weggestopt, opgesloten onder de trap of naar Groenland gestuurd. Hij zag op tegen de onvermijdelijke bezoeken van zijn familieleden (degenen tegen wie hij had opgeschept, alle stammen die gebeden hadden voor het altaar van de ingelijste foto) en het moment waarop ze een blik wierpen op deze Iqbal de jongere, met zijn vlinderdasjes en zijn Adam Smith en zijn verdomde E.M. Forster en zijn atheïsme! Het enige positieve was de verandering in Alsana. De Stratengids? Ja, Samad Miah, die ligt in de bovenste la aan de rechterkant, ja, daar ligt hij, ja! De eerste keer dat ze dat deed, schrok hij zich dood. De vloek was opgeheven. Niet meer *misschien, Samad Miah*, niet meer *mogelijk, Samad Miah*. Ja, ja, ja. Nee, nee, nee. Fundamentele zaken. Het was een enorme opluchting, maar het was niet genoeg. Zijn zoons hadden hem teleurgesteld. De pijn was ondraaglijk. Met neergeslagen ogen bewoog hij zich door het restaurant. Als ooms en tantes belden, ontweek hij vragen of loog gewoon. Millat? Hij is in Birmingham, hij werkt in de moskee, ja, een hernieuwing van zijn geloof. Magid? Ja, hij gaat spoedig trouwen, ja, een goede jongeman, hij heeft een lief Bengaals meisje nodig, ja, hij houdt de traditie in ere, ja.

Dus. Eerst kwamen de kluchtachtige woonregelingen, waarbij iedereen één plaats opschoof, naar rechts of naar links. Millat kwam begin oktober terug. Magerder, met een volle baard en vastbesloten, op politieke, religieuze en persoonlijke gronden, zijn tweelingbroer niet te ontmoeten. 'Als Magid blijft,' zei Millat (De Niro, deze keer), 'ben ik weg.' En omdat Millat er mager, vermoeid en verward uitzag, zei Samad dat Millat kon blijven, wat geen andere mogelijkheid openliet dan dat Magid bij de Chalfens zou verblijven (zeer tot ongenoegen van Alsana) tot het probleem kon worden opgelost. Joshua, razend dat hij in de genegenheid van zijn ouders werd verdrongen door weer een andere Iqbal, vertrok naar de familie Jones, terwijl Irie, hoewel ze ogenschijnlijk was teruggekeerd naar haar ouderlijk huis (op de toezegging een jaar weg te mogen), al haar tijd bij de Chalfens doorbracht, waar ze Marcus' zaken regelde om geld te verdienen voor haar twee bankrekeningen (*Amazonegebied Zomer '93* en *Jamaica 2000*), waarbij ze vaak tot diep in de nacht werkte en op de bank sliep.

'De kinderen hebben ons verlaten, zij zijn in den vreemde,' zei Samad over de telefoon tegen Archie, op een zo melancholische manier dat Archie vermoedde dat hij poëzie citeerde. 'Zij zijn vreemden in vreemde landen.'

'Ze zijn verdomme eerder de heuvels in gevlucht,' zei Archie grimmig. 'Ik zeg je, als ik een stuiver had gekregen voor elke keer dat ik Irie in de laatste paar maanden heb gezien...'

Dan had hij er ongeveer tien gehad. Ze was nooit thuis. Irie was tussen wal en schip gevallen, als Ierland, als Israël, als India. Winnen kon ze niet. Als ze thuisbleef, was Joshua daar die haar op haar nek zat over haar betrokkenheid bij de muizen van Marcus. Argumenten waar ze geen antwoord op had, noch zin in had: *mogen levende organismen gepatenteerd worden? Is het juist om ziekteverwekkers in dieren te planten*? Irie wist het niet, dus hield ze, met haar vaders instinct, haar mond en afstand. Maar als ze bij de Chalfens was, werkend aan wat een volledige vakantiebaan was geworden, had ze met Magid te maken. Hier was de situatie onmogelijk. Haar werk voor Marcus, negen maanden eerder begonnen als een beetje archivering, was tot het zevenvoudige uitgegroeid; de recente belangstelling voor het werk van Marcus betekende dat ze telefoontjes van de media en zakken post moest afhandelen, en afspraken moest regelen; haar salaris was dienovereenkomstig gestegen tot dat van een secretaresse. Maar dat was het probleem: ze was een secretaresse, terwijl Magid een vertrouweling was, een leerling, een discipel, degene die Marcus vergezelde op reizen, hem observeerde in het laboratorium. Het wonderkind. De uitverkorene. Hij was niet alleen briljant, hij was ook charmant. Hij was niet alleen charmant, hij was ook grootmoedig. Voor Marcus was hij het antwoord op zijn gebeden. Hier was een jongen die de prachtigste morele pleidooien kon construeren met een professionalisme dat niet in overeenstemming was met zijn leeftijd, die Marcus hielp argumenten te formuleren waarvoor hem alleen het geduld had ontbroken. Het was Magid die hem overhaalde het laboratorium uit te komen, die hem bij de hand nam en hem met knipperende ogen de zonovergoten wereld binnenleidde waar mensen om hem riepen. Mensen wilden Marcus en zijn muis, en Magid wist hoe hij ze dat moest geven. Als de *New Statesman* tweeduizend woorden wilde over het patentdebat sprak Marcus en schreef Magid, waarbij hij de woorden in een elegante stijl omzette, de onopgesmukte verklaringen van een wetenschapper die niet geïnteresseerd was in morele debatten veranderde in de verfijnde argumenten van een filosoof. Als *Channel 4 News* een interview wilde, legde Magid uit hoe je moest zitten, hoe je je handen bewoog, hoe je je hoofd licht boog. En dat alles van een jongen die het grootste deel van zijn leven had doorgebracht in de Chittagong Hills, zonder televisie of krant. Hoewel hij het woord zijn leven lang had gehaat, hoewel hij het niet meer had gebruikt sinds zijn vader hem er een oorvijg voor had gegeven toen hij drie was, kwam Marcus in de verleiding om het een wonder te noemen. Of, op zijn minst, een fortuinlijk toeval. Voor het eerst van zijn leven was Marcus bereid toe te geven dat hij fouten had, kleine, weliswaar, maar toch... fouten. Hij was te afstandelijk geweest, misschien, misschien. Hij had zich te agressief opgesteld ten aanzien van de publieke belangstelling voor zijn werk misschien, misschien. Hij zag ruimte voor verandering. En het geniale ervan, de meesterlijke zet, was dat Magid Marcus zelfs geen ogenblik het gevoel gaf dat het Chalfenisme op welke manier dan ook werd gecompromitteerd. Hij bracht dagelijks zijn eeuwige genegenheid en bewondering ervoor tot uiting. Het enige wat Magid wilde, legde hij Marcus uit, was het Chalfenisme bij de mensen brengen. En je moest de mensen datgene wat ze nodig hadden geven in een vorm die zij konden begrijpen. En de manier waarop hij het zei had iets zo subliems, zo geruststellends, zo waars, dat Marcus, die zes maanden eerder nog op een dergelijk argument had gespuugd, zonder protest toegaf.

'Deze eeuw heeft nog ruimte voor één grote figuur,' zei Magid tegen hem (deze jongen was een meester in vleierij). 'Freud, Einstein, Crick en Watson... Er is een lege stoel, Marcus. De bus zit nog niet helemaal vol. Ding-dong! *Er is nog één plaats...*'

En dat is een aanbod dat je niet kunt overtreffen. Dat je niet kunt weerstaan. Marcus en Magid. Magid en Marcus. Verder was niets belangrijk. Ze waren zich niet bewust van de onrust die ze bij Irie teweegbrachten, of van de wijdverspreide ontworteling, de vreemde seismische rimpelingen die hun vriendschap bij alle anderen had veroorzaakt. Marcus had zich teruggetrokken, als Mountbatten uit India of een bevredigde tiener uit zijn laatste scharreltje. Hij wees elke verantwoordelijkheid af, voor alles en iedereen – de families Chalfen, Iqbal en Jones – alles en iedereen behalve Magid en zijn muizen. Alle anderen waren fanatici. En Irie hield haar tong in bedwang want Magid was goed, en Magid was aardig, en Magid liep in het wit door het huis. Maar zoals alle manifestaties van de wederkomst van Christus, alle heiligen, redders en goeroes, was Magid Iqbal ook, in Neena's welsprekende bewoordingen, een eersteklas, honderd procent, onvervalste, complete en volslagen onuitstaanbare etter. Een kenmerkend gesprek:

'Irie, ik begrijp iets niet.'

'Niet nu, Magid, ik ben aan het bellen.'

'Ik wil geen misbruik maken van je kostbare tijd, maar het is wel enigszins dringend. Ik begrijp iets niet.'

'Magid, kun je een...'

'Zie je, Joyce is zo vriendelijk geweest deze spijkerbroek voor mij te kopen. Hij heet Levi's.'

'Luister, kan ik u terugbellen? Goed... Oké... Dag. Wát, Magid. Dat was een belangrijk telefoontje. Wat is er?'

'Nou, kijk, ik heb deze prachtige Amerikaanse spijkerbroek van Levi's, een witte spijkerbroek, die de zuster van Joyce heeft meegebracht van een vakantie in Chicago, ook wel de Winderige Stad genoemd, hoewel ik niet geloof dat er iets bijzonder ongewoons is aan haar klimaat, aangezien de stad zo dicht bij Canada ligt. Mijn Chicago-spijkerbroek. Zo'n attent geschenk! Ik was er werkelijk ondersteboven van toen ik hem kreeg. Maar toen zag ik het etiket aan de binnenkant waarop staat "Shrink-to-fit". Ik vroeg me af, wat kan dat betekenen: "Shrink-to-fit"?'

'Ze krimpen tot ze passen, Magid. Ik doe maar een gooi.'

'Maar Joyce is opmerkzaam genoeg geweest om hem precies in de goede maat te kopen, zie je? A 32, 34.'

'Goed, Magid, ik wil hem niet zien. Ik geloof je. Laat hem dan niet krimpen.'

'Dat was ook mijn eerste conclusie. Maar het schijnt dat er geen aparte procedure is voor het krimpen. Als je de broek wast, zal hij gewoon krimpen.'

'Nee toch.'

'En je begrijpt dat de broek op een bepaald ogenblik gewassen zal moeten worden?'

'Wat wil je zeggen, Magid?'

'Nou, krimpt hij met een van tevoren vastgesteld percentage, en zo ja, met welk percentage? Als dat percentage niet correct zou zijn, zouden ze zichzelf blootstellen aan een heleboel gerechtelijke procedures, nietwaar? Ik heb er tenslotte niets aan als ze krimpen-om-te-passen maar niet krimpen-om-míj-te-passen. Er is een andere mogelijkheid, zoals Jack suggereerde, dat ze krimpen naar vormen van het lichaam. Maar hoe is zoiets mogelijk?'

'Nou, waarom ga je verdomme niet in bad zitten met die verdomde broek aan en kijkt wat er gebeurt?'

Natuurlijk had ze er onmiddellijk spijt van. Want je kon Magid niet van zijn stuk brengen met woorden. Hij keerde je gewoon zijn andere wang toe. Soms honderden keren per dag, als een klaar-over op ecstasy. Hij had die manier van naar je glimlachen, niet gekwetst, niet boos, en dan in een gebaar van volledige vergeving een lichte buiging te maken met zijn hoofd (op precies dezelfde manier als zijn vader deed na het opnemen van een bestelling van een garnalencurry). Hij voelde totaal met iedereen mee, Magid. En het was echt onuitstaanbaar.

'Eh, ik wilde niet... O, verdomme. Sorry. Luister... Ik weet niet... je bent gewoon zo... heb je nog iets van Millat gehoord?'

'Mijn broer mijdt mij,' zei Magid, met nog steeds die uitdrukking van universele kalmte en vergiffenis op zijn gezicht. 'Hij stigmatiseert mij als Kaïn omdat ik niet gelovig ben. In elk geval niet in zijn god of een andere god met een naam. Daarom weigert hij mij te ontmoeten, of zelfs maar over de telefoon met me te praten.'

'O, hij draait waarschijnlijk wel bij, weet je. Hij is altijd een koppige klootzak geweest.'

'Natuurlijk, ja, je houdt van hem,' vervolgde Magid, zonder Irie ook maar de kans te geven te protesteren. 'Dus je kent zijn gewoonten, zijn manieren. Dan zul je begrijpen hoe heftig hij mijn bekering opneemt. Ik heb me bekeerd tot het Leven. Ik zie zijn god in de miljoenste decimaal van pi, in de argumenten van de Phaedrus, in een volmaakte paradox. Maar dat is niet genoeg voor Millat.'

Irie keek hem recht in zijn gezicht. Er was iets in dat gezicht waar ze die afgelopen vier maanden de vinger niet op had kunnen leggen want het werd overschaduwd door zijn jeugd, zijn uiterlijk, zijn schone kleding en zijn persoonlijke hygiëne. Nu zag ze het duidelijk. Hij was erdoor aangeraakt – net als Gekke Mary, de Indiër met het witte gezicht en de blauwe lippen en de vent die zijn pruik aan een touwtje met zich meedroeg. Net als die mensen die door de straten van Willesden lopen zonder de bedoeling Black Label-bier te kopen, een stereo-installatie te stelen, hun uitkering op te halen of in een steegje te pissen. De mensen die zich met heel andere zaken bezighouden. *Profetie.* En Magid had het in zijn gezicht. Hij wilde verkondigen, verkondigen, verkondigen...

'Millat eist volledige overgave.'

'Klinkt bekend.'

'Hij wil dat ik de Keepers of the Eternal...'

'Ja... KEVIN, ik ken ze. Dus je hebt hem wel gesproken.'

'Ik hoef hem niet te spreken om te weten wat hij denkt. Hij is mijn tweelingbroer. Ik wil hem niet zien. Ik hoef hem niet te zien. Begrijp je de aard van tweelingen? Begrijp je de betekenis van het woord "splijten"? Of liever de dubbele betekenis die...'

'Magid. Neem me niet kwalijk, maar ik heb werk te doen.'

Magid maakte een lichte buiging. 'Natuurlijk. Je wilt me wel verontschuldigen, ik ga mijn Chicago-broek onderwerpen aan het door jou voorgestelde experiment.'

Knarsetandend pakte de Irie de telefoon op en draaide het nummer dat ze eerder had afgebroken. Het was van een journalist (het waren steeds journalisten dezer dagen) en ze had hem iets voor te lezen. Ze had na haar examen een spoedcursus in mediarelaties gedaan, en hoe ze te woord te staan, en het had haar geleerd dat het geen zin had ze allemaal afzonderlijk te woord te staan. Het was onmogelijk om een of ander uniek gezichtspunt te geven aan de *FT* en dan aan de *Mirror* en dan aan de *Daily Mail.* Het was hun werk, niet het jouwe, om een invalshoek te ontwikkelen, hun eigen boek van de enorme mediabijbel te schrijven. Ieder voor zich. Verslaggevers verdedigden feitelijk, fanatiek, obsessief, hun eigen terreintje en verkondigden dag in dag uit hetzelfde. Zo was het altijd geweest. Wie had gedacht dat Lucas en Johannes zo'n verschillend standpunt zouden hebben over de primeur van de eeuw, de dood van de Heer? Er bleek alleen maar uit dat je die kerels niet kon vertrouwen. Wat Irie dus moest doen, was de informatie geven, sec, elke keer, woord voor woord van een papier dat geschreven was door Marcus en Magid en aan de muur hing.

'Oké,' zei de journalist, 'de band loopt.'

En hier struikelde Irie over de eerste horde van PR: geloven in wat je verkoopt. Niet dat ze het morele geloof miste. Het was fundamenteler dan dat. Ze geloofde er niet in als een fysiek feit. Ze geloofde niet dat het bestond. ToekomstMuis© was nu zo'n enorme, spectaculaire karikatuur van een idee (in elke krant, journalisten die het hoofd erover braken – *Moet er een patent op worden gegeven*? Bejubeld door broodschrijvers – *Grootste prestatie van de eeuw*?) dat je verwachtte dat die rotmuis op zou staan en voor zichzelf zou spreken. Irie haalde diep adem. Hoewel ze de woorden vele malen had herhaald, leken ze nog steeds fantastisch, absurd – fictie op de vleugels van fantasie – met meer dan een zweempje Surrey T. Banks erin:

PERSBERICHT: 15 OKTOBER 1992

Onderwerp: introductie van ToekomstMuis©

Professor Marcus Chalfen, schrijver, beroemd wetenschapper en leider van een groep genetici van St. Jude's College, is van plan zijn laatste 'ontwerp' in het openbaar te 'introduceren' om meer begrip te kweken voor de transgenetica en de belangstelling voor en investering in zijn werk te vergroten. Het ontwerp zal demonstreren hoe geavanceerd aan genetische manipulatie wordt gewerkt en deze zo belasterde tak van het biologisch onderzoek demystificeren. De introductie zal ondersteund worden door een volledige expositie, een auditorium, een multimediaruimte en interactieve spelletjes voor kinderen. Dit alles wordt gedeeltelijk gefinancierd door de Millennium Wetenschapscommissie van de overheid, met aanvullende gelden uit het bedrijfsleven en de industrie.

Op 31 december 1992 zal een twee weken oude ToekomstMuis© worden tentoongesteld in het Perret Instituut in Londen. Daar zal de muis voor het publiek te zien zijn tot 31 december 1999. Deze muis is genetisch normaal, alleen is er een selecte groep nieuwe genen aan het genoom toegevoegd. Een DNA-kloon van deze genen is geïnjecteerd in het bevruchte muizeneitje waardoor deze genen verbonden zijn met het DNA van de chromosomen in de zygoot, die vervolgens geërfd wordt door cellen van het hieruit voortkomende embryo. Voorafgaand aan injectie in de kiemlijn zijn deze genen zo op maat ontworpen dat ze 'aangezet' kunnen worden en slechts tot uitdrukking kunnen komen in specifiek muisweefsel en volgens een voorspelbare tijdschaal. De muis zal het terrein zijn van een experiment op het gebied van celveroudering, de ontwikkeling van kanker in cellen en een aantal andere zaken die onderweg als verrassingen zullen dienen!

De journalist lachte. 'Jezus. Wat betekent dat in godsnaam?'
'Geen idee,' zei Irie. 'Verrassingen, neem ik aan.'
Ze vervolgde:

De muis zal in de zeven jaar waarin hij te zien zal zijn de normale levensduur van een muis grofweg verdubbelen. De ontwikkeling van de muis is dus in een verhouding van twee op één jaar vertraagd. Aan het eind van het eerste jaar zal het SV40 grote-T oncogen, dat de muis bij zich draagt in de pancreascellen die insuline produceren, zich uitdrukken in pancreascarcinomen, die zich in vertraagd tempo gedurende de rest van zijn leven zullen ontwikkelen. Aan het eind van het tweede jaar zal het H-ras oncogen in de huidcellen tot uitdrukking beginnen te komen in meerdere goedaardige papilloma's die drie maanden later met het blote oog waarneembaar zullen zijn voor het publiek. Vier jaar na het begin van het experiment zal de muis zijn vermogen tot de productie van mela-

nine beginnen te verliezen door een langzame, geprogrammeerde vernietiging van het enzym tyrosinase. Als het zover is zal de muis al zijn pigmentatie verliezen en een albino worden: een witte muis. Indien zich geen externe of onverwachte verstoringen voordoen, zal de muis in leven blijven tot 31 december 1999 en binnen een maand na die datum sterven. Het experiment met de Toekomst-Muis© biedt het publiek de unieke mogelijkheid een leven en dood in 'close-up' te zien. Het is een mogelijkheid zelf getuige te zijn van een technologie die de ontwikkeling van ziekte kan vertragen, het verouderingsproces kan beheersen en een eind kan maken aan genetische defecten. De ToekomstMuis© draagt de aanlokkelijke belofte in zich van een nieuwe fase in de geschiedenis van de mens, een fase waarin we niet langer slachtoffer zijn van willekeur maar in plaats daarvan de regisseurs en bemiddelaars van ons eigen lot.

'Godallemachtig,' zei de journalist. 'Eng spul.'

'Ja, misschien wel,' zei Irie afwezig (ze moest die ochtend nog tien telefoontjes plegen). 'Zal ik u wat fotomateriaal toesturen?'

'Ja, doe maar. Dat bespaart me een tocht door de archieven. Dag!'

Net toen Irie de telefoon neerlegde, kwam Joyce de kamer binnenstuiven als een hippiekomeet, een grote stroom van zwart franjeachtig fluweel, kaftan en meerdere zijden sjaals.

'Niet meer bellen! Dat had ik je al gezegd. We moeten de lijn vrijhouden. Het kan zijn dat Millat probeert te bellen.'

Vier dagen eerder had Millat een afspraak met een psychiater gemist die Joyce voor hem had geregeld. Hij was sinds die tijd niet meer gezien. Iedereen wist dat hij bij KEVIN zat, en iedereen wist dat hij niet van plan was Joyce te bellen. Iedereen behalve Joyce.

'Het is echt van het allergrootste belang dat ik met hem praat als hij belt. We zijn zo dicht bij een doorbraak. Marjorie is er vrijwel zeker van dat het het hyperactiviteitssyndroom is waardoor concentratiegebrek ontstaat.'

'En hoe komt het dat jíj dat allemaal weet? Ik dacht dat Marjorie arts was. Waar is verdomme de zwijgplicht van de arts gebleven.'

'O, Irie, doe niet zo raar. Ze is ook een vriendin! Ze wil me alleen maar op de hoogte houden.'

'Burgermansmaffia, zou ik eerder zeggen.'

'O, toe zeg. Doe niet zo hysterisch. Je wordt met de dag hysterischer. Luister, ik wil niet dat je de telefoon gebruikt.'

'Dat weet ik. Dat zei je al.'

'Want als Marjorie gelijk heeft, en dat het is, moet hij echt naar een dokter en moet hij methylfenidaat hebben. Het is een bijzonder verzwakkende aandoening.'

'Joyce, hij heeft geen syndroom, hij is alleen een moslim. Daar zijn er een miljard van. Ze kunnen niet allemaal zo'n syndroom hebben.'

Joyce hapte even naar lucht. 'Ik vind dat je heel wreed bent. Dat is precies het soort opmerking dat niet helpt.'

Ze liep met grote stappen naar de broodplank en sneed met betraande ogen een grote homp kaas af. Ze wist hoeveel vet kaas bevatte, en ze at het altijd als iemand haar van streek maakte, en, aangezien dat algemeen bekend was, deed ze het om te laten weten dat ze haar van streek maakten. Joyce was een emotioneel terroriste bij uitstek.

Ze zei: 'Luister, het belangrijkste is dat we die twee bij elkaar krijgen. Het is tijd.'

Irie keek bedenkelijk. 'Waarom is het tijd?'

Joyce propte weer een stuk kaas in haar mond. 'Het is tijd omdat ze elkaar nodig hebben.'

'Maar als ze niet willen, willen ze niet.'

'Soms weten mensen niet wat ze willen. Ze weten niet wat ze nodig hebben. Die jongens hebben elkaar nodig als...' Joyce dacht even na. Ze was slecht in metaforen. In een tuin plantte je nooit iets waar iets anders zou moeten zijn. 'Ze hebben elkaar nodig als Laurel en Hardy, zoals Crick Watson nodig had...'

'Zoals Oost-Pakistan West-Pakistan nodig had.'

'Ik vind dat niet erg grappig, Irie.'

'Zie je mij lachen, Joyce?'

Joyce sneed nog een stuk kaas af, trok twee hompen van een brood en klapte de drie op elkaar.

'Een feit is dat beide jongens ernstige emotionele problemen hebben, en het wordt bepaald niet beter als Millat weigert Magid te ontmoeten. Hij heeft er zo veel last van. Ze zijn uit elkaar gedreven door hun godsdienst, door hun cultuur. Heb je enig idee hoe traumátisch dat is?'

Op dat moment wenste Irie dat ze Magid de kans had gegeven het haar te verkondigen verkondigen verkondigen. Ze had dan in elk geval informatie gehad. Ze had iets gehad om tegen Joyce te gebruiken. Want als je naar profeten luistert, geven ze je munitie. De aard van tweelingen. De miljoenste decimaal van pi (hebben oneindige getallen een begin?). En vooral de dubbele betekenis van het woord 'splijten'. Wist hij wat erger was, wat traumatischer was: bijeenbrengen of uiteenscheuren?

'Joyce, waarom hou je je voor één keer niet eens bezig met je eigen gezin? Hoe gaat het met Josh? Wanneer heb je Josh voor het laatst gezien?'

De bovenlip van Joyce verstijfde. 'Josh is in Glastonbury.'

'Juist. Glastonbury was twee maanden geleden, Joyce.'

'Hij is wat aan het reizen. Hij zei dat hij dat misschien zou doen.'

'En met wie? Je weet helemaal níets van die mensen. Hou je daar eens een tijdje mee bezig en bemoei je verdomme niet met de zaken van anderen.'

Joyce vertrok geen spier. Het is níet eenvoudig om uit te leggen hoezeer Joyce inmiddels gewend was aan grove tienertaal, ze werd er de laatste tijd zo vaak mee geconfronteerd, zowel van de kant van haar eigen kinderen als die van anderen, dat een verwensing of gemene opmerking haar eenvoudigweg niet meer raakte. Ze schoffelde ze gewoon weg.

'De reden waarom ik me geen zorgen maak om Josh, en dat weet je heel goed,' zei Joyce, breed glimlachend en sprekend met haar Chalfen-verstandige-ouderstem, 'is dat hij alleen maar een beetje aandacht probeert te krijgen. Zoals jij dat op dit moment ook doet. Het is volkomen natuurlijk voor goed opgeleide kinderen uit de middenklasse om op deze leeftijd dwars te zijn.' (In tegenstelling tot veel anderen geneerde Joyce zich absoluut niet voor de term 'middenklasse'. In het Chalfen-woordenboek waren de middenklassen de erfgenamen van de Verlichting, de scheppers van de welvaartsstaat, de intellectuele elite en de bron van alle cultuur. Waar ze dit idee vandaan hadden gehaald, is moeilijk te zeggen.) 'Maar ze keren snel genoeg terug naar het nest. Ik heb alle vertrouwen in Joshua. Hij verzet zich gewoon tegen zijn vader en dat gaat wel over. Maar Magid heeft echt problemen. Ik heb me hierin verdiept, Irie. En er zijn te veel tekenen. Ik kan ze lezen.'

'Nou, dan lees je ze verkeerd,' vuurde ze terug, want ze waren op de rand van oorlog, ze voelde het. 'Met Magid is niets aan de hand. Ik heb net met hem gepraat. Hij is een zenmeester. Hij is verdomme het meest serene individu dat ik ooit van mijn leven heb ontmoet. Hij werkt met Marcus, en dat is wat hij graag wil, en hij is gelukkig! Waarom proberen we niet eens een tijdje een politiek van niet-inmenging? Een beetje laisser faire? Met Magid is niets aan de hand.'

'Irie, schat,' zei Joyce, terwijl ze Irie een stoel verder duwde en zelf naast de telefoon ging zitten, 'wat jij niet begrijpt is dat mensen extreem zijn! Het zou prachtig zijn als iedereen net als jouw vader was, die zelfs nog doet of er niets aan de hand is als het plafond om hem heen naar beneden komt. Maar veel mensen kunnen dat niet. Magid en Millat vertonen extreem gedrag. Je kunt dat wel zeggen, dat laisser faire en daar heel slim over doen, maar waar het op neerkomt is dat Millat zich echt diep in de problemen werkt met die fundamentalisten. Diep in de problemen. Ik maak me zo veel zorgen om hem dat ik nauwelijks kan slapen. Je leest over die groepen in de krant… En dat zet Magid vreselijk onder druk. En moet ik dan gewoon maar achterover gaan zitten en toekijken hoe ze kapotgaan, alleen omdat hun ouders… nee, ik zeg het, want het is zo… alleen omdat hun ouders zich geen zorgen lijken te maken? Ik heb altijd alleen maar aan het welzijn van die jongens gedacht, dat zou jij toch moeten weten. Ze hebben hulp nodig. Ik liep net langs de badkamer en daar zit Magid met zijn spijkerbroek aan in bad. Ja! Goed? Nou,' zei Joyce, 'ik denk dat ik een getraumatiseerd kind herken als ik er een zie.'

17

CRISISBERAAD EN ELFDER-UUR TACTIEKEN

'Mevrouw Iqbal? Joyce Chalfen hier. Mevrouw Iqbal? Ik kan u duidelijk zien. Joyce hier. Ik vind echt dat we moeten praten. Kunt u... eh... de deur opendoen?'

Ja, dat kon ze. In *theorie* kon ze dat. Maar in deze extreme atmosfeer, met strijdende zoons en ongelijksoortige partijen, had Alsana een eigen tactiek nodig. Ze had stilte gedaan, en woordstakingen en voedselconsumptie (het tegenovergestelde van een hongerstaking; je wordt forser om de vijand te intimideren), en nu probeerde ze een sit-downprotest.

'Mevrouw Iqbal... vijf minuten maar. Magid is erg van streek door dit alles. Hij maakt zich zorgen om Millat en ik ook. Vijf minuten maar, mevrouw Iqbal, alstublieft.'

Alsana stond niet van haar stoel op. Ze bleef gewoon bezig met de zoom, hield haar oog op het zwarte garen dat van het ene naar het andere spoeltje en dan in de pvc ging, en drukte woest op het pedaal van de Singer alsof het de flank van een paard was waarop ze wilde wegrijden, de zonsondergang tegemoet.

'Nou, je kunt haar net zo goed binnenlaten,' zei Samad vermoeid. Hij kwam uit de zitkamer, waar hij van *The Antiques Roadshow* had zitten genieten, maar gestoord was door Joyce' volhardende actie. (Naast *The Equalizer*, met die grote morele bemiddelaar Edward Woodward, was het Samads favoriete programma. Hij had vijftien lange televisiejaren gewacht op een of andere cockney-huisvrouw die een prul van Mangal Pande uit haar handtas zou halen. *O, mevrouw Winterbottom, dit is wel heel bijzonder. Wat we hier hebben is de loop van het musket dat heeft toebehoord aan...* Hij zat met de telefoon onder zijn rechterhand zodat hij, mocht dit scenario zich voordoen, de BBC zou kunnen bellen en voornoemde Winterbottoms adres en de prijs kon vragen. Tot nu toe alleen Opstand-medailles en een zakhorloge van Havelock, maar hij keek nog steeds.)

Hij tuurde door de gang naar de schaduwachtige gedaante van Joyce achter het glas en krabde droevig aan zijn testikels. Samad was in zijn tv-modus: opzichtige v-halspullover, buik gezwollen als een strakke warmwaterzak, daaronder lange, mottige ochtendjas en een boxershort in paisleypatroon waaruit twee dunne benen staken, de erfenis van zijn jeugd. In zijn tv-modus was hij niet in staat tot actie. De kast in de hoek van de kamer (die hij graag als een antiquiteit zag, in een omhulsel van hout en op vier poten als een soort Victoriaanse robot) zoog hem naar binnen en onttrok al zijn energie aan hem.

'Nou, waarom doe jíj niet iets, meneer Iqbal. Zorg dat ze weggaat. In plaats van daar een beetje te koop te lopen met je kwabbige pens en je petieterige piemel.'

Samad gromde en stopte de oorzaak van al zijn ellende, twee enorme harige ballen en een verslagen uitziende slappe lul, in de binnenbekleding van zijn short.

'Ze zal niet weggaan,' mompelde hij. 'En als ze weggaat, zal ze alleen maar terugkomen met versterkingen.'

'Maar waarom? Heeft ze niet voor genoeg problemen gezorgd?' zei Alsana luid, luid genoeg voor Joyce. 'Ze heeft haar eigen gezin, nietwaar? Waarom gaat ze niet naar huis en de zaken daar voor de verandering eens in de war sturen? Ze heeft jongens, vier jongens. Hoeveel jongens wil ze? Hoeveel wil ze er, verdomme?'

Samad haalde zijn schouders op, liep naar de keukenla en viste de koptelefoon eruit, die op de tv kon worden aangesloten en aldus de buitenwereld uitschakelde. Hij had zich, net als Marcus, teruggetrokken. *Laat ze maar*, was zijn gevoel. Laat ze het zelf maar uitknokken.

'O, dank je wel!' zei Alsana bijtend, toen haar man terugging naar zijn Hugh Scully en zijn potten en geweren. 'Dank je, Samad Miah, voor je o zo waardevolle bijdrage. Dat is wat mannen doen. Zij maken de rotzooi, de eeuw loopt ten einde, en ze laten het aan de vrouwen over om de stront op te ruimen. Dank je, echtgenoot!'

Ze verhoogde de snelheid van de naaimachine, raffelde de naad af en ging verder met het binnenbeen, terwijl de Sfinx van de brievenbus niet te beantwoorden vragen bleef stellen.

'Mevrouw Iqbal, alstublieft, kunnen we praten? Is er een reden waarom we niet zouden praten? Moeten we ons gedragen als kinderen?'

Alsana begon te zingen.

'Mevrouw Iqbal, alstublieft! Alstublieft! Wat bereikt u hiermee?'

Alsana zong harder.

'Ik moet u zeggen,' zei Joyce, doordringend als altijd, zelfs door drie houten panelen en dubbele beglazing heen, 'ik ben hier niet voor mijn gezondheid. Of u nu wilt dat ik erbij betrokken ben of niet, ik bén het, begrijpt u? Ik bén het.'

Betrokken. Dat was tenminste het juiste woord, dacht Alsana, terwijl ze haar voet van het pedaal haalde en het wiel nog een paar keer alleen liet draaien voordat het piepend tot stilstand kwam. Soms, hier in Engeland, vooral bij bushaltes en in de soaps die overdag werden uitgezonden, hoorde je mensen zeggen: 'We hebben een relatie,' alsof een dergelijke betrokkenheid het mooiste was wat je kon overkomen, alsof je daarvoor koos en ervan genoot. Alsana zag het niet op die manier. Betrokkenheid, een relatie, ontstond in de loop der tijd, je werd er langzaam in gezogen, als in drijfzand. Betrokkenheid is wat Alsana Begum met het ronde gezicht en de knappe Samad Miah was overkomen, een week nadat ze samen in een ontbijtkamer in Delhi waren geduwd en te horen hadden gekregen dat ze zouden gaan trouwen. Betrokkenheid was het resultaat geweest van de ontmoeting onder aan een trap tussen Clara Bowden en Archie Jones. Betrokkenheid had een meisje als Ambrosia en een jongen die Charlie heette (ja, Clara had haar dat droevige verhaal verteld) verzwolgen op het moment waarop ze elkaar kusten in de voorraadkast van een pension. Betrokkenheid is goed noch slecht. Het is gewoon een consequentie van leven, een consequentie van bezetting en immigratie, van imperiums en expansie, van elkaar op de lip zitten... je raakt betrokken en het is een lange weg terug om niet meer betrokken te zijn. En de vrouw had gelijk – je deed het niet voor je gezóndheid. Niets zo laat in de eeuw werd nog om gezondheidsredenen gedaan. Alsana wist haar weetje als het ging om het Moderne Leven. Ze keek naar de praatprogramma's, ze keek de hele dag naar de praatprogramma's – *Mijn vrouw slaapt met mijn broer, Mijn moeder bemoeit zich met het leven van mijn vriend* –, en degene met de microfoon, of het nu Gebruinde Man met Witte Tanden betrof of Angstig Getrouwd Echtpaar, stelde altijd dezelfde domme vraag: *Maar waarom voel je dan de behoefte...?* Fout! Alsana moest het hem door het scherm heen uitleggen. Stommeling; ze wíllen dit niet, ze wénsen dit niet – het is gewoon een kwestie van betrokken zijn, snap je? Ze stappen naar binnen en komen vast te zitten tussen de draaideuren van die twee e's. *Betrokken.* De jaren gaan voorbij en de rotzooi stapelt zich op en daar sta je dan. Jouw broer slaapt met de achternicht van de nicht van mijn ex-vrouw. Betrokken. Gewoon een afgezaagd, onvermijdelijk feit. Iets in de manier waarop Joyce het zei, *betrokken* – vermoeid, enigszins scherp – deed Alsana vermoeden dat het woord voor haar hetzelfde betekende. Een enorm web dat je spint om jezelf te vangen.

'Oké, oké, dame vijf minuten dan. Ik moet vanmorgen nog drie jumpsuits doen, wat er ook gebeurt.'

Alsana opende de deur en Joyce liep de gang in, en een ogenblik namen ze elkaar op, elkaars gewicht schattend als nerveuze boksers voordat ze op de weegschaal stappen. Ze waren beslist aan elkaar gewaagd. Wat Joyce aan borstpartij miste, compenseerde ze in achterwerk. Waar Alsana een zwakte toonde in fijne gelaatstrekken – een smalle, mooie neus, lichte wenkbrauwen – compenseerde ze in de stevige molligheid van haar armen, de rolletjes van moederlijke macht. Want zij was tenslotte de moeder hier. De moeder van de betreffende jongens. Zij had de troefkaart, als ze gedwongen zou zijn die uit te spelen.

'Okiedokie dan,' zei Alsana, terwijl ze zich door de smalle keukendeur perste en Joyce gebaarde haar te volgen.

'Wat wordt het, thee of koffie?'

'Thee,' zei Joyce beslist. 'Vruchten, als het mogelijk is.'

'Vruchten niet mogelijk. Earl Grey is zelfs niet mogelijk. Ik kom uit het gebied van de thee naar dit godsgruwelijke land en kan me niet eens fatsoenlijke kop thee veroorloven. P.G. Tips is mogelijk en verder niets.'

Joyce trok een gezicht. 'Dan P.G. Tips, alsjeblieft.'

'Zoals u wilt.'

De beker thee die een paar minuten later voor Joyce neerplofte, was grijs, had een schuimrand en er schoten duizenden kleine microben doorheen, die minder micro waren dan je zou hebben gehoopt. Alsana gunde Joyce een moment om erover na te denken.

'Laat het gewoon even staan,' legde ze opgewekt uit. 'Mijn man heeft een waterleiding geraakt toen hij een geul groef voor wat uien. Ons water is een beetje raar sinds die tijd. Het kan zijn dat u er de racekak van krijgt, maar misschien ook niet. Maar laat het een minuutje staan, dan wordt het helder. Ziet u?' Alsana roerde er weinig overtuigend in waardoor nog grotere brokken ongeïdentificeerde stof naar het oppervlak bubbelden. 'Ziet u? Geschikt voor sjah Jahan in eigen persoon!'

Joyce nam aarzelend een slokje en schoof de beker toen opzij.

'Mevrouw Iqbal, ik weet dat we in het verleden niet bepaald op vriendschappelijke voet hebben gestaan, maar...'

'Mevrouw Chalfen,' zei Alsana, haar lange wijsvinger opstekend om Joyce de mond te snoeren, 'er zijn twee regels die iedereen kent, van de minister-president tot een riksjarijder. De eerste is: laat je land nooit een handelspost worden. Zeer belangrijk. Als mijn voorouders dit advies hadden opgevolgd, zou mijn huidige situatie heel anders zijn, maar dat is het leven. De tweede is: bemoei je niet met het gezinsleven van anderen. Melk?'

'Nee, nee, dank u. Een beetje suiker...'

Alsana schepte een grote volle eetlepel in de beker van Joyce.

'U denkt dat ik me met uw zaken bemoei?'

'Ik denk dat u dat hebt gedaan.'

'Maar ik wil alleen dat de tweeling elkaar ziet.'

'Door u zijn ze van elkaar gescheiden.'

'Maar Magid woont alleen bij ons omdat Millat hier niet wil zijn als *hij* er zou zijn. En Magid heeft me verteld dat uw man hem nauwelijks kan luchten of zien.'

Alsana, klein vaatje buskruit dat ze was, ontplofte. 'En hoe *kómt* dat? Doordat *júllie*, u en uw man, Magid bij iets hebben betrokken wat zo tegen onze cultuur ingaat, tegen ons geloof, dat we hem nog nauwelijks herkennen! Dat hebben jullie gedaan. Hij ligt nu overhoop met zijn broer. Onmogelijk conflict! Die klootzakken met hun groene dasjes; Millat heeft nu een hoge positie daar. Is er heel erg bij betrokken. Hij vertelt het me niet, maar ik hoor het. Ze noemen zich volgelingen van de islam, maar het is alleen maar een bende misdadigers die net als alle andere gekken door de straten van Kilburn zwerven. En nu komen ze met die – hoe heten die dingen – gevouwen-papiertjesellende.'

'Folders?'

'Folders! Folders over uw man en zijn goddeloze muis. Vragen om moeilijkheden, ja zeker. Ik heb ze gevonden, honderden, onder zijn bed.' Alsana stond op, haalde een sleutel uit de zak van haar schort en opende een keukenkast die volgestouwd lag met groene folders, die in een golf over de vloer gleden. 'Hij is weer verdwenen, drie dagen. Ik moet ze terugleggen voor hij ontdekt dat ze weg zijn. Neem er een paar, toe, dame, neem ze mee en lees ze aan Magid voor. Laat hém zien wat jullie hebben gedaan. Twee jongens naar verschillende uiteinden van de wereld gedreven. Júllie hebben een oorlog ontketend tussen mijn zoons. Júllie drijven ze uiteen!'

Een minuut eerder had Millat heel zachtjes de sleutel in het slot van de voordeur omgedraaid. Sinds die tijd stond hij in de gang naar het gesprek te luisteren en een saffie te roken. Het was geweldig! Het was alsof je naar twee grote Italiaanse matriarchen van elkaar bestrijdende clans luisterde die het uitknokten. Millat was gek op clans. Hij had zich bij KEVIN aangesloten omdat hij gek was op clans (en hun uitdossing en het strikdasje), en hij was gek op oorlogvoerende clans. Marjorie de therapeute had gesuggereerd dat zijn verlangen om deel uit maken van een clan het gevolg was van het feit dat hij de helft was van een tweeling. Marjorie de therapeute suggereerde dat Millats religieuze bekering waarschijnlijk eerder voortkwam uit een behoefte aan herkenbaarheid binnen een groep dan uit een of ander intellectueel geformuleerd geloof in het bestaan van een almachtige schepper. Misschien. Het maakte niet uit. Wat hem betrof kon je het analyseren tot sint-juttemis, maar niets woog op tegen helemaal in het zwart gekleed zijn, een saffie roken en luisteren naar twee mama's die in operastijl om jou aan het vechten waren.

'U beweert dat u mijn jongens wilt helpen, maar u hebt niets anders gedaan dan een wig tussen ze drijven. Het is te laat nu. Ik ben mijn kinderen kwijt. Waarom gaat u niet terug naar die van uzelf en laat u ons met rust?'

'Denkt u dat het bij mij thuis allemaal koek en ei is. Mijn gezin is hierdoor ook uiteengedreven. Joshua praat niet met Marcus. Wist u dat? En die twee hadden zo'n hechte band...' Joyce zag er een beetje huilerig uit en Alsana gaf haar met tegenzin de rol keukenpapier. 'Ik probeer ons allemaal te helpen! En de beste manier om te beginnen is Magid en Millat met elkaar aan het praten te krijgen voordat dit nog verder escaleert. Ik denk dat we het daar wel over eens kunnen zijn. Als we neutraal terrein konden vinden, een of andere plaats waar ze geen van beiden het gevoel zouden hebben dat ze onder druk staan of van buitenaf worden beïnvloed...'

'Maar er is geen neutraal terrein meer! Ik ben met u eens dat ze met elkaar zouden moeten praten, maar waar en hoe? U en uw man hebben alles onmogelijk gemaakt.'

'Mevrouw Iqbal, met alle respect, maar de problemen bij jullie waren allang begonnen voordat mijn man of ik daar enige betrokkenheid bij had.'

'Misschien, misschien, mevrouw Chalfen, maar jullie zijn het zout in de wond, niet? Jullie zijn dat ene extra pepertje in de hete saus.'

Millat hoorde Joyce scherp inademen.

'Nogmaals, met alle respect, ik geloof niet dat dat het geval is. Ik denk dat dit al heel lang speelt. Millat heeft me verteld dat u een aantal jaren geleden al zijn spullen hebt verbrand. Ik bedoel, het is maar een voorbeeld, maar ik denk niet dat u begrijpt hoe traumatisch zoiets voor Millat is geweest. Hij is erg beschádigd.'

'O, gaan we de leer om leer spelen. Juist. En ik krijg de eerste lading? Niet dat het die grote neus van u iets aangaat, maar ik heb die spullen verbrand om hem een lesje te leren... om respect te hebben voor het leven van anderen!'

'Een vreemde leermethode, neem me niet kwalijk.'

'Ik neem het u wel kwalijk! Ik neem het u wel kwalijk! Wat weet u ervan?'

'Alleen wat ik zie. En ik zie dat Millat een heleboel geestelijke littekens heeft. U weet het misschien niet, maar ik heb sessies gefinancierd voor Millat met mijn therapeute. En ik kan u wel zeggen dat Millats gevoelsleven – zijn karma, noem je dat denk ik in het Bengaals –, de hele wereld van zijn onderbewustzijn, tekenen van ernstige ziekte vertoont.'

Het probleem met Millats onderbewustzijn (en hij had Marjorie niet nodig om hem dat te vertellen) was in feite dat het in de grond gespleten was. Aan de ene kant probeerde hij echt zo te leven als Hifan en de anderen wilden. Dit hield vier belangrijke criteria in:

1 Ascetisch zijn in je gewoonten (minder drank, minder drugs, minder vrouwen).
2 Nooit de glorie vergeten van Mohammed (vrede zij met Hem!) en de macht van de Schepper.
3 Een volledig intellectueel inzicht ontwikkelen in KEVIN en de koran.
4 Jezelf zuiveren van de smet van het Westen.

Hij wist dat hij KEVIN's grote experiment was, en hij wilde er zijn best voor doen. Op de eerste drie punten ging het behoorlijk goed. Hij rookte nog weleens een saffie en sloeg zo nu en dan een Guinness achterover (eerlijk is eerlijk), maar hij was heel succesvol met zowel het kwade kruid als de verleidingen van het vlees. Hij had geen contact meer met Alexandra Andrusier, Polly Houghton of Rosie Dew (hoewel hij incidenteel een bezoekje bracht aan ene Tanya Chapman-Jones, een heel kleine roodharige, die de delicate aard van zijn dilemma begreep en hem een grondige pijpbeurt gaf zonder dat Millat haar hoefde aan te raken. Het was een voor beide partijen bevredigende regeling: zij was de dochter van een rechter en genoot ervan de ouwe bok te schokken, en Millat had een zaadlozing nodig zonder actieve medewerking van zijn kant). Wat de bijbelse kant betreft, hij vond Mohammed een goeie peer, een geweldige kerel, en hij was vervuld van ontzag voor de Schepper, in de oorspronkelijke betekenis van dat woord: angst, vrees, echt schijtensbenauwd – en Hifan zei dat dat juist was, dat het zo hoorde. Hij begreep dat idee dat zijn religie niet gebaseerd was op geloof – niet als de christenen, de joden en anderen – maar een religie was die intellectueel bewezen kon worden door de knapste koppen. Het begreep het idéé. Maar helaas was Millat niet in het bezit van een van de knapste koppen, of zelfs maar een redelijk knappe kop; intellectueel bewijs of tegenbewijs ging zijn pet te boven. Maar hij begreep dat vertrouwen op het geloof, zoals zijn vader deed, verachtelijk was. En niemand kon zeggen dat hij zich niet voor honderd procent voor de zaak inzette. Dat leek genoeg voor KEVIN. Ze waren meer dan tevreden met zijn echt sterke kant: het uitdrágen van de zaak. De presentátie. Als bijvoorbeeld een nerveus uitziende vrouw naar de tafel van KEVIN kwam in de bibliotheek van Willesden en vragen stelde over het geloof, boog Millat zich naar voren, pakte haar hand, drukte deze en zei: *Niet geloof, zuster. Het gaat hier niet om geloof. Praat vijf minuten met mijn broeder Rakesh en hij zal het bestaan van de Schepper intellectueel bewijzen. De koran is een wetenschappelijk document, een document van het rationele denken. Geef ons vijf minuten, zuster, als uw toekomst voorbij dit aardse bestaan belangrijk voor u is.* En tot besluit wist hij meestal nog een paar bandjes te slijten (*Ideologische oorlogsvoering* of *Laat de geleerden oppassen*), twee pond per stuk. Of, als hij in topvorm was, zelfs wat van hun literatuur. Iedereen bij KEVIN was diep onder de indruk. Dat zat wel goed. Wat KEVIN's meer onorthodoxe programma's van directe actie betreft, was Millat er helemaal bij; hij was hun grootste aanwinst, hij stond in het voorste gelid, de eerste in de strijd als jihad kwam, kalm als wat in een crisis, een man van actie, als Brando, als Pacino, als Liotta. Maar terwijl Millat daar in de gang van zijn ouderlijk huis met trots over mijmerde, zonk de moed hem in de schoenen. Want daar lag het probleem. Nummer vier. Jezelf zuiveren van het Westen.

Nu wist hij, hij wíst, dat je, als je een voorbeeld wilde van de *zieltogende, decadente, gedegenereerde, oversekste, gewelddadige toestand van de westerse kapitalistische cultuur en het logische eindpunt van haar obsessie met persoonlijke vrijheden* (folder: *Westerse dwaalwegen*), met weinig beters kon komen aanzetten dan Hollywood. En hij wist (hoe vaak had hij er niet met Hifan over gepraat) dat de 'gangsterfilm', het maffiagenre, het ergste voorbeeld daarvan was. En toch... was dat het moeilijkste punt om los te laten. Hij gaf elke joint die hij ooit had gerookt en elke vrouw die hij ooit had geneukt voor de films die zijn moeder had verbrand, of zelfs voor de paar die hij naderhand had gekocht en die Hifan in beslag had genomen. Hij had zijn lidmaatschapskaart van 'Rocky Video' verscheurd en de videorecorder uit huize Iqbal weggegooid om directe verleiding uit te bannen, maar kon hij er iets aan doen dat Channel 4 een De Niro-cyclus had? Kon hij het helpen als Tony Bennetts 'Rags to Riches' uit een kledingzaak kwam zweven en zijn ziel binnendrong? Het was zijn meest beschamende geheim dat, wanneer hij maar een deur opendeed – een autoportier, een kofferdeksel, de deur van KEVIN's vergaderzaal of de deur van zijn eigen huis daarstraks – het begin van *GoodFellas* door zijn hoofd ging en deze zin rondtolde in wat naar hij aannam zijn onderbewustzijn was.

Voor zolang als ik me kan herinneren, wilde ik altijd een gangster worden.

Hij zag het zelfs zo, in díe letters, als op een filmaffiche. En als hij merkte dat het weer gebeurde, deed hij wanhopig zijn best het niet te doen, probeerde hij het weg te drukken, maar Millats geest was een moeras en meestal kwam het er toch op neer dat hij de deur openduwde – hoofd naar achteren, schouders naar voren, Liotta-stijl – met de gedachte:

Voor zolang als ik me kan herinneren, wilde ik altijd een moslim worden.

Hij was zich er op de een of andere manier van bewust dat dit érger was, maar hij kon het niet helpen. Hij droeg een witte zakdoek in zijn borstzakje, hij had altijd dobbelstenen bij zich, hoewel hij geen idee had hoe je *craps* precies speelde, hij was gek op lange camel jassen en hij kon een te gekke *linguini* van zeevruchten bereiden, maar van lamscurry wist hij niets. Het was allemaal haraam, dat wist hij.

Maar het ergste was de woede in zijn binnenste. Niet de gerechtvaardigde woede van een man van God, maar de ziedende gewelddadige woede van een gangster, van een jeugddelinquent, vastbesloten zich te bewijzen, vastbesloten de clan te leiden, vastbesloten te rest te verslaan. En als het spel God was, als het spel een gevecht was tegen het Westen, tegen de aanmatigende houding van de westerse wetenschap, tegen zijn broer of Marcus Chalfen, was hij vastbesloten dit te winnen. Millat drukte zijn peuk uit tegen de trapleuning. Hij had de pest in dat dit geen vrome gedachten waren. Maar ze gingen in de goeie richting, nietwaar? Wat de fundamentele zaken betrof, zat hij goed, niet? Een zuiver leven, bidden (vijf keer per dag zonder mankeren), vasten, werken voor de zaak, de boodschap verkondigen? En dat was genoeg, nietwaar? Misschien. Het moest maar. Hoe het ook zij, er was geen weg terug. Ja... hij zou een ontmoeting hebben met Magid, hij zou hem ontmoeten... ze zouden elkaar eens goed zeggen waar het op stond, en hij zou er als sterkste uitkomen; hij zou zijn broer een *kleine kakkerverlakker* noemen en na dat onderonsje nog vastbeslotener zijn om zijn bestemming te vervullen. Millat trok zijn groene strikdasje recht, stapte geruisloos naar voren, als Liotta (een en al dreiging en charme), en duwde de keukendeur open (*Voor zolang als ik me kan herinneren...*), in afwachting van twee paar ogen die zich, als twee van Scorseses camera's, op zijn gezicht zouden richten en zich scherp zouden stellen.

'Millat!'

'Amma.'

'Millat!'

'Joyce.'

(*Geweldig, prachtig, we kennen elkaar dus allemaal*, ging Millats innerlijke monoloog met de stem van Paul Sorvino. *Nou, laten we het over de zaken hebben.*)

'Goed, heren, er is geen reden om te schrikken. Dit is gewoon mijn zoon. Magid, Mickey. Mickey, Magid.'

O'Connells weer. Want Alsana was uiteindelijk gezwicht voor het argument van Joyce, maar voelde er niets voor haar handen vuil te maken. In plaats daarvan vroeg ze Samad Magid op een avond 'ergens' mee naar toe te nemen en hem over te halen Millat te ontmoeten. Maar het enige 'ergens' dat Samad kende was O'Connells en hij vond het een vreselijk idee zijn zoon daarmee naar toe te nemen. Zijn vrouw en hij hadden een grondige worstelpartij gehad in de tuin om tot een beslissing te komen, en hij rekende op een overwinning tot Alsana hem te pakken nam met een niet doorgezette beenworp gevolgd door een houdgreep-knie-kruiscombinatie. Dus daar was hij nu: bij O'Connells, en het was een net zo slechte keuze als hij had verwacht. Toen Archie, Magid en hij naar binnen waren gelopen, zo onopvallend mogelijk, had dit tot algemene consternatie geleid onder zowel het personeel als de klanten. De laatste vreemde die daar, voor zover ze zich konden herinneren, met Arch en Sam was geweest, was Samads boekhouder een kleine, gluiperige vent die met de mensen probeerde te praten over hun spaargeld (alsof de klanten van O'Connells spaargeld hadden!) en niet één maar twee keer om bloedworst had gevraagd, hoewel hem was uitgelegd dat varkensvlees niet verkrijgbaar was. Dat was rond 1987 geweest en niemand had het prettig gevonden. En wat was dit nou? Net vijf jaar later en er is er weer een, helemaal in het wit gekleed deze keer – beledigend schoon voor een vrijdagavond bij O'Connells – en ver onder de stilzwijgend vereiste minimumleeftijd (zesendertig). Waar was Samad mee bezig?

'Waar ben je mee bezig, Sammy?' vroeg Johnny, een treurig uitziende bonenstaak van een ex-orangist, die over de warmhoudplaat gebogen stond om wat stoofpot te halen. 'Ons onder de voet lopen of zoiets?'

'Wie, hem?' vroeg Denzel, die nog niet dood was.

'Je getikte zoon?' vroeg Clarence, die het, bij de gratie Gods, ook nog steeds volhield.

'Goed, heren, er is geen reden om te schrikken. Dit is gewoon mijn zoon. Magid, Mickey. Mickey, Magid.'

Mickey leek een beetje sprakeloos door deze introductie en stond daar gewoon een minuut met een klef gebakken ei over zijn bakspaan hangend.

'Magid Mahfooz Murshed Mubtasim Iqbal,' zei Magid sereen. 'Het is mij een grote eer je te ontmoeten, Michael. Ik heb zoveel over je gehoord.'

Wat vreemd was, want Samad had hem nooit iets verteld.

Mickey bleef over Magids schouder naar Samad kijken voor bevestiging. 'Wat? Je bedoelt die ene die je, eh, naar huis hebt gestuurd? Dit is Magid?'

'Ja, ja, dit is Magid,' antwoordde Samad snel, woest om alle aandacht die de jongen kreeg. 'Zo, het gewone recept voor Archibald en mij en...'

'Magid Iqbal,' herhaalde Mickey langzaam. 'Wel, heb je ooit. Weet je, je zou nooit denken dat jij een Iqbal was. Je hebt een heel betrouwbaar, eh, sympathiek soort gezicht, als je snapt wat ik bedoel.'

'En toch ben ik een Iqbal, Michael,' zei Magid met die blik van totaal inlevingsvermogen voor Mickey en dat andere uitschot van de mensheid dat zich rond de toonbank had verzameld. 'Zij het dat ik lange tijd weg ben geweest.'

'Dat kan je wel zeggen. Nou, dat is me toch wat! Ik heb je... wacht even, dit moet ik goed zeggen... je bétovergrootvader daar hangen, zie je?'

'Ik zag het zodra ik binnenkwam, en ik kan je verzekeren, Michael, mijn ziel is je bijzonder dankbaar,' zei Magid, stralend als een engel. 'Het geeft me het gevoel dat ik thuis ben, en, aangezien deze zaak mijn vader en zijn vriend Archibald Jones dierbaar is, weet ik zeker dat ze ook mij dierbaar zal zijn. Ze hebben mij hier mee naar toe genomen, denk ik, om belangrijke zaken te bespreken, en ik kan er in ieder geval geen betere plaats voor bedenken, ondanks jouw duidelijk verzwakkende huidaandoening.'

Mickey wist gewoon niet hoe hij het had toen hij dit hoorde. Hij kon zijn plezier niet verbergen en richtte zijn antwoord zowel tot Magid als de rest van O'Connells.

'Wat praat hij verdomme netjes, hè? Hij klinkt verdomme als Laurence Olivier. Algemeen beschaafd, verdomme, vergis je niet. Wat een aardige kerel. Jij bent het soort klant dat ik hier wel kan gebruiken, Magid, dat kan ik je wel zeggen. Beschaafd en zo. En maak je geen zorgen over mijn huid, die komt niet in de buurt van het eten en ik heb er niet veel last van. Jeetje, wat een heer. Met hem in de buurt krijg je het gevoel dat je op je woorden moet letten, hè?'

'Het gewone recept voor Archie en mij dus, alsjeblieft, Mickey,' zei Samad. 'Mijn zoon moet nog bedenken wat hij wil. Wij zitten bij de flipperkast.'

'Ja, ja,' zei Mickey, die de moeite niet nam of niet in staat was zijn blik af te wenden van Magids donkere ogen.

'Da's een machtig mooi pak dat je daar aanheb,' mompelde Denzel, weemoedig het witte linnen aaiend. 'Da's wat de Engelsen altijd droegen, thuis op Jamaica, weet je nog, Clarence?'

Clarence knikte langzaam, een beetje kwijlend, overmand door gelukzaligheid.

'Hup, weg, hou daarmee op jullie,' bromde Mickey, ze wegsturend. 'Ik breng het wel, oké? Ik wil met Magid praten. De jongen is nog in de groei, hij moet eten. Dus, wat zal het zijn, Magid?' Mickey boog zich over de toonbank, een en al bezorgdheid, als een overgedienstig winkelmeisje. 'Eieren? Champignons? Bonen? Bakplak?'

'Ik denk,' antwoordde Magid, terwijl hij langzaam het stoffige menubord aan de muur bekeek, en zich toen, terwijl zijn gezicht oplichtte, weer tot Mickey wendde, 'dat ik een broodje bacon wil. Ja, dat is het. Ik wil een sappig, maar goed doorbakken broodje bacon met tomatenketchup. Bruin.'

O, de strijd die op dat moment te zien was op Mickeys smoelwerk! O, de gargouilleachtige grimas! Het was een gevecht tussen de meest verfijnde klant die hij ooit had gehad en de meest geheiligde, gewijde regel van O'Connells Pool House. GEEN VARKENSVLEES.

Mickeys linkeroog trilde.

'Wil je niet een lekker bordje roerei? Ik maak heerlijke roereieren, hè, Johnny?'

'Ik zou liegen als ik zei dat het niet zo was,' zei Johnny loyaal vanaf zijn tafel, hoewel Mickeys eieren berucht waren om hun grijzige, stijve consistentie. 'Ik zou een verschrikkelijke leugenaar zijn, op mijn moeders leven, eerlijk waar.'

Magid trok zijn neus op en schudde zijn hoofd.

'Goed... maar wat vind je van champignons en bonen? Omelet en patat? Geen betere patat op Finchley Road. Kom op, jongen,' zei hij smekend, wanhopig. 'Je bent een moslim, niet? Je wilt je vaders hart toch niet breken met een broodje bacon?'

'Mijn vaders hart zal niet breken door een broodje bacon. Er is een veel grotere kans dat mijn vaders hart zal breken als gevolg van een opeenstapeling van verzadigde vetzuren, wat op zijn beurt het gevolg is van vijftien jaar eten in jouw eetgelegenheid. Je vraagt je af,' zei Magid effen, 'of je daar een zaak van zou kunnen maken, een rechtszaak, begrijp je, tegen mensen in de horeca die hun maaltijden niet voorzien van een aanduiding van de vetinhoud of een algemene waarschuwing voor de gezondheid. Dat vraag je je toch af.'

Dit alles werd gepresenteerd met de zachtste, meest melodieuze stem en zonder ook maar een spoortje dreiging. De arme Mickey wist niet wat hij ervan moest denken.

'Tja, natuurlijk,' zei Mickey nerveus. 'Hypothetisch is dat een interessante vraag. Heel interessant.'

'Ja, ik denk het wel.'

'O ja, beslist.'

Mickey viel stil en was een minuut bezig nauwgezet de warmhoudplaat te poetsen, een activiteit waar hij zich zo ongeveer eens in de tien jaar aan overgaf.

'Zo. Daar kan je je gezicht in zien. Waar waren we?'

'Een broodje bacon.'

Bij het woord 'bacon' begonnen zich aan de voorste tafeltjes een paar oren te spitsen.

'Als je wat zachter zou kunnen praten...'

'Een broodje bacon,' fluisterde Magid.

'Bacon. Juist. Nou, dan moet ik effetjes naar de buren wippen, want ik heb het momenteel niet in huis... maar ga jij maar bij je vader zitten dan breng ik het wel. Het kost een beetje meer, hè. De extra inspanning, snap je. Maar maak je geen zorgen, ik breng het. En zeg tegen Archie dat hij zich geen zorgen hoeft te maken als hij niet genoeg geld bij zich heeft. Een lunchbon is ook goed.'

'Je bent bijzonder vriendelijk, Michael. Je krijgt iets van mij.' Magid stak zijn hand in zijn zak en haalde er een gevouwen papier uit.

'O, verdomme, weer een folder. Je kan verdomme je kont niet keren... neem me niet kwalijk... maar je kan tegenwoordig je kont niet keren in Noord-Londen of je hebt weer een folder te pakken. Ik word eronder bedolven door mijn broer Abdul-Colin. Maar omdat jij het bent... toe maar, geef maar.'

'Het is geen folder,' zei Magid terwijl hij een mes en vork van het blad pakte. 'Het is een uitnodiging voor een introductie.'

'Wat?' zei Mickey opgewonden (in de taal van zijn dagelijkse sensatiekrantje betekende 'introductie' een heleboel camera's, duur uitziende meiden met enorme tieten, rode lopers). 'Echt?'

Millat overhandigde hem de uitnodiging. 'Ongelooflijke dingen zullen daar te zien en te horen zijn.'

Mickey bekeek de duur uitziende kaart. 'O,' zei hij teleurgesteld, 'ik heb gehoord van die vent en zijn muis.' Hij had van die vent en zijn muis gehoord in dezelfde krant; het was een soort opvulling tussen de tieten en nog meer tieten en het stond onder de kop: EEN VENT EN ZIJN MUIS.

'Het lijkt me een beetje gewaagd, gerotzooi met God en zo. Bovendien ben ik niet zo wetenschappelijk aangelegd, snap je. Het gaat me boven m'n pet.'

'O, dat denk ik niet. Je moet er gewoon naar kijken vanuit een persoonlijk perspectief. Neem je huid, bijvoorbeeld.'

'Ik wou verdomme dat iemand hem nam,' grapte Mickey goedmoedig. 'Ik heb er schoon genoeg van.'

Magid glimlachte niet.

'Je lijdt aan een endocriene stoornis. Ik bedoel daarmee dat het niet een gewone adolescente acne is veroorzaakt door een te grote afscheiding van sebum, maar een aandoening die voortkomt uit een hormonale stoornis. Ik neem aan dat het in de familie zit?'

'Eh... ja, zoals dat gaat. Al mijn broers. En mijn zoon, Abdul-Jimmy. Allemaal puistenkoppen.'

'Maar je zou liever niet zien dat jouw zoon de aandoening weer doorgeeft aan zijn zoons.'

'Natuurlijk niet. Ik heb heel veel problemen gehad op school. Ik heb nog steeds een mes op zak, Magid. Maar ik zou niet weten hoe dat kan worden vermeden, om eerlijk te zijn. Het is al tientallen jaren zo.'

'Maar weet je,' zei Magid (en wat was hij een expert op het punt van de persoonlijke invalshoek!), 'het kan beslist worden vermeden. Dat zou heel eenvoudig zijn en het zou veel ellende voorkomen. Over dat soort dingen zullen we praten tijdens de introductie.'

'O, tja, weet je, als dat het geval is, kan je op me rekenen. Ik dacht dat het gewoon een of andere gemuteerde muis was of zoiets, snap je. Maar als dat het geval is...'

'De eenendertigste december,' zei Magid, voordat hij het gangpad doorliep naar zijn vader. 'Het zou geweldig zijn als je kwam.'

'Jij hebt de tijd genomen,' zei Archie, toen Magid naar hun tafeltje liep.

'Heb je een omweg via de Ganges gemaakt?' vroeg Samad geërgerd, terwijl hij opschoof om plaats voor hem te maken.

'Neem me niet kwalijk, alsjeblieft. Ik heb alleen met jullie vriend Michael gesproken. Een bijzonder aardige kerel. O, voor ik het vergeet, Archibald, hij zei dat het uitstekend zou zijn om vanavond met lunchbonnen te betalen.'

Archie stikte bijna in een kleine tandenstoker waarop hij kauwde. 'Wát zei hij? Weet je het zéker?'

'Heel zeker. Zo, abba, zullen we beginnen?'

'Er valt niets te beginnen,' gromde Samad, die hem weigerde aan te kijken. 'Ik weet niet welk duivels plan het lot voor me in petto heeft, maar ik ben bang dat we er al tot onze nek in zitten. En ik wil dat je weet dat ik hier niet uit vrije wil ben maar omdat je moeder mij gesmeekt heeft dit te doen en omdat ik meer respect heb voor die arme vrouw dan jij en je broer ooit hebben gehad.'

Magid liet een wat spottend-vriendelijk glimlachje zien. 'Ik dacht dat je hier was omdat amma van je gewonnen heeft bij het worstelen.'

Samad keek hem kwaad aan. 'O ja, maak me maar belachelijk. Mijn eigen zoon. Lees je de koran nooit? Ken je de plichten niet van een zoon aan zijn vader? Ik walg van je, Magid Mubtasim.'

'Hé, Sammy, ouwe vriend,' zei Archie, die met de ketchup zat te spelen en de sfeer een beetje luchtig probeerde te houden. 'Kalm aan.'

'Nee, niets kalm aan! Deze jongen is mij een doorn in de voet!'

'"Oog", bedoel je.'

'Archibald, bemoei je er niet mee.'

Archie richtte zijn aandacht op de peper- en zoutvaatjes en probeerde de inhoud van het eerste in het laatste te gieten.

'Komt in orde, Sam.'

'Ik moet een boodschap overbrengen en die zal ik overbrengen en dat is het. Magid, je moeder wil dat je een ontmoeting hebt met Millat. Die Chalfen-vrouw zal het regelen. Zij zijn van mening dat jullie met elkaar moeten praten.'

'En wat is jouw mening, abba?'

'Je wilt mijn mening niet horen.'

'Integendeel, abba, ik wil jouw mening heel graag horen.'

'Heel eenvoudig, ik denk dat het een vergissing is. Ik denk dat jullie tweeën elkaar geen goed zullen doen. Ik denk dat jullie naar twee verschillende uithoeken van de aarde moeten gaan. Ik denk dat ik gestraft ben met twee zoons die nog minder met elkaar overweg kunnen dan meneer Kaïn en meneer Abel.'

'Ik ben volkomen bereid hem te ontmoeten, abba. Als hij mij wil ontmoeten.'

'Hij is kennelijk bereid, dat is mij tenminste verteld. Ik weet het niet. Ik praat niet meer met hem dan ik met jou praat. Ik ben momenteel te druk bezig om vrede te sluiten met God.'

'Eh...' zei Archibald, knauwend op zijn tandenstoker van de honger en de zenuwen, en omdat Magid hem de kriebels gaf. 'Zal ik eens gaan kijken of het eten klaar is? Ja. Dat doe ik. Wat had jij besteld, Madge?'

'Een broodje bacon, alsjeblieft, Archibald.'

'Bac...? Eh... juist. Komt in orde.'

Samads gezicht ontplofte als een van Mickeys gebakken tomaten. 'Dus je wilt de spot met mij drijven, is dat het? Je wilt me recht in mijn gezicht laten zien wat voor kafir je bent? Ga je gang! Ga recht voor mijn neus op varken zitten kauwen! Je bent zo verdomde slim, hè? Meneer de wijsneus. Meneer de Engelsman met zijn witte broek aan en zijn stijve bovenlip en zijn grote witte tanden. Je weet alles, hè, zelfs genoeg om aan je eigen godsgericht te ontsnappen.'

'Zo slim ben ik niet, abba.'

'Nee, nee, dat ben je ook niet! Je bent niet half zo slim als je denkt. Ik weet niet waarom ik nog de moeite neem om je te waarschuwen, maar ik doe het: je stuurt aan op een *regelrechte aanvaring* met je broer, Magid. Ik vang dingen op; ik hoor Shiva praten in het restaurant. En er zijn anderen: Mo Hussein-Ishmael, Mickeys broer, Abdul-Colin, en diens zoon, Abdul-Jimmy – dat zijn er maar een paar, er zijn er veel meer, en ze organiseren zich tegen jou. Millat is een van hen. Die Marcus Chalfen van je heeft heel wat woede losgemaakt, en er zijn mensen, die groene dassen, die bereid zijn tot actie. Die gek genoeg zijn om te doen wat zij denken dat juist is. Gek genoeg om een oorlog te beginnen. Zulke mensen zijn er niet zoveel. De meeste van ons volgen gewoon als er eenmaal oorlog is verklaard. Maar sommige mensen willen dingen op de spits drijven. Sommige mensen lopen de paradeplaats op en lossen het eerste schot. Jouw broer is een van hen.'

Terwijl Samads gezicht tijdens deze hele toespraak vertrokken was van woede, toen van wanhoop en vervolgens van bijna hysterische grimassen, was dat van Magid uitdrukkingsloos, een onbeschreven blad gebleven.

'Heb je niets te zeggen? Verrast dit nieuws je niet?'

'Waarom praat je niet met hen, abba,' zei Magid na even gezwegen te hebben. 'Velen van hen respecteren je. Je wordt gerespecteerd in de gemeenschap. Praat met hen.'

'Omdat ik het net zo sterk afkeur als zij, hoe gek ze ook zijn. Marcus Chalfen heeft het récht niet, het recht niet om te doen wat hij doet. Het is zijn zaak niet. Het is een zaak van God. Als je rotzooit met een schepsel, ingrijpt in het wezen van een schepsel, zelfs als het een muis is, kom je op het terrein van God: de schepping. Je impliceert dat het wonder van Gods schepping verbeterd kan worden. Dat kan niet. Marcus Chalfen matigt zich van alles aan. Hij verwacht aanbeden te worden, terwijl het enige in het heelal wat aanbidding rechtvaardigt God is. En het is verkeerd van jou om hem te helpen. Zelfs zijn eigen zoon verloochent hem. En dus,' zei Samad, niet in staat de diep in zijn ziel woekerende zucht naar dramatiek te onderdrukken, 'moet ik jou verloochenen.'

'Ah, kijk eens, één patat, bonen, eieren en champignons voor jou, Sammy-mijnvriend,' zei Archibald, terwijl hij naar de tafel kwam en het bord aangaf. 'En één omelet champignons voor mij...'

'Een één broodje bacon,' zei Mickey, die erop gestaan had dit gerecht, dat een traditie van vijftien jaar doorbrak, persoonlijk te overhandigen, 'voor de jonge professor.'

'Hij eet dat niet aan mijn tafel!'

'O, kom op, Sam,' zei Archie aarzelend, 'laat die jongen toch.'

'Ik zeg dat hij dat niet aan mijn tafel eet!'

Mickey krabde op zijn voorhoofd. 'Ben ik nou gek of worden we een beetje fundamentalistisch op onze ouwe dag?'

'Ik zei...'

'Zoals je wilt, abba,' zei Magid met diezelfde razend makende glimlach van totale vergeving. Hij nam zijn bord aan van Mickey en ging aan het aangrenzende tafeltje zitten bij Clarence en Denzel.

Denzel verwelkomde hem met een grijns. 'Clarence, kijk zie! 't Is de jonge prins in wit. Hij kom domino spelen. Ik hoef 'm maar in z'n ogen te kijken en ik en ik wisten hij speel domino. Hij is een expert.'

'Kan ik jullie een vraag stellen?' zei Magid.

'Uit'raard. Ga je gang.'

'Vinden jullie dat ik mijn broer moet ontmoeten?'

'Hmm. Ik geloof niet dat ik dat ken zeggen,' antwoordde Denzel, na een korte denkpauze waarin hij een reeks van vijf dominostenen neerlegde.

'Ik zou zeggen dat jij eruitziet als 'n jongeman die zelf wel ken beslissen,' zei Clarence behoedzaam.

'Is dat zo?'

Magid draaide zich om naar de andere tafel, waar zijn vader hem bestudeerd probeerde te negeren en Archie met zijn omelet zat te spelen.

'Archibald, moet ik met mijn broer praten of niet?'

Archie keek schuldig naar Samad en toen weer naar zijn bord.

'Archibald, dit is een zeer belangrijke vraag voor mij. Moet ik het doen of niet?'

'Toe maar,' zei Samad gemelijk. 'Geef hem antwoord. Als hij liever advies krijgt van twee oude dwazen en een man die hij nauwelijks kent dan van zijn eigen vader, geef het hem dan. Nou? Moet hij het doen?'

Archie wrong zich in alle bochten. 'Nou... ik kan niet... ik bedoel, het is niet aan mij om te zeggen... ik denk, als hij het wil... maar aan de andere kant, als je niet vindt...'

Samad stootte zo hard met zijn vuist in Archies champignons dat de hele omelet van het bord glibberde en op de grond gleed.

'Neem een beslissing, Archibald. Neem voor één keer in dat zielige leventje van je een beslissing.'

'Hmm... kruis, ja,' zei Archie hijgend, terwijl hij in zijn zak op zoek ging naar een munt van twintig pence. 'Munt, nee. Klaar?'

De munt steeg op en draaide zoals een munt elke keer zou opstijgen en draaien in een volmaakte wereld, vaak genoeg zijn lichte kant en dan zijn donkere kant onthullend om een man te betoveren. Toen, op een bepaald punt in zijn triomfantelijke klim, begon hij een boog te beschrijven, en de boog ging verkeerd, en Archie besefte dat de munt niet naar hem terugkwam maar achter hem verdween, een heel eind achter hem, en hij draaide zich met de anderen om en zag hoe hij een sierlijke duik naar de flipperkast maakte en met een salto in de gleuf tuimelde. Het oude kreng lichtte onmiddellijk op; de bal schoot weg en begon aan zijn chaotische, luidruchtige koers door een labyrint van klapdeuren, automatische batjes, buizen en rinkelende bellen, tot hij, zonder enige menselijke inmenging, de geest gaf en terugviel in het verslindende gat.

'Wel heb je ooit,' zei Archie, zichtbaar in zijn nopjes. 'Wat is de kans dat zoiets gebeurt, hè?'

Neutraal terrein. De kans om dat in deze tijd te vinden is klein, misschien nog kleiner dan Archies flipperkasttruc. Gewoon de hoeveelheid rotzooi die van de lei moet worden geveegd als we met een schone willen beginnen. Ras. Land. Eigendom. Geloof. Diefstal. Bloed. En meer bloed. En meer. En niet alleen moet het terrein neutraal zijn, maar ook de boodschapper die je naar het terrein brengt, en de boodschapper die de boodschapper stuurt. Zulke mensen en terreinen zijn er niet meer in Noord-Londen. Maar Joyce deed haar best met wat ze had. Eerst ging ze naar Clara. In Clara's huidige zetel van geleerdheid van onderricht, een universiteit van rode baksteen ten zuidwesten van de Theems, was een kamer die ze op vrijdagmiddagen gebruikte om te studeren. Een attente docent had haar de sleutel geleend. Altijd leeg van drie tot zes. Inhoud: een schoolbord, verscheidene tafels, een paar stoelen, twee bureaulampen, een overheadprojector, een dossierkast, een computer. Niets ouder dan twaalf jaar, dat kon Clara garanderen. De universiteit zelf was pas twaalf jaar oud. Gebouwd op leeg, braakliggend terrein – geen Indiase begraafplaatsen, geen Romeinse viaducten, geen begraven buitenaards ruimteschip, geen fundamenten van een al lang afgebroken kerk. Alleen aarde. Neutraler terrein was er niet. Clara gaf Joyce de sleutel en Joyce gaf hem aan Irie.

'Waarom ik? Ik ben er niet bij betrokken.'

'Precies, meisje. En ik ben er te veel bij betrokken. Maar jij bent precies goed. Want je kent hem maar je ként hem niet,' zei Joyce raadselachtig. Ze gaf Irie haar lange winterjas, handschoenen en een hoed van Marcus met een bespottelijk balletje bovenop. 'En omdat je van hem houdt, hoewel hij niet van jou houdt.'

'Ja, bedankt, Joyce. Bedankt dat je me daaraan herinnert.'

'Liefde is de reden, Irie.'

'Nee, Joyce, liefde is verdomme de reden niet.' Irie stond op de stoep van de Chalfens en keek naar haar eigen volumineuze ademwolk in de vrieskoude avondlucht. 'Het is een schuttingwoord waarmee je levensverzekeringen en haarlotion verkoopt. Het is allejezus koud. Ik heb wat te goed van je.'

'Iedereen heeft wat te goed van iedereen,' zei Joyce instemmend en deed de deur dicht.

Irie stapte straten in die ze haar hele leven had gekend, liep een route die ze duizenden keren had gelopen. Als iemand haar op dat moment zou vragen wat herinnering was, wat de *zuiverste definitie* van herinnering was, zou ze het volgende zeggen: de straat waarin je was toen je voor het eerst in een hoop dorre bladeren sprong. Daar liep ze nu. Met elk nieuw knerpend geluid kwam de herinnering aan eerdere knerpende geluiden. Ze raakte doordrongen van vertrouwde geuren: vochtige houtspaanders en grind rond de voet van een boom, pas gelegde drollen onder een dek van doorweekte bladeren. Ze was ontroerd door deze gevoelens. Hoewel ze gekozen had voor een leven in de tandheelkunde, had ze nog niet alle poëzie in haar ziel verloren, dat wil zeggen, ze kon nog steeds dat incidentele proustiaanse moment beleven, laag op laag opmerken, hoewel ze ze vaak ervoer in periodontale termen. Ze kreeg een steek – zoals dat gebeurt bij een gevoelige tand, of bij een 'fantoomtand' als de zenuw blootligt – ze voelde een stéék toen ze langs de garage liep waar Millat en zij, dertien jaar oud, honderdvijftig penny's, gestolen uit een jampotje van de Iqbals, over de toonbank hadden geschoven in een wanhopige poging een pakje sigaretten te kopen. Ze voelde een pijnscheut (als bij een ernstige inklemming, de druk van de ene tand op een andere) toen ze langs het park liep waar ze als kinderen hadden gefietst, waar ze hun eerste joint hadden gerookt, waar hij haar één keer, tijdens een storm, had gekust. Irie wenste dat ze zich kon overgeven aan deze verleden-heden verzinsels: zich erin wentelen, ze zoeter maken, langer, vooral de kus. Maar in haar hand had ze een koude sleutel, en om haar heen levens die vreemder waren dan verzinsels, grappiger dan verzinsels, wreder dan verzinsels, en met consequenties die verzinsels nooit kunnen hebben. Ze wilde niet betrokken zijn bij het lange verhaal van die levens, maar ze was erbij betrokken, en ze werd aan haar haren voortgesleept naar de ontknoping ervan, over de hoofdweg – *Mali's Kebabs*, *Mr Cheungs*, *Raj's*, *Malkovich Bakeries*, ze kon ze geblinddoekt opdreunen – en dan omlaag onder de duivenstrontbrug en over die lange, brede weg die afloopt naar Gladstone Park alsof hij zich in een groene oceaan stort. Je kon verdrinken in herinneringen als deze, maar ze probeerde van ze weg te zwemmen. Ze sprong over het lage muurtje dat het huis van de Iqbals omzoomde, zoals ze duizenden keren eerder had gedaan, en belde aan. Verleden tijd, onvoltooid toekomende tijd.

Boven, in zijn slaapkamer, had Millat de afgelopen vijftien minuten een poging gedaan iets te begrijpen van broeder Hifans schriftelijke instructies betreffende de daad van prosternatie (folder: *Juiste wijze van aanbidden*):

> *SAJDA*: prosternatie. Tijdens de sajda moeten de vingers gesloten zijn en evenwijdig aan de oren naar de *kibla* wijzen; het hoofd moet zich tussen de handen bevinden. Het is *fard* om het voorhoofd op iets schoons te leggen, zoals een steen, wat aarde, hout, stof, en er wordt gezegd (door geleerden) dat het *wajib* is om ook de neus neer te leggen. Het is zonder een goed excuus niet toegestaan alleen de neus op de grond te leggen. Het is *makruh* om alleen het voorhoofd op de grond te leggen. Tijdens de sajda moet je minimaal driemaal *Subhana rabbiyal-ala* zeggen. De Shiis zeggen dat het beter is de sajda te doen op een steen gemaakt van de klei van Karbala. Het is ofwel fard of wajib om twee voeten of minstens één teen van elke voet op de grond te laten rusten. Er zijn ook enkele geleerden die zeggen dat het *sunnat* is. Dat wil zeggen dat als twee voeten niet op de grond worden geplaatst, *namaz* ofwel niet wordt geaccepteerd of makruh zal worden. Als, tijdens de sajda, het voorhoofd, de neus of de voeten korte tijd van de grond worden opgeheven, zal dit geen kwaad kunnen. Tijdens de sajda is het sunnat om de tenen te buigen en in de richting van de kibla te draaien. In de Radd-ul-mukhtar staat geschreven dat zij die zeggen

Zo ver was hij gekomen, en er waren nog drie bladzijden. Het klamme zweet brak hem uit bij de pogingen zich alles te herinneren wat halal of haraam was, fard of sunnat, *makruh-tahrima* (zeer nadrukkelijk verboden) of *makruh-tanzini* (verboden, maar in mindere mate). Ten einde raad, had hij zijn T-shirt van zich af gerukt, een serie riemen kruiselings om zijn spectaculaire bovenlichaam gebonden, was voor de spiegel gaan staan en had een andere, gemakkelijker ritueel geoefend, een ritueel dat hij heel goed kende:

> Kijk je naar mij? Kijk je naar mij?
> Nou, naar wie zou je anders kijken, hè?
> Ik zie hier niemand anders.
> Kijk je naar mij?

Hij was helemaal op dreef, onthulde zijn onzichtbare, naar buiten glijdende pistolen en messen aan de kastdeur, toen Irie binnen kwam lopen.

'Ja,' zei Irie, terwijl hij daar schaapachtig stond. 'Ik kijk naar je.'

Snel en rustig vertelde ze hem over het neutrale terrein, over de kamer, over de datum, over de tijd. Ze kwam met haar eigen persoonlijke pleidooi voor compromis, vrede en voorzichtigheid (iedereen deed het) en toen kwam ze dicht bij hem staan en legde de koude sleutel in zijn warme hand. Bijna zonder het van plan te zijn, raakte ze zijn borst aan. Net op het punt tussen twee riemen waar zijn hart, ingesnoerd door het leer, zo hard klopte dat ze het in haar oor voelde. Aangezien ze geen ervaring had op dat gebied, was het begrijpelijk dat Irie de hartkloppingen die samengaan met belemmering van de bloedsomloop ten onrechte aanzag voor smeulende hartstocht. Het was heel lang geleden dat iemand Millat had aangeraakt of Millat iemand had aangeraakt. Voeg daaraan toe de lichte opwelling van de herinnering, van tien jaar onbeantwoorde liefde, van een lange, lange geschiedenis – het resultaat was onvermijdelijk.

Het duurde niet lang of hun armen gingen een relatie aan, hun benen gingen een relatie aan, hun lippen gingen een relatie aan, en toen rolden ze op de vloer, en hun kruis ging een relatie aan (een diepere relatie dan dat is bijna onmogelijk) en ze bedreven de liefde op een bidkleedje. Maar toen was het voorbij, net zo plotseling en koortsachtig als het was begonnen; ze lieten elkaar los in afschuw om verschillende redenen, Irie dook als een naakt hoopje mens bij de deur neer, gegeneerd en beschaamd omdat ze kon zien hoezeer hij het betreurde; en Millat greep zijn bidkleedje, legde het in de richting van de Kaba, ervoor zorgend dat het kleedje niet hoger lag dan het niveau van de vloer, niet op boeken of schoenen rustte, zijn vingers gesloten en evenwijdig aan zijn oren naar de kibla wijzend, ervoor zorgend dat zowel voorhoofd als neus de vloer raakte, met twee voeten stevig op de grond maar ervoor zorgend dat de tenen niet gebogen waren, zich ter aarde werpend in de richting van de Kaba, niet vóór de Kaba, maar alleen voor Allahu ta'ala. Hij zorgde dat hij al deze dingen foutloos deed, terwijl Irie huilde, zich aankleedde en wegging. Hij zorgde ervoor dat hij deze dingen foutloos deed omdat hij geloofde dat hij werd gadegeslagen door de grote camera in de lucht. Hij zorgde dat hij al deze dingen foutloos deed omdat ze fard waren en 'hij die de manieren van aanbidden wil veranderen een ongelovige wordt' (folder: *Het rechte pad*).

❦

Als liefde in haat verkeert... enzovoort, enzovoort. Irie verliet met een verhit hoofd het huis van de Iqbals en liep regelrecht naar de Chalfens, vol wraakgevoelens. Maar niet tegen Millat. Eerder ter verdediging van Millat, want ze was altijd zijn verdedigster geweest, zijn zwartig-witte ridder. Millat hield namelijk niet van haar. En zij dacht dat Millat niet van haar hield omdat hij het niet kon. Zij dacht dat hij zo beschadigd was dat hij van niemand meer kon houden. Ze wilde degene vinden die hem zo beschadigd had, zo verschrikkelijk beschadigd had; ze wilde degene vinden die het hem *onmogelijk had gemaakt van haar te houden*.

Het gaat er raar aan toe in de moderne wereld. Je hoort meisjes in de toiletten van clubs zeggen: 'Ja, hij is 'm gepeerd en heeft me in de steek gelaten. Hij hield niet van me. Hij kon gewoon *niet omgaan* met liefde. Hij was veel te gestoord om te weten hoe hij van me moest houden.' De vraag is: hoe is dat gebeurd? Wat was het toch met deze onaantrekkelijke eeuw dat ons ervan overtuigde dat we, ondanks alles, zo uiterst aantrekkelijk waren als volk, als soort? Wat brengt ons op de gedachte dat iemand die niet van ons houdt beschadigd is, iets mist, *niet goed functioneert* op de een of andere manier? En vooral als ze ons vervangen door een god, een huilende madonna of het gezicht van Christus in een ciabattabroodje – dan noemen we ze gek. Gestoord. Regressief. We zijn zo overtuigd van de goedheid van onszelf, en de goedheid van onze liefde, dat we het idee niet kunnen verdragen dat er iets zou zijn wat meer liefde waard is dan wij, meer aanbidding waard is. Wenskaarten vertellen ons altijd dat iedereen recht heeft op liefde. Nee. Iedereen heeft recht op schoon water. Niet iedereen heeft altijd maar recht op liefde.

Millat hield niet van Irie, en Irie was er zeker van dat er iemand moest zijn die ze daarvan de schuld kon geven. Haar hersenen draaiden overuren. Wat was de ware oorzaak? Wat was de ware oorzaak van Millats gevoelens van minderwaardigheid? Magid. Hij was als tweede geboren door Magid. Hij was de mindere zoon door Magid.

Joyce opende de deur voor haar en Irie liep recht door naar boven, kwaad en vastbesloten Magid voor één keer de tweede zoon te maken, deze keer met een verschil van vijfentwintig minuten. Ze greep hem, kuste hem en bedreef kwaad en furieus de liefde met hem, zonder woorden of genegenheid. Ze rolde hem rond, trok aan zijn haar, begroef alles wat ze aan nagels had in zijn rug, en toen hij klaarkwam merkte ze voldaan dat dit met een kleine zucht ging, alsof hem iets was afgenomen. Maar als ze gedacht had dat dit een overwinning was, had ze het mis. Het kwam alleen doordat hij onmiddellijk wist waar ze was geweest, waarom ze bij hem was, en het bedroefde hem. Lange tijd lagen ze zwijgend bij elkaar, naakt, terwijl het najaarslicht met elke minuut die voorbijging uit de kamer verdween.

'Het lijkt mij,' zei Magid ten slotte, terwijl de maan duidelijker werd dan de zon, 'dat je geprobeerd hebt van een man te houden alsof hij een eiland was en jij een schipbreukeling en je het land met een x kon markeren. Het lijkt mij dat het daar te laat voor is.'

Toen gaf hij haar een kus op haar voorhoofd die voelde alsof ze gedoopt werd, en ze huilde als een kind.

❦

5 november 1992, drie uur in de middag. De broers ontmoeten elkaar (éindelijk) in een onbesmette ruimte na een hiaat van acht jaar en ontdekken dat hun genen, die profeten van de toekomst, tot verschillende conclusies zijn gekomen. Millat is verbijsterd over de verschillen. De neus, de kaaklijn, de ogen, het haar. Zijn broer is een vreemde voor hem en hij vertelt hem dit.

'Alleen maar omdat je dat wilt,' zei Magid met een listige blik.

Maar Millat is bot, niet geïnteresseerd in raadseltjes, en in één enkele opmerking stelt hij een vraag en beantwoordt hem. 'Dus je gaat ermee door, hè?'

Magid haalde zijn schouders op. 'Het is niet aan mij om op te houden of te beginnen, broer, maar ja, ik ben van plan te helpen waar ik kan. Het is een groot project.'

'Het is een gruwel.' (folder: *De heiligheid van de schepping*)

Millat trekt een stoel onder een van de tafels vandaan en gaat er achterstevoren op zitten, als een krab in een val, armen en benen aan beide kanten uitgespreid.

'Ik zie het meer als een correctie op de fouten van de Schepper.'

'De Schepper maakt geen fouten.'

'Dus je wilt ermee doorgaan?'

'Nou en of.'

'Ik ook.'

'Nou, dat is het dan, hè? De beslissing is al genomen. KEVIN zal alles doen wat nodig is om jou en jouw soort tegen te houden. En dat is dan het verdomde einde.'

Maar in tegenstelling tot wat Millat denkt, is dit geen film en is dat niet het verdomde einde, zoals er ook geen verdomd begin is. De broers beginnen te ruziën. Het escaleert in enkele ogenblikken en ze maken een aanfluiting van dat idee van neutraal terrein; in plaats daarvan vullen ze de ruimte met geschiedenis – geschiedenis van verleden, heden en toekomst (want zoiets bestaat); ze nemen wat onbesmet was en besmeuren het met de stinkende stront van het verleden als opgewonden, onzindelijke kinderen. Ze vullen deze neutrale ruimte in zichzelf. Elke grief, de vroegste herinneringen, elk bediscussieerd principe, elk aangevochten geloof.

Millat stelt de stoelen op om de visie op het zonnestelsel te demonstreren die zo duidelijk en opmerkelijk wordt beschreven in de koran, eeuwen voor de westerse wetenschap (folder: *De koran en de kosmos*); Magid tekent Pandes paradeplaats op het ene schoolbord, met een gedetailleerde reconstructie van de mogelijke baan van de kogels, en op het andere bord een schematische voorstelling van een restrictief enzym dat trefzeker door een reeks nucleotiden snijdt; Millat gebruikt de computer als tv, een bordenwisser als de foto van Magid-met-geit, en imiteert helemaal in zijn eentje elke kwijlende babba, oudtante en boekhouder van een neef die dat jaar kwamen voor de godslasterlijke zaak van het aanbidden van een icoon; Magid gebruikt de overheadprojector om een artikel toe te lichten dat hij heeft geschreven, waarbij hij zijn argumentatie ter verdediging van patenten op genetisch veranderde organismen punt voor punt met zijn broer doorneemt; Millat gebruikt de archiefkast als vervanging voor een andere die hij veracht en vult hem met denkbeeldige brieven tussen een joodse wetenschapper en een ongelovige moslim; Magid zet drie stoelen tegen elkaar, doet twee bureaulampen aan en nu zijn er twee broers in een auto, rillend en bij elkaar gekropen tot ze enkele minuten later voor altijd worden gescheiden en een papieren vliegtuigje opstijgt.

Het gaat maar door en door en door.

En het bewijst wat al vele malen eerder over immigranten is gezegd; ze zijn *vindingrijk*; ze redden zich met wat ze hebben. Ze gebruiken wat ze kunnen gebruiken wanneer ze het kunnen gebruiken.

Want we denken vaak dat immigranten voortdurend onderweg zijn, ongebonden, in staat elk moment van koers te veranderen, in staat hun legendarische vindingrijkheid overal en altijd in te zetten. We hebben gehoord over de vindingrijkheid van meneer Schmutters, over de ongebondenheid van meneer Banajii, die naar Ellis Island of Dover of Calais varen en als *blanco mensen* voet aan wal zetten in hun vreemde land, vrij van welke ballast dan ook, verheugd en bereid hun verschillen achter te laten in de haven en hun kans te wagen in deze nieuwe omgeving, op te gaan in de eenheid van dit groene-en-aangename-libertaire-land-van-de-vrije-mensen.

Welke weg zich ook aan hen voordoet, zij zullen hem nemen, en als het een doodlopende weg is, nou, dan begeven meneer Schmutters en meneer Banajii zich opgewekt naar een andere, zoeken hun nieuwe weg door de Gelukkige Multiculturele Samenleving. Nou, dat is mooi voor ze. Maar Magid en Millat kregen het niet voor elkaar. Ze verlieten die neutrale ruimte zoals ze hem waren binnengegaan: gedeprimeerd, bedrukt, niet in staat van hun koers af te wijken of op enige manier verandering te brengen in hun afzonderlijke, gevaarlijke traject. Ze lijken geen vooruitgang te boeken. De cynicus zou misschien zelfs zeggen dat ze in het geheel niet in beweging zijn – dat Magid en Millat twee van Zeno's hersenbeukende pijlen zijn, een ruimte innemen die gelijk is aan henzelf, en, wat angstwekkender is, gelijk aan die van Mangal Pande, gelijk aan die van Samad Iqbal. Twee broers gevangen in het tijdelijke moment. Twee broers die alle pogingen verijdelen om datums aan dit verhaal te verbinden, om het spoor te volgen van deze kerels, om tijden en dagen aan te bieden, want er is, was en zal nooit enige dúúr zijn. Niets beweegt, in feite, niets verandert. Ze hollen en staan stil. Zeno's paradox.

Maar waar was Zeno op uit (iedereen is ergens op uit), wat was zijn motief? Er zijn er die van mening zijn dat zijn paradoxen deel uitmaken van een algemener *spiritueel* programma. Om

(a) vast te stellen dat de veelsoortigheid, het *Vele*, een illusie is, en
(b) aldus te bewijzen dat de werkelijkheid een naadloos, vloeiend geheel is. Eén enkel, ondeelbaar *Een*.

Want als je de werkelijkheid onuitputtelijk in delen kunt opsplitsen, zoals de broers die dag in die kamer deden, is een ondraaglijke paradox het resultaat. Je staat altijd stil, je beweegt je nergens heen, er is geen voortgang.

Maar veelsoortigheid is geen illusie. Dit geldt evenmin voor de snelheid waarmee degenen-in-de-kokende-smeltkroes erop afsnellen. Paradoxen daargelaten rennen ze, zoals Achilles rende. En, zo zeker als Achilles die schildpad achter zich zou hebben gelaten, zullen zij diegenen inhalen die het ontkennen. Ja... Zeno had een motief. Hij wilde het Ene, maar de wereld is het Vele. En toch heeft die paradox iets aanlokkelijks. Hoe harder Achilles de schildpad probeert in te halen, hoe veelzeggender de schildpad zijn voorsprong demonstreert. Net zo zullen de broers naar de toekomst racen en merken dat ze des te veelzeggender hun verleden demonstreren, die ruimte waar ze zojuist zijn geweest. Want ook dat heb je met immigranten (vluchtelingen, émigrés, reizigers): ze kunnen net zomin aan hun geschiedenis ontsnappen als jij je schaduw kunt kwijtraken.

18

HET EINDE VAN DE GESCHIEDENIS VERSUS DE LAATSTE MAN

'Kijk om je heen! En wat zie je? Wat is het resultaat van deze zogenaamde *democratie*, deze zogenaamde *vrijheid*, dit zogenaamde *vrij-zijn*? Onderdrukking, vervolging, *afslachting*. Broeders, jullie zien het elke dag, elke avond, elke *nacht* op de televisie! Chaos, wanorde, *verwarring*. Ze schamen zich niet, generen zich niet, *twijfelen* niet! Ze proberen het niet te verstoppen, te verbergen, te *verhullen*! Ze weten het net zo goed als wij: de hele wereld is in beroering! Overal geven mannen zich over aan wellust, promiscuïteit, *losbandigheid*, ontucht, corruptie en *mateloosheid*. De hele wereld is aangetast door een ziekte die we kennen als *Kufr* – afwijzing van de eenheid van de Schepper, weigering de oneindige zegeningen van de Schepper te erkennen. En op deze dag, 1 december 1992, getuig ik dat niets aanbidding meer waardig is dan de enige *Schepper*, niets is *Hem* gelijk. Op deze dag moeten wij weten dat wie de Schepper heeft geleid niet kan worden misléid, en wie hij heeft misléid en van het rechte pad heeft gebracht niet terug zal keren op het rechte pad tot de Schepper zijn ziel zal leiden en hem naar het *licht* zal brengen. Ik begin nu aan mijn derde lezing, die ik "Ideologische oorlogsvoering" noem, en dat betekent – ik leg het uit voor degenen die het niet begrijpen – de oorlog van deze dingen... deze ideologieën, tegen de broeders van KEVIN... ideologie betekent een soort hersenspoeling... en wij worden geïndoctrineerd, bedot en *gehersenspoeld*, mijn broeders! Dus zal ik proberen toe te lichten, uit te leggen en *uiteen te zetten*...'

Niemand in de zaal zou het toegeven, maar broeder Ibrāhim ad-Din Shukrallah was geen groot spreker, als je eerlijk was. Zelfs als je zijn gewoonte door de vingers zag van het gebruiken van drie woorden waar één voldoende was, van het benadrukken van het laatste woord van deze drietallen met zijn op en neer gaande Caribische stembuigingen, zelfs als je dit probeerde te negeren, zoals iedereen deed, was hij nog fysiek teleurstellend. Hij had een dun baardje, een gebogen houding, een repertoire van gespannen, onbeholpen gebaren en een vage gelijkenis met Sidney Poitier maar bepaald niet in een mate die enig respect afdwong. En hij was klein. Op dat punt was Millat het meest ontgoocheld. Er was een tastbare ontevredenheid in de zaal toen broeder Hifan zijn overdreven inleidende toespraak beëindigde en de beroemde maar nietige broeder Ibrāhim ad-Din Shukrallah door de zaal naar het podium liep. Niet dat iedereen van een alim van de islam een verheven lengte eiste, of het ook maar een ogenblik waagde te suggereren dat de Schepper broeder Ibrāhim ad-Din Shukrallah niet precies de lengte had gegeven die Hij, in al zijn heilige almacht, had gekozen. Toch kon je niet voorkomen dat je dacht, terwijl Hifan enigszins opgelaten de microfoon lager afstelde en broeder Ibrāhim zich enigszins opgelaten strekte om erbij te kunnen, je kon niet voorkomen dat je dacht, in de eigen stijl van de broeder van nadruk op het derde woord: één meter zestig.

Het andere probleem met broeder Ibrāhim ad-Din Shukrallah, het grootste probleem misschien wel, was zijn grote voorkeur voor tautologie. Hoewel hij toelichting, uitleg en uiteenzetting beloofde, deed hij je taalkundig denken aan een hond die achter zijn eigen staart aan zit: 'Er zijn vele soorten oorlogsvoering... ik zal er een paar noemen. Chemische oorlogsvoering is de oorlogsvoering waarbij mannen elkaar *chemisch* doden met oorlogsvoering. Dit kan een verschrikkelijke oorlogsvoering zijn. Fysieke oorlogsvoering! Dat is de oorlogsvoering met fysieke wapens waarbij mensen elkaar *fysiek* doden. Dan is er biologische oorlogsvoering waarbij een man die weet dat hij drager is van het HIV-virus naar het land gaat en zijn ziektekiemen verspreidt onder de losbandige vrouwen van dat land en zo tot *biologische* oorlogsvoering komt. *Psychologische* oorlogsvoering, dat is een van de kwaadaardigste, de oorlog waarbij ze je psychologisch proberen te verslaan. Dat wordt psychologische oorlogsvoering genoemd. Maar ideologische oorlogsvoering! Dat is de zesde oorlogsvoering die de allerergste oorlogsvoering is...'

En toch was broeder Ibrāhim ad-Din Shukrallah niemand minder dan de oprichter van KEVIN, een indrukwekkend man met een ontzagwekkende reputatie. In 1960 op Barbados geboren als Monty Clyde Benjamin, zoon van twee straatarme blootsvoetse presbyteriaanse kwartaaldrinkers, had hij zich op veertienjarige leeftijd, na een 'visioen', tot de islam bekeerd. Op achttienjarige leeftijd verruilde hij het weelderige groen van zijn vaderland voor de woestijn rond Riyadh en de boeken langs de muren van de Al-Imam Muhammad ibn Saud Islamitische Universiteit. Daar studeerde hij vijf jaar Arabisch, raakte teleurgesteld in een groot deel van de islamitische geestelijkheid en sprak voor het eerst zijn verachting uit voor wat hij noemde 'religieuze secularisten', die dwaze *ulama* die politiek van religie proberen te scheiden. Hij geloofde dat veel moderne radicale politieke bewegingen van betekenis waren voor de islam en bovendien te vinden waren in de koran als je goed genoeg zocht. Hij schreef verscheidene pamfletten over dit onderwerp, maar kwam tot de ontdekking dat zijn radicale ideeën niet welkom waren in Riyadh. Hij werd als een lastpost beschouwd en zijn leven werd 'talrijke, ontelbare, *talloze*' malen bedreigd. Dus ging broeder Ibrāhim, met de wens zijn studie voort te zetten, in 1984 naar Engeland, sloot zichzelf op in de garage van zijn tante in Birmingham en bracht daar vijf jaar door, met slechts de koran en de delen van Eindeloze Gelukzaligheid als gezelschap. Hij nam zijn eten in ontvangst via het kattenluikje, deponeerde zijn poep en pies in een Coronation-koekblik dat op dezelfde manier weer naar buiten ging en hield zich goed aan zijn opdruk- en opzitoefeningen om spieratrofie te voorkomen. De *Selly Oak Reporter* publiceerde in deze periode regelmatig een stukje over hem, waarbij ze hem de bijnaam gaven 'De goeroe in de garage' (gezien de grote moslimpopulatie in Birmingham had dit de voorkeur boven de in de redactiekamer gebezigde term 'De bezetene in het berghok') en zich onledig hielden met het interviewen van zijn verbijsterde tante, ene Carlene Benjamin, een toegewijd lid van de kerk van de heiligen der laatste dagen.

Deze artikelen, wreed, spottend en beledigend, waren geschreven door ene Norman Henshall en nu klassiekers in hun soort, en werden verspreid onder de KEVIN-leden door heel Engeland als voorbeeld (als een voorbeeld al nodig was) van de kwaadaardige anti-KEVIN-stemming die al sinds dit foetale stadium van hun beweging in de pers was gekweekt. Merk op – zo werd de leden van KEVIN aangeraden – merk op hoe halverwege mei '87 een einde komt aan Henshalls artikelen, precies in de maand waarin broeder Ibrāhim ad-Din Shukrallah erin slaagde zijn tante Carlene via het kattenluikje te bekeren, waarbij hij van niets anders gebruikmaakte dan de zuivere waarheid zoals deze was verkondigd door de laatste profeet Mohammed (vrede zij met hem!). Merk op hoe Henshall nalaat iets te vertellen over de rijen mensen die met broeder Ibrāhim ad-Din Shukrallah kwamen spreken, zovelen dat ze drie blokken lang door het centrum van Selly Oak stonden, van het kattenluikje tot de bingozaal! Merk op hoe deze zelfde meneer Henshall nalaat de 637 afzonderlijke regels en wetten te publiceren die de broeder in die vijf jaar had verzameld uit de koran (geordend naar striktheid, en vervolgens in subgroepen naar hun aard, zoals *Over reinheid en in het bijzonder genitale en orale hygiëne*). Merk dit alles op, broeders en zusters, en verwonder u over de kracht van de mondelinge overlevering. Verwonder u over de toewijding en betrokkenheid van de jonge mensen van Birmingham!

Hun geestdrift en enthousiasme was zo opmerkelijk (buitengewoon, uitzonderlijk, *ongekend*) dat het idee van KEVIN, al bijna voordat de broeder uit zijn afzondering te voorschijn kwam en het zelf aankondigde, geboren was binnen de zwarte en Aziatische gemeenschap. Een radicale nieuwe beweging, waar politiek en religie twee kanten van dezelfde medaille waren. Een groep die vrijelijk gebruikmaakte van het garveyisme, de Amerikaanse Beweging voor de Burgerrechten en de leer van Elijah Mohammed, maar binnen de letter bleef van de koran. De Keepers of the Eternal and Victorious Islamic Nation. In 1992 waren ze een kleine maar wijdverspreide groep, met vertakkingen van Edinburgh tot Land's End, een hart in Selly Oak en een ziel aan de Kilburn High Road. KEVIN: een extremistische groepering gericht op directe, dikwijls gewelddadige actie, een splintergroep waar door de rest van de islamitische gemeenschap met afkeuring naar werd gekeken, populair bij de groep van zestien- tot vijfentwintigjarigen, gevreesd en bespot in de pers, en deze avond bijeen in de Kilburn Hall, staande op stoelen en tot aan de nok gevuld luisterend naar de toespraak van hun oprichter.

'Er zijn drie dingen,' vervolgde broeder Ibrāhim met een korte blik op zijn aantekeningen, 'die de koloniale machten jullie willen aandoen, broeders van KEVIN. Ten eerste willen ze jullie spiritueel doden... o ja, niets is waardevoller voor hen dan jullie geestelijke slavernij. Jullie zijn met tevelen om het rechtstreeks tegen op te nemen! Maar als ze jullie geestelijk in hun greep hebben, dan...'

'Hé,' was de poging van een dikke man tot fluisteren te horen, 'broeder Millat.'

Het was Mohammed Hussein-Ishmael, de slager. Hij zweette overvloedig, zoals altijd, en had zich een weg gebaand tussen een groot aantal mensen door, kennelijk om naast Millat te gaan zitten. Ze waren verre verwanten, en de laatste paar maanden was Mo snel opgeklommen naar de kern van vertrouwelingen van KEVIN (Hifan, Millat, Tyrone, Shiva, Abdul-Colin en anderen) ingevolge het geld dat hij ter beschikking had gesteld en de door hem verklaarde belangstelling voor de meer 'actieve' kanten van de groep. Persoonlijk stond Millat nog steeds een beetje wantrouwig ten opzichte van hem en had hij een afkeer van zijn dikke, dweperige gezicht, de grote vetkuif die uit zijn *toki* te voorschijn kwam en zijn kippenadem.

'Laat. Ik moet de winkel sluiten. Maar ik heb al een tijdje achterin gestaan. Geluisterd. Broeder Ibrāhim is een heel indrukwekkende man, hmm?'

'Hmm.'

'Heel indrukwekkend,' herhaalde Mo, samenzweerderig op Millats knie kloppend. 'Een heel indrukwekkende broeder.' Mo Hussein financierde voor een deel de rondreis van broeder Ibrāhim door Engeland, dus had hij er belang bij (of in ieder geval gaf het hem een beter gevoel over zijn bijdrage van tweeduizend pond) de broeder indrukwekkend te vinden. Mo had zich kortgeleden tot KEVIN bekeerd (hij was twintig jaar lang een redelijk goede moslim geweest) en zijn enthousiasme voor de groep was tweeledig. Ten eerste voelde hij zich gevleid, regelrecht gevleid, dat hij als een voldoende succesvolle moslimzakenman werd gezien om geld van af te troggelen. Onder normale omstandigheden had hij ze de deur gewezen en ze verteld waar ze een net leeggebloede kip konden stoppen, maar eerlijk gezegd was Mo op dat moment een beetje kwetsbaar doordat zijn Ierse vrouw Sheila met de stakerige benen hem had verlaten voor een cafébaas; hij voelde zich een beetje ontmand, dus toen KEVIN Ardashir om vijfduizend pond vroeg en het kreeg, en Nadir van de concurrerende halal slagerij met drieduizend over de brug was gekomen, kreeg het machogevoel Mo te pakken en was hij met zijn eigen inzet gekomen.

De tweede reden voor Mo's bekering was persoonlijker. Gewelddadigheid. Gewelddadigheid en diefstal. Achttien jaar lang was Mo eigenaar geweest van de beroemdste halal slagerij van Noord-Londen, zo beroemd dat hij het belendende pand had kunnen kopen en had kunnen uitbreiden tot een snoepwinkel/slagerij. En in de periode waarin hij de twee zaken had gedreven, was hij, zonder mankeren, drie keer per jaar het slachtoffer geworden van ernstig fysiek geweld en beroving. In dit cijfer ontbreken nog de talrijke stompen tegen het hoofd, snelle klappen met een koevoet, gemene schoppen in het kruis of andere dingen waaraan geen bloed te pas kwam. Mo belde zelfs zijn vrouw niet, laat staan de politie, om die te melden. Nee: ernstig geweld. Mo had in totaal vijf keer een messteek opgelopen (*ah*), de top van drie vingers verloren (*ieeesh*), beide benen en armen gebroken (*auuuw*), zijn voeten waren in brand gestoken (*jii*), zijn tanden waren uit zijn mond geslagen (*ka-baaam*) en hij had een kogel uit een luchtbuks in zijn godzijdank vlezige achterste gekregen. *Baaaf.* En Mo was een forse man. Een forse man met een agressieve houding. De afranselingen hadden er geenszins toe geleid dat hij nederig was geworden, op zijn woorden lette of gebogen liep. Hij deelde net zo hard uit als hij ontving. Maar dit was één man tegen een leger. Er was niemand die kon helpen. De allereerste keer, in januari 1970, toen hij een klap met een hamer in zijn ribben had gekregen, had hij dit bij de plaatselijke politie gemeld en was beloond met een bezoek, laat op de avond, van vijf politiemannen die hem grondig in elkaar trapten. Sindsdien waren geweld en diefstal een regelmatig terugkerend deel van zijn leven geworden, een droeve toeschouwerssport, gadegeslagen door oude moslimmannen en jonge moslimmoeders die binnenkwamen om hun kip te kopen en zich kort daarna naar buiten haastten uit angst de volgenden te zijn. Geweld en diefstal. De daders varieerden van kinderen van middelbare scholen die aan de kant van de hoekwinkel binnenkwamen om snoep te kopen (daarom liet Mo slechts één kind van Glenard Oak tegelijk binnen, wat natuurlijk geen verschil maakte; ze sloegen hem gewoon om de beurt in hun eentje verrot) tot verloederde dronkenlappen, tienerboefjes, de ouders van tienerboefjes, algemene fascisten, specifieke neonazi's, de buurtbiljartclub, de dartsclub, de voetbalclub en grote troepen brutale, in witte rokjes en dodelijke hakken gestoken secretaresses. Deze verschillende mensen hadden verschillende bezwaren tegen hem: hij was een Paki (probeer een grote, dronken bewaker van Office Superworld maar eens aan zijn verstand te brengen dat je een Bengali bent), hij had de helft van zijn winkel bestemd voor de verkoop van eng Pakistaans vlees, hij had een vetkuif, hij was gek op Elvis ('Jij bent gek op Elvis, hè? Hè? Hè, Paki? Hè?'), de prijs van zijn sigaretten, de afstand tussen hem en zijn vaderland ('Waarom ga je niet terug naar waar je vandaan komt?' 'Maar hoe moet ik je dan aan sigaretten helpen?' *Baaaf*), of gewoon de uitdrukking op zijn gezicht. Maar ze hadden één ding gemeen, al deze mensen. Ze waren allemaal blank. En dat simpele feit had in de loop der jaren meer gedaan aan Mo's politieke bewustwording dan alle partijuitzendingen, bijeenkomsten en petities bij elkaar. Het had hem steviger in de schoot van zijn geloof geworpen dan zelfs een bezoek van de engel Gabriël had kunnen bewerkstelligen. De laatste druppel, als we het zo mogen noemen, kwam een maand voordat hij zich bij KEVIN aansloot, toen drie blanke 'jongeren' hem knevelden, van de keldertrap afschopten, al zijn geld stalen en brand stichtten in zijn winkel. Handen met dubbele gewrichten (het gevolg van vele polsbreuken) hadden hem daaruit gered. Maar hij had er genoeg van om bijna dood te gaan. Toen KEVIN Mo een folder gaf waarin werd uitgelegd dat er een oorlog gaande was, dacht hij: precies! Eindelijk sprak iemand zijn taal. Mo had achttien jaar in de frontlinie van die oorlog gestaan. En KEVIN scheen te begrijpen dat het niet genoeg was, niet genoeg dat zijn kinderen het goed deden, naar een goeie school gingen, op tennisles zaten, te licht van huid waren om ooit te grazen genomen te worden. Goed. Maar niet goed genoeg. Hij wilde een beetje genoegdoening Voor zichzelf. Hij wilde zien hoe broeder Ibrāhim op dat podium stond en de christelijke cultuur en westerse moraal ontleedde tot er niets van over was dan stof. Hij wilde de ontaarde aard van deze mensen uitgelegd krijgen. Hij wilde de geschiedenis ervan kennen en de politiek ervan en de oorzaak ervan. Hij wilde hun kunst ontmaskeren en hun wetenschap ontmaskeren en hun smaak ontmaskeren en hun wansmaak ontmaskeren. Maar woorden zouden nooit genoeg zijn; hij had zo veel woorden gehoord (*Wilt u een aanklacht indienen… Wilt u ons precies vertellen hoe de aanvaller eruitzag*), en ze konden nooit tippen aan actie. Hij wilde weten waaróm die mensen hem maar verrot bleven slaan. En daarna wilde hij een paar van die mensen verrot gaan slaan.

'Heel indrukwekkend, Millat, hé? Alles waar we op hopen.'

'Ja,' zei Millat gedesillusioneerd. 'Het zal wel. Maar minder praat, meer actie, als je het mij vraagt. De ongelovigen zitten overal.'

Mo knikte heftig. 'O, beslist, broeder. We zijn twee zielen één gedachte, wat dat betreft. Ik hoor dat er sommigen zijn,' zei Mo, zijn stem dempend en zijn dikke, zweterige lippen bij Millats oor brengend, 'die heel graag in actie willen komen. Onmiddellijke actie. Broeder Hifan heeft met me gesproken. Over de eenendertigste december. En broeder Shiva en broeder Tyrone…'

'Ja ja, ik weet wie ze zijn. Ze zijn het kloppende hart van KEVIN.'

'En ze zeggen dat jij de man zelf kent – die wetenschapper. Je zit in een goeie positie. Ik hoor dat je zijn vriend bent.'

'Was. Was!'

'Broeder Hifan zegt dat jij kaartjes hebt om binnen te komen, dat je wat aan het organiseren…'

'Sst,' zei Millat geërgerd. 'Niet iedereen mag het weten. Als je bij de top wil komen, moet je je mond kunnen houden.'

Millat liet zijn blik over Mo gaan. De *kurta*-pyjama die hij er op de een of andere manier wist te laten uitzien als een Elvis-pak met uitlopende pijpen van eind jaren zeventig. De enorme buik, die als een vriend op zijn knieën rustte.

Op scherpe toon vroeg hij: 'Ben je niet een beetje oud?'

'Hé, brutale opsodemieter. Ik ben zo sterk als een stier, verdomme.'

'Ja, nou, kracht hebben we niet nodig,' zei Millat, tegen zijn slaap tikkend. 'Wat we nodig hebben is wat er in de bovenkamer zit. We moeten er eerst onopvallend binnen zien te komen, niet? De eerste avond. Het zal er afgeladen zijn.'

Mo snoot zijn neus in zijn hand. 'Ik kan onopvallend zijn.'

'Ja… maar dat betekent je mond kunnen houden.'

'En het derde punt,' zei broeder Ibrāhim ad-Din Shukrallah, die hen onderbrak doordat hij ineens harder sprak en de luidsprekers liet rondzingen, 'het derde dat ze proberen te doen, is jullie ervan overtuigen dat het de menselijke intelligentie is en niet Allah die almachtig is, onbegrensd, *oppermachtig*. Ze zullen hun best doen jullie ervan te overtuigen dat jullie je hoofd niet moeten gebruiken om de grote glorie van de Schepper te verkondigen, maar om jezelf te verheffen tot gelijke hoogte of hoger dan de Schepper! En nu komen we bij het belangrijkste punt van deze avond. Het grootste kwaad van de ongelovigen is hier, in deze buurt van Brent. Ik zeg jullie, en jullie zullen het niet geloven, broeders, maar in deze gemeenschap is een man die gelooft dat hij de schepping van Allah kan verbeteren. Er is een man die zich aanmatigt te denken dat hij dat wat beschikt is kan veranderen, aanpassen, *modificeren*. Hij neemt een dier… een dier dat Allah heeft geschapen… en matigt zich aan dit schepsel te veranderen. Een dier te scheppen dat geen naam heeft maar gewoon een gruwel is. En als hij klaar is met dat kleine dier, een muis, broeders, als hij daarmee klaar is, zal hij overgaan op schapen en katten en *honden*. En wie in deze wetteloze samenleving zal hem ervan weerhouden op een dag een mán te scheppen? Een man, niet geboren uit een vrouw maar uitsluitend uit het intellect van een man! En hij zal jullie zeggen dat dit geneeskunde is… maar KEVIN heeft geen bezwaar tegen geneeskunde. Wij zijn een ontwikkelde gemeenschap die vele artsen telt, mijn broeders. Laat je niet misleiden, bedotten, *bedriegen*. Dit is geen geneeskunde. En mijn vraag aan jullie, broeders van KEVIN, is wie zal het offer brengen om deze man tegen te houden? Wie zal alleen opstaan in naam van de Schepper en de modernisten tonen dat de wetten van de Schepper nog bestaan en eeuwig zijn? Want ze zullen proberen jullie wijs te maken, de modernisten, de cynici, de *oriëntalisten*, dat er geen geloof meer is, dat onze geschiedenis, onze cultuur, *onze wereld* voorbij is. Zo denkt deze wetenschapper. Daardoor is hij zo zelfverzekerd in zijn aanmatiging. Maar hij zal spoedig begrijpen wat werkelijk wordt bedoeld met de *Laatste Dagen*. Dus wie zal hem…

'Ja, mondje dicht, ja, ik begrijp het,' zei Mo, sprekend tegen Millat maar recht voor zich uit kijkend als in een spionagefilm.

Millat keek om zich heen en zag dat Hifan hem een seintje gaf, dus gaf hij het aan Shiva, die het aan Abdul-Jimmy en Abdul-Colin gaf, aan Tyrone en de anderen van de Kilburn-ploeg, die op bepaalde punten in de zaal als wachters tegen de muren stonden. Hifan gaf Millat nogmaals een seintje en keek toen naar de achterkamer. Een onopvallende beweging kwam op gang.

'Gebeurt er iets?' fluisterde Mo, die de mannen met de groene wachtersjerpen opmerkte die hun weg zochten door de mensenmassa.

'Kom mee naar het kantoor,' zei Millat.

'Oké, dus het belangrijkste is, denk ik, dat we de zaak van twee kanten bekijken. Want het is een kwestie van pure laboratoriummarteling en daar kunnen we zeker het publiek mee bespelen, maar de nadruk moet liggen op het argument tegen het geven van patent. Want dat is echt een motief waarmee we kunnen werken. En als we de nadruk daar leggen, zijn er nog wat andere groepen waarop we een beroep kunnen doen – de NCGA, de OHNO enzovoort, en Crispin heeft contact met ze gehad. Want we hebben ons tot nu toe niet echt met dit gebied beziggehouden, maar het is duidelijk een heel belangrijk vraagstuk... ik denk dat Crispin hier zo dadelijk dieper op in zal gaan... maar voor nu wil ik alleen ingaan op de publieke steun die we hebben. Ik bedoel, vooral met de pers de laatste tijd, zelfs de tabloids, hebben we geluk... er is een heleboel tegenstand als het gaat om het patenteren van levende organismen... ik denk dat mensen zich heel ongemakkelijk voelen, en terecht, met dat idee, en het is echt aan FATE om daarop in te spelen en een uitgebreide campagne te organiseren, dus als...'

Ah, Joely. Joely, Joely, *Joely*. Joshua wist dat hij behoorde te luisteren, maar kijken was zo goed! Kijken naar Joely was geweldig! De manier waarop ze zat (op een tafel, knieën opgetrokken tegen de borst), de manier waarop ze opkeek van haar aantekeningen (koket!), de manier waarop de lucht door het spleetje tussen haar voortanden floot, de manier waarop ze met haar ene hand voortdurend haar verwarde blonde haar achter haar oor streek en met de andere ritmisch op haar enorme Doc Martens roffelde. Afgezien van het blonde haar leek ze veel op zijn moeder in haar jonge jaren: die volle Engelse lippen, skischansneus, grote lichtbruine ogen. Maar het gezicht, hoe spectaculair ook, was slechts een decoratie ter bekroning van het weelderigste lichaam ter wereld. Lang in al zijn lijnen, gespierd in de dijen en zacht in de buik, met borsten die nooit een beha hadden gezien en een uiterste verrukking waren, en billen die het platonische ideaal waren van het gehele Engelse bildom, strak maar gewelfd, breed maar uitnodigend. Daarbij was ze intelligent. Daarbij was ze toegewijd aan haar zaak. Daarbij verachtte ze zijn vader. Daarbij was ze tien jaar ouder (wat voor Joshua allerlei soorten seksuele deskundigheid suggereerde waar hij zich niet eens een voorstelling van kon maken zonder hier ter plekke, midden in de vergadering, een enorme stijve te krijgen). Daarbij was ze de meest fantastische vrouw die Joshua ooit had ontmoet. O, Joely!

'Waar we mensen van moeten doordringen, volgens mij, is dit idee van een precedent scheppen. Het soort argument van "wat komt hierna", en ik begrijp Kenny's bezwaar dat dat een veel te simplistische benadering is, maar ik moet zeggen... ik denk dat het nodig is, en we zullen het zo in stemming brengen. Is dat goed, Kenny? Als ik gewoon even door kan gaan... goed? Goed. Waar was ik... precedent. Want als kan worden betoogd dat het dier waarmee geëxperimenteerd wordt eigendom is van een groep mensen, dat wil zeggen dat het geen kat is maar in feite een *uitvinding* met katachtige kenmerken, dan betekent dit dat het op een heel slimme en heel gevaarlijke manier het werk verhindert van dierenrechtengroepen en dat leidt tot een behoorlijk eng beeld van de toekomst. Eh... ik wil Crispin er nu bij halen om daar wat verder over te praten.'

Het kloterige was uiteraard dat Joely getrouwd was met Crispin. En het dubbel kloterige was dat dat huwelijk van hen een huwelijk was van ware liefde, totale spirituele *bonding* en toegewijde politieke samenwerking. Verdomde fantastisch dus. Erger nog, voor de leden van FATE diende het huwelijk van Joely en Crispin als een soort kosmogonie, een beginnende mythe die bondig uitlegde wat mensen konden en behoorden te zijn, hoe de groep was ontstaan en hoe ze in de toekomst verder zou moeten. Hoewel Joely en Crispin ideeën van leiderschap of een vorm van blindelingse verering niet aanmoedigden, was het toch gebeurd – ze werden vereerd. En ze waren ondeelbaar. Toen Joshua net bij de groep was, had hij geprobeerd een beetje informatie over het paar te krijgen, een idee te krijgen van zijn kansen. Waren ze wankel? Had de harde aard van hun bezigheden hen uit elkaar gedreven? Vergeet het maar. Hij had, onder het genot van wat glazen in de Spotted Dog, de hele somber stemmende fabel te horen gekregen van twee doorgewinterde FATE-activisten: Kenny, een psychotische ex-postbode die als kind had gezien hoe zijn vader zijn puppy had gedood, en Paddy, een gevoelige, levenslange steuntrekker die van duiven hield.

'Aanvankelijk wil iedereen Joely neuken,' had Kenny meelevend uitgelegd. 'Maar daar kom je overheen. Je gaat beseffen dat je niets beters voor haar kunt doen dan jezelf helemaal aan de strijd wijden. En het tweede dat je gaat beseffen, is dat Crispin echt een ongelooflijke vent is...'

'Ja, ja, ga maar door.'

Kenny ging door.

Het scheen dat Joely en Crispin elkaar in 1982, op de Universiteit van Leeds, hadden leren kennen en verliefd waren geworden: twee jonge studentenactivisten, met Che Guevara aan de muur, idealisme in hun hart en een gezamenlijke passie voor alles wat over de aarde vliegt, draaft, kruipt en glibbert. In die tijd waren ze allebei actief lid van verscheidene links-radicale groepen, maar politieke machinaties, ellebogenwerk en eindeloze versplintering had hen wat het lot van *homo erectus* betrof al snel gedesillusioneerd. Er kwam een moment waarop ze er genoeg van hadden om het op te nemen voor de eigen soort, die zo vaak een greep naar de macht doet, je achter je rug zwart maakt, een andere vertegenwoordiger kiest en je daar dan ook nog allemaal mee confronteert. In plaats daarvan hadden ze hun aandacht op onze stomme vrienden, de dieren, gericht. Joely en Crispin gingen van vegetarisme over op veganisme, stopten met hun studie, trouwden en vormden in 1985 Fighting Animal Torture & Exploitation. Crispins magnetische persoonlijkheid en Joely's natuurlijke charme trokken andere politiek thuislozen aan, en ze waren al snel een commune geworden van vijfentwintig personen (plus tien katten, veertien honden, een tuin vol wilde konijnen, een schaap, twee varkens en een vossenfamilie) en woonden in een zitslaapkamer in Brixton die aan de achterkant grensde aan een groot stuk ongebruikte grond. Ze waren in vele opzichten pioniers. Ze hielden zich bezig met recycling voordat het in de mode raakte, maakten een tropische biosfeer in hun broeierige badkamer en wijdden zich aan organische voedselproductie. In politiek opzicht waren ze net zo omstandig. Van het begin af aan waren hun extremistische geloofsbrieven onberispelijk en was FATE voor de Dierenbescherming wat stalinisme is voor liberaal-democraten. Drie jaar lang voerde FATE een terreurcampagne tegen folteraars en uitbuiters van en experimenteerders op dieren, waarbij ze personeel van cosmeticabedrijven met de dood bedreigden, inbraken in laboratoria, laboranten ontvoerden en zich vastketenden aan ziekenhuishekken. Ook verstoorden ze vossenjachten, filmden ze batterijkippen, stichtten ze brand op boerderijen, troffen voedselketens met brandbommen en vernielden circustenten. Hun doelstelling was zo breed en zo fanatiek (elk dier dat ook maar enig ongemak ervaart) dat ze het heel druk hadden en dat het leven voor leden van FATE moeilijk en gevaarlijk was en gekenmerkt werd door regelmatige gevangenschap. Door dat alles heen werd de relatie van Joely en Crispin sterker en diende als voorbeeld voor hen allen, een baken in de storm, het ideale voorbeeld van liefde tussen activisten ('Ja, ja, ja, ja! Ga door.') In 1987 was Crispin voor drie jaar de gevangenis ingegaan voor het gooien van brandbommen naar een laboratorium in Wales en het bevrijden van veertig katten, driehonderdvijftig konijnen en duizend ratten. Voordat hij werd afgevoerd naar Wormwood Scrubs liet Crispin Joely grootmoedig weten dat ze zijn toestemming had om naar andere leden van FATE te gaan als ze behoefte had aan seksuele bevrediging in de tijd waarin hij weg was. ('En heeft ze dat gedaan?' vroeg Joshua. 'En of ze *neukte*,' antwoordde Kenny treurig.)

Terwijl Crispin gevangen zat, wijdde Joely zich aan het veranderen van FATE van een kleine groep nerveuze vrienden in een levensvatbare, ondergrondse politieke kracht. Ze begon minder nadruk te leggen op terroristische tactieken en raakte, na het lezen van Guy Debord, geïnteresseerd in situationisme als politieke tactiek, iets wat voor haar een toegenomen gebruik inhield van grote spandoeken, kostuums, video's en gruwelijke reënsceneringen. Toen Crispin uit de gevangenis kwam, was FATE vier keer zo groot geworden en was Crispins legende (minnaar, vechter, rebel, held) in gelijke mate gegroeid, gevoed door Joely's gepassioneerde interpretatie van zijn leven en werken en een zorgvuldig gekozen foto van hem circa 1980 waarop hij een beetje leek op Nick Drake. Hoewel zijn imago geretoucheerd was, scheen Crispin nog niets van zijn radicalisme te hebben verloren. Zijn eerste daad als vrije burger was het organiseren van de bevrijding van enkele honderden woelmuizen, een gebeurtenis die grote aandacht van de kranten kreeg, hoewel Crispin de verantwoordelijkheid voor de daad zelf delegeerde aan Kenny, die voor vier maanden naar een extra beveiligde gevangenis ging ('Grootste moment van m'n leven.').

En de vorige zomer, '91, had Joely Crispin overgehaald om met haar naar Californië te gaan en zich bij andere groepen te voegen die tegen het patenteren van transgene dieren streden. Hoewel rechtszalen niet Crispins 'scene' waren ('Crispin is een vent van de frontlinie') slaagde hij erin de zaak voldoende te verstoren om tot seponering te komen. Het paar vloog terug naar Engeland, verrukt maar bijzonder krap bij kas, om daar te ontdekken dat ze uit hun appartement waren gezet en...

Nou, op dit punt gekomen kon Joshua het verhaal overnemen. Hij had ze een week daarna ontmoet op de Willesden High Road, waar ze heen en weer liepen op zoek naar een geschikt kraakpand. Ze zagen er verloren uit en Joshua was, aangemoedigd door de zomerse sfeer en Joely's schoonheid, op hen afgegaan om een praatje te maken. Dat eindigde met een drankje gaan drinken. Ze gebruikten hun drankje, zoals iedereen in Willesden, in voornoemde Spotted Dog, een waar monument van Willesden, in 1792 beschreven als 'een goedbeklant café' (*Historisch Willesden*, van Len Snow), dat een geliefd toevluchtsoord werd voor mid-Victoriaanse Londenaren die een 'dagje naar buiten' wilden, toen een halteplaats voor de paardentrams, en later nog een kroeg voor plaatselijke Ierse bouwvakkers. In 1992 veranderde de zaak weer, deze keer in het trefpunt van de grote Australische immigrantenpopulatie van Willesden, mensen die in de voorgaande vijf jaar hun glanzend-zachte stranden en smaragden zeeën hadden verlaten en op onverklaarbare wijze in NW2 waren gearriveerd. De middag waarop Joshua daar binnenliep met Joely en Crispin was deze gemeenschap in een staat van hevige opwinding. Na een klacht over een vreselijke stank boven Zuster Mary's Handleesinstituut aan de hoofdweg, waren ambtenaren van de gezondheidsdienst de bovenste etage binnengevallen en hadden daar zestien illegale Aussies aangetroffen die een enorm gat in de vloer hadden gemaakt waarin ze bezig waren een varken te roosteren, kennelijk in een poging het effect te creëren van een ondergrondse Polynesische kleioven. Ze waren op straat gezet en beklaagden zich nu over hun lot tegen de cafébaas, een grote, bebaarde Schot die weinig sympathie had voor zijn Australische clientèle ('Hangt er verdomme soms een of ander bord in Sydney waar verdomme op staat: kom naar Willesden?'). Joshua, die het verhaal opving, veronderstelde dat de etage nu leeg moest staan en nam Joely en Crispin mee om ernaar te kijken, waarbij de gedachten al door zijn hoofd raasden... *als ik kan zorgen dat ze dichtbij woont...*

Het was een mooi maar verwaarloosd Victoriaans pand met een klein balkon, een daktuin en een groot gat in de vloer. Hij raadde hun aan zich een maand gedeisd te houden en er dan in te trekken. Dat deden ze, en Joshua zag ze steeds vaker. Een maand later werd hij 'bekeerd' na uren praten met Joely (uren van kijken naar haar borsten onder die versleten T-shirts), wat op dat moment voelde alsof iemand zijn kleine, gesloten Chalfenistische hoofd had gepakt, in elk oor een tekenfilmstaaf dynamiet had gestoken en gewoon een godallemachtig groot gat in zijn bewustzijn had geblazen. In een verblindende flits werd hem duidelijk dat hij van Joely hield, dat zijn ouders klootzakken waren, dat hijzelf een klootzak was en dat de grootste gemeenschap ter wereld, het dierenrijk, met volledig medeweten van elke regering ter wereld dagelijks werd onderdrukt, opgesloten en vermoord. Hoeveel van dit laatste inzicht gebaseerd was op en voortvloeide uit het eerste was moeilijk te zeggen, maar hij had het Chalfenisme opgegeven en was niet geïnteresseerd in een analyse van de dingen om na te gaan hoe ze in elkaar pasten. In plaats daarvan gaf hij het eten van vlees op, ging ervandoor naar Glastonbury, nam een tatoeage, werd zo'n soort vent die een achtste met zijn ogen dicht kon afmeten (dus krijg de klere, Millat) en had in het algemeen een fantastische tijd... tot ten slotte zijn geweten begon te knagen. Hij maakte bekend dat hij de zoon was van Marcus Chalfen. Dit schokte Joely (en, zo wilde Joshua graag denken, wond haar lichtelijk op – slapen met de vijand en zo). Joshua werd weggestuurd, terwijl FATE een tweedaagse topontmoeting had in de geest van: *Maar hij staat voor alles wat wij... Ah, maar we zouden gebruik kunnen maken van...*

Het was een langdurig proces met stemmingen en subclausules en bezwaren en voorbehouden, maar uiteindelijk kwam het eigenlijk neer op niets ingewikkelders dan: *Aan wiens kant sta je?* Joshua zei *die van jullie*, en Joely verwelkomde hem met open armen en drukte zijn hoofd tegen haar voortreffelijke boezem. Er werd met hem gepronkt op bijeenkomsten, hij werd tot secretaris benoemd en was in het algemeen de parel aan hun kroon: *de bekeerde van de andere kant.*

Sindsdien, en gedurende zes maanden, had Joshua toegegeven aan zijn toenemende verachting voor zijn vader, veel gezien van zijn grote liefde, en begon aan zijn plan voor de lange termijn te werken om tussen het beroemde echtpaar te komen (hij moest toch ergens wonen; de gastvrijheid van de familie Jones begon op te raken). Hij probeerde in het gevlij te komen bij Crispin, waarbij hij diens argwaan ten opzichte van hem bewust negeerde. Joshua gedroeg zich als zijn beste kameraad, deed alle rotklussen voor hem (fotokopiëren, affiches plakken, folders verspreiden), pitte bij hem op de vloer, vierde zijn zevende huwelijksdag mee en gaf hem voor zijn verjaardag een met de hand gemaakt gitaarplectrum; en al die tijd haatte hij hem intens, begeerde hij zijn vrouw zoals geen vrouw van een man ooit eerder is begeerd en beraamde zijn ondergang met een intense jaloezie die Iago het schaamrood op de kaken had gebracht.

Dit alles had Joshua afgeleid van het feit dat FATE druk bezig was de ondergang van zijn eigen vader te beramen. Hij had er in principe mee ingestemd nadat Magid was teruggekeerd, toen zijn woede het grootst was en het idee zelf vaag leek – alleen wat grootspraak om nieuwe leden te imponeren. Nu waren ze nog drie weken verwijderd van de eenendertigste en Joshua had nog geen poging gedaan zich op een samenhangende manier, op Chalfenistische wijze, af te vragen wat de gevolgen zouden zijn van wat op het punt stond te gebeuren. Hij wist niet eens precies wát er zou gaan gebeuren – de uiteindelijke beslissing was nog niet genomen; en nu, terwijl ze erover discussieerden, de kernleden van FATE met gekruiste benen rond het grote gat in de vloer gezeten, nu, terwijl hij had moeten luisteren naar deze fundamentele beslissingen, was hij de draad van zijn aandacht kwijtgeraakt in Joely's T-shirt, omlaag langs de atletische dalen en rondingen van haar romp, verder omlaag naar haar geknoopverfde broek, naar...

'Josh, makker, kun je me even de notulen voorlezen van een paar minuten geleden, als je snapt wat ik bedoel?'

'Huh?'

Crispin zuchtte afkeurend. Joely boog zich omlaag van de tafel en gaf Crispin een kus op zijn oor. Kút.

'De notulen, Josh. Na de opmerkingen van Joely over proteststrategie. We waren doorgegaan naar het lastige gedeelte. Ik wil horen wat Paddy een paar minuten geleden zei over Straf versus Bevrijding.'

Joshua keek naar zijn onbeschreven klembord en legde het over zijn verslappende erectie.

'Eh... ik denk dat ik dat heb gemist.'

'Eh, nou dat was eigenlijk wel verdomd belangrijk, Josh. Je moet er wel bijblijven. Ik bedoel, wat heeft al dat gepraat voor zin?'

Kut, kut, kút.

'Hij doet zijn best,' kwam Joely tussenbeide, zich nogmaals voorover buigend, deze keer om haar hand door Joshua's jodenpruik te halen. 'Dit is waarschijnlijk best moeilijk voor Joshi, weet je? Ik bedoel, dit is heel persóónlijk voor hem.' Ze noemde hem altijd Joshi op die manier. Joshi en Joely. Joely en Joshi.

Crispin fronste zijn wenkbrauwen. 'Nou, ik heb al heel vaak gezegd dat als Joshua hier niet persoonlijk bij betrokken wil zijn, vanwege persoonlijk sympathieën, als hij eronderuit wil, dan...'

'Ik doe mee,' snauwde Josh, die zijn agressie nauwelijks kon bedwingen. 'Ik ben helemaal niet van plan me eronderuit te wurmen.'

'Daarom is Joshi onze held,' zei Joely met een enorme, verdedigende glimlach. 'Let op mijn woorden, hij zal de laatste zijn die nog overeind staat.'

Ah, Joely!

'Goed dan, laten we verdergaan. Probeer van nu af aan de notulen bij te houden, ja? Oké, Paddy, kun je nog even herhalen wat je zei, zodat iedereen het kan horen, want ik denk dat wat jij zei precies de belangrijke beslissing samenvat die we nu moeten nemen.'

Paddy's hoofd schoot omhoog en hij rommelde wat met zijn aantekeningen. 'Eh, nou in feite... in feite is het een kwestie van... van wat onze echte doelen zijn. Als we de daders willen straffen en het publiek opvoeden... nou, dat houdt een bepaalde aanpak in... een directe aanval op, eh, de persoon in kwestie,' zei Paddy, met een nerveuze blik in de richting van Joshua. 'Maar als we ons op het dier zelf willen richten, en ik denk dat we dat zouden moeten doen, dan is het een kwestie van een anti-campagne, en als dat geen succes heeft, de bevrijding van het dier, met geweld.'

'Juist,' zei Crispin aarzelend, niet zeker hoe de glorieuze-rol-van-Crispin zou passen in het bevrijden van een muis. 'Maar in dit geval is de muis toch een symbool, dat wil zeggen dat die vent er meer in zijn lab moet hebben... dus moeten we met het grotere plaatje omgaan. We hebben iemand nodig die daar inbreekt.'

'Nou, in feite... in feite, denk ik dat dat de fout is die OHNO bijvoorbeeld maakt. Want zij nemen het dier zelf alleen maar als symbool... en wat mij betreft is dat absoluut het tegenovergestelde van waar FATE voor staat. Als het hier om een man ging die zeven jaar lang in een glazen kistje werd opgesloten, zou het geen symbool zijn, nietwaar? En ik weet niet hoe jullie erover denken, maar voor mij is er geen verschil tussen muizen en mensen.'

De verzamelde leden van FATE betuigden mompelend hun instemming, want dit was het soort sentiment waarmee ze altijd hun instemming betuigden. Crispin was op zijn pik getrapt. 'Ja, nou, dat bedoelde ik natuurlijk niet, Paddy. Ik bedoelde alleen dat er een groter plaatje is, net als kiezen tussen het leven van één man en de levens van velen, niet?'

'Punt van orde!' zei Josh, zijn hand opstekend voor een kans Crispin nog dommer te laten lijken. Crispin wierp hem een dreigende blik toe.

'Ja, Joshi,' zei Joely lief. 'Ga je gang.'

'Wat ik wil zeggen is dat er niet meer muizen zijn. Ik bedoel… er zijn natuurlijk een heleboel muizen, maar hij heeft geen andere muizen die precies als deze zijn. Het is een ongelooflijk duur experiment. Hij kon zich er niet een heleboel veroorloven. Bovendien irriteerde de pers hem met de opmerking dat hij de Toekomst-Muis stiekem zou kunnen vervangen als die tijdens het tentoonstellen dood zou gaan… dus werd hij overmoedig. Hij wil de hele wereld bewijzen dat zijn berekeningen kloppen. Hij doet er maar één, en die krijgt een streepjescode. Er zijn geen andere muizen.'

Joely straalde en boog zich voorover om Josh' schouders te masseren.

'Goed, nou, dat klinkt wel logisch, denk ik. Dus, Paddy, ik begrijp wat je zegt… de vraag is of we onze aandacht op Marcus Chalfen richten of de betreffende muis ten overstaan van de wereldpers uit zijn gevangenschap gaan bevrijden.'

'Punt van orde!'

'Ja, Josh, wat?'

'Nou, Crispin, dit is anders dan met de andere dieren die je bevrijdt. Het zal geen verschil maken. Het kwaad is geschied. De muis draagt zijn eigen foltering in zijn genen mee. Als een tijdbom. Als je hem bevrijdt, zal hij gewoon ergens anders een vreselijk pijnlijke dood sterven.'

'Punt van orde!'

'Ja, Paddy, ga je gang.'

'Nou, in feite… zou je een politieke gevangene niet uit de gevangenis helpen ontsnappen alleen omdat hij een dodelijke ziekte had?'

De diverse hoofden van FATE knikten heftig.

'Ja, Paddy, ja, je hebt gelijk. Ik denk dat Joshua ongelijk heeft en dat Paddy ons geconfronteerd heeft met de keuze die we moeten maken. Het is een keuze waar we al vele keren eerder voor hebben gestaan en we hebben onder de verschillende omstandigheden verschillende keuzes gemaakt. In het verleden zijn we, zoals jullie weten, achter de daders aangegaan. Er zijn lijsten opgesteld en straffen uitgedeeld. Ik weet dat we in de afgelopen jaren een aantal van onze vroegere tactieken hebben losgelaten, maar volgens mij zal zelfs Joely het met ons eens zijn dat dit de grootste, de meest fundamentele test daarvan is. We hebben te maken met ernstig gestoorde individuen. Aan de andere kant hebben we ook op grote schaal vreedzame protesten georganiseerd en toezicht gehouden op de vrijlating van duizenden dieren die gevangen werden gehouden door de staat. In dit geval hebben we gewoon de tijd en de gelegenheid niet om beide strategieën toe te passen. Het is een heel openbare plaats en… nou, daar hebben we het al over gehad. Zoals Paddy al zei, ik denk dat de keuze die we voor de eenendertigste hebben vrij eenvoudig is. Het is een keuze tussen de muis en de man. Heeft iemand er een probleem mee om daarover te stemmen? Joshua?'

Joshua zat op zijn handen om zichzelf wat op te heffen en Joely een beter houvast te geven voor zijn rugmassage. 'Geen enkel probleem,' zei hij.

❦

De twintigste december om precies 00.00 uur ging de telefoon in huize Jones. Irie schuifelde in haar nachtpon naar beneden en pakte de hoorn op.

'*Ahhummm*. Ik wil dat je voor jezelf zowel de datum als de tijd onthoudt waarop ik verkozen heb je te bellen.'

'Wat? Eh... wat? Ryan, ben jij dat? Luister, Ryan, ik wil niet onbeleefd zijn, maar het is middernacht, ja? Is er iets wat je wilt of...'

'Irie? Pickney? Ben je daar?'

'Je grootmoeder is op de andere lijn. Ze wilde ook met je praten.'

'Irie,' zei Hortense opgewonden. 'Je moet harder praten, ik kan niks horen...'

'Irie, ik herhaal: heb je de datum en de tijd van ons telefoontje genoteerd?'

'Wat? Luister, ik kan... Ik ben erg moe... kan dit wachten tot...'

'De twintigste, Irie. Om 00.00 uur. Tweeën en nullen.'

'Luister je, pickney? Meneer Topps probeert iets heel belangrijks te vertellen.'

'Oma, jullie moeten om de beurt praten... jullie hebben me net uit bed gehaald... ik ben, eh, helemaal afgepeigerd.'

'Tweeën en nullen, juffrouw Jones. Dat betekent het jaar 2000. En weet je de maand van m'n telefoontje?'

'Ryan, het is december. Is dit echt...'

'De twaalfde maand, Irie. Overeenkomstig de twaalf stammen van de kinderen Israëls. Waaruit elk twaalfduizend werden verzegeld. Uit de stam Juda twaalfduizend verzegelden. Uit de stam Ruben twaalfduizend verzegelden. Uit de stam Gad...'

'Ryan, Ryan... ik snap het.'

'Er zijn bepaalde dagen waarop de Heer wil dat wij handelen... bepaalde waarschuwingsdagen, aangewezen dagen...'

'Waarop wij de zielen van de verlorenen moeten redden. Ze van tevoren moeten waarschuwen.'

'Wij waarschuwen jou, Irie.'

Hortense begon zachtjes te huilen. 'We proberen je alleen maar te waarschuwen, kind.'

'Oké, geweldig. Ik ben gewaarschuwd. Goeienacht samen.'

'Dat is niet het einde van onze waarschuwing,' zei Ryan plechtig. 'Dat is alleen de eerste waarschuwing. Er zijn er meer.'

'Laat me raden... elf meer.'

'O!' riep Hortense, die de telefoon liet vallen maar nog zwak te horen was. 'Ze is bezocht door de Heer. Ze weet 't voor ze is verteld!'

'Luister, Ryan, zou je de andere elf waarschuwingen op de een of andere manier tot één kunnen samenvatten – of me anders de belangrijkste kunnen vertellen? Want ik ben bang dat ik terug moet naar bed.'

Het bleef een minuut stil. Toen: '*Ahhummm*. Uitstekend. Raak niet betrokken bij die man.'

'O, Irie, alsjeblieft! Luister naar meneer Topps! Luister alsjeblieft naar 'm!'

'Met wélke man?'

'O, juffrouw Jones. Doe alsjeblieft niet of je niet op de hoogte bent van je grote zonde. Open je ziel. Laat de Heer mijzelf een handreiking doen naar jouzelf en je schoon wassen van...'

'Luister, ik ben echt allemachtig moe. Wélke man?'

'De wetenschapper, Chalfen. De man die jij "vriend" noemt terwijl hij in werkelijkheid een vijand is van de gehele mensheid.'

'Marcus? Ik heb niks met hem. Ik ben alleen zijn telefoniste en doe zijn papierwerk.'

'En zo word je gemaakt tot de secretaresse van de duivel,' zei Ryan, wat Hortense heviger en luider in tranen bracht.

'Aldus ben jijzelf omlaag gehaald.'

'Ryan, luister naar me. Ik heb hier geen tijd voor. Marcus Chalfen probeert alleen maar wat antwoorden te vinden voor ellende als... ellende als... kanker. Oké? Ik weet niet waar je je informatie vandaan hebt gehaald, maar ik kan je verzekeren dat hij niet de duivel in eigen persoon is.'

'Alleen maar een van z'n volgelingen,' protesteerde Hortense. 'Alleen maar een van z'n frontsoldaten!'

'Kalm nou, mevrouw B. Ik ben bang dat uw kleindochter te ver heen is voor ons. Zoals ik al had verwacht, heb ze zich bij de duistere zijde gevoegd sinds ze ons heb verlaten.'

'Flikker op, Ryan, ik ben Darth Vader niet. Oma...'

'Praat niet tegen me, pickney, praat niet tegen me. Ik en ik is bitter teleurgesteld.'

'Het ziet er dus naar uit dat we je op de eenendertigste zullen zien, juffrouw Jones.'

'Noem me niet juffrouw Jones, Ryan. De... wat?'

'De eenendertigste. De gebeurtenis zal een platform bieden voor de boodschap van de Getuigen. De wereldpers zal er zijn. En wij zullen er zijn. We zijn van plan...'

'Wij gaan ze allemaal waarschuwen!' kwam Hortense ertussen. 'En we hebben het allemaal goed gepland, snap je? We gaan gezangen zingen met mevrouw Dobson op de accordeon, want je kan daar niet helemaal een piano naar toe brengen. En we gaan hongerstaken tot die slechte man ophoudt met rotzooien met de schone schepping van de Heer en...'

'Hongerstaking? Oma, je wordt al misselijk als je je elfuurtje niet krijgt. Je bent nooit van je leven langer dan drie uur zonder eten geweest. Je bent vijfentachtig.'

'Jij vergeet,' zei Hortense op een ijzig bruuske toon, 'dat ik geboren ben in onrust. Ik ben een overlever. Ik ben niet bang voor een tijdje geen eten.'

'En jij laat haar dat doen, Ryan? Ze is vijfentachtig, Ryan. Vijfentachtig! Ze mag niet in hongerstaking gaan.'

‘Ik zeg je, Irie,’ zei Hortense, luid en duidelijk in de hoorn sprekend, ‘ik wíl dit doen. Ik maak me niet druk om een beetje gebrek aan eten. De Heer geeft met z’n rechterhand en neemt met z’n linkerhand.’

Irie hoorde hoe Ryan de telefoon neerlegde, naar Hortenses kamer liep, langzaam de hoorn van haar afnam en haar overhaalde naar bed te gaan. Irie hoorde haar grootmoeder zingen terwijl ze door de gang werd geleid, voor niemand in het bijzonder en zonder herkenbare melodie de zin herhalend: *De Heer geeft met z’n rechterhand en neemt met z’n linkerhand!*

Maar meestal, dacht Irie, *is hij gewoon een dief in de nacht*. Hij neemt alleen maar. Hij neemt verdomme alleen maar.

Magid was er trots op te kunnen zeggen dat hij getuige was geweest van elke fase. Hij was getuige geweest van het op maat ontwerpen van de genen. Hij was getuige geweest van de injectie van de ziektekiemen. Hij was getuige geweest van de kunstmatige inseminatie. En hij was getuige geweest van de geboorte, zo verschillend van de zijne. Slechts één muis. Geen gevecht door het geboortekanaal, geen eerste en tweede, geen geredden en niet-geredden. Geen wie het eerst komt die… Geen willekeur. Geen *je hebt je vaders kokkerd en je moeders voorliefde voor kaas*. Geen mysteries die op de loer liggen. Geen twijfel aan het tijdstip van de dood. Geen verbergen voor ziekte, geen wegrennen voor pijn. Geen twijfel aan de vraag wie aan de touwtjes trok. Geen twijfelachtige almacht. Geen onduidelijk lot. Geen sprake van een reis, geen sprake van groener gras, want waar deze muis ook zou gaan, zijn leven zou precies hetzelfde blijven. Hij zou niet door de tijd reizen (en Tijd is een grote verneuker, dát wist Magid nu, Tijd is dé grote verneuker), want zijn toekomst was gelijk aan zijn heden dat gelijk was aan zijn verleden. Een nest dozen van een muis. Geen andere wegen, geen gemiste kansen, geen parallelle mogelijkheden. Geen twijfel achteraf, geen wat-als, geen hoe-het-had-kunnen-zijn. Alleen zekerheid. Alleen zekerheid in zijn zuiverste vorm. En wat meer, dacht Magid – toen het getuige-zijn voorbij was, toen het masker en de handschoenen waren verwijderd, toen de witte jas weer aan de kapstok was gehangen – wat is God meer dan dát?

19

DE LAATSTE RUIMTE

DONDERDAG 31 DECEMBER 1992

Dat zei de paginabrede krantenkop. Dat verkondigden de pretmakers die in de namiddag door de straten dansten met hun schrille zilveren fluitjes en Union Jacks, pogend het gevoel op te wekken dat bij de datum hoort, pogend de duisternis op te roepen (het was nog maar vijf uur) zodat Engeland zijn jaarlijkse feest kon vieren; dronken kon worden, kotsen, zoenen, betasten en spietsen; in de deuren van treinen staan en die openhouden voor vrienden; ruziemaken om de plotselinge inflatoire tactieken van Somalische taxichauffeurs, in het water springen of met vuur spelen, en alles bij het schemerige, verhullende licht van de straatlantaarns. Het was de avond waarop Engeland ophoudt met zeggen *alsjeblieftdankjewelneemmenietkwalijkalsjeblieft* en begint te zeggen *neukmegodverdommeklootzak* (en dat zeggen we nóóit; het accent is fout; het klinkt niet). De avond waarop Engeland zich met de fundamentele zaken bezighoudt. Het was oudejaarsavond. Maar het kostte Joshua veel moeite het te geloven. Waar was de tijd gebleven? Weggesijpeld in de spleet tussen Joely's benen, in de geheime diepten van haar oren gelopen, zich verborgen in het warme, samengeklitte haar van haar oksels. En de consequenties van wat hij op het punt stond te doen, op de belangrijkste dag van zijn leven, een kritieke situatie die hij drie maanden eerder zou hebben ontleed, gecategoriseerd, afgewogen, geanalyseerd met Chalfenistische doortastendheid – ook dat was hem in haar gleuven ontsnapt. Hij had geen echte beslissingen genomen deze oudejaarsavond, geen voornemens gemaakt. Hij voelde zich zo onnadenkend als de jongemannen die op zoek naar moeilijkheden uit de cafés kwamen rollen; hij voelde zich zo licht als het kind dat op zijn vaders schouders zit op weg naar een familiefeestje. Maar hij was niet bij hen, daar in de straten, plezier makend – hij was hier, hier binnen, en denderde als een hittezoekend projectiel door het centrum van de stad linea recta op het Perret Instituut af. Hij was hier, in een volgestouwd helderrood busje met tien gespannen leden van FATE, Willesden uit razend naar Trafalgar Square, half luisterend naar Kenny die hardop de naam van zijn vader las ten behoeve van Crispin die achter het stuur zat.

'"Als dr. Marcus Chalfen zijn ToekomstMuis© vanavond publiekelijk tentoonstelt, opent hij een nieuw hoofdstuk in onze genetische toekomst."'

Crispin wierp zijn hoofd naar achteren voor een luid 'ha!'

'Ja, juist, precies,' vervolgde Kenny, die zonder succes tegelijkertijd probeerde te lezen en te schimpen. 'En bedankt, hè, voor de objectieve verslaggeving. Hmm, waar was ik... goed: "Belangrijker is, dat hij deze traditioneel terughoudende, selecte en ingewikkelde tak van wetenschap openstelt voor een ongekend groot publiek. Nu het Perret Instituut bereid is gedurende zeven jaar dagelijks zijn deuren open te stellen, belooft dr. Chalfen een nationale gebeurtenis die wezenlijk zal verschillen van het Festival of Britain in 1951 of de British Empire Exhibition van 1924 omdat hier geen sprake is van een politieke agenda."'

'Ha!' snoof Crispin nogmaals, waarbij hij zich deze keer omdraaide op zijn stoel, zodat het FATE-busje (dat niet officieel het FATE-busje was; er stond nog steeds aan beide kanten KENSAL RISE FAMILIEVERVOER op in letters van vijfentwintig centimeter) op een haar na een snaterend groepje beschonken meisjes miste dat waggelend over straat liep. 'Geen politieke agenda? Wie denkt ie in de zeik te nemen?'

'Hou je ogen op de weg, schat,' zei Joely, hem een kus toewerpend. 'We willen er op zijn minst heelhuids proberen te komen. Hmm, hier links... Edgware Road af.'

'Rotzak,' zei Crispin, met een vernietigende blik naar Joshua. 'Wat een rotzak.'

'In 1999,' las Kenny, de doorverwijzing volgend van de voorpagina naar pagina vijf, 'het jaar waarin de recombinant-DNA-techniek volgens deskundigen erkenning zal krijgen, zullen naar schatting vijftien miljoen mensen de tentoongestelde ToekomstMuis hebben gezien en veel meer mensen de ontwikkeling van de ToekomstMuis in de internationale pers hebben gevolgd. Tegen die tijd zal dr. Chalfen zijn doel hebben bereikt: het onderrichten van een natie en de ethische knuppel in het hoenderhok van het volk gooien.'

'Geef. Me. De. Em. Mer. Ver. Dom. Me,' zei Crispin, alsof de woorden zelf braaksel waren. 'Wat zeggen de andere kranten?'

Paddy hield een van de grotere dagbladen omhoog zodat Crispin hem in zijn achteruitkijkspiegel kon zien. Kop: MUIZENMANIE.

'Ze geven er gratis een ToekomstMuis-sticker bij,' zei Paddy, terwijl hij zijn schouders ophaalde en de sticker op zijn baret plakte. 'Ziet er wel leuk uit, eerlijk gezegd.'

'Maar de tabloids zijn een verrassende winnaar,' zei Minnie. Minnie was een gloednieuwe bekeerling: een zeventienjarige groezel met vervilte blonde rastalokken en een tepelpiercing, van wie Joshua kort had overwogen bezeten te raken. Hij had het een tijdje geprobeerd, maar gemerkt dat het hem gewoon niet lukte; hij was gewoon niet in staat zijn ellendige psychotische Joely-wereldje te verlaten en een nieuw leven te zoeken. Minnie, dat moet gezegd, had dit onmiddellijk doorgehad en was naar Crispin gegraviteerd. Ze droeg zo weinig als het winterse weer maar toestond en nam elke gelegenheid waar om haar parmantige beringde tepels in Crispins persoonlijke ruimte te stoten, zoals ze nu deed, zich voorover buigend naar de bestuurdersstoel om hem de voorpagina van het vod in kwestie te laten zien. Zonder succes probeerde Crispin tegelijkertijd de rotonde van Marble Arch te nemen, te vermijden dat hij zijn elleboog in Minnies tieten zou zetten en een blik op de krant te werpen.

'Ik kan het niet goed zien. Wat is het?'

'Het is Chalfens hoofd met muizenoren, bevestigd aan de romp van een geit, die bevestigd is aan het achterwerk van een varken. En hij eet uit een trog waarop aan de ene kant staat "Genetische manipulatie" en aan de andere kant "Gemeenschapsgeld". Kop: CHALFEN KAN SCHRANSEN.'

'Aardig. Alle beetjes helpen.'

Crispin nam de rotonde nog een keer en wist nu de juiste afslag te krijgen. Minnie boog zich over hem heen en legde de krant op het dashboard.

'God, hij ziet er Chalfenistischer uit dan ooit!'

Joshua betreurde bitter dat hij Crispin had verteld over deze kleine eigenaardigheid van zijn familie, de gewoonte om naar zichzelf te verwijzen als werkwoorden, naamwoorden en adjectieven. Het had toen een goed idee geleken: iedereen even laten lachen; als er nog enige twijfel was, bevestigen aan wiens kant hij stond. Maar hij had nooit het idee gehad dat hij zijn vader had verraden – de betekenis van wat hij deed drong nooit echt tot hem door – tot hij het Chalfenisme bespot hoorde worden door Crispin.

'Moet je hem rond zien Chalfen in die trog. Misbruik maken van alles en iedereen, zo doen de Chalfens dat, hè, Josh?'

Joshua gromde en keerde Crispin zijn rug toe ten gunste van het raam en een blik op de vorst in Hyde Park.

'Dat is een klassieke foto daar, zie je dat? Die foto die ze voor het hoofd hebben gebruikt. Ik herinner me die; dat was de dag waarop hij als getuige optrad in het proces in Californië. Die blik van totale superioriteit! Heel Chalfenesk!'

Joshua beet op zijn tong. GA ER NIET OP IN. ALS JE ER NIET OP INGAAT, WIN JE HAAR SYMPATHIE.

'Hou op, Crisp,' zei Joely resoluut, terwijl ze Joshua's haar aanraakte. 'Probeer te denken aan wat we gaan doen. Hij kan dat er vanavond niet bij hebben.'

BINGO.

'Ja, nou...'

Crispin drukte het gaspedaal dieper in. 'Minnie, hebben Paddy en jij gecontroleerd of iedereen heeft wat ie nodig heeft? Bivakmutsen en zo?'

'Ja, allemaal gedaan. Alles klaar.'

'Goed.' Crispin haalde een zilveren doosje te voorschijn dat gevuld was met alle benodigdheden om een dikke joint te draaien en gooide het in Joely's richting, waarbij hij Joshua pijnlijk op zijn scheenbeen raakte.

'Draai er een, schat.'

KUT.

Joely pakte het doosje van de vloer. Ze werkte op haar hurken; de Rizla rustte op

Joshua's knie, haar lange hals was bloot, haar borsten vielen naar voren tot ze zo ongeveer in zijn handen lagen.

'Ben je zenuwachtig?' vroeg ze hem, haar hoofd opheffend toen de joint gedraaid was.

'Hoe bedoel je, zenuwachtig?'

'Voor vanavond. Ik bedoel, van conflicterende loyaliteiten gesproken.'

'Conflicterend?' mompelde Joshua wazig, wensend dat hij daar buiten was, bij de vrolijke mensen, de conflictvrije mensen, de oudejaarsmensen.

'God, ik heb echt bewóndering voor je. Ik bedoel, FATE is gericht op extreme actie... En zelfs nu nog vind ik sommige dingen die we doen... móeilijk. En dan hebben we het over het belangrijkste principe van mijn leven, weet je? Ik bedoel, Crispin en FATE... dat is mijn hele leven.'

O GEWELDIG, dacht Joshua, O FANTASTISCH.

'En ik ben nog steeds als de dóód voor vanavond.'

Joely stak de joint aan en inhaleerde. Ze gaf hem rechtstreeks door aan Joshua, terwijl het busje een bocht naar rechts nam langs het Parliament. 'Het is als met dat citaat: "Als ik moest kiezen tussen mijn vriend en mijn land verraden, dan hoop ik dat ik het lef heb mijn land te verraden." De keuze tussen een plicht en een principe, weet je? Ik voel me niet op die manier verscheurd, begrijp je. Ik weet niet of ik kon doen wat ik doe als dat zo was. Ik bedoel, als het mijn vader was. Mijn eerste verplichting ligt bij de dieren en dat geldt ook voor Crispin, dus er is geen conflict. In die zin is het gemakkelijk voor ons. Maar jij, Joshi, jij hebt de meest extreme beslissing van ons allemaal genomen... en je lijkt zo kálm! Ik bedoel, het is bewonderenswaardig... en ik denk dat je echt indruk hebt gemaakt op Crispin, want, je weet wel, hij was er niet helemaal zeker van of...'

Joely bleef praten, en Josh bleef knikken op de juiste momenten, maar de sterke Thaise hasj die hij rookte had een van haar woorden gevangen – kálm – en binnengehaald als een vraag. *Waarom zo kalm, Joshi?* Je staat op het punt in wat serieuze rotzooi terecht te komen – *waarom zo kalm*?

Want hij stelde zich voor dat hij kalm léék, onnatuurlijk kalm, zijn adrenaline een omgekeerd evenredige relatie onderhoudend met de opkomende oudejaarsenergie, met de gespannen zenuwen van het FATE-gezelschap; en daarbovenop het effect van de hasj... het was alsof hij onder water liep, diep onder water, terwijl daarboven kinderen speelden. Maar het was geen kalmte als wel inertie. En hij kwam er niet uit, terwijl het busje zijn weg vervolgde langs Whitehall, of dit de juiste reactie was – om de wereld over hem heen te laten spoelen, de gebeurtenissen hun loop te laten nemen – of dat hij meer moest zijn als díe mensen, die mensen daarbuiten, joelend, dansend, vechtend, neukend... of hij – wat was dat vreselijke tautologische woord van eind twintigste eeuw? *Proactief.* Proactiever moest zijn ten aanzien van de toekomst.

Maar hij nam nog een diepe trek van de joint en die stuurde hem terug naar twaalf, toen hij twaalf was; een voorlijk kind, dat elke ochtend wakker werd in de verwachting de aankondiging *twaalf uur tot de nucleaire ondergang* te horen, dat oude, afgezaagde einde-van-de-wereldscenario. In die tijd had hij veel nagedacht over extreme beslissingen, over de toekomst en zijn tijdslimieten. Zelfs toen al trof hem de gedachte dat het niet erg waarschijnlijk was dat hij die laatste twaalf uur zou besteden aan het neuken van Alice, de vijftienjarige oppas bij de buren, aan het vertellen aan mensen dat hij van ze hield, aan een bekering tot het orthodoxe jodendom, of aan het doen van alle dingen die hij wilde en alle dingen die hij nooit had gedurfd. Het had hem altijd waarschijnlijker geleken, veel waarschijnlijker, dat hij gewoon naar zijn kamer zou gaan en rustig zijn middeleeuwse Lego-kasteel zou afmaken. Wat kon je anders doen? Van welke andere keuze kon je zeker zijn? Want keuzes hebben tijd nodig, de rúimte van tijd, van tijd als de horizontale as van moraliteit – je neemt een beslissing en dan wacht je af, kijk je wat er gebeurt. En het is een heerlijke fantasie, deze fantasie van geen tijd (NOG TWAALF UUR NOG TWAALF UUR), het moment waarop consequenties verdwijnen en elke daad is toegestaan ('Ik ben gék – ik ben er hartstikke gék op!' kwam de kreet van de straat). Maar de twaalfjarige Josh was te neurotisch, te introvert, te *Chalfenistisch* om ervan te genieten, zelfs van de gedachte eraan. In plaats daarvan dacht hij: maar wat als het niet het einde van de wereld is, en wat als ik Alice Rodwell zou neuken en ze zwanger werd en wat als...

Het was nu hetzelfde. Altijd de angst voor consequenties. Altijd die vreselijke inertie. Wat hij op het punt stond zijn vader aan te doen was zo enorm, zo kolossaal, dat de consequenties niet te bevatten waren – hij kon zich geen moment voorstellen na die daad. Alleen leegte. Het niets. Iets overeenkomstigs als het einde van de wereld. En de confrontatie met het einde van de wereld, of zelfs alleen het einde van het jaar, had Josh altijd een vreemd afstandelijk gevoel gegeven.

Elke oudejaarsavond is een aanstaande Apocalyps in het klein. Je neukt waar je wilt, je kotst wanneer je wilt, je tuigt iemand af – de grote mensenmassa's op straat; de tv-overzichten van de helden en schurken uit het verleden; de uitzinnige laatste kussen; het 10! 9! 8!

Joshua keek boos Whitehall af, naar de vrolijke mensen die met de generale repetitie bezig waren. Ze waren allemaal vol vertrouwen dat het niet zou gebeuren of zeker dat ze ermee om konden gaan als het wel zou gebeuren. Maar de wereld overkomt je, dacht Joshua, jij overkomt de wereld niet. Je kunt niets doen. Voor het eerst van zijn leven geloofde hij dat echt. En Marcus Chalfen geloofde precies het tegenovergestelde. En dat is in een notendop, zo besefte hij, hoe ik hier ben gekomen, Westminster uitdraaiend, kijkend hoe Big Ben het uur nadert waarop ik mijn vaders huis zal neerhalen. Dat is hoe we hier allemaal zijn gekomen. Tussen wal en schip. De drup en de regen.

Donderdag 31 december 1992, oudejaarsavond
Seinproblemen bij Baker Street
Geen Jubilee-lijn vanaf Baker Street in zuidelijke richting

Reizigers wordt aangeraden op Finchley Road over te stappen op de Metropolitan-lijn
Of op Baker Street over te stappen op de Bakerloo-lijn
Er is geen vervangend busvervoer
Laatste trein 02.00 uur
Het personeel van de Londense Metro wenst u een veilig en gelukkig nieuwjaar!

Stationschef Willesden Green, Richard Daley

Broeders Millat, Hifan, Tyrone, Mo Hussein-Ishmael, Shiva, Abdul-Colin en Abdul-Jimmy stonden stokstijf stil als meibomen midden in het station terwijl om hen heen de oudejaarsdans plaatsvond.

'Gewéldig!' zei Millat. 'Wat doen we nu?'

'Kun je niet lézen?' vroeg Abdul-Jimmy.

'We doen wat op het bord staat, broeders,' zei Abdul-Colin, elk meningsverschil in de kiem smorend met zijn diepe, kalmerende bariton. 'We stappen over op Finchley Road. Allah zorgt voor ons.'

De oorzaak van Millats onvermogen het teken aan de wand te lezen was simpel. Hij was stoned. Het was de tweede dag van Ramadan en hij was high. Elke synaps in zijn lichaam had uitgeklokt voor de avond en was naar huis gegaan. Maar er ging nog één gewetensvolle werker in de tredmolen van zijn hersenen rond die ervoor zorgde dat één gedachte door zijn hoofd bleef rondmalen: *Waarom? Waarom ben je stoned, Millat? Waarom?* Goeie vraag.

's Middags had hij dertig gram oude hasj in een la gevonden, een kleine hoeveelheid in cellofaan die hij zes maanden eerder niet had kunnen weggooien. En hij had alles opgerookt. Hij had een deel ervan bij zijn slaapkamerraam gerookt. Toen was hij naar Gladstone Park gelopen en had nog wat gerookt. Het grootste deel had hij op de parkeerplaats van de bibliotheek van Willesden gerookt. Hij had het opgemaakt in de studentenkeuken van ene Warren Chapman, een Zuid-Afrikaanse skateboarder met wie hij vroeger had rondgehangen. En het gevolg was dat hij nu zo high was, terwijl hij daar met de anderen op het perron stond, zo high dat hij niet alleen geluiden binnen geluiden kon horen, maar geluiden binnen geluiden binnen geluiden. Hij kon de muis langs het spoor horen dribbelen, een hoger niveau van harmonieus ritme creërend met het gekraak van de luidspreker en het tegen de maat ingaande gesnuif van een oudere vrouw op zo'n zes meter afstand. Zelfs toen de trein binnenreed, kon hij deze dingen nog horen onder het oppervlak. Nu is er een niveau waarop je high kunt zijn, wist Millat, een niveau waarop je zo ontzéttend high bent, dat je een zenachtige nuchterheid bereikt en je absoluut tip-top voelt alsof je nooit had opgestoken. O, daar verlangde Millat naar. Hij wilde maar dat hij zo ver was gekomen. Maar er was gewoon niet genoeg.

'Gaat het, broeder Millat. Voel je je wel goed?' vroeg Abdul-Colin bezorgd, terwijl de deuren van de metrotrein opengleden. 'Je ziet er wat pips uit.'

'Ik voel me prima, prima,' zei Millat, en hij gaf een geloofwaardige indruk van zich prima voelen want hasj is anders dan drank; hoe erg het ook is, je kunt jezelf op een bepaald niveau onder controle krijgen. Om deze theorie voor zichzelf te bewijzen, liep hij op een langzame maar zelfverzekerde manier door de wagon en nam plaats aan het eind van de rij broeders, tussen Shiva en wat opgewonden Australiërs die op weg waren naar de renbaan.

In tegenstelling tot Abdul-Jimmy had Shiva zo zijn eigen wilde tijden gehad, en hij herkende de karakteristieke rode ogen op een afstand van vijftig meter.

'Millat, mán,' zei hij zacht, erop rekenend dat de andere broeders hem boven het lawaai van de trein uit niet konden horen. 'Wat heb je gedáán?'

Millat keek recht voor zich uit en sprak tegen zijn spiegelbeeld in het treinraam. 'Ik bereid me voor.'

'Door stoned te worden?' siste Shiva. Hij wierp een blik op de fotokopie van Sura 52, die hij nog niet uit het hoofd had geleerd. 'Ben je gek geworden? Het is al moeilijk genoeg om dit te onthouden zonder op de planeet Mars te verkeren.'

Millat zwaaide licht heen-en-weer, en wendde zich met een verkeerd getimede uitval tot Shiva. 'Dáár bereid ik me niet op voor. Ik bereid me voor op actie! Omdat niemand anders het doet. We raken een man kwijt en jullie verraden de zaak. Jullie deserteren. Maar ik hou stand.'

Shiva zweeg. Waar Millat aan refereerde was de recente 'arrestatie' van broeder Ibrāhim ad-Din Shukrallah op verzonnen beschuldigingen van belastingontduiking en burgerlijke ongehoorzaamheid. Niemand nam de beschuldigingen serieus, maar iedereen wist dat het een niet zo vriendelijke manier van de politie was om ze te waarschuwen dat ze een oogje hielden op de activiteiten van KEVIN. In het licht hiervan was Shiva de eerste geweest om wat het overeengekomen Plan A betrof de aftocht te blazen, al snel gevolgd door Abdul-Jimmy en Hussein-Ishmael, die, ondanks zijn verlangen naar wraak op iemand, wie dan ook, rekening moest houden met zijn winkel. Er was een week van heftige discussie gevolgd (waarbij Millat vastbesloten Plan A verdedigde), maar op de zesentwintigste hadden Abdul-Colin, Tyrone en ten slotte Hifan toegegeven dat Plan A op de lange termijn wellicht niet in het belang was van KEVIN. Ze konden zich tenslotte niet in een situatie van gevangenschap manoeuvreren tenzij ze zeker wisten dat KEVIN leiders had om hen te vervangen. Dus was Plan A van de baan. Plan B werd haastig geïmproviseerd. Plan B hield in dat de zeven vertegenwoordigers van KEVIN halverwege de persconferentie van Marcus Chalfen zouden opstaan en Sura 52, 'de Berg', zouden citeren, eerst in het Arabisch (Abdul-Colin zou dit alleen doen) en dan in het Engels. Millat werd doodziek van Plan B.

'En dat is alles? Jullie gaan gewoon iets aan hem voorlezen? Dat is zijn straf? Waar blijft de wraak? Waar blijft zijn verdiende loon, vergelding, jihad?'

'Wil jij beweren,' had Abdul-Colin op plechtige toon gevraagd, 'dat het woord van Allah zoals gegeven aan de profeet Mohammed – *Salla Allahu 'Alaihi Wa Sallam* – niet voldoende is?'

Nou, néé. En zo had Millat, ook al werd hij er doodziek van, een stapje terug moeten doen. In plaats van de vraagstukken van eer, opoffering, plicht, de vraagstukken van leven en dood die samenhingen met een zorgvuldige planning van de oorlogsvoering van de clan, de redenen waarom Millat zich bij KEVIN had aangesloten – in plaats daarvan was het vraagstuk van *vertaling* gekomen. Iedereen was het erover eens dat geen enkele vertaling van de koran als het woord van God kon worden beschouwd, maar evenzeer gaf iedereen toe dat Plan B iets van zijn kracht zou verliezen als niemand zou begrijpen wat er werd gezegd. Dus was de vraag wélke vertaling en waaróm. Zou het een van de onbetrouwbare maar duidelijke oriëntalisten worden: Palmer (1880), Bell (1937-39), Arberry (1955), Dawood (1956)? De excentrieke maar poëtische J.M. Rodwell (1861)? De oude favoriete, gepassioneerde, toegewijde anglicaanse bekeerling par excellence Muhammad Marmaduke Pickthall (1930)? Of een van de Arabische broeders, de prozaïsche Shakir of de flamboyante Yusuf Ali? Vijf dagen discussieerden ze erover. Toen Millat op een avond de Kilburn Hall was binnengelopen, had hij alleen maar door zijn wimpers hoeven turen om deze praatgrage kring van stoelen, deze veronderstelde fanatieke fundamentalisten, aan te zien voor een redactievergadering van de *London Review of Books*.

'Maar Dawood is een zwoeger!' zei broeder Hifan fel. 'Ik verwijs naar 52:44: *En indien zij een stuk van de hemel zien vallen, zullen zij zeggen "opgehoopte wolken"*. Opgehoopte wolken? Het is geen popconcert. Bij Rodwell zien we in ieder geval een poging om het poëtische vast te houden, de opmerkelijke aard van het Arabisch: *En zouden zij een fragment van de hemel zien vallen, dan zouden zij zeggen: het is slechts een dichte wolk*. Fragment, dicht... het effect is veel sterker, accha?'

En toen, haperend, Mo Hussein-Ishmael: 'Ik ben maar een slager-streep-buurtwinkeleigenaar. Ik kan niet beweren dat ik er veel van weet. Maar ik vind deze laatste regel heel mooi; dat is Rodwell... eh, denk ik, ja, Rodwell. 52:49: *En verheerlijk Hem in het nachtseizoen en na het verbleken der sterren*. Nachtseizoen. Ik vind dat prachtig gezegd. Het klinkt als een ballad van Elvis. Veel beter dan die andere, die van Pickthall: *En in de nachttijd zing ook zijn lof, en bij het ondergaan der sterren*. Nachtseizoen is zoveel mooier.'

'En komen we hiervoor bijeen?' had Millat tegen ze geschreeuwd. 'Zijn we hiervoor lid geworden van KEVIN? Om geen actie te ondernemen? Om op onze reet te zitten en een beetje met woorden te spelen?'

Maar het was Plan B geworden, en daar waren ze dan, zoevend langs Finchley Road, op weg naar Trafalgar Square om het uit te voeren. En daarom was Millat stoned. Om hem genoeg lef te geven iets anders te doen.

'Ik hou stand,' zei Millat onduidelijk in Shiva's oor sprekend. 'Daarvoor zijn we hier. Om stand te houden. Daarom ben ik lid geworden. Waarom ben jij lid geworden?'

Nou, Shiva was om drie redenen lid geworden. Ten eerste had hij er genoeg van gehad om de pispaal te zijn, een functie die je vanzelf krijgt als je de enige hindoe bent in een Bengaals moslimrestaurant. Ten tweede omdat Hoofd Interne Veiligheid bij KEVIN oneindig veel meer voorstelde dan tweede kelner zijn bij de Palace. En ten derde voor de vrouwen. (Niet de vrouwen van KEVIN, die mooi waren maar kuis tot in het extreme, maar alle vrouwen buiten de organisatie die genoeg hadden gehad van zijn wilde haren en nu diep onder de indruk waren van zijn nieuwe ascetisme. Ze waren gek op de baard, weg van de hoed, en vertelden Shiva dat hij op zijn achtendertigste eindelijk geen jongen meer was. Waar ze vooral door werden aangetrokken, was het feit dat hij vrouwen had afgezworen, en hoe meer hij ze afzwoer, hoe succesvoller hij werd. Uiteraard kan een dergelijke vergelijking niet eindeloos blijven opgaan, en nu ging Shiva meer van bil dan hij ooit als kafir had gedaan.) Shiva voelde echter dat er op dit moment geen behoefte was aan de waarheid, dus zei hij: 'Om mijn plicht te doen.'

'Dan zitten we op dezelfde golflengte, broeder Shiva,' zei Millat, en hij wilde Shiva een klopje op zijn knie geven maar miste net. 'De enige vraag is: doe je het ook?'

'Neem me niet kwalijk, makker,' zei Shiva, Millats arm verwijderend van de plaats waar hij tussen zijn benen was gevallen, 'maar als ik naar je... eh... huidige toestand... kijk, is de vraag denk ik: doe jíj dat?'

Nou, dát was een vraag. Millat was er half zeker van dat hij mogelijk misschien iets ging doen of niet dat juist en heel dom en prima en on-goed zou zijn.

'Mill, we hebben een Plan B,' hield Shiva aan toen hij de schaduwen van twijfel over Millats gezicht zag glijden. 'Laten we ons gewoon aan Plan B houden, hè? Het heeft geen zin om problemen te veroorzaken. Mán, je bent precies je vader. Een klassieke Iqbal. Kan de dingen niet loslaten. Kan slapende honden niet laten slapen, of hoe die uitdrukking ook mag zijn.'

Millat wendde zich van Shiva af en keek naar zijn voeten. Hij was zekerder geweest toen hij begon; hij had zich de reis voorgesteld als één beheerste trefzekere spurt op de Jubilee-lijn: Willesden Green → Charing Cross, geen overstap, niet deze rommelreis; gewoon een rechtstreekse lijn naar Trafalgar, en dan zou hij de trap opklimmen naar het plein en daar zou hij recht tegenover de vijand staan van zijn betovergrootvader, Henry Havelock, op zijn voetstuk van door duiven bescheten steen. Het zou hem moed geven, en hij zou het Perret Instituut binnengaan met wraak en revisionisme in zijn hoofd en vergane glorie in zijn hart en hij zou en hij zou en hij... 'Ik denk,' zei Millat na een korte stilte, 'dat ik moet overgeven.'

'Baker Street!' riep Abdul-Jimmy. En met de discrete hulp van Shiva stak Millat het perron over naar de verbindende trein.

Twintig minuten later leverde de Bakerloo-lijn hen over aan de ijzige kou van Trafalgar Square. In de verte Big Ben. Op het plein Nelson. Havelock. Napier. George IV. En dan de National Gallery, daarachter bij St. Martin's. Alle beelden naar de klok gericht.

'Wat zijn ze in dit land toch gek op hun valse iconen,' zei Abdul-Colin, met zijn rare mengeling van ernst en spot, en niet onder de indruk van de aanzienlijke menigte oudejaarsvierders die op dat moment naar de grote brokken grijze steen spuugde, eromheen danste en eroverheen kroop. 'Kan iemand mij vertellen wat het toch is met die Engelsen dat ze hun beelden met hun rug naar hun cultuur en hun ogen naar de tijd plaatsten?' Hij zweeg om de bibberende KEVIN-broeders tijd te geven over de retorische vraag na te denken.

'Omdat ze naar hun toekomst kijken om hun verleden te vergeten. Soms zou je bijna medelijden met ze krijgen, niet?' vervolgde hij terwijl hij zich helemaal omdraaide om naar de benevelde menigte te kijken.

'Ze hebben geen geloof, de Engelsen. Ze geloven in wat de mens maakt, maar wat de mens maakt verbrokkelt. Kijk naar hun rijk. Dit is alles wat ze hebben. Charles II Street en South Africa House en een hele serie dommige stenen mannen op stenen paarden. In niet meer dan twaalf uur gaat de zon boven ze op en gaat boven ze onder. Dit is alles wat ervan over is.'

'Ik heb het hartstikke koud,' klaagde Abdul-Jimmy, terwijl hij zijn behandschoende handen in elkaar sloeg (hij vond de toespraken van zijn oom strontvervelend). 'Laten we gaan,' zei hij, toen een enorme bierzwangere Engelsman, nat van de fonteinen, tegen hem aanbotste. 'Weg van dit krankzinnige gedoe. Het is aan Chandos Street.'

'Broeder?' zei Abdul-Colin tegen Millat, die op enige afstand stond van de rest van de groep. 'Ben je klaar?'

'Ik kom er zo aan.' Hij joeg ze met een zwak gebaar weg. 'Maak je geen zorgen, ik kom eraan.'

Er waren twee dingen die hij eerst wilde zien. Het eerste was een bepaalde bank, die bank daar, bij de verste muur. Hij liep ernaar toe, een lange, struikelende tocht, waarop hij een ongeregelde conga-rij moest zien te mijden (zo veel hasj in zijn hoofd; loden gewichten aan elke voet), maar hij haalde het. Hij ging zitten. En daar was het

Meer dan tien centimeter grote letters tussen de ene poot van de bank en de andere. IQBAL. Het was niet duidelijk, en het had een donkere roestkleur, maar het was er. Het verhaal erachter was oud.

Een paar maanden nadat zijn vader in Engeland was aangekomen, had hij op deze bank gezeten, een bloedende duim omklemmend, waarvan het puntje was afgesneden door een onvoorzichtige, beverige houw van een van de oudere kelners. Toen het net was gebeurd, in het restaurant, voelde Samad het niet doordat het zijn dode hand was. Dus had hij zijn duim in een zakdoek gewikkeld om het bloed te stelpen en was doorgegaan met werken. Maar de stof was doordrenkt geraakt van bloed, hij had de klanten hun eetlust benomen, en ten slotte had Ardashir hem naar huis gestuurd. Samad was met zijn openliggende duim het restaurant uit gelopen, langs de theaters en door Martin's Lane. Toen hij bij het plein kwam, stak hij hem in de fontein en keek hoe zijn rode lichaamsvocht in het blauwe water stroomde. Maar hij maakte er een bende van en mensen stonden te kijken. Daarom besloot hij op de bank te gaan zitten en zijn duim bij de basis te omklemmen tot het bloeden zou stoppen. Het bleef maar bloeden. Na een tijdje gaf hij het op om zijn duim rechtop te houden en liet hij hem omlaag hangen als halal vlees in de hoop dat dit het bloeden zou versnellen. Toen, terwijl hij met zijn hoofd tussen zijn knieën zat en zijn duim op de bestrating lekte, was er een primitieve impuls over hem gekomen. Langzaam had hij, met het druppelende bloed, van de ene poot van de bank naar de volgende IQBAL geschreven. Vervolgens, in een poging het blijvender te maken, was hij er met een pennenmes overheen gegaan en had de naam in de steen gekrast.

'Het moment waarop ik klaar was, werd ik overspoeld door een grote schaamte,' legde hij zijn zoons jaren later uit. 'Ik rende ervan weg, de nacht in; ik probeerde van mezelf weg te rennen. Ik wist dat ik depressief was geweest in dit land... maar dit was anders. Uiteindelijk kwam ik op Piccadilly Circus terecht, waar ik me knielend en biddend, huilend en biddend, aan het hek vastklampte en de straatmuzikanten stoorde. Want ik wist was het betekende, deze daad. Het betekende dat *ik mijn naam op de wereld wilde schrijven*. Het betekende dat ik *aanmatigend* was. Als de Engelsen die straten in Kerala naar hun vrouw noemden, als de Amerikanen die hun vlag op de maan zetten. Het was een waarschuwing van Allah. Hij zei: Iqbal, je begint *op hen te lijken*. Dat betekende het.'

Nee, dacht Millat, de eerste keer dat hij dit hoorde, dat betekende het niet. Het betekende alleen maar *je stelt niets voor*. En nu hij ernaar keek, voelde Millat niets dan verachting. Zijn hele leven had hij zo'n echte peetvader gewild, en wat hij gekregen had was Samad. Een gebrekkige, gebroken, domme, eenhandige ober die achttien jaar in een vreemd land had gewoond en er geen ander stempel op had gedrukt dan dit. *Het betekent alleen maar dat je niets voorstelt*, herhaalde Millat, terwijl hij zich een weg baande door voortijdige kots (meisjes die al dubbele drankjes dronken vanaf drie uur) naar Havelock, om Havelock in zijn stenen ogen te kijken. *Het betekent dat jij niets en hij wel iets voorstelt*. En dat is het. Dat is waarom Pande aan een boom bungelde en Havelock de beul op een chaise longue in Delhi zat. Pande was niemand en Havelock was iemand. Bibliotheekboeken en debatten en reconstructies waren niet nodig. *Snap je het niet, abba?* fluisterde Millat. *Dat is het.*

Dat is de lange, lange geschiedenis van ons en van hen. Zo was het. Maar zo is het niet meer.

Want Millat was hier om er een einde aan te maken. Om wraak te nemen. Om voor een ommekeer in die geschiedenis te zorgen. Hij stelde zich graag voor dat hij een andere houding had, een houding van de tweede generatie. Als Marcus Chalfen meende zijn naam over de hele wereld te moeten schrijven, zou Millat hem GROTER schrijven. Zijn naam zou niet verkeerd worden gespeld in de geschiedenisboeken. Er zouden geen datums en tijden worden vergeten. Waar Pande een misstap maakte, zou zijn stap zeker zijn. Waar Pande A had gekozen, zou Millat B kiezen.

Ja, Millat was stoned. En het kan absurd voor ons zijn dat de ene Iqbal kan geloven dat de broodkruimels die door een andere Iqbal zijn achtergelaten, generaties vóór hem, nog niet zijn weggeblazen door de wind. Maar het maakt echt niet uit wat wij geloven. Het zal de man niet tegenhouden die denkt dat zijn leven bepaald wordt door het leven dat hij meent eerder te hebben gehad, of de zigeunerin die zweert bij de koninginnen in haar tarotkaarten. En het valt niet mee om de overgevoelige vrouw van mening te laten veranderen die de verantwoordelijkheid voor al haar handelingen bij haar moeder legt, of de eenzame man die midden in de nacht op een heuveltop in een vouwstoel op de kleine groene mannetjes zit te wachten. Te midden van de vreemde landschappen die ons geloof in de werkzaamheid van de sterren hebben vervangen is dat van Millat niet zo'n merkwaardig terrein. Hij gelooft dat beslissingen die genomen worden, terugkomen. Hij gelooft dat we in cirkels leven. Het is een simpel, handig fatalisme. Wie zaait zal oogsten.

'Ding-dong,' zei Millat hardop, met een tikje op Havelocks voet, voordat hij zich omdraaide om zijn wazige weg te zoeken naar Chandos Street. 'Tweede ronde.'

31 december 1992

~

Hoe groter de kennis hoe groter de smart

Prediker 1 v. 18

Toen Ryan Topps was gevraagd de *Gedachte voor de dag*-bureaukalender voor 1992 voor de Kingdom Hall van Lambeth te maken, had hij er speciaal op gelet de fouten van zijn voorgangers te vermijden. In het verleden had de samensteller, zo merkte Ryan, wanneer hij citaten moest kiezen voor volkomen zinloze, niet-kerkelijke dagen, zich door zijn gevoelens laten meeslepen, zodat we op Valentijnsdag 1991 vinden: ***liefde laat geen ruimte voor vrees; de volmaakte liefde drijft de vrees uit***, 1 Joh. 4:18, alsof Johannes daarbij het verachtelijke gevoel in zijn achterhoofd had gehad dat mensen ertoe brengt elkaar chocolade en goedkope teddyberen te sturen in plaats van de liefde van Jezus Christus, die door niets wordt overtroffen. Ryan koos een radicaal tegenovergestelde benadering. Op een dag als oudejaarsdag, bijvoorbeeld, waarop iedereen zijn goede voornemens maakt voor het nieuwe jaar, nadenkt over het afgelopen jaar en zijn succes voor het volgende beraamt, vond hij het nodig de mensen met een dreun op de aarde terug te brengen. Hij wilde ze eraan herinneren dat de wereld wreed is en zinloos, dat alles wat de mens onderneemt uiteindelijk zonder betekenis is, en dat geen enkele vooruitgang in deze wereld de moeite waard is behalve het winnen van Gods gunst en een toegangskaartje voor het betere leven in het hiernamaals. En aangezien hij de kalender het vorige jaar had voltooid en veel van wat hij had gedaan was vergeten, was hij plezierig verrast – toen hij de dertigste afscheurde en naar het kraaknieuwe witte blaadje van de eenendertigste keek – toen hij zag hoe effectief dit geheugensteuntje was. Geen gedachte kon toepasselijker zijn geweest voor de dag die voor hen lag. Geen waarschuwing geschikter. Hij scheurde het van de kalender, propte het in het strakke leer van zijn broek en zei mevrouw B. in de zijspan te stappen.

'*Het zal ons niet berouwen de smalle weg te gaan*!' zong mevrouw B., terwijl ze over Lambeth Bridge snelden op weg naar Trafalgar Square. '*Hij riep ons, de Getrouwe, en Hij ging zelf vooraan*!'

Ryan zorgde ervoor een flinke minuut voordat ze linksaf moesten zijn knipperlicht aan te zetten, zodat de Kingdom-dames in het busje achter hem niet in de war zouden raken. Hij maakte voor zichzelf een snelle inventarisatie van de dingen die hij in het busje had gelegd: zangboekjes, instrumenten, spandoeken, de *Wachttoren*. Alles gezien en geteld. Ze hadden geen kaartjes, maar ze zouden buiten protesteren, in de kou, lijdend als ware christenen. De Heer zij geprezen! Wat een glorieuze dag! Alle voortekenen waren goed. Hij had de afgelopen nacht zelfs gedroomd dat Marcus Chalfen de duivel in eigen persoon was en dat ze elkaar recht in de ogen keken. Ryan had gezegd: *Mijzelf en jijzelf zijn in oorlog. Er kan slechts één winnaar zijn*. Daarna had hij steeds opnieuw hetzelfde gedeelte uit de heilige schrift voor hem geciteerd (hij kon zich nu niet precies herinneren wat het was, maar het was iets uit Openbaring) tot de duivel/Marcus steeds kleiner was geworden, grote oren had gekregen en een lange gevorkte staart en ten slotte als een kleine satanische muis was weggedribbeld. Zoals in dit visioen, zo zou het in het leven zijn. Ryan zou onbuigzaam, onverzettelijk, absoluut standvastig zijn en uiteindelijk zou de zondaar tot inkeer komen.

Dat was de manier waarop Ryan alle theologische, praktische en persoonlijke conflicten benaderde. Hij gaf niet toe, geen duimbreed. Maar ja, dat was altijd zijn talent geweest; hij had een mono-intelligentie, het vermogen aan één enkel idee met fenomenale hardnekkigheid vast te houden, en hij had nooit iets gevonden wat daar zo goed bij paste als de kerk van Jehova's getuigen. Ryan dacht in zwart en wit. Het probleem met zijn vroegere passies – scooter rijden en popmuziek – was dat er altijd tinten grijs waren (hoewel de dingen die in het wereldlijke leven waarschijnlijk het dichtst in de buurt komen van een Jehova-prediker jongens zijn die brieven sturen aan de *New Musical Express* en die enthousiastelingen die artikelen schrijven voor *Scooters Vandaag*). Altijd waren er de lastige vragen of je je waardering voor de Kinks moest verdunnen met een beetje Small Faces, en of Italië of Duitsland de beste fabrikanten was van reserveonderdelen. Dat leven leek hem nu zo vreemd dat hij zich nauwelijks kon herinneren het geleefd te hebben. Hij had medelijden met hen die leden onder de last van zulke twijfels en dilemma's. Hij had medelijden met het parlement terwijl mevrouw B. en hij erlangs snelden, medelijden omdat de wetten die daar werden gemaakt tijdelijk waren terwijl de zijne eeuwig waren…

'*Komt en vertrouwt op Hem die u is voorgetogen en richt uw hart en ogen vast op Jeruzalem*!' kwinkeleerde mevrouw B. '*Maar reist gij op uw wijze dan reist gij nog niet goed. De rechte pelgrimsreize is tegen vlees en bloed…*'

Hij genoot ervan. Hij genoot ervan het kwaad recht in de ogen te kijken en te zeggen: 'Jijzelf: bewijs het me. Kom op, bewijs het!' Hij vond dat hij geen argumenten nodig had zoals de moslims of de joden. Geen ingewikkelde bewijzen of verdedigingen. Alleen zijn geloof. En niets rationeels kan het geloof bevechten. Als *Star Wars* (heimelijk Ryans favoriete film. Het Goede! Het Kwade! De Kracht! Zo símpel. Zo wáár!) waarlijk de som is van alle archaïsche mythen en de zuiverste allegorie van het leven (zoals Ryan geloofde), dan is geloof, onvervalst, onschuldig geloof de grootste verdomde lichtsabel in het universum. *Kom op, bewijs het*. Hij deed dat elke zondag aan de deuren en hij zou precies hetzelfde doen met Marcus Chalfen. *Bewijs me dat je gelijk heb. Bewijs me dat je meer gelijk heb dan God*. Niets ter wereld zou dat kunnen. Want op deze wereld was er niets waar Ryan in geloofde of wat hem interesseerde.

'Zijn we er bijna?'

Ryan kneep even in de frêle hand van mevrouw B., spoedde zich over de Strand en nam vervolgens de bocht langs de achterzijde van de National Gallery.

'*Hoe zoudt gij zonder pijn uw oude mens verlaten? Geen medicijn kan baten: er moet gestorven zijn*!'

Goed gezegd mevrouw B.! Het recht een pelgrim te zijn! Die zich niks aanmatigt en toch de aarde erft! Het recht gelijk te hebben, anderen te onderrichten, altijd rechtvaardig te zijn omdat God heb beschikt dat je dat zal zijn, het recht naar vreemde landen en onbekende plaatsen te gaan en de onwetenden toe te spreken, vol vertrouwen dat je niks dan de waarheid spreekt. Het recht altijd gelíjk te hebben! Veel beter dan de rechten waar hij ooit zo veel waarde aan hechtte: het recht op vrij-zijn, vrijheid van meningsuiting, seksuele vrijheid, het recht hasj te roken, het recht om te feesten, het recht om met honderd kilometer per uur zonder een helm op over een hoofdweg te rijden. Zoveel meer dan al die rechten kon Ryan nu doen gelden. Hij oefende een zo uitzonderlijk recht uit, in dit nagloeien van de eeuw, dat het bijna uit de tijd was. Het meest fundamentele recht dat er was. Het recht bij de goeien te horen.

Op: 31-12-1992
Gemeentevervoerbedrijf Londen
Buslijn 98
Van: Willesden Lane
Naar: Trafalgar Square
Om: 17.35
Kaartje: Volwassene enkel £0.70
Bewaar kaartje voor controle

Jeetje (dacht Archie) *ze maken ze niet meer zoals vroeger*. Dat wil niet zeggen dat ze ze slechter maken. Ze maken ze alleen heel, heel ánders. Zo veel informátie. Het moment waarop je er een van de perforatie trok, voelde je je opgezet en opgeprikt door een of andere alziende taxidermist, je voelde je als een stilstaand beeld, je voelde je gevángen! Dat was vroeger anders geweest, herinnerde Archie zich. Jaren geleden had hij een neef, Bill, die op de oude lijn 32 door Oxford Street werkte. Aardige kerel, Bill. Een glimlach en een vriendelijk woord voor iedereen. Die trok, zo in het geniep – er kwam geen geld aan te pas – een kaartje van een van die grote kluk-kluk mechanische dingen met zo'n grote hendel (en waar zijn die gebleven? Waar is de vlekkerige inkt?); *kijk 's aan, Arch*. Dat was Bill, die hielp je altijd. Maar goed, die kaartjes, die oude kaartjes, die vertelden je niet waar je heen ging, laat staan waar je vandaan kwam. Hij kon zich ook niet herinneren er datums op te hebben gezien, en de tijd werd al helemaal niet genoemd. Het was nu allemaal anders natuurlijk. Al die informatie. Archie vroeg zich af waarom. Hij tikte Samad op zijn schouder. Die zat recht voor hem, op de voorste bank van de bovenverdieping. Samad draaide zich om, keek naar het kaartje dat hem werd voorgehouden, luisterde naar de vraag en wierp Archie een verstoorde blik toe.

'Wat is het, precíes, dat je wilt weten?'

Hij zag er een beetje prikkelbaar uit. Iedereen was enigszins prikkelbaar op het moment. Er was die middag een beetje geruzie geweest. Neena had geëist dat ze allemaal naar dat muisgedoe zouden gaan, aangezien Irie erbij betrokken was en Magid erbij betrokken was en ze op zijn minst daarheen konden gaan en de familie steunen want wat ze er ook van mochten vinden er was een heleboel werk in gaan zitten en jonge mensen hebben waardering van hun ouders nodig en zij zou erheen gaan ook als zij niet gingen en het was een nogal bedroevende toestand als je eigen familie niet kwam opdagen op je grote dag en… nou, het was maar doorgegaan. En toen de emotionele toestanden. Irie barstte in tranen uit (Wat was er met Irie aan de hand? Ze was steeds een beetje huilerig tegenwoordig), Clara beschuldigde Neena van emotionele chantage, Alsana zei dat ze zou gaan als Samad ging, en Samad zei dat hij oudejaarsavond al achttien jaar bij O'Connells had doorgebracht en niet van plan was daar nu mee op te houden. Archie, van zijn kant, zei dat hij wel gek zou zijn om de hele avond naar die oplichterij te gaan luisteren – dat hij liever in zijn eentje op een stille heuvel zou zitten. Ze hadden allemaal raar naar hem gekeken toen hij dat zei. Ze konden dan ook niet weten dat hij de profetische raad volgde die hij de dag tevoren van Ibelgaufts had gekregen:

28 december 1992

Mijn beste Archibald,

't Is de tijd van het jaar om vrolijk te zijn... zo wordt beweerd, maar vanuit mijn raam zie ik slechts onrust. Op dit moment voeren zes katten, hongerig naar territorium, oorlog in mijn tuin. Niet langer tevreden met hun najaarsgewoonte hun territoriumpjes te doordrenken van urine, heeft de winter een fanatiekere aandrang in hen losgemaakt... het komt nu aan op klauwen en rondvliegende haren... het gejammer houdt mij de hele nacht wakker! Ik denk eigenlijk dat mijn eigen kat, Gabriël, het juiste idee heeft: hij zit boven op mijn schuur en heeft zijn aanspraken op zijn grond opgegeven in ruil voor een rustig leven.

Maar uiteindelijk schreef Alsana de wet voor. Archie en de anderen zouden gaan, of ze dat nu aanstond of niet. En het stond ze niet aan. Dus namen ze nu de halve bus in beslag in hun pogingen apart te zitten. Clara achter Alsana die achter Archie zat die achter Samad zat die op de bank naast die van Neena zat. Irie zat naast Archie, maar alleen omdat er geen ruimte over was.

'Ik zei alleen... je weet wel,' zei Archie, in een eerste poging tot een gesprek sinds ze Willesden hadden verlaten om de ijzige stilte te doorbreken. 'Het is heel interessant, de hoeveelheid informatie die ze tegenwoordig op de buskaartjes zetten. Vergeleken met, je weet wel, vroeger. Ik vroeg me alleen af waarom. Het is heel interessant.'

'Ik moet eerlijk zijn, Archibald,' zei Samad met een grimas. 'Ik vind het uiterst oninteressant. Ik vind het dodelijk saai.'

'O, juist,' zei Archie. 'Gelijk heb je.'

De bus maakte een van die overhellende bochten waarbij je het gevoel hebt dat het lichtste zuchtje adem hem onderuit kan halen.

'Eh... dus je weet niet waarom...'

'Nee, Jones, ik heb geen goede vrienden bij de busgarage noch enige vertrouwelijke informatie over de vooruitstrevende beslissingen die ongetwijfeld dagelijks worden genomen bij het Londense vervoerbedrijf. Maar als je mij naar mijn ongefundeerde gissing vraagt, dan denk ik dat het deel uitmaakt van een of ander gigantisch bewakingsproces dat van overheidswege wordt uitgevoerd om de gangen van ene Archibald Jones na te gaan en aldus op elke dag en elk ogenblik op de hoogte te zijn van waar hij zich bevindt en wat hij doet...'

'Jezus,' viel Neena hem geïrriteerd in de rede, 'waarom moet je hem zo afbekken?'

'Neem me niet kwalijk! Ik was me er niet van bewust dat jij en ik, Neena, een gesprek voerden.'

'Hij vroeg alleen maar iets en dan moet jij zo etterig reageren. Ik bedoel, je bekt hem al een halve eeuw af. Is het niet genoeg geweest? Waarom laat je hem niet met rust?'

'Neena Begum, ik zweer je, als je me vandaag nog één keer vertelt wat ik moet doen, scheur ik persoonlijk je tong uit je mond en draag hem als een stropdas.'

'Rustig, Sam,' zei Archie, van streek door de opschudding die hij ongewild had veroorzaakt. 'Ik wilde alleen...'

'Waag het niet mijn nichtje te bedreigen,' kwam Alsana ertussen, van verderop in de bus. 'Waag het niet je op haar af te reageren, alleen omdat je liever aan je bonen en patat zit' – *Ah*! (dacht Archie weemoedig) *Bonen en patat*! – 'dan dat je gaat kijken hoe je eigen zoon feitelijk iets bereikt en...'

'Alsof jíj zo enthousiast was,' zei Clara, die ook een duit in het zakje deed. 'Weet je, Alsi, je bent altijd heel handig in het vergeten van wat er twee minuten geleden is gebeurd.'

'En dat van de vrouw die met Archibald Jones leeft!' zei Samad spottend. 'Mag ik je eraan herinneren dat mensen in glazen huizen...'

'Nee, Samad,' protesteerde Clara. 'Haal het niet in je hoofd om tegen míj te beginnen. Jij bent degene die echt niet wilde gaan... maar jij houdt je nooit aan een beslissing, hè? Altijd een beetje aan het rond-Pandyen. Archie is tenminste, nou, je weet wel...' hakkelde Clara, niet gewend haar man te verdedigen en niet zeker van het benodigde woord. 'Hij neemt tenminste een beslissing en houdt zich eraan. Archie is in elk geval *consequent*.'

'O zeker, ja,' zei Alsana bijtend. 'Op dezelfde manier als een stéén consequent is, op dezelfde manier als mijn dierbare *babba* consequent is om de doodeenvoudige reden dat ze begraven onder de grond ligt...'

'O, hou toch je kop,' zei Irie.

Alsana was een ogenblik met stomheid geslagen, maar toen kwam ze de schok te boven en vond ze haar tong terug. 'Irie Jones, jij hebt me niet...'

'Ja, dat heb ik wél,' zei Irie, die een heel rood gezicht kreeg. 'Ja, nou je het zegt, dat heb ik wél. Hou toch je kop! Hou toch je kop, Alsana. En dat geldt voor jullie allemaal. Oké? Hou gewoon je kop! Voor het geval jullie het niet gemerkt hebben, er zitten hier, eh, nog andere mensen in de bus, en geloof het of niet, maar niet iedereen in het universum wil naar jullie luisteren. Dus hou 'm dicht. Toe maar. Probeer het. *Stilte. Ah*.' Ze stak haar handen in de lucht alsof ze de rust wilde aanraken die ze had gecreëerd. 'Is dit niet geweldig? Wisten jullie dat andere gezinnen zo zijn? Ze zijn rustig! Vraag het maar aan een van de mensen die hier zitten. Ze zullen het jullie vertellen. Ze hebben gezinnen. *Sommige gezinnen zijn altijd zo*. En sommige mensen noemen zulke gezinnen onderdrukt of emotioneel onderontwikkeld of weet ik veel wat, maar weten jullie wat ík zeg?'

De families Iqbal en Jones, die samen met de rest van de bus (zelfs de raggameisjes die op weg waren naar een oudejaarsfeest in Brixton) sprakeloos waren van verbazing, hadden geen antwoord.

'Ik zeg, *wat een mazzelkonten*. Wat een verdomde *mazzelkonten*.'

'Irie Jones!' riep Clara. 'Let op je woorden!' Maar Irie was niet te stuiten.

'Wat een vreedzaam bestaan. Wat een vreugde moet hun leven zijn! Ze doen een deur open en het enige wat erachter zit is een badkamer of een zitkamer. Alleen maar neutrale ruimtes. En niet dat eindeloze doolhof van kamers van nu en kamers van vroeger en de dingen die er ooit in zijn gezegd en alle ouwe rotzooi van iedereen. Ze maken niet steeds opnieuw dezelfde fouten. Ze horen niet steeds opnieuw dezelfde ouwe rotzooi. Ze maken geen publieke vertoning van hun levensangst in een openbaar vervoermiddel. Echt, zulke mensen bestaan. Ik zeg jullie: de grootste trauma's in hun leven zijn dingen als nieuwe vloerbedekking. Rekeningen betalen. Een hek repareren. Het kan ze niet schelen wat hun kinderen doen zolang ze maar redelijk, je weet wel, gezónd zijn. Gelúkkig zijn. En ze voeren niet elke klotedag dat enorme gevecht tussen wie ze zijn en wie ze zouden moeten zijn, wie ze waren en wie ze zullen worden. Toe maar, vraag het ze. En ze zullen het jullie vertellen. Geen moskee. Misschien een beetje kerk. Amper zonde. Een heleboel vergeving. Geen zolders. Geen rotzooi op zolders. Geen verborgen geheimen. Geen overgrootvaders. Ik wed twintig piek, nú, dat Samad de enige in deze bus is die verdomme de binnenbeenmaat van zijn overgrootvader kent. En weten jullie waarom ze dat niet weten? *Omdat het geen reet uitmaakt.* Wat hen betreft is dat het verleden! Zo gaat het in andere gezinnen. Ze zwelgen niet in zelfmedelijden. Ze lopen niet te genieten, te geníeten van het feit dat ze ten enenmale disfunctioneel zijn. Ze zijn niet voortdurend op zoek naar manieren om hun leven nog ingewikkelder te maken. Ze leven gewoon. Wat een bofkonten. Wat een geluksvogels.'

De enorme adrenalinestroom die voortkwam uit deze eigenaardige uitbarsting golfde door Iries lichaam, versnelde haar hartslag tot een galop, en prikkelde de zenuwuiteinden van haar ongeboren kind, want Irie was acht weken zwanger en ze wist het. Wat ze niet wist, en wat ze, zoals ze besefte, misschien nooit zou weten (het moment waarop ze de spookachtige pastelblauwe streepjes op de zwangerschapstest zag verschijnen, als het gezicht van de madonna in de courgette van een Italiaanse huisvrouw), was de identiteit van de vader. Geen test op aarde zou haar dat vertellen. Hetzelfde dikke zwarte haar. Dezelfde fonkelende ogen. Dezelfde gewoonte om op het uiteinde van pennen te kauwen. Dezelfde schoenmaat. Hetzelfde desoxyribonucleïnezuur. Ze kon niet weten welke beslissing haar lichaam had genomen, welke keuze het had gemaakt, in de race naar de eicel, tussen de geredden en niet-geredden. Ze kon niet weten of de keuze enig verschil had gemaakt. Want welke broer het ook was, het was ook de andere. Ze zou het nooit weten.

Aanvankelijk had dit feit Irie onuitsprekelijk droevig geleken; instinctief romantiseerde ze de biologische feiten, voegde er haar eigen valse syllogisme aan toe: als het niet iemands kind was, kon het dan zijn dat het niemands kind was? Ze dacht aan die ingewikkelde landkaarten die je uit Joshua's oude sf-boeken kon vouwen, zijn Fantastische Avonturen. Zo kwam haar kind op haar over. Een perfect ontworpen ding zonder echte coördinaten. Een kaart voor een denkbeeldig vaderland. Maar toen, na huilen en heen en weer benen en er steeds maar weer over piekeren, dacht ze: wat maakt het uit, weet je? Wat maakt het uit! Het zou altijd zo zijn gegaan, niet precies zo, maar zo betrokken als dit. Het waren tenslotte de Iqbals waar we het over hadden. Het waren de Joneses. Hoe had ze ooit iets anders kunnen verwachten?

En zo kalmeerde ze zichzelf, legde haar hand op haar bonzende borst en haalde diep adem toen de bus het plein naderde en de duiven rondvlogen. Ze zou het een van hen vertellen en niet de ander; ze zou beslissen wie; ze zou het vanavond doen.

'Gaat het, meid?' vroeg Archie haar, nadat er een lange stilte was gevallen, en hij legde zijn grote roze hand, bezaaid met levervlekken als verfspatten, op haar knie. 'Je hebt heel wat op je hart, hè.'

'Ja, pap. Niets aan de hand.'

Archie glimlachte tegen haar en stopte een losse haarpluk achter haar oor.

'Pap.'

'Ja?'

'Over de buskaartjes?'

'Ja?'

'Er wordt verteld dat ze het hebben gedaan omdat zo veel mensen minder voor hun reis betalen dan ze zouden moeten doen. De afgelopen jaren hebben de busondernemingen met steeds grotere tekorten gedraaid. Je ziet dat erop staat *Bewaren voor controle*? Dat is omdat ze zo kunnen controleren. Alle gegevens staan erop, dus je kunt de boel niet flessen.'

En vroeger dan, vroeg Archie zich af, was het alleen maar dat minder mensen de zaak toen bedrogen? Waren ze eerlijker, en lieten ze hun voordeur open, lieten ze hun kinderen bij de buren, gingen ze op visite, hadden ze een rekening bij de slager? Het gekke van oud worden in een land is dat mensen dat altijd van je willen horen. Ze willen horen dat het ooit echt een groen en prettig land was. Ze hebben het nodig. Archie vroeg zich af of zijn dochter het nodig had. Ze keek hem een beetje vreemd aan. Haar mond omlaag gebogen, haar ogen bijna smekend. Maar wat kon hij tegen haar zeggen? Oudejaarsavonden komen en gaan, maar alle goede voornemens ter wereld kunnen het feit niet veranderen dat er kerels zijn die niet deugen. Er waren altijd genoeg kerels die niet deugen.

'Toen ik klein was,' zei Irie zachtjes, terwijl ze op de knop drukte voor hun halte, 'dacht ik altijd dat het kleine alibi's waren. Buskaartjes. Ik bedoel, kijk: de tijd staat erop. De datum. De plaats. En als ik voor de rechter moest verschijnen, en ik me moest verdedigen, en bewijzen dat ik niet was waar ze zeiden dat ik was en gedaan had wat ze zeiden dat ik gedaan had wanneer ze zeiden dat ik het gedaan had, dan had ik een van die kaartjes te voorschijn gehaald.'

Archie zweeg, en Irie, die ervan uitging dat het gesprek beëindigd was, was verbaasd toen haar vader een paar minuten later, nadat ze zich door de vrolijke oudejaarsavondmenigte hadden geworsteld, en toeristen die doelloos rondhingen, terwijl ze de trap van het Perret Instituut opliepen, zei: 'Jeetje, daar heb ik nooit aan gedacht. Ik zal het onthouden. Want je weet maar nooit, hè? Dat is toch zo? Nou. Wat een idee. Je zou ze eigenlijk van de straat moeten oprapen, denk ik. Gewoon in een pot stoppen. Een alibi voor elke gelegenheid.'

En al deze mensen begeven zich naar dezelfde ruimte. De laatste ruimte. Een grote ruimte, een van de vele in het Perret Instituut; een afzonderlijke ruimte van de tentoonstelling, maar toch de Tentoonstellingsruimte genoemd; een gemeenschappelijke ruimte, een schone lei; wit/chroom/zuiver/onversierd (dit was het ontwerpconcept) gebruikt voor bijeenkomsten van mensen die elkaar aan het eind van de twintigste eeuw op neutraal terrein willen ontmoeten; een virtuele ruimte waar hun zaken (of dit nu van een nieuwe merknaam voorzien, of lingerie van een nieuwe merknaam voorzien of lingerie betrof) in een leegte kunnen worden gedaan, een onbesmette holte; het logische eindpunt van duizend jaar van te volle en bloedige ruimtes. Deze is afgestroopt, gesteriliseerd, elke dag opnieuw door het werk van een Nigeriaanse schoonmaakster met een industriële Hoover en 's nachts bewaakt door meneer De Winter, een Poolse nachtwaker (zo noemt hij zichzelf – zijn functieomschrijving is Beveiligingscoördinator Bedrijfsmiddelen); te zien is hoe hij de ruimte beschermt, hoe hij langs de grenzen van de ruimte loopt met een walkman op die Poolse volksdeuntjes speelt; je kunt hem zien, je kunt hét zien door een enorm glazen front als je voorbijloopt – de enorme oppervlakken van beschermde leegte en een bord met de prijzen per vierkante meter van deze vierkante meters van ruimte van ruimte van ruimte langer dan ze breed is en hoog genoeg om er van top tot teen drie Archies in te laten passen en minstens een halve Alsana en vanavond zijn er (ze zullen er morgen niet zijn) twee enorme bijpassende posters, glad als behang, aan twee tegenoverliggende zijden van de ruimte met de tekst WETENSCHAPPELIJKE MILLENNIUMCOMMISSIE in een grote diversiteit van lettertypen variërend van het bewust archaïsche van viking tot het moderne van IMPACT met de bedoeling een indruk te geven van duizend jaar belettering (dit was het concept), en dat alles in de afwisselende kleuren grijs, lichtblauw en donkergroen want uit onderzoek is gebleken dat mensen deze kleuren associëren met 'wetenschap en technologie' (purper en rood verwijzen naar de kunsten, koningsblauw duidt op kwaliteit en/of goedgekeurde waren), want gelukkig kunnen mensen na jaren van bedrijfssynesthesie (*salt & vinegar*-blauw, *cheese & onion*-groen) eindelijk de benodigde antwoorden geven wanneer een ruimte wordt ontworpen of wanneer iets van een nieuwe merknaam wordt voorzien, een ruimte/meubels/Groot-Brittannië (dat was het concept: een nieuwe Britse ruimte, een ruimte voor Groot-Brittannië, Britsheid, ruimte van Groot-Brittannië, Britse industriële ruimte culturele ruimte ruimte); ze weten wat het betekent wanneer hun wordt gevraagd welk gevoel mat chroom ze geeft, en ze weten wat bedoeld wordt met nationale identiteit? symbolen? schilderijen? kaarten? muziek? airconditioning? glimlachende zwarte kinderen of glimlachende Chinese kinderen of [kruis aan]? wereldmuziek? glad of pool? plavuizen of planken? planten? stromend water?

Ze weten wat ze willen, vooral degenen die deze eeuw hebben geleefd, van de ene ruimte naar de andere gedreven zoals meneer De Winter (geboren Wojciech),

van een nieuwe naam, een nieuw merk voorzien, het antwoord op elke vragenlijst
niets niets ruimte alsjeblieft alleen ruimte niets alsjeblieft niets ruimte

20

VAN MUIZEN EN MEMORIE

Het is net als op de tv! En dat is het allergrootste compliment dat Archie maar kan bedenken voor een echte gebeurtenis. Alleen is dit net als op de tv, maar beter. Het is heel modérn. Het is zo goed ontworpen dat je er haast niet in wilt ádemen, laat staan een scheet laten. Om te beginnen die stoelen, plastic maar zonder poten, gebogen als een 's'; ze lijken te werken door middel van hun eigen vouw, en ze passen in elkaar, ongeveer tweehonderd ervan in tien rijen; en ze voegen zich naar je lichaam wanneer je in ze zit – zacht maar ondersteunend! *Comfy*! Modern! En dat vouwen, dat moet je wel bewonderen, denkt Archie, terwijl hij zich op zo'n stoel laat zakken, een veel hoger niveau van vouwen dan waar hij ooit bij betrokken is geweest. *Heel aardig.*

Wat het ook veel beter maakt dan tv is dat het vol is met mensen die Archie kent. Daar is Millboid achterin (de raddraaier), met Abdul-Jimmy en Abdul-Colin; Josh Chalfen meer naar het midden, en Magid zit voorin met die vrouw van Chalfen (Alsana wil niet naar haar kijken, maar Archie zwaait toch want het is zo lomp om het niet te doen), en tegenover hen allemaal (dicht bij Archie – Archie heeft de beste plaats in de zaal) zit Marcus aan een lange tafel, net als op de tv, met overal microfoons, als een zwerm, de grote zwarte achterlijven van dodelijke bijen. Marcus zit naast vier andere kerels, drie van zijn leeftijd en één echte ouwe kerel, die er uitgedroogd uitziet – gedehydreerd, als dat het woord is. En ze hebben stuk voor stuk een bril op, zoals wetenschappers dat hebben op tv. Maar geen witte jassen. Allemaal heel informeel: pullovers, stropdassen, instappers. *Een beetje teleurstellend.*

Nou heeft hij heel wat van die persspektakels gezien, Archie (huilende ouders, vermist kind, of, andersom, als het een buitenlands-weeskindscenario was, huilend kind, vermiste ouders), maar dit is stúkken beter want in het midden van de tafel is iets heel interessants (wat je meestal niet op de tv krijgt, alleen de huilende mensen): een muis. Nogal een gewone muis, bruin, en zonder andere muizen, maar hij is heel actief en dribbelt rond in die glazen kist die ongeveer zo groot is als een televisie met luchtgaten. Archie was eerst een beetje bezorgd toen hij hem zag (zeven jaar in een glazen kist!), maar dat blijkt tijdelijk te zijn, alleen voor de foto's. Irie had uitgelegd dat er iets heel groots voor hem is in het instituut, vol buizen en geheime plaatsen, ruimte op ruimte, zodat hij zich niet te erg gaat vervelen, en daar zal hij later naar toe worden gebracht. Dus dat zit wel goed. Hij ziet er ook een beetje uit als een sluw baasje, die muis. Het lijkt steeds alsof hij gezichten trekt. Je vergeet gewoon hoe alert muizen eruitzien. Ontzettend gedoe om voor te zorgen natuurlijk. Daarom heeft hij er nooit een voor Irie gekocht toen ze klein was. Goudvissen zijn schoner – en hebben een korter geheugen. In Archies ervaring loopt alles met een lang geheugen met een grief rond, en een huisdier met grieven (die keer heb je me het verkeerde eten gegeven; die keer heb je me in bad gestopt) is nou net niet wat je wilt.

'O, daar heb je helemaal gelijk in,' zegt Abdul-Mickey instemmend, terwijl hij, geen enkele eerbied tonend voor de pootloze stoel, op de plaats naast Archie neerploft. 'Je wilt toch verdomme niet met een rancuneus knaagdier worden opgezadeld.'

Archie glimlacht. Mickey is zo'n soort vent waar je mee naar het voetbal wilt kijken, of naar cricket, of als je een straatgevecht ziet wil je dat hij erbij is, want hij is een soort levenscommentator. Een soort filosoof. Hij is nogal gefrustreerd in zijn dagelijks bestaan omdat hij niet veel kans krijgt die kant van zichzelf te laten zien. Maar haal hem uit zijn schort en weg van het fornuis, geef hem ruimte om te manoeuvreren en hij raakt helemaal op dreef. Archie heeft een heleboel tijd voor Mickey. Een heleboel tijd.

'Wanneer gaan ze nou eindelijk beginnen?' zegt hij tegen Archie. 'Ze nemen er de tijd voor, hè? Je kan toch niet de hele avond naar zo'n verrekte muis zitten kijken. Ik bedoel, je haalt al die mensen hierheen op oudejaarsavond, dan wil je toch wel een beetje vertier.'

'Ja, nou,' zegt Archie, die het er niet helemaal mee oneens maar ook niet helemaal mee eens is, 'ik denk dat ze hun aantekeningen moeten doornemen en zo... Het is nou niet alsof je even opstaat en een paar gillers vertelt, niet? Ik bedoel, het is hier toch niet de bedoeling om iedereen steeds maar aangenaam bezig te houden, niet? Het is *wetenschap*.' Archie zegt 'wetenschap' op dezelfde manier als hij 'modern' zegt, alsof iemand hem de woorden heeft geleend en hem heeft laten zweren dat hij ze niet zal breken. 'Wetenschap,' herhaalt Archie, nu wat resoluter, 'is andere koek.'

Mickey knikt hierop, ernstig nadenkend over deze bewering in een poging te beslissen hoeveel gewicht hij dit tegenargument, *wetenschap*, met al zijn betekenissen van deskundigheid en hogere niveaus, van gedachtewerelden die Mickey noch Archie ooit heeft bezocht, zou moeten toekennen (antwoord: geen), hoeveel waarde hij het zou moeten geven in het licht van deze betekenissen (antwoord: geen flikker. Universiteit van het leven, hè?), en hoeveel seconden hij zou moeten wachten voordat hij het helemaal onderuit haalt (antwoord: drie).

'Integendeel, Archibald, integendeel. Dat is een loos argument. Dat is een bekende fout. Wetenschap is helemaal niks anders dan wat anders, hè? Ik bedoel, als puntje bij paaltje komt willen de mensen toch vermaakt worden, als je begrijpt wat ik bedoel?'

Archie knikt. Hij weet wat Mickey bedoelt. (Sommige mensen, Samad bijvoorbeeld, zullen tegen je zeggen dat je geen vertrouwen moet hebben in mensen die de uitdrukking *als puntje bij paaltje komt* nogal vaak gebruiken – voetbalmanagers, makelaars, vertegenwoordigers – maar Archie heeft het nooit zo gezien. Zorgvuldig gebruik van voornoemde uitdrukking wist hem er altijd van te overtuigen dat zijn gesprekspartner bij de essentie van de dingen kwam, bij de fundamentele zaken.)

'En als jij denkt dat er een verschil is tussen een tent als deze en mijn cafetaria,' vervolgt Mickey, op de een of andere manier sonoor en toch nooit boven gefluister uitstijgend in termen van decibellen, 'dan kan je nog lachen. 't Is uiteindelijk allemaal hetzelfde. Het gaat uiteindelijk allemaal om de klant. *Exempli gratia*, verdomme: ik schiet er niks mee op om *Canard à l'orange* op het menu te zetten als niemand het wil. *Vis-à-vis*, het heeft geen zin als die kerels daar een heleboel geld spenderen aan wat slimme ideeën als ze er niemand een plezier mee doen. *Denk daar maar eens over na*,' zegt Mickey op zijn slaap tikkend, en Archie volgt de opdracht naar beste kunnen.

'Maar dat betekent nog niet dat je het verdomme geen kans geeft,' vervolgt Mickey, die steeds warmer loopt voor zijn onderwerp. 'Je moet die nieuwe ideeën een káns geven. Anders ben je alleen maar een bekrompen barbaar, Arch. Nou, als puntje bij paaltje komt, dan ben ik altijd een behoorlijk kiene gozer geweest, dat weet je. Daarom heb ik twee jaar geleden de stoofpot geïntroduceerd.'

Archie knikt ernstig. De stoofpot was een soort openbaring geweest.

'Hier geldt hetzelfde. Je moet die dingen een kans geven. Dat heb ik tegen Abdul-Colin en m'n Jimmy gezegd. Ik zei: voordat je overhaaste conclusies trekt, moet je meegaan en het een kans geven. En ze zijn er.' Abdul-Mickey gooide zijn hoofd achterover, een venijnige ruk van erkenning in de richting van zijn broer en zoon, die op dezelfde manier reageerden. 'Het kan natuurlijk zijn dat het ze niet bevalt wat ze te horen krijgen, maar daar kun je geen rekening mee houden, niet-waar? Maar ze zijn in elk geval niet bevóóroordeeld. Persoonlijk ben ik hier op uitnodiging van die Magid Ick-Ball... en ik vertrouw hem, ik vertrouw op zijn oordeel. Maar, zoals ik zeg, we wachten af. Je bent verdomme nooit te oud om te leren, Archibald,' zegt Mickey, niet om beledigend te zijn maar omdat de krachtterm voor hem als opvulling dient; hij kan het niet helpen, het is gewoon iets wat vult, als bonen of erwten. 'Je bent verdomme nooit te oud om te leren. En ik kan je wel zeggen, als iets wat hier vanavond wordt gezegd mij ervan overtuigt dat mijn Jimmy verdomme geen koters hoeft te krijgen met een huid als het maanoppervlak, dan ben ik bekeerd, Arch. Ik zeg je. Ik heb verdomme niet het flauwste benul wat een of andere muis te maken kan hebben met die ouwe Yusuf-huid, maar ik zeg je, ik leg mijn leven in de handen van die jongen Ick-Ball. Ik heb gewoon een goed gevoel bij die knul. Vergeleken met hem is die broer geen knip voor z'n neus waard,' voegt Mickey er sluw aan toe, waarbij hij zijn stem dempt omdat Sam achter hen zit. 'Geen knip voor z'n neus. Ik bedoel, hoe heb ie het in zijn hoofd gehaald, verdomme? Ik weet wel welke ik had weggestuurd. Reken maar.'

Archie haalt zijn schouders op. 'Het was een moeilijke beslissing.'

Mickey slaat zijn armen over elkaar en zegt spottend: 'Bestaat niet, makker. Je hebt *gelijk* of je hebt *geen gelijk*. En zodra je dat doorhebt, Arch, wordt je leven ineens een verrekte stuk gemakkelijker. Geloof me.'

Archie neemt Mickeys woorden met dankbaarheid in ontvangst en voegt ze toe aan de andere wijsheden die de eeuw hem heeft verschaft: *Je hebt gelijk of je hebt geen gelijk. De gouden eeuw van de lunchbonnen is voorbij. Eerlijk is eerlijk. Kruis of munt?*

'Hallo, zie ik het goed?' zegt Mickey met een grijns. 'Daar gaan we. Beweging. Microfoon in actie. Een-twee, een-twee. 't Ziet ernaar uit dat de heren beginnen.'

❦

'... en dit werk is pionierswerk, iets wat overheidsgeld en publieke aandacht verdient, en het is werk waarvan de betekenis, voor elk redelijk denkend mens, de bezwaren overstijgt die ertegen zijn ingebracht. Wat we nodig hebben...'

Wat we nódig hebben, denkt Joshua, zijn plaatsen meer naar voren. Typisch kloterige planning van de kant van Crispin. Crispin had om plaatsen in het midden gevraagd, zodat FATE min of meer kon opgaan in de menigte en de bivakmutsen op het laatste moment kon opzetten, maar het was duidelijk een waardeloos idee dat gebaseerd was geweest op een of ander middenpad tussen de stoelen, dat er dus niet is. Nu zullen ze een onhandige tocht naar de zijpaden moeten maken, als terroristen op zoek naar hun plaatsen in de bioscoop, de hele operatie vertragend, terwijl snelheid en verrassingstactieken het hele verdomde punt zijn. Wat een vertoning. Josh is het hele plan zat. Zo ingewikkeld en absurd, helemaal bedacht ter meerdere eer en glorie van Crispin. Crispin mag een beetje schreeuwen, Crispin mag wat met zijn wapen zwaaien, Crispin doet wat aan pseudo-Jack-Nicholson-psychopathische tics alleen voor het dramatische effect. FANTASTISCH. Het enige wat Josh mag zeggen is *Vader, alsjeblieft. Geef ze wat ze willen*, hoewel hij er voor zichzelf van uitgaat dat er wel wat ruimte is voor improvisatie: *Vader, alsjeblieft. Ik ben nog zo jong. Ik wil leven. Geef ze in godsnaam wat ze willen. Het is maar een muis... Ik ben je zoon*, en dan mogelijk een zogenaamd flauwvallen als reactie op een zogenaamde mep met het pistool als zijn vader blijkt te aarzelen. Het hele plan zit zo vol gaten dat het een gigantisch Stilton-gehalte heeft. Het zal werken (had Crispin gezegd), zoiets werkt altijd. Maar Crispin heeft zo veel tijd in het dierenrijk doorgebracht, dat hij iets van Mowgli heeft: hij weet niets van de motivaties van mensen. Hij weet meer van de psychologie van een das dan hij ooit zal weten van het gemoedsleven van een Chalfen. En nu hij Marcus daar ziet zitten met zijn schitterende muis, de grote prestatie van zijn leven en misschien van *deze generatie* vierend, kan Joshua niet voorkomen dat zijn eigen dwarse hersenen zich afvragen of het mogelijk is dat Crispin en FATE en hij de zaak volkomen verkeerd hebben beoordeeld. Dat ze er op een grandioze manier naast zitten. Dat ze de kracht hebben onderschat van het

Chalfenisme en de opmerkelijke verplichting daarvan aan het rationele. Want het is heel goed mogelijk dat zijn vader niet, als de rest van het plebs, eenvoudigweg en zonder er ook maar over te hoeven nadenken datgene zal redden wat hij liefheeft. Het is heel goed mogelijk dat liefde er niet eens een rol bij speelt. En de gedachte daaraan is voldoende om bij Joshua een glimlach op te wekken.

❦

'... en ik wil jullie allemaal bedanken, vooral familie en vrienden die hun oudejaarsavond hebben opgeofferd... ik wil jullie allemaal bedanken voor jullie aanwezigheid hier bij de aanvang van wat, ik denk dat iedereen het daarmee eens zal zijn, een bijzonder opwindend project is, niet alleen voor mijzelf en de andere wetenschappers maar voor een veel breder...'

Marcus begint en Millat ziet hoe de broeders van KEVIN blikken uitwisselen. Ze geven hem ongeveer tien minuten. Misschien een kwartier. Ze wachten op een teken van Abdul-Colin. Ze volgen instructies. Millat, aan de andere kant, volgt geen instructies, in elk geval niet het soort instructies dat van mond tot mond wordt doorgegeven of op stukken papier wordt geschreven. De zijne is een in de genen opgeslagen bevel, en het koude staal in zijn binnenzak is het antwoord op een beroep dat al lang geleden op hem is gedaan. Diep vanbinnen is hij een Pandy. En er is opstandigheid in zijn bloed.

Wat de praktische kant betreft, het was niet echt ingewikkeld geweest: twee telefoontjes naar een paar jongens van zijn oude club, een stilzwijgende overeenkomst, wat geld van KEVIN, een reisje naar Brixton en hocus-pocus daar had hij hem in zijn hand, zwaarder dan hij had verwacht, maar, afgezien daarvan, niet zo'n imponerend ding. Hij herkénde het bijna. Het effect ervan deed hem denken aan dat van een kleine autobom, die hij jaren geleden had zien ontploffen in het Ierse deel van Kilburn. Hij was nog maar negen en liep daar met Samad. Maar terwijl Samad geschrokken was, echt geschrokken, had Millat nauwelijks met zijn ogen geknipperd. Voor Millat was het zo vertróuwd! Hij was er zo onáángedaan onder gebleven. Want er zijn geen vreemde voorwerpen of gebeurtenissen meer, zoals er ook geen heilige voorwerpen of gebeurtenissen meer zijn. Het is allemaal zo vertrouwd. Het is allemaal op de tv. Dus het koude metaal in zijn handen, het tegen zijn huid voelen die eerste keer: het was gemakkelijk. En als dingen je zo gemakkelijk afgaan, als dingen moeiteloos op hun plaats vallen, is het zo verleidelijk om het L-woord te gebruiken. Lot. Wat voor Millat een grootheid is die veel weg heeft van tv: een niet te stoppen verhaal, geschreven, geproduceerd en geregisseerd door iemand anders.

Natuurlijk, nu hij hier is, nu hij stoned is en báng, en het niet zo gemakkelijk lijkt, en de rechterkant van zijn jasje aanvoelt alsof iemand er verdomme een tekenfilmaambeeld in heeft gestopt – nu ziet hij het grote verschuil tussen tv en leven, en het raakt hem recht in zijn kruis. Consequenties. Maar alleen al dit dénken betekent naar de films kijken voor een referentiekader (want hij is niet als Samad of Mangal Pande; hij is nooit in een oorlog geweest, hij heeft nooit actie gezien, hij beschikt niet over analogieën of anekdotes), betekent je Pacino herinneren in de eerste *Godfather*, ineengedoken op de wc van het restaurant (zoals Pande ineengedoken zat in de barak), een ogenblik nadenkend over wat het betekent om uit het mannentoilet te stormen en die twee kerels aan de geruite tafel helemaal aan flarden te schieten. En Millat herinnert het zich. Hij herinnert zich hoe hij die scène in de loop der jaren talloze malen heeft teruggespoeld, stilgezet en beeld voor beeld weer afspeelde. Hij herinnert zich dat Pacino – hoe lang je ook pauzeert, de fractie van een seconde dat hij nadenkt, hoe vaak je de twijfel die over zijn gezicht lijkt te trekken ook terugspeelt – nooit iets anders doet dan hij altijd al zou gaan doen.

'... en als we bedenken dat de betekenis voor de mens van deze technologie... die, naar mijn overtuiging, de gelijke zal blijken van de ontdekkingen in deze eeuw op het gebied van de fysica: relativiteit, quantummechanica... als we nadenken over de keuzes die ze mogelijk maakt... niet tussen een blauw oog en een bruin oog, maar tussen ogen die blind zouden zijn en ogen die zouden zien...'

Maar Irie gelooft nu dat er dingen zijn die het menselijk oog niet kan waarnemen, met geen vergrootglas, verrekijker of microscoop. Ze kan het weten, ze heeft het geprobeerd. Ze heeft naar de een en dan naar de ander gekeken, de een en dan de ander – zo vaak dat ze niet meer op gezichten leken, alleen bruine doeken met vreemde uitsteeksels, als een woord dat je zo dikwijls herhaalt dat het elke betekenis verliest. Magid en Millat. Millat en Magid. Majlat. Milljid.

Ze heeft haar ongeboren kind gevraagd een teken te geven, maar niets. Er is een tekst uit Hortenses huis die steeds door haar hoofd ging: psalm 63 – *U zoek ik... Mijn ziel dorst naar u, mijn vlees smacht naar u...* Maar het vraagt te veel van haar. Het vereist van haar dat ze teruggaat, terug, terug naar de wortel, naar het fundamentele moment waarop een zaadcel een eicel ontmoette, een eicel een zaadcel ontmoette – zo vroeg in deze geschiedenis dat het niet kan worden getraceerd. Iries kind zal nooit precies in kaart kunnen worden gebracht, noch kan er met enige zekerheid over worden gesproken. Sommige geheimen zijn blijvend. In een visioen heeft Irie een tijd gezien, een tijd niet ver van nu, waarin wortels er niet meer toe doen omdat ze dat niet kunnen omdat ze dat niet moeten omdat ze te lang zijn en te kronkelig zijn en gewoon te verdomde diep begraven zijn. Ze kijkt ernaar uit.

'Het zal ons niet berouwen de smalle weg te gaan...'

Een paar minuten nu, onder het praatje van Marcus en het geklik van camera's, is een ander geluid (vooral Millat vangt het op), een zwak geluid van zingen, hoorbaar. Marcus doet zijn best het te negeren en door te gaan, maar het is zojuist aanzienlijk harder geworden. Hij laat nu pauzes tussen zijn woorden vallen om rond te kijken, maar het gezang komt duidelijk niet uit de zaal.

'Hij riep ons, de Getrouwe, en Hij ging zelf vooraan...'

'O god,' mompelt Clara, naar voren gebogen om in het oor van haar man te spreken. 'Het is Hortense! Het is Hortense! Archie, je moet er iets aan doen. Alsjeblieft! Het is voor jou het gemakkelijkst om uit je stoel te komen.'

Maar Archie vermaakt zich geweldig. Met het praatje van Marcus en Mickeys commentaar is het alsof hij naar twee tv's tegelijk zit te kijken. Zeer informatief.

'Vraag het aan Irie.'

'Dat kan niet. Ze zit te ver in de rij om eruit te komen. *Archie*,' gromt ze, terugvallend op een dreigend patois, 'je ken ze niet gewoon maar door de hele handel heen laten zingen!'

'Sam,' zegt Archie, en hij probeert zijn gefluister ver te laten dragen. 'Sam, ga jij. Je wilt hier niet eens zijn. Toe. Je kent Hortense. Zeg dat ze het een beetje zacht moet houden. Ik, eh, wil echt graag de rest horen, snap je. 't Is zo *informatief*.'

'Met alle plezier,' sist Samad, terwijl hij abrupt van zijn stoel opstaat en niet de moeite neemt zich te verontschuldigen wanneer hij stevig op Neena's tenen trapt. 'Het is niet nodig, denk ik, mijn plaats vrij te houden.'

Marcus, die nu op een kwart is van een gedetailleerde beschrijving van de zeven jaar van de muis, kijkt bij de verstoring op van zijn papieren en stopt om met de rest van de aanwezigen naar de verdwijnende figuur te kijken.

'Volgens mij heeft iemand zich gerealiseerd dat dit verhaal geen gelukkig einde heeft.'

Terwijl het publiek zachtjes lacht en weer tot stilte komt, port Mickey Archibald in zijn ribben. 'Kijk 's aan, dat begint erop te lijken,' zegt hij. 'Een beetje een grapje tussendoor... dat verlevendigt de zaak. In lekentermen, hè? Niet iedereen is verdomme naar Oxbridge geweest. Sommigen van ons zijn naar de...'

'Universiteit van het Leven geweest,' zegt Archie instemmend knikkend, want daar zijn ze allebei geweest, maar op verschillende momenten. 'Beter is er niet.'

Buiten: Samad voelt zijn vastberadenheid, sterk toen hij de deur achter zich dichtsloeg, zwakker worden wanneer hij de formidabele Getuigen-dames nadert, tien in totaal, stuk voor stuk woest bepruikt, staande op de trap en hamerend op hun slagwerk alsof ze er iets wezenlijkers uit willen slaan dan ritme. Ze zingen uit volle borst. Vijf beveiligingsmannen hebben hun nederlaag al toegegeven, en zelfs Ryan Topps lijkt lichtelijk van ontzag vervuld voor zijn vocale Frankenstein, want hij geeft er de voorkeur aan op enige afstand op de stoep te staan en exemplaren van de *Wachttoren* uit te delen aan de massa mensen die zich naar Soho begeeft.

'Krijg ik korting?' vraagt een dronken meisje terwijl ze de kitscherige afbeelding van de hemel op het omslag bekijkt en het blad toevoegt aan haar handjevol clubfolders voor oudejaarsavond. 'Is er een kledingvoorschrift?'

Met enige aarzeling tikt Samad de triangelspeelster op haar rugbyachtig voorovergebogen schouders. Hij probeert het volledige scala aan vocabulaire dat een Indiase man ter beschikking staat bij het aanspreken van potentieel gevaarlijke oudere Jamaicaanse vrouwen (*zouikalsjeblieftneemmenietkwalijkmisschienalsjeblieft* – je leert het bij bushaltes), maar de trommels gaan door, de kazoo fluit, de bekkens kletteren. De dames blijven met hun praktische schoenen in de vorst knerpen. En Hortense Bowden, te oud om rond te lopen, blijft op haar klapstoel zitten en staart resoluut naar de massa dansende mensen op Trafalgar Square. Ze heeft een bord tussen haar knieën waarop simpelweg staat:

DE TIJD IS NABIJ – Op. 1:3

'Mevrouw Bowden?' zegt Samad, naar voren stappend tijdens een pauze tussen twee verzen. 'Ik ben Samad Iqbal. Een vriend van Archibald Jones.'

Omdat Hortense hem niet aankijkt en geen enkel teken van herkenning toont, voelt Samad zich gedwongen dieper in te gaan op het ingewikkelde web van hun relaties. 'Mijn vrouw is een goede vriendin van uw dochter; mijn vrouws nicht ook. Mijn zoons zijn bevriend met uw...'

Hortense maakt een smakkend geluid. ''k Weet wie je bent, man. Jij ken mij, ik ken jou. Maar op dit ogenblik zijn er maar twee soorten mensen op de wereld.'

'We vroegen ons alleen af,' onderbreekt Samad, die een preek voelt aankomen en die in de kiem wil smoren, 'of u misschien wat zachter zou kunnen doen... alleen wat...'

Maar Hortense is hem al voor en verkondigt met gesloten ogen, de armen opgeheven, op de oude Jamaicaanse manier de waarheid. 'Twee soorten mensen: zij die zingen voor de Heer en zij die 'm afwijzen met gevaar voor hun ziel.'

Ze draait zich om. Ze staat op. Ze schudt furieus met haar bord in de richting van de dronken horde die als één man op en neer golft in de fonteinen van Trafalgar Square, en dan wordt ze gevraagd het nog eens te doen door een cynische persfotograaf met wat ruimte op pagina zes die nog ingevuld moet worden.

'Beetje hoger met het bord, schat,' zegt hij, de camera omhoog, één knie in de sneeuw. 'Kom op, boos worden, dát is het. Helemaal prima.'

De Getuigen-vrouwen verheffen hun stem, zenden gezang op naar het firmament. '*U zoek ik*,' zingt Hortense. '*Mijn ziel dorst naar u, mijn vlees smacht naar u in een dor en dorstig land, zonder water...*'

Samad bekijkt het allemaal en merkt tot zijn verbazing dat hij er niets voor voelt haar tot zwijgen te brengen. Deels doordat hij moe is. Deels doordat hij oud is. Maar grotendeels omdat hij, weliswaar in naam van een ander, hetzelfde zou doen. Hij weet wat het is om zoekende te zijn. Hij kent de dorheid. Hij heeft de dorst gevoeld die je krijgt in een vreemd land – afschuwelijk, hardnekkig – de dorst die je hele leven blijft.

Eerlijk is eerlijk, denkt hij, *eerlijk is eerlijk.*

❦

Binnen: 'Maar ik wacht nog steeds op wat hij over mijn huid gaat zeggen. Ik heb er nog niks over gehoord, jij wel, Arch?'

'Nee, nog niets. Ik denk dat hij een heleboel te behandelen heeft. Revolutionair, allemaal.'

'Ja, natuurlijk... maar je moet wel waar voor je geld krijgen.'

'Je hebt toch niet betaald voor je kaartje?'

'Nee. Nee, ik heb niet betaald. Maar ik heb wel verwáchtingen. Het principe is hetzelfde, niet? O, o, wacht even... ik meende zonet húid te horen...'

Mickey had huid gehoord. Papilloma's op de huid, kennelijk. Goed genoeg voor ruim vijf minuten. Archie begrijpt er geen woord van. Maar aan het eind ervan lijkt Mickey tevreden, alsof hij alle informatie heeft gekregen die hij nodig had.

'Mmm, daar was ik voor gekomen, Arch. Zeer interessant. Grote medische doorbraak. Wat een wonderdoeners, die dokters.'

'... en daarin,' zei Marcus, 'was hij essentieel en onmisbaar. Hij is niet alleen een persoonlijk inspiratie, maar hij heeft de basis gelegd voor zoveel van dit werk, in het bijzonder in zijn invloedrijke verhandeling, waarvan ik voor het eerst hoorde in...'

O, dat is aardig. De ouwe baas krijgt ook wat erkenning. En je ziet dat hij er heel erg mee in zijn schik is. Ziet er een beetje huilerig uit. Ik heb zijn naam niet gehoord. Maar goed, het is aardig niet alle eer voor jezelf op te eisen. Aan de andere kant hoef je ook niet te overdrijven. Als je Marcus zo hoort, heeft die ouwe kerel alles gedaan.

'Godsamme,' zegt Mickey, die hetzelfde denkt, 'wat een lofprijzingen, hè? Ik dacht dat je zei dat die Chalfen de echte grote meneer was.'

'Misschien zijn ze medeplichtigen,' suggereert Archie.

'... een envelop toegestopt toen het werk op dit gebied nauwelijks financiële ondersteuning kreeg en het in de sferen van sciencefiction leek te blijven. Alleen al om die reden is hij de inspirator, als u wilt, achter de onderzoeksgroep geweest, en is hij, als altijd, mijn mentor, een positie die hij nu al twintig jaar vervult...'

'Weet je wie mijn mentor is?' zegt Mickey, 'Mohammed Ali. Geen twijfel aan. Integer van houding, integer van geest, integer van lichaam. Fantastische vent. Formidabele vechter. En toen hij zei dat hij de grootste was, zei hij niet gewoon "de grootste".'

Archie zegt: 'Nee?'

'Nee, makker,' zegt Mickey plechtig. 'Hij zei dat hij *de grootste aller tijden* was. Verleden, heden, toekomst. Het was een arrogante rotzak, die Ali. Mijn mentor, beslist.'

Mentor... denkt Archie. Voor hem is Samad dat altijd geweest. Dat kun je niet tegen Mickey zeggen, dat is duidelijk. Het klinkt stom. Het klinkt raar. Maar het is de waarheid. Altijd Sammy. Door dik en dun. Zelfs als het einde van de wereld zou komen. In veertig jaar tijd geen beslissing genomen zonder hem. Goeie ouwe Sam. Sam de man.

'... dus als iemand het leeuwendeel van de erkenning verdient voor het wonder dat u voor u ziet, dan is het dr. Marc-Pierre Perret. Een opmerkelijk man en een zeer groot...'

Elk moment gebeurt twee keer: binnen en buiten, en het zijn twee verschillende verhalen. Archie herkent de naam, vaag, ergens vanbinnen, maar hij zit tegen die tijd al te draaien op zijn stoel om te kijken of Samad terugkomt. Hij ziet Samad niet. In plaats daarvan merkt hij Millat op, die er gek uitziet. Die er ontegenzeglijk raar uitziet. Eigenaardig eerder dan ha-ha. Hij zit lichtelijk te zwaaien op zijn stoel, en Archie kan zijn aandacht niet trekken voor zo'n blik van gaat-het-wel-makker want zijn ogen zijn ergens op gefixeerd en als Archie de baan van zijn starende blik volgt, kijkt hij plotseling naar net zoiets eigenaardigs: een oude man die tranen van trots huilt. Rode tranen. Tranen die Archie herkent.

Maar niet voordat Samad ze herkent: *kapitein Samad Miah*, die zojuist geluidloos door de moderne deur met zijn stille mechanisme is gestapt; *kapitein Samad Miah*, die een ogenblik stilstaat op de drempel, door zijn leesbril tuurt, en beseft dat hij vijftig jaar lang voorgelogen is door zijn enige vriend ter wereld. Dat de hoeksteen van hun vriendschap uit niets stevigers heeft bestaan dan schuim en zeepbellen. Dat er veel, veel meer achter Archibald Jones zit dan hij ooit had gedacht. Hij beseft het allemaal in één klap, als het hoogtepunt van een slechte hindimusical. En dan, met een zekere akelige vreugde, komt hij bij de fundamentele waarheid hiervan, de bewustwording: *dit incident alleen houdt ons ouwe jongens nog veertig jaar aan de gang*. Het is het verhaal dat alle andere verhalen overbodig maakt. Het is de gift die blijft geven.

'Archibald!' Hij wendt zich van de dokter naar zijn luitenant en laat een korte, harde, hysterische lach horen; hij voelt zich als een jonge bruid die met volledige herkenning naar haar bruidegom kijkt net op het moment waarop alles tussen hen is veranderd. 'Jij schijnheilige vervloekte vuile oplichter, *masa*, bhainchute, *shorabaicha*, *syut-morani*, *haraam jadda*...'

Samad vervalt tot het Bengaalse idioom, dat zo kleurrijk bevolkt wordt door leugenaars, zusterneukers, zoons en dochters van zwijnen, mensen die hun eigen moeder met de mond bevredigen...

Maar al voordat dit gebeurt, of op zijn minst gelijktijdig, terwijl het publiek toekijkt, verbijsterd door die oude bruine man die in een vreemde taal tegen die oude blanke man staat te schreeuwen, voelt Archie dat er iets anders gaande is, beweging in deze ruimte, mogelijke beweging door de hele ruimte (de Indiase kerels achterin, de jongeren die bij Josh zitten, Irie die van Millat naar Magid, van Magid naar Millat kijkt, als een scheidsrechter) en hij ziet dat Millat er het eerst zal zijn; en

Millat grijpt ergens naar zoals Pande; en Archie heeft tv gezien en hij heeft het echte leven gezien en hij weet wat zo'n gebaar betekent, dus gaat hij staan. Dus komt hij in beweging.

Dus als het pistool te voorschijn komt, is hij dáár, hij is daar zonder een muntje om hem te helpen, hij is daar voordat Samad hem kan tegenhouden, hij is daar zonder alibi, hij is daar tussen Millat Iqbals beslissing en zijn doelwit, als het moment tussen gedachte en spraak, als de in een fractie van een seconde plaatsvindende interventie van herinnering of spijt.

❦ ❦ ❦

Op een gegeven ogenblik hielden ze in het donker stil op het vlakke terrein en duwde Archie de dokter naar voren, zodat hij recht tegenover hem stond, waar hij hem kon zien.

'Blijf staan,' zei hij, toen de dokter onopzettelijk in het licht van de maan stapte. 'Blijf verdomme staan.'

Want hij wilde het kwaad zien, het pure kwaad; het moment van de grote herkenning, hij móest het zien – en dan zou hij kunnen doorgaan zoals afgesproken. Maar de dokter stond erg gebogen en zag er zwak uit. Zijn gezicht was bedekt met lichtrood bloed alsof de daad al was gepleegd. Archie had nooit een man zo ineengedoken, zo totaal verslagen gezien. Het nam hem een beetje de wind uit de zeilen. Hij kwam in de verleiding om te zeggen *Je ziet eruit zoals ik me voel*, want als er een belichaming was van zijn eigen knallende hoofdpijn, van de alcoholische misselijkheid die uit zijn buik omhoog steeg, dan stond die nu tegenover hem. Maar geen van beide mannen sprak; ze stonden daar alleen een tijdje, elkaar aankijkend over het geladen pistool. Archie had het gekke gevoel dat hij deze man kon vóuwen in plaats van doden. Opvouwen en in zijn zak stoppen.

'Luister, het spijt me,' zei Archie wanhopig na dertig lange seconden van stilte. 'De oorlog is voorbij. Persoonlijk heb ik niets tegen je... maar mijn vriend, Sam... nou, ik zit een beetje met een probleem. Dus zo zit het.'

De dokter knipperde een paar keer met zijn ogen en leek te vechten om zijn ademhaling onder controle te krijgen. Tussen lippen door die rood waren van zijn eigen bloed zei hij: 'Tijdens het lopen... zei je dat ik mocht smeken...?'

Zijn handen achter zijn hoofd houdend, maakte de dokter aanstalten om zich op zijn knieën te laten zakken, maar Archie schudde zijn hoofd en kreunde. 'Ik wéét wat ik gezegd heb... maar er is geen... ik kan maar beter gewoon...' zei Archie droevig terwijl hij het overhalen van de trekker en de terugslag van het pistool uitbeeldde. 'Denk je niet? Ik bedoel, gemakkelijker... alles bij elkaar?'

De dokter opende zijn mond alsof hij iets wilde zeggen, maar Archie schudde zijn hoofd weer. 'Ik heb dit nog nooit gedaan en ik ben een beetje... nou, bezopen, eerlijk gezegd... ik heb behoorlijk wat gedronken... en het zou niet helpen... jij zou daar staan praten en ik zou er waarschijnlijk geen touw aan vast kunnen knopen, weet je, dus...'

Archie bracht zijn armen omhoog tot ze recht op het voorhoofd van de dokter waren gericht, sloot zijn ogen en spande de haan.

De stem van de dokter schoot een octaaf omhoog. 'Een sigaret?'

En dat was het moment waarop het mis begon te gaan. Zoals het mis was gegaan voor Pande. Hij had die vent op datzelfde ogenblik moeten doodschieten. Waarschijnlijk. Maar in plaats daarvan opende hij zijn ogen en zag zijn slachtoffer als een menselijk wezen worstelen om een gehavend pakje sigaretten en een doosje lucifers uit zijn borstzakje te halen.

'Mag ik... alsjeblieft? Voordat...'

Archie liet alle adem die hij had verzameld om een man te doden door zijn neus ontsnappen. 'Ik kan geen nee zeggen op een laatste verzoek,' zei Archie, want hij had de films gezien. 'Ik heb een vuurtje, als je wilt.'

De dokter knikte. Archie streek een lucifer af en de dokter boog zich naar voren om op te steken.

'Nou, toe dan maar,' zei Archie; hij had een zinloze discussie nooit kunnen weerstaan. 'Als je iets te zeggen hebt, zeg het dan. Ik heb niet de hele nacht de tijd.'

'Ik mag praten? We gaan een gesprek voeren?'

'Ik zei niet dat we een gesprek gingen voeren,' zei Archie scherp. Want dat was een tactiek van filmnazi's (en Archie kon het weten; hij had de eerste vier jaar van de oorlog naar flikkerende filmnazi's gekeken in het Odeon in Brighton), ze proberen zich overal uit te praten. 'Ik zei dat jij ging praten en dan ging ik je doodschieten.'

'O ja, natuurlijk.'

De dokter gebruikte zijn mouw om zijn gezicht af te vegen en keek nieuwsgierig naar de jongen om na te gaan of hij serieus was. De jongen leek serieus.

'Goed dan... Als ik het mag zeggen...' De mond van de dokter hing open, wachtend tot Archie er een naam in zou leggen, maar die kwam niet. 'Luitenant... als ik het mag zeggen, luitenant, je lijkt me in iets van een... een... morele impasse te verkeren.'

Archie wist niet precies wat morele impasse betekende. Het deed hem denken aan het leger en kaarten, iets tussen motivatie en eenentwintigen. Niet wetend wat hij moest zeggen, zei hij wat hij altijd zei in deze situaties: 'Wat je zegt!'

'Eh... juist, ja!' zei dokter Ziek, die weer wat vertrouwen kreeg; hij was nog niet dood en er was al een hele minuut voorbijgegaan. 'Je lijkt me een *dilemma* te hebben. Aan de ene kant... geloof ik niet dat je me wilt vermoorden...'

Archie rechtte zijn schouders. 'Hé, luister, grapjas...'

'En aan de andere kant heb je je overijverige vriend beloofd dat je dat zult doen. Maar het is méér dan dat.'

De dokters bevende handen tikten onwillekeurig de as van zijn sigaret en Archie zag deze als grijze sneeuw op zijn laarzen vallen.

'Aan de ene kant heb je een verplichting aan... aan... je land en aan wat jij gelooft dat juist is. Aan de andere kant, ben ik een méns. Ik praat tegen je. Ik adem en ik bloed zoals jij. En jij weet niet, niet zeker, wat voor man ik ben. Je weet alleen wat je over me hebt gehoord. Dus ik begrijp je probleem.'

'Ik heb geen probleem. Jíj bent degene met het probleem, grapjas.'

'En toch, hoewel ik niet je vriend ben, heb je een verplichting aan mij omdat ik een mens ben. Volgens mij zit je gevangen tussen twee plichten. Volgens mij zit je in een zeer interessante situatie.'

Archie stapte naar voren en bracht de loop vijf centimeter van het voorhoofd van de dokter. 'Klaar?'

De dokter probeerde 'ja' te zeggen, maar er kwam alleen gestotter uit.

'Goed.'

'Wacht. Alsjeblieft! Ken je Sartre?'

Archie zuchtte geërgerd. 'Nee, nee, nee... we hebben geen gemeenschappelijke vrienden... dat weet ik omdat ik maar één vriend heb en die heet Ick-Ball. Luister, ik ga je doodschieten. Het spijt me maar...'

'Geen vriend. Een filosoof. Sartre. Monsieur J.P.'

'Wie?' zei Archie geïrriteerd, argwanend. 'Klinkt Frans.'

'Hij is een Fransman. Een groot Fransman. Ik heb een korte ontmoeting met hem gehad in '41, toen hij gevangen zat. Maar tijdens die ontmoeting legde hij een probleem voor dat, denk ik, overeenkomt met dat van jou.'

'Ga door,' zei Archie langzaam. Het punt was dat hij wel wat hulp kon gebruiken.

'Het probleem,' vervolgde dokter Ziek, proberend zijn hyperventilatie onder controle te houden en zo zwetend dat er twee kleine plasjes lagen in de holten onder aan zijn hals, 'is dat van een jonge Franse student die voor zijn zieke moeder in Parijs zou moeten zorgen maar tegelijkertijd naar Engeland zou moeten gaan om het Franse verzet te helpen tegen de nationaal-socialisten. Nu, eraan denkend dat er vele soorten zóu zijn... je zóu aan liefdadigheid moeten doen, bijvoorbeeld, maar dat doe je niet altijd; ideáál gezien doe je het, maar het is niet verplícht... daaraan denkend, wat zou hij moeten doen?'

Archie zei spottend: 'Dat is een verdomd stomme vraag. *Denk even goed na.*' Hij gebaarde met het pistool, bracht het van het gezicht van de dokter naar zijn eigen slaap en tikte ertegen. 'Als punt bij paaltje komt, zal hij doen wat belangrijker voor hem is. Hij houdt ofwel van zijn land of van zijn ouwe moeder.'

'Maar wat als beide mogelijkheden even belangrijk voor hem zijn? Ik bedoel land en "ouwe moeder". Wat als hij een verplichting heeft aan beide?'

Archie was niet onder de indruk. 'Nou, hij kan er maar beter één kiezen en daarmee bezig gaan.'

'De Fransman is het met je eens,' zei de dokter met een poging tot een glimlach. 'Als geen van beide verplichtingen terzijde kan worden geschoven, kies er dan één en, zoals jij zei, ga ermee bezig. De mens maakt zichzelf, tenslotte. En hij is verantwoordelijk voor wat hij maakt.'

'Zie je wel. Einde van de discussie.'

Archie zette zijn benen uit elkaar, verdeelde zijn gewicht – klaar om de terugslag op te vangen – en spande de haan opnieuw.

'Maar... maar... denk... alsjeblieft, mijn vriend... probeer te denken...' De dokter viel op zijn knieën en bracht een stofwolk in beweging die oprees en terugviel als een zucht.

'Sta op,' bracht Archie hijgend uit, ontzet over de stromen oogbloed, de hand op zijn been en toen nog de mond op zijn schoen. 'Alsjeblieft, het is niet nodig om...'

Maar de dokter greep de achterkant van Archies knieën. 'Denk na... alsjeblieft... er kan van alles gebeuren... misschien maak ik het nog goed in jouw ogen... of misschien maak je een vergissing en zal je beslissing je achtervolgen als die van Oedipus hem, afschuwelijk en verminkt! Je weet het niet zeker!'

Archie greep de dokter bij zijn magere arm, trok hem overeind en begon te schreeuwen. 'Luister, makker. Je hebt me van streek gemaakt. Ik ben geen waarzegger. Misschien komt morgen het einde van de wereld, weet ik veel. Maar dit moet ik nú doen. Sam wácht op me. Alsjeblieft,' zei Archie, want zijn hand beefde en zijn vastberadenheid liet hem in de steek, 'hou alsjeblieft op met praten. Ik ben geen waarzegger.'

Maar de dokter zakte weer in elkaar, als een duiveltje in een doosje. 'Nee... nee... we zijn geen waarzeggers. Ik had nooit kunnen voorspellen dat mijn leven nog eens in de handen van een kind zou liggen... Corinthiërs 1, hoofdstuk dertien, vers acht: *Maar profetieën, zij zullen afgedaan hebben; tongen, zij zullen verstommen; kennis, zij zal afgedaan hebben. Want onvolkomen is ons kennen en onvolkomen ons profeteren. Doch, als het volmaakte komt, zal het onvolkomene afgedaan hebben.* Maar wanneer zal het komen? Ik, voor mezelf, werd het moe te wachten. Het is zo verschrikkelijk slechts onvolkomen te kennen. Zo verschrikkelijk om geen volmaaktheid te hebben, menselijke volmaaktheid, wanneer die zo gemakkelijk bereikbaar is.' De dokter richtte zich op en strekte zijn handen uit naar Archie, net toen Archie achteruit deinsde. 'Als we maar moedig genoeg waren om de beslissingen te nemen die genomen moeten worden... tussen hen die het waard zijn gered te worden en de rest... Is het een misdaad om te willen...'

'Alsjeblieft, alsjeblíeft,' zei Archie, die beschaamd merkte dat hij huilde, geen rode tranen als die van de dokter, maar dik, doorschijnend en zoutig. 'Blijf staan. Hou alsjeblieft op met praten. Alsjeblieft!'

'En dan denk ik aan de verdorven Duitser, Friedrich. Stel je de wereld voor zonder begin of einde, knul.' Hij spuugde dit laatste woord uit, knul, en het was een dief die het machtsevenwicht tussen hen veranderde, die elk kracht stal die nog in Archie over was en deze verstrooide in de wind. 'Stel je voor, als je dat kunt, dat de gebeurtenissen in de wereld zich herhalen, eindeloos herhalen, zoals ze altijd hebben gedaan...'

'Blijf verdomme waar je bent!'

'Stel je deze oorlog steeds opnieuw voor, miljoenen keren...'

'Nee, bedankt,' zei Archie, stikkend in snot. 'De eerste keer was erg genoeg.'

'Het is geen serieus voorstel. Het is een test. Alleen zij die sterk genoeg zijn en welwillend genoeg tegenover het leven staan om het te rechtvaardigen... ook al zal het zich steeds blijven herhalen... kunnen de ergste duisternis verdragen. Ik zou de dingen die ik heb gedaan eindeloos herhaald kunnen zien. Ik ben een van hen die vertrouwen hebben. Maar jij bent niet een van hen.'

'Alsjeblieft, hou op met praten, alsjeblíeft, zodat ik...'

'De beslissing die je neemt, Archie,' zei dokter Ziek, een kennis verradend die hij van het begin af aan had gehad, de naam van de jongen, die hij bewaard had om in stelling te brengen op het moment waarop dit het meest effectief zou zijn. 'Zou jij het steeds herhaald kunnen zien, tot in de eeuwigheid? Zou je dat kunnen?'

'Ik heb een munt,' gilde Archie, schrééuwde hij van vreugde, want hij had het zich zojuist herinnerd. 'Ik heb een munt.'

Dokter Ziek leek in verwarring en hield zijn strompelende passen voorwaarts in.

'Ha! Ik heb een munt, rotzak. Ha! Dus krijg de klere!'

Toen nog een stap. Zijn handen naar voren gestrekt, handpalmen omhoog, onschuldig.

'Blijf staan. Blijf waar je bent. Goed. We gaan het volgende doen. Genoeg gepraat. Ik leg mijn pistool hier neer... langzaam... híer.'

Archie ging op zijn hurken zitten en legde het op de grond, grofweg tussen hen tweeën in. 'Zo weet je dat je me kunt vertrouwen. Ik hou me aan mijn woord. En nu ga ik deze munt opgooien. En als het kruis is, ga ik je doodschieten.'

'Maar...' zei dokter Ziek. En voor de eerste keer zag Archie iets als echte angst in zijn ogen, dezelfde angst die Archie zo door en door voelde dat hij nauwelijks kon praten.

'En als het munt is, doe ik het niet. Nee, ik wil er niet over praten. Ik ben niet zo'n denker, als puntje bij paaltje komt. Dat is het beste wat ik je te bieden heb. Goed, daar gaat ie.'

De munt steeg op en draaide zoals een munt elke keer zou opstijgen en draaien in een volmaakte wereld, vaak genoeg zijn lichte kant en dan zijn donkere kant onthullend om een man te betoveren. Toen, op een bepaald punt in zijn triomfantelijke klim, begon hij een boog te beschrijven, en de boog ging verkeerd, en Archibald besefte dat de munt niet naar hem terugkwam maar achter hem verdween, een heel eind achter hem, en hij draaide zich om en zag hem op de grond vallen. Hij bukte zich om hem op te rapen toen er een schot klonk, en hij voelde een schroeiende pijn in zijn rechter bovenbeen. Hij keek omlaag. Bloed. De kogel was er recht doorheen gegaan en had het bot net gemist, maar een stuk van het slaghoedje diep in zijn vlees achtergelaten. De pijn was ondraaglijk en tegelijk vreemd afstandelijk. Archie draaide zich om en zag dokter Ziek; hij stond half gebogen, het pistool hing zwakjes in zijn rechterhand.

'Godallemachtig, waarom heb je dat gedaan?' zei Archie razend terwijl hij het wapen van de dokter afpakte, gemakkelijk en met kracht. 'Het is munt. Kijk. Munt. Het was munt.'

❦

En daar is Archie dus, in de baan van de kogel, op het punt iets ongewoons te doen, zelfs voor de televisie: dezelfde man voor de tweede keer redden, met niet meer zin of reden dan de eerste keer. En het is een bloederig gedoe, dat redden van mensen. Iedereen in de zaal ziet met ontzetting hoe hij in zijn been wordt geraakt, recht in zijn dij, met enig melodrama om zijn as tolt en dwars door de glazen kist van de muis valt. Glasscherven door de hele tent. Wat een voorstelling. Als het televisie was, zou je nu ongeveer de saxofoon horen inzetten; de aftiteling zou rollen.

Maar eerst het eindspel. Want wat je daar ook van denkt, het moet gespeeld worden, zelfs als – zoals de onafhankelijkheid van India of Jamaica, als het tekenen van vredesakkoorden of het afmeren van passagiersboten – het einde gewoon het begin is van een nog langer verhaal. Dezelfde doelgroep die de kleur had gekozen voor deze ruimte, het tapijt, de lettersoort voor de affiches, de hoogte van de tafel, zou zonder enige twijfel het hokje aankruisen dat verzoekt al deze dingen tot het einde toe gespeeld te zien worden... en er is beslist een demografisch patroon te vinden bij al diegenen die de verklaringen van de ooggetuigen willen zien die Magid net zo vaak aanwezen als Millat, de verwarrende verslagen, de videoband van het niet meewerkende slachtoffer en de families, een rechtszaak die zo onmogelijk was dat de rechter het opgaf en beide tweelingbroers veroordeelde tot vierhonderd uur taakstraf, die ze, uiteraard, uitdienden als tuiniers in het nieuwe project van Joyce, een gigantisch millenniumpark aan de oever van de Theems...

En zijn het jonge carrièrevrouwen in de leeftijd van achttien tot tweeëndertig jaar die graag een kiekje willen van Irie, Joshua en Hortense zeven jaar later, zittend aan een Caribische zee (want Irie en Joshua worden uiteindelijk geliefden; je kunt je lot niet eindeloos ontlopen), terwijl het vaderloze dochtertje van Irie toegenegen ansichtkaarten schrijft aan *Slechte oom Millat* en *Goede oom Magid* en zich zo vrij voelt als Pinokkio, een marionet losgesneden van de vaderlijke touwtjes? En zou het zo kunnen zijn dat het grotendeels de criminele klasse en de ouderen zijn die een wedje willen maken op de winnaar van een partijtje eenentwintigen dat gespeeld wordt door Alsana en Samad, Archie en Clara, bij O'Connells, op 31 december 1999, die historische avond waarop Abdul-Mickey eindelijk zijn deuren opende voor vrouwen?

Maar zeker, zulke sterke verhalen vertellen en andere als deze zou de mythe verspreiden, de boosaardige leugen, dat het verleden altijd voorbij is en de toekomst voltooid. En zoals Archie weet, is het niet zo. Het is nooit zo geweest.

Maar het zou een interessante studie zijn (hoe is uw beslissing) om het heden te onderzoeken en de toeschouwers in twee groepen te verdelen: zij wier blik op een bloedende man viel, ineengezakt over een tafel, en zij die de ontsnapping gadesloegen van een kleine bruine rebelse muis. Archie, in ieder geval, keek naar de muis. Hij zag hem een ogenblik heel stil staan, met een zelfvoldane uitdrukking alsof hij niets anders had verwacht. Hij zag hem wegdribbelen, over zijn hand. Hij zag hem wegstuiven over de tafel en door de handen van degenen die hem wilden grijpen. Hij zag hem van het uiteinde springen en verdwijnen in een ventilatiekanaal. *Zet 'm op, jongen*! dacht Archie.

WOORD VAN DANK

Mijn dank gaat uit naar Lisa en Joshua Appignanesi, die het samen hebben klaargespeeld mij een eigen kamer te bezorgen toen ik die hard nodig had. Ook ben ik dank verschuldigd aan Tristan Hughes en Yvonne Bailey-Smith, die twee gelukkige huizen ter beschikking stelden voor dit boek en zijn auteur. Ook ben ik de volgende mensen zeer erkentelijk voor hun slimme ideeën en scherpe ogen: Paul Hilder, vriend en klankbord; Nicholas Laird, mede-idiot savant, Donna Poppy, in alles nauwgezet; Simon Prosser, een zo oordeelkundig redacteur als je maar kunt wensen, en ten slotte mijn agente, Georgia Garrett, aan wie niets ontgaat.

VERANTWOORDING

De sonnetten van Shakespeare zijn vertaald door W. van Elden.

INHOUD